HET VOLK VAN DE WOLF

Van W. Michael Gear & Kathleen O'Neal Gear verschenen bij Meulenhoff-*M:

Het volk van de wolf
Het volk van het vuur
Het volk van de aarde

In voorbereiding:
Het volk van de rivier
Het volk van de zee

W. MICHAEL GEAR &
KATHLEEN O'NEAL GEAR

HET VOLK VAN DE WOLF

MEULENHOFF-M

Vijfde druk oktober 1993

Vertaling Ruud Bal
Omslagillustratie Nico Keulers

ISBN 90 290 4093 9

Inleiding

De pick-up bokte en steigerde terwijl hij over het met dor struikgewas begroeide terrein hotste. Wolken rood stof wervelden op vanonder de brede terreinbanden. Met grommende motor beklom de wagen een geërodeerd terras en reed slingerend en zwaaiend verder door blauwgroene alsemstruiken in de richting van de geelgeschilderde graafwerktuigen die aan de voet van de heuvel aan de andere kant van de vlakte stonden geparkeerd.

De bestuurder bracht de bestelauto tot stilstand te midden van de zoete geur van geplette alsem, vermengd met een vleugje bitter loogzout. Twee tractors, een sleuvengraafmachine en een handvol pick-ups stonden te wachten, met afgezette motor. Enkel het onophoudelijke suizen van de wind wedijverde met het gemurmel van menselijke stemmen.

De bestuurder liet het portier openspringen en stapte uit. Hij spande zijn rugspieren en rekte zich uit na de lange rit. Hoofden doken op uit de sleuf van de pijpleiding. De gele helmen staken fel af tegen de aarden wallen.

'Ben je er eindelijk?' Een voorman klauterde uit de sleuf. 'Dat werd tijd! Dat gegraaf van jullie archeologen kost me handenvol geld! Deze pijpleiding moet vóór tien december gelegd zijn, en iedere dag uitstel betekent voor de firma een verlies van tienduizend dollar.'

De bestuurder schudde de voorman de hand en knikte. 'Tja. Nou, laten we maar eens gaan kijken wat er aan de hand is. In een oud rivierdal als dit valt normaal gesproken niet veel te vinden. Bovendien moet dit terras, gezien de geomorfologie, ongeveer vijftienduizend jaar oud zijn; dat is het einde van het Pleistoceen. Waar jullie op gestoten zijn, is waarschijnlijk van latere datum. Misschien is het een kolonist die hier begraven is, wie weet?'

Ze liepen samen tussen de knoestige alsemstruiken door naar de greppel en bleven op de rand staan, kijkend naar de plek waar de deklaag door de graafmachine was verwijderd. Een zeef stond tegen een kegelvormige hoop aarde.

'Dr. Cogs?' Een jonge, gebruinde vrouw keek naar hen op.

'Hallo, Anne, wat heb je gevonden?' De bestuurder sprong de greppel in.

De jonge vrouw wierp een zelfvoldane blik op de tractorbestuurders en constructiewerkers terwijl ze gebaarde naar een met zwart plastic afgedekt gedeelte van de greppel.

'Er ligt er maar eentje begraven, dr. Cogs.' Ze haalde een hand over haar smoezelige gezicht. 'Ik hield het graafwerk hier in de gaten, en ik dacht dat het ontzettend saai zou worden. Toen verscheen er in de omgewoelde aarde achter de graafmachine plotseling het onderste gedeelte van een spaakbeen en ellepijp. Ik heb de graafwerkzaamheden onmiddellijk stop laten zetten.'

'Intrusie?' vroeg hij, met een blik op de voorman, die met een strak gezicht zijn armen over elkaar sloeg.

'Zeker weten van niet. Ze was hier en is later bedekt. Eh, er zijn een aantal kiezellagen in hetzelfde stratum waarin zij ligt. Ik vermoed dat ze bij een overstroming is verdronken en hier is achtergelaten.'

'Op een terras uit het Pleistoceen?' vroeg hij terwijl hij een hand uitstak naar het plastic.

Annes ernstige antwoord waarschuwde hem. 'Dat klopt. Kijk maar.'

Bijgestaan door Anne verwijderde Cogs het zwarte plastic van de plek waar de opgraving was gedaan. Hij staarde zwijgend naar het skelet. Aan het bekken zag hij dat het een vrouw was geweest. Ze was gestorven met een arm uitgestrekt. Op de plek waar de schop van de graafmachine de arm doormidden had gesneden, glansden de breukvlakken gelig wit.

Hij boog zich over de schedel. 'Oud. Nog maar een paar tanden in haar mond – en dat zijn dan nog snijtanden ook. Van de schedelnaden is bijna geen spoor meer te zien. Ergens achter in de zestig, zou ik zeggen. Op zijn minst. Waarschijnlijk ouder.

Moet je die artritis in haar ruggegraat zien! Ze moet hebben verrekt van de pijn.'

Hij haalde een troffel uit zijn munitiekist en pookte ermee in de kiezelrijke afzettingen waarin het skelet lag. Hij kauwde op zijn lip en knikte. 'Ja, ik ben het met je eens.' Hij keek omhoog naar de jonge archeologe. 'Verdronken tijdens een overstroming? Waarom ook niet? Dat verklaart waarom het bewaard is gebleven.'

'Paleo-Indiaanse graven zijn zeldzaam,' bracht Anne hem in herinnering.

'En in formaties die zo oud zijn als deze is er nog nooit een gevonden. Ik vraag me af...' Hij begon te graven rond de ribbenkast. De troffel rinkelde tegen de kiezelstenen.

'Ik wilde niet dieper graven,' zei Anne. 'Gezien de ouderdom van de afzettingen, dacht ik... Wat is dat?'

Cogs verwijderde met de punt van de troffel een laagje versteend bezinksel, waardoor iets oranjeroods blootkwam. 'Nog artefacten gevonden?'

'Een gedeelte van een schelp, sterk verweerd. Zou afkomstig kunnen zijn van een oester of mossel. Ik kan niet zegen of het bij het skelet hoort.' Ze boog zich voorover terwijl hij een verfkwast pakte en de losgewerkte aarde wegveegde. Een lange pijlpunt van bloedrood jaspis kwam te voorschijn.

'Jezus!' zei hij zacht. 'Kijk nou eens!'

'Wat is het?' De voorman en de andere arbeiders verdrongen elkaar om een blik op het voorwerp te kunnen werpen.

'Clovis!' fluisterde Anne. 'Een echt Clovisgraf.' Ze begon met haar eigen troffel te graven en bracht een tweede pijlpunt aan het licht. 'Prachtig handwerk. Moet je deze zien, rood dooraderde gele hoornkiezel. Schitterend!'

'Dat is een van de kenmerken van Clovis.' Hij bestudeerde de pijlpunt terwijl haar geoefende handen het artefact blootlegde. 'Ongelooflijk steenwerk.'

Ze knikte verrukt. 'Dit is de mooiste pijlpunt die ik ooit heb gezien.'

Cogs fronste zijn voorhoofd. 'En ze waren in het bezit van een oude vrouw? Zegt wel iets over de sociale structuur. Ze moet een soort leider zijn geweest. Na de vondst van de pijlpunten in Oregon is het natuurlijk –'

'Hé, duurt het nog lang? We moeten verder met die pijpleiding,' zei de voorman. 'Wat is Clovis?'

'Dat zijn de eerste Amerikanen. De oudste beschaving in Noord-Amerika.' Hij wiste zich het voorhoofd terwijl hij naar het skelet staarde. 'Geen mens heeft ooit eerder een graf als dit gevonden.'

'Dat zooitje ouwe botten kost me dus tien ruggen per dag? Ik ga hierover een brief schrijven naar de regering, verdomd als het niet waar is. Ik laat me niet –'

'Maak je niet dik, die pijpleiding ligt er op tijd in,' zei Cogs nors.

'O ja?' De scherpte was uit de stem van de man verdwenen. Hij duwde zijn helm naar achteren.

De archeoloog knikte. 'We zullen hier en daar nog wat graven om te zien of er nog meer is. Maar ik denk dat dit het enige skelet is. De sporen van de overstroming zijn duidelijk zichtbaar.' Hij schudde zijn hoofd. 'Moet je die rechtervoet zien! Zie je die woekeringen van het bot? Die enkel is gebroken geweest – jaren voor ze stierf. Het moet ontzettend veel pijn hebben gedaan om daar op te lopen. Die enkel is nooit gezet.'

De voorman keek aandachtig. 'Ja, dat ziet er niet best uit. Hoe lang zijn jullie nog bezig met dat verdomde gegraaf?'

'Een paar dagen.'

'Ik vraag me af wie ze was…'

Proloog

Vuur knetterde in de beschutte spleet in het gesteente en vonken wervelden opwaarts. De ruwe rotswand boven het vuur was bedekt met een dikke, fluwelige laag roet. Langs de wanden van de grot lagen wilgetakken en dikke bundels gedroogd gras opgestapeld als bescherming tegen de kou die optrok uit de stenen vloer. Twee kariboehuiden, donker van roet en rook, zorgden ervoor dat de ijskoude vlagen van Vrouw Wind niet in de spleten van het gesteente kon doordringen. In een kring rond het vuur lagen de gebleekte schedels van Grootvader Witte Beer, Kariboe, Wolf en Witte Vos, starend naar het flakkerende licht met lege oogkassen. Op het witte bot waren vreemde, kleurrijke tekens aangebracht – symbolen van sjamanistische Macht.

De vrouw leunde vermoeid voorover en lange slierten dik zwart haar vielen over haar gezicht. Het haar had een blauwachtige glans in de gloed van het vuur. Met een teder gebaar streelde ze het verweerde graniet onder haar voeten. In nissen en spleten lagen fetisjen, gewikkeld in wilgebast die donker was van de rook van heilige vuren.

'Ik ben er nog steeds...' prevelde ze. 'Ik wacht. Je dacht toch niet dat ik ervandoor was?'

Toen er geen antwoord kwam liet Reiger zich met een geërgerd gemompel tegen de kille stenen wand zakken. Haar kleding bestond uit dierevellen die zorgvuldig op maat gesneden en aan elkaar genaaid waren. Het warme bruin van het leer was versierd met tekens, eens felgekleurd maar nu verschoten. Ze staarde in het hart van het vuur en zong zacht, terwijl ze met haar handen oeroude machtssymbolen in de lucht voor haar tekende. Ze pakte een handvol gedroogde wilgebast en doopte deze in een leren waterzak die aan een driepoot rechts van haar hing. Ze schudde het overtollige water uit de bast en wierp hem op het vuur. Wolken stoom vlogen omhoog en het hout siste. Ze herhaalde de procedure viermaal. Warme, vochtige stoom kolkte omhoog naar het luchtgat hoog boven haar.

'Ja,' fluisterde ze terwijl haar ogen voorbij de oranjegekleurde wanden van de grot keken, 'ik heb je roep gehoord. Ik zal je vinden.'

Ze hurkte neer bij het vuur en sloot haar ogen. De tijd had haar legendarische schoonheid nauwelijks aangetast. Ze ademde viermaal diep in door haar rechte neus. Vrede en rust vulden haar als ochtendmist de valleien. De scherpe geur van smeulende wilgebast drong haar neusgaten binnen.

Vier dagen had ze gevast, zingend, badend in het warme water dat uit de aarde omhoogborrelde, waarna ze dampend in de kou buiten de grot was gaan zitten. Ze had gezongen en gebeden en haar lichaam gezuiverd van de kwade gevolgen van slechte gedachten en verkeerde handelingen.

Maar nog steeds was er geen visioen in de wolken stoom verschenen.

'Dit werkt niet,' kreunde ze. 'Ik kan beter wat anders proberen.'

Ze aarzelde. Ze voelde de lokroep, maar hij maakte haar bang. Langzaam ademde ze in en uit terwijl ze naar de bundel van vosseleer staarde. 'Ja,' fluisterde ze, 'ik vrees je macht. Macht is kennis... en dood.' Haar roze tong gleed over haar gebruinde lippen.

Weer klonk de lokroep en plukte zacht aan haar ziel. Reiger nam een besluit.

Met trillende vingers pakte ze een tweede bundel van gelooid vosseleer die naast haar lag en maakte hem open. Er lagen vier dunne reepjes van de kostbare paddestoel in. Ze haalde ieder stukje viermaal door de warme rook van de wilgebast, één keer voor elk van de vier windrichtingen. Oost voor de komst van de Lange Duisternis. Noord voor de diepte van de Lange Duisternis. West voor de hergeboorte van de wereld. En ten slotte zuid voor het Lange Licht en het leven dat dit bracht.

Zingend voerde ze haar ziel naar de Ene, er zorgvuldig voor

wakend dat ze uit de buurt bleef van het niets dat aan de andere kant lag, verlokkend en angstaanjagend.

Een voor een zuiverde ze de stukjes paddestoel, bracht ze naar haar mond en kauwde langzaam. De bittere smaak brandde op haar tong. Ze slikte en leunde achterover, met haar palmen op haar knieën.

De rook van het vuur kolkte als mist die aan kwam drijven vanuit het grote zoute water. Schimmige beelden draaiden, kronkelden en flakkerden in een wervelende dans.

Reiger kneep haar oude bruine ogen tot spleetjes en tuurde in de nevels. Minuten verstreken terwijl ze bleef staren, haar voorhoofd gefronst door de inspanning.

'Wie...'

Een beeld begon zich te vormen in de mist: omkrullende golven die met geweld uiteensloegen tegen steile zwarte rotswanden. Schuim spatte hoog op naar de grijze lucht. Langs de vloedlijn zat een ineengehurkte vrouw die geen acht sloeg op het geweld van de golven. Met een stok wrikte ze mossels los van de rotsen en stopte ze in een leren zak. Boven haar cirkelden en doken zeemeeuwen. De vrouw deed een paar stappen opzij om een golf te ontwijken. Een krab, opgeschrikt door haar bewegingen, schoot weg. De vrouw sprong er achteraan met een lenigheid die haar jeugd verraadde, dreef de krab in een hoek en porde het dier met haar stok tot ze het met een behendige beweging greep en in haar zak liet vallen.

Achter een hoge zwarte rots hield een man zich schuil en keek naar haar. Toen de vrouw verder liep langs het water, haar zak vullend met de gaven van de zee, volgde hij haar.

Rond zijn middel was een riem van dikke mammoethuid gebonden. Zijn neus was smal en gebogen als de snavel van een arend, en zijn ogen waren als glanzende zwarte kolen. Over zijn schouders hing een mantel van witte vossepelzen. Reiger voelde, door het visioen heen, de zinderende kracht van zijn ziel. Dit was een man met Macht, met visioenen. 'Hij Droomt – zelfs op dit moment,' fluisterde ze.

Intense emoties deden de beelden flikkeren: pijn, het verlies van een geliefde, een verlangen uit het diepst van zijn ziel. Zijn verdriet wekte bij Reiger de herinnering aan haar eigen pijn, en ze reikte naar hem. Er knapte iets, en het geluid plantte zich voort langs de omtrekken van het visioen, ritselend als dorre bladeren. Een gevoel van splijting en scheuring zwol aan. Ontzet door wat ze gedaan had, trok Reiger zich terug.

De vrouw op het strand bleef staan, haar hoofd schuin, haar zwarte haar wapperend in de wind. Plotseling draaide ze zich om, als een haas die de blik van een vos op zich gericht weet. De man kwam op haar af, een bezorgde blik op zijn gezicht, en zijn armen gespreid alsof hij haar wilde omhelzen. Het gezicht van de vrouw vertrok van angst. Ze deed een wanhopige poging om langs hem heen te glippen, maar hij maakte een schijnbeweging en greep haar beet. Hij lachte verrukt terwijl ze schreeuwde en hem sloeg met haar zwakke vuisten. Hij had de geharde spieren van een jager, en met speels gemak wierp hij haar neer en drukte haar handen tegen de grond.

'Vecht, meisje! *Verzet je tegen hem!*' krijste Reiger, haar handen tot vuisten ballend.

Voor de jager bestond alleen de Droom. Hij ontweek haar trappende benen en vocht met haar tot ze hijgend en huiverend van angst onder hem lag. Hij schoof haar parka omhoog over haar lange laarzen terwijl ze schreeuwde en kronkelde. De worsteling duurde niet lang; de vrouw was immers niet opgewassen tegen de kracht van de jager.

Reiger schudde haar hoofd terwijl hij de vrouw op het strand nam. Het visioen beefde door het wankelen van Macht.

Na zijn zaad te hebben gestort, stond de man op, een afwezige uitdrukking op zijn gezicht. Zijn vingers trilden toen hij de leren veters van zijn laarzen vastknoopte. Als bij toeval ontmoette zijn blik die van Reiger terwijl ze door de mist tuurde. Hij verstijfde en mompelde iets binnensmonds. Hij keek achterom naar de vrouw op het strand, en zijn gezicht vertrok van afschuw. Als verdoofd schudde hij zijn hoofd en deinsde achteruit.

Plotseling draaide hij zich weer om en staarde woedend in Reigers ogen. Hij hief een gebalde vuist, en zijn knappe gezicht vertrok toen hij een smartelijke kreet slaakte. Tranen stroomden over zijn wangen. Toen rende hij weg, met lange passen, springend over rotsen en stenen. Zijn kreet weerkaatste hol en trilde na in de mist.

De mist kolkte en het visioen vervaagde.

De lokroep klonk opnieuw, luider nu, dringender. Reiger wreef met een eeltige hand over haar gezicht, 'Hij was het niet. Nee... helemaal niet. Wie dan? Wie?'

Ze wierp weer een handvol wilgebast op de gloeiende houtskool en volgde de lokroep op het pad naar de Ene.

Een tweede visioen begon zich te vormen in de kolkende stoom. De vrouw van het strand lag naakt op de grond. Ze was zwanger. Haar buik was dik en haar navel puilde uit. Rond haar zaten andere vrouwen; hun ogen glommen in het schijnsel van een vuur van berke- en wilgetakken. Het voorhoofd van de vrouw was klam van het vocht, en zweet druppelde tussen haar borsten door naar beneden en maakte donkere vlekken op de huid waarop ze lag. Ze kronkelde en spreidde haar benen. De andere vrouwen bogen zich voorover en keken aandachtig.

De vrouw hapte naar adem en slaakte een kreet toen de vliezen braken en het water de bruine huiden zwart kleurde. Een van de oudere vrouwen knikte. De bevalling verliep moeizaam. De baby kwam te voorschijn, rood, blauw, nat van het vocht van de baarmoeder. Een opvallend mooie vrouw bukte zich en beet de navelstreng door terwijl anderen het kind oppakten en het droogwreven met gras. Reigers hart kromp ineen toen ze de mooie vrouw herkende: *Gebroken Tak.* Ze balde haar vuisten en zond een vurig gebed tot Vader Zon, waarin ze hem smeekte haar vijand te vervloeken, zodat ze na haar dood begraven zou worden en haar ziel voor eeuwig onder de aarde gevangen zou zijn.

Reiger richtte haar aandacht weer op de baby. Een baan zonlicht die door een opening in het dak viel, speelde op het kind.

De vrouw, wier buik nog steeds gezwollen was, kronkelde weer. Ze schreeuwde en schopte met haar benen, en twee anderen pakten haar enkels beet en trokken. Een tweede baby kwam te voorschijn, met de voeten naar voren. Een oude vrouw hurkte neer bij de moeder, en de jonge vrouw gilde toen verweerde handen de opening wijder maakten en het kind betastten. De oude vrouw mompelde iets en schudde haar hoofd. Met een vertrokken gezicht pakte ze het kind beet en draaide het. De jonge vrouw gilde, hoog en hortend. Het kind kwam naar buiten in een golf van bloed.

'Te veel.' Reigers lippen vormden de woorden zonder geluid te maken. Ze kende de tekens. Er was van binnen iets gescheurd. Helder rood bloed stroomde over de baby toen het hoofdje uit de schede kwam. Het was een groot kind en hij begroette zijn nieuwe wereld met boos gekrijs, zonder acht te slaan op het bloed van zijn moeder, dat zijn tandeloze mond binnensijpelde.

'Slecht bloed...,' mompelde Reiger gespannen. In haar hart groeide de angst voor het leven van de vrouw.

Het bloed van de moeder doordrenkte de huiden en haar ademhaling werd zwakker, ondanks de genezende gezangen van de oude vrouwen. De koortsachtige gloed in haar ogen doofde, haar benen schopten een laatste keer en bleven slap liggen, en de kleur week uit haar gezicht.

Beide baby's waren jongens. Jagers voor het Volk. Zorgzame handen streelden het tweede kind en probeerden vergeefs het bloed en slijm van het lijfje te vegen. De navelstreng werd doorgebeten en het tweede kind werd naast het eerste gelegd. Van ergens boven zweefde een zwarte donsveer naar beneden en belandde naast het huilende kind. Hij greep de veer in zijn kleine vuistje en kneep hem woedend stuk.

Reiger bekeek de twee baby's aandachtig. De ene baby was met bloed bevlekt en huilde boos, zijn vingertjes geklemd om de zwarte raveveer. De andere baby wiebelde en spartelde in de baan zonlicht, zijn blik ongericht alsof hij verloren was in een Droom. Hij knipperde met zijn ogen en jammerde zachtjes, en eventjes leek het alsof zijn ogen gericht keken en door de mist van het visioen tuurden... naar haar.

'Was jij het? Heb jij me geroepen?' Reiger knikte en leunde

14

achterover. Haar tong gleed over de gaten in haar versleten gebit. 'Ja, je Droomt, kind, Ik zie Macht in je ogen. En nu ik je ken zal ik op je wachten.'

Het visioen loste op en werd door de rook naar boven gevoerd, door het rookgat naar buiten, waar het in de nacht verwaaide. Reiger balde haar handen tot vuisten, vechtend tegen de nawerking van de paddestoelen. Ze hees zich overeind en wankelde langs de kariboehuiden naar buiten toe. De nacht was zo koud dat ze op haar knieën viel. De penetrante zwavellucht van de warme bron drong haar neusgaten binnen. Ze boog zich voorover en braakte hevig.

De stemmen van de paddestoelen fluisterden in haar bloed; wulpse klanken die de kleur hadden van de dood. Ze vocht om de Ene te behouden, opdat de geest van de paddestoel haar aderen zou verlaten.

Ergens in de nacht huilde een wolf, luid en doordringend. Het geluid verweefde zich met haar visioen.

1

De Lange Duisternis duurde voort, zonder einde, en vrat aan hun ziel.

Vrouw Wind gierde over de bevroren sneeuwhopen en joeg ijskristallen de arctische nacht in. Ze wierp zich woedend tegen de tenten van mammoethuid van het Volk en deed de bevroren huiden klapperen boven het hoofd van degene die Rent In Licht werd genoemd.

Hij schrok wakker en luisterde naar het gehuil van de wind. Rondom hem lagen de anderen van het Volk ineengedoken in hun huiden, diep in slaap. Iemand snurkte zachtjes. Koud, zo koud... Hij huiverde en wenste dat ze vet hadden om in het vuur te verbranden, maar alle vet was op. Dit was zijn zeventiende Lange Duisternis. Hij was van nature al mager, maar door het gebrek aan eten was hij nu vel over been.

Zelfs de oude Gebroken Tak mompelde van tijd tot tijd dat ze nog nooit een winter als deze had meegemaakt.

Een zwak gejammer woei aan op de wind. Een of ander dier krabbelde naar etensresten die het Volk niet uit het ijs had kunnen hakken. Een wolf?

Hoop deed zijn hart bonzen terwijl Rent In Licht met vingers die stijf waren van de kou zijn atlatl streelden – de rijkbewerkte werpstok die de jagers gebruikten om hun spiesen met stenen punt te werpen. Hij wurmde zich onder de berijpte huiden uit, en de kou beet in zijn lichaam. Zachtjes stapte hij over de in huiden gewikkelde slapers. De stank was overweldigend. Maandenlang al verbleven ze hier op dezelfde plek, en zelfs buiten in de ijzige lucht was de stank te ruiken.

Ergens onder de huiden huilde de baby van Lachend Zonlicht van honger. Het geluid trof hem als een speer van pijn.

'Waar ben je, Vader Zon?' fluisterde hij. Zijn vingers omklemden de atlatl tot ze pijn deden. Hij kroop onder de voorhang door als een zeehond door een gat in het ijs. Vrouw Wind wierp zich op hem vanuit het duistere noordwesten en deed hem wankelen. Hij zocht steun tegen de tent en tuurde naar de lichtere duisternis in het zuiden. IJskristallen ritselden over de bevroren ijsvlakte.

Opnieuw hoorde hij de gedempte geluiden van de wolf, het krassen van klauwen die groeven naar iets dat begraven lag in het ijs.

Rent In Licht maakte een omtrekkende beweging in de lijzijde van een sneeuwhoop en hoopte dat Vrouw Wind ervoor zou zorgen dat zijn geur de scherpe neus van de wolf niet bereikte. Hij kroop op handen en voeten naar de top van de sneeuwhoop en gleed op zijn buik over de kam. De wolf, donker afstekend tegen de vuile sneeuw, worstelde om het lichaam van Vliegt Als Een Zeemeeuw uit het ijs te graven.

Hij boog zijn hoofd in verdriet.

Een week geleden had hij zijn moeder dood aangetroffen, bevroren in haar slaaphuiden. De echo's van haar verhalen zouden voor altijd rondzingen in zijn geest, evenals de herinnering aan de warmte van haar stem als ze hem de gebruiken van het volk leerde. Hij glimlachte droevig terwijl hij dacht aan de glans in haar ogen als ze de liederen van de grote Dromers zong: aan Reiger en Zonloper en andere legendarische helden van het Volk. Hoe zacht en teder was haar aanraking geweest als haar handen de huiden rond het koude gezicht van een jongere en gelukkiger Rent In Licht schikten.

Zijn ziel verkilde toen hij zich herinnerde hoe ze er in de dood had uitgezien – met een tandeloze grijns en met ogen die grijs bevroren waren.

Zovelen waren al gestorven.

De stamleden hadden haar lijk slechts tot hier gedragen omdat ze te zwak waren om verder te gaan. Hier was ze achtergelaten, met blinde ogen starend naar de hemel, en de stamleden hadden gebeden en gezongen zodat haar ziel kon opstijgen naar het Gezegende Sterrenvolk. Vrouw Wind had haar lijk bedekt met een zachte wade van sneeuw – tot de wolf kwam om aan haar bevroren vlees te knagen.

Hij voelde een sterke aandrang om met een woedende schreeuw op te staan en de wolf te verjagen, maar hij beheerste zich. Een wolf betekende voedsel.

Vader Zon liet hen in de steek, zodat de honger de jagers dwong andere jagers te besluipen. Wat hadden ze misdaan dat Hij hen zo strafte?

Rent In Licht haalde diep adem en richtte zich langzaam op zijn knieën op terwijl hij de afstand schatte.

De wolf hield op met krabben en zijn kop kwam omhoog, met gespitste oren.

Rent In Licht hield zich roerloos. Hij mat de wind en wachtte, hopend dat zijn door honger verzwakte ledematen hem ditmaal niet in de steek zouden laten.

De wolf snoof de wind op. Het dier was op zijn hoede.

Rent In Licht maakte zijn geest leeg en verlegde zijn blik van de wolf naar een ander punt. Hij wist uit eigen ervaring hoe het voelde om bekeken te worden, die subtiele prikkeling van ogen die op hem gevestigd waren. Hij ademde zacht en ontspande zich, bande de pijn van de honger uit zijn bewustzijn. Lange momenten verstreken. De achterdocht van de wolf verdween. Het dier liet zijn grijze kop zakken en begon weer aan het lijk te knagen.

Rent In Licht spande zijn spieren en wierp zijn spies met alle kracht die hij had. De Kracht waarmee hij de schacht geladen had, deed zijn werk, want het wapen trof de wolf net achter de ribben.

Het dier kefte en sprong met vier poten de lucht in. Toen het neerkwam, schoot het weg, de nacht in.

Rent In Licht volgde de donkere bloedvlekken op de sneeuw. De holle stemmen van de honger deden zijn hoofd bonzen. Hij bleef staan en liet zich op een knie vallen. Met zijn atlatl hakte hij een bevroren bloedvlek los, pakte hem met een gehandschoende hand op en rook eraan. Het bloed rook naar het sap van doorboorde ingewanden. Het bloedverlies zou de wolf verzwakken en hem uiteindelijk tot staan brengen.

19

Hij volgde het spoor van bloedvlek naar bloedvlek, en hij werd onrustiger naarmate de afstand tussen hem en het kamp groter werd. De adem van Vrouw Wind ging over het land en wiste zijn voetsporen uit. Hij voelde de dreigende blik van de Lange Duisternis op zich gericht.

Hij keek naar de hemel en richtte zich mompelend tot de geesten. 'Laat me met rust. Ik moet de wolf vinden. Eet mijn ziel niet...' Hij voelde de druk minder worden, maar de geesten waren nog steeds aanwezig en wachtten om te zien of zijn moed groot genoeg was.

In de lijzijde van een sneeuwhoop bestudeerde hij de sporen. De wolf had hier stilgestaan en zelfs even op zijn zij gelegen: een grotere bloedvlek tekende zich donker af tegen de sneeuw.

Rent in Licht nam een stenen pijlpunt en wrikte met trillende vingers het bevroren bloed uit het ijs. Hij kauwde erop, zonder zich iets aan te trekken van de wolveharen die er aan plakten. Zijn gezicht vertrok toen hij de scherpe smaak van het met darmsappen vermengde bloed proefde. Het was het eerste voedsel dat hij in vier dagen had gegeten.

Vier dagen? Het getal van de Dromer. Dat had zijn moeder hem verteld. Eén dag voor iedere windrichting om de ziel te wekken.

Hij stond op, liet zijn blik langzaam over het landschap gaan en fluisterde: 'Je bent hier, wolf. Ik voel je geest vlakbij.'

De witte woestenij glansde diepblauw in de duisternis. Purperen schaduwen strekten zich uit langs opgewaaide sneeuwhopen. In het noorden golfde het land, en ruwgetande pieken staken zwart af tegen het licht van het Sterrenvolk.

Hij omklemde zijn wapens: twee werpspiesen, beide even lang als hijzelf, en zijn atlatl, gezegend door het bloed van de mammoet en Grootvader Witte Beer. Hij begon weer te lopen, net snel genoeg om warm te blijven. Honger besloop hem terwijl hij zijn prooi besloop.

De door de wind gebeeldhouwde ijsvlakte golfde en flakkerde voor zijn tranende ogen. Hoe lang was het geleden dat hij voor het laatst geslapen had? Twee dagen?

'Is dit een Droomjacht?' mompelde hij schor, zich verbazend over de onwerkelijke gewaarwordingen. Honger en vermoeidheid speelden zijn zintuigen parten. Hij wankelde en verloor bijna zijn evenwicht.

'Ik moet je vangen, wolf.'

De zieleters van de Lange Duisternis zweefden naderbij en lieten hun spookachtige gefluister horen. Hij vermande zich en riep: 'Het Volk heeft vlees nodig. Hoor je me, wolf? We verhongeren!'

Een oude verweerde stem mompelde in Lichts geheugen: 'Vader Zon verliest zijn kracht. Wolkmoeder omstrengelt Blauwe Hemel Man en zuigt zijn warmte op.' De oude halfblinde sjamaan Kraailokker had de stamleden met zijn ene goede zwarte oog aangekeken terwijl hij hun vertelde over de naderende hongersnood.

De oude leider had geprofeteerd: 'Dit jaar zullen de mammoeten sterven. De muskusossen zullen sterven. De kariboes zullen samen met de bizons ver in het Zuiden blijven. Het Volk zal zijn kracht verliezen.'

En zo was het geschied. De smelttijd gedurende het Lange Licht had nauwelijks langer geduurd dan een enkele wending van het gezicht van Vrouw Maan. Toen had Wolkmoeder de hemel bedekt. Regen en sneeuw waren uit het noorden gekomen om het Lange Licht te doden. De kou nam het land in haar greep op een moment dat de grassen, wilgen en toendraplanten hoog hadden moeten opschieten om de mammoeten te voeden.

Kraailokker zong voortdurend en bad om een Droom. De oude sjamaan ving een zeemeeuw en draaide de nek viermaal om met zijn eeltige bruine handen. Toen nam hij een mes van obsidiaan en sneed het slappe lijf open zodat de ingewanden blootkwamen. Zijn ene goed oog glinsterde terwijl hij naar de ingewanden tuurde om te zien welk nieuws de zeemeeuw helemaal naar deze plek had gebracht vanaf de drijvende ijsbergen op het grote zoute water in het noorden.

'Terug,' kraste hij. 'We moeten terug naar het noorden... terug naar waar we vandaan kwamen.'

De stamleden hadden elkaar angstig aangekeken. Ze herinnerden zich hun achtervolgers, degenen die zij de Anderen noemden: mammoetjagers, net als zijzelf, maar het waren mannen die moordden en het Volk van de rijke jachtgronden in het noorden hadden verjaagd. Kon het Volk teruggaan? Konden ze het tegen die woeste krijgers opnemen?

Eens – zo vertelden de ouderen – had het Volk aan de andere kant van de reusachtige bergen in het westen gewoond. Daar had Vader Zon hun een prachtig land gegeven vol rivieren die met gras begroeide vlakten vol prooidieren doorsneden. Toen waren de Anderen gekomen en hadden hen van het land verdreven, zodat ze zich naar het noorden en oosten moesten terugtrekken, tot aan het zoute water. Vader Zon had hun in zijn wijsheid een nieuw land gegeven aan de monding van de Grote Rivier, waar ze het Grote IJs konden zien, dat zich uitstrekte tot in het zoute water. De Anderen hadden hen gevolgd en het Volk van de rijke jachtgronden bij de monding van de Grote Rivier verdreven. Het Volk had zijn toevlucht gezocht in deze lange vallei en was steeds verder zuidwaarts getrokken. Maar de grond verhief zich hier, de bergen sloten de weg naar het westen af, en het Grote IJs sloot hen vanuit het oosten in. Waar moesten ze nu heen? Achter hen drongen de Anderen steeds verder op, zodat ze gedwongen waren verder de rotsachtige heuvels in te trekken, waar weinig wild was.

De ouden debatteerden terwijl de andere stamleden zich zorgen maakten. Zouden ze wel genoeg prooidieren kunnen vangen in dit hoge rotsachtige land, waar slechts weinig gras groeide voor de mammoeten en de kariboes? Wat moest het Volk doen?

En toen was de jonge jager genaamd Hij Die Huilt het kamp binnengerend en had verteld dat hij drie dode mammoeten had gevonden. Ze hadden met elkaar overlegd, en het Volk was, tegen het oordeel van Kraailokker in, verder naar het zuiden gegaan, naar de reusachtige kadavers. Ze hadden geleefd van het vlees terwijl de Lange Duisternis groeide en Vader Zon verjoeg naar zijn huis in het zuiden.

Kraailokker mopperde en gromde en zei op dreigende toon

dat honger hun straf zou zijn omdat ze niet hadden geluisterd naar het orakel van de zeemeeuw.

'Een mondvol eten is meer waard dan een oorvol woorden van de sjamaan,' had Rent In Licht bij zichzelf gezegd. En het Volk was gebleven. Ze spleten alle botten van de mammoeten, ook de allerkleinste, om het merg eruit te halen. De zware huiden werden over stapels stenen gedrapeerd en omhooggehouden met gespleten mammoetbeenderen en de lange gebogen slagtanden, zodat er een burcht ontstond. Maar de gebeden van Kraailokker trokken geen mammoeten meer aan, en de muskusossen en kariboes bleven ver in het noorden, in de buurt van het grote zoute water.

Ondanks de protesten van de oude Gebroken Tak hadden ze de honden opgegeten. Eerst waren de pakhonden in de leren kookzakken verdwenen, en ten slotte hadden ze in hun wanhoop ook de jachthonden geslacht en opgegeten – een zeker teken dat het Volk de ondergang nabij was.

Mannen en vrouwen gingen op jacht, maar ze vonden niets dan duisternis en ijs. Grootvader Witte Beer doodde Gooit Beenderen en sleepte hem het donker in om hem op te eten.

En het Volk leed honger.

Vrouw Wind rukte aan de dierevellen van Rent In Licht en dwong hem in de richting van het land van het Grote IJs en het huis van Vader Zon: het zuiden, steeds verder naar het zuiden. De wolf rende in die richting – weg van de tenten van het Volk, het onbekende in, waar zelfs Kraailokker zich niet waagde.

De winter was vol verdriet geweest. Rent In Licht had veel verloren, zijn moeder en zelfs de vrouw die zijn hart deed zingen. Hij knipperde met zijn ogen en schudde zijn hoofd. Hij voelde zich duizelig worden en moest zijn best doen om op de been te blijven.

'Nog even,' mompelde hij tegen de zieleters van de Lange Duisternis. 'Gun me nog wat tijd,'

Hij had honger... zo'n honger. De stamleden stonden erop dat de jagers het eerst te eten kregen. Een volk zonder sterke jagers stierf. Maar hij had zijn aandeel stiekem aan Lachend Zonlicht gegeven. Haar melk was opgedroogd en haar baby huilde meelijwekkend. Maar als hij de wolf kon vinden, zou ze haar baby weer kunnen voeden.

Hij inhaleerde diep de ijzige lucht, en de kou kroop door zijn huiverende lichaam. Zijn tollende gedachten kwamen tot rust. Hij schuifelde verder op loodzware benen. Hij wist dat de wolf ergens vlakbij lag, ineengedoken, boos, onwillig om vredig te sterven.

Zijn voet gleed uit op een glad stuk ijs en hij viel met een klap. Onmiddellijk voelde hij zich weer licht in zijn hoofd. Hij hees zich overeind, klopte de sneeuw van zich af en controleerde zijn wapens.

Zijn gedachten tuimelden over elkaar. Hij probeerde zich te herinneren waarom hij de beschutting van de burcht had verlaten. 'Wat doe ik hier? O ja… de wolf. Zijn afdwaling joeg hem angst aan en hij concentreerde zich op het volgen van zijn prooi, voorovergebogen boven de sporen.

Wekenlang al had het Volk geleefd van de mammoethuiden. Stukken werden van het dak boven hun hoofd afgesneden en urenlang gekauwd, omdat ze geen brandstof hadden om de huid zacht te koken.

Hij struikelde en viel bijna. Terwijl hij zich inspande om overeind te blijven, zag hij uit een ooghoek iets bewegen. Hij draaide zich traag om. Te laat.

De wolf sprong, maar de sneeuwrand waarop hij zich afzette, stortte in en hij viel in een wolk van poedersneeuw naar beneden, grauwend van haat en angst. Jager en gejaagde botsten tegen elkaar, en Rent In Licht viel languit op de grond.

Hij krabbelde haastig overeind en draaide zich om naar de wolf.

'Mijn broeder,' zong hij zachtjes, 'laat me je doden. Het Volk lijdt honger. Offer je ziel aan ons. We zijn het waard je –'

De wolf sprong naar voren. Rent In Licht rolde in een reflex opzij en hoorde de sterke kaken dichtklappen, vlakbij zijn been.

De flanken van het beest zwoegden en kleine wolkjes damp

kwamen uit zijn bek en bleven in de lucht hangen. Het liet zijn kop zakken en staarde hem aan met gele ogen, de tanden ontbloot.

Rent In Licht stond op en liep voorzichtig om de wolf heen. De bloederige spies stak uit de flank van de wolf en ging op en neer met iedere ademhaling. Bloed droop uit de wond, doordrenkte de vacht van de wolf en bevroor in lange slierten.

Waarom voel ik geen angst? De wolf staart me aan met haat in zijn ogen. We hebben allebei honger. Misschien maakt de honger dwazen van mensen en wolven?

Vrouw Wind huilde in de ijzige duisternis. Opgewaaide sneeuwkristallen glinsterden in het licht van het Sterrenvolk. De wolf gromde, en de adem kwam in een wolk uit zijn bek.

'Wolf... het spijt me. Vader Zon moet zich werkelijk van ons hebben afgekeerd dat we gedwongen zijn elkaar te eten. Waar zijn de kariboes heen? Waar zijn de mammoeten?'

De kop van het beest zakte. Voor het eerst zag Rent In Licht het rode schuim in de bek. De pijl moest door de val van de sneeuwhoop dieper naar binnen zijn gedreven en een long hebben doorboord.

Een huivering ging door de poten van het dier. Het viel aan, maar zijn bewegingen hadden hun kracht en gratie verloren. Zijn schurende ademhaling klonk boven het gejammer van de wind uit. De wolf struikelde en viel.

'Vergeef me, broeder,' zong Rent In Licht, zijn armen geheven naar de nachtelijke hemel. 'Ik zend je ziel naar het Sterrenvolk. Je vlees zal mijn volk weer sterk maken. Je bent dapper, broeder wolf.'

Hij pakte een lange spies en dreef hem met alle kracht in de schouder van de wolf. Het dier jankte van pijn en schokte heftig terwijl Rent In Licht zich vastklampte aan het eind van de schacht. Toen werd het grote dier stil, en de felle gele ogen staarden met een lege blik naar de sneeuw.

Rent In Licht zakte op zijn knieën en keek op naar het Sterrenvolk boven hem. 'Dank je, wolf. Vader Zon, luister je?' De laatste woorden klonken boos. 'De wolf heeft zijn leven gegeven om ons te redden. Híj gaf om ons.'

25

Met bevende handen sneed hij de buikholte open. Damp steeg op van het warme vlees, en zijn neusgaten vulden zich met de geur van warm bloed. Hij rukte het hart los en zoog er dankbaar het bloed uit. Met de vlijmscherpe punt van een van zijn pijlen sneed hij de dikke hartspieren in reepjes, en deze slokte hij haastig naar binnen. Hij genoot bijna van de kramp in zijn maag. De scherpe, onaangename smaak van de wolf vervulde hem – dit was Macht.

Hij voelde de kracht van de wolf door zijn lichaam stromen, en een warm gevoel verspreidde zich door zijn ledematen, als het licht aan het begin van het Lange Licht dat het ijs doet smelten.

Rent In Licht liep naar de sneeuwhoop waar de wolf vanaf was gevallen, en onder het zingen van een lied voor de geesten begon hij te graven. Binnen enkele minuten hadden zijn vaardige handen een ruimte in de sneeuw uitgehold.

Hij keek omhoog naar de nachtelijke hemel en schreeuwde: 'Ga weg! Ik heb mijn moed getoond! Jullie hebben geen recht op mijn ziel. Verdwijn! Laat me met rust!'

De kwaadaardige machten van de Lange Duisternis trokken zich terug omdat ze hem en zijn moed respecteerden.

Biddend dat Grootvader Witte Beer hem niet zou vinden, trok hij het karkas van de wolf voor de opening zodat de zoekende vingers van Vrouw Wind hem niet konden bereiken. Toen rolde hij zich op en viel uitgeput in slaap.

De kracht van het wolvebloed gloeide in zijn aderen, en de Droom sprong uit de duisternis van de slaap naar voren en overviel hem met zoveel kracht dat hij totaal verrast werd.

In de Droom liepen hij en Wolf zij aan zij. Vader Zon hield zich niet langer schuil achter Wolkmoeder. Zijn lichaam was niet verzwakt door honger en hij voelde zich niet licht in zijn hoofd. Hij liep met krachtige passen en Wolf volgde hem op de hielen, soepel dravend.

'Daar!' Wolf wees met zijn neus. 'Zie je het? Daar in het zuiden?'

Rent In Licht schermde zijn ogen af voor de felle schittering van Vader Zon op de bevroren sneeuw. Hij keek en zag wat Wolf zag. Voor hem fonkelde het Grote IJs, een dreigende muur van kil blauw ijs onder enorme sneeuwbergen. Water stroomde uit een gat in de reusachtige muur en voerde grint en rotsblokken mee het licht in. Langs de oevers van de stroom was het water bevroren in bizarre vormen in de ijzige lucht. De massieve muur kraakte, kreunde en piepte.

Geen wonder dat Kraailokker er bang voor was. Rent In Licht slikte terwijl hij en Wolf verder liepen.

Ze bereikten de stroom waarin grote rotsblokken schots en scheef verspreid lagen. In het kristalheldere water zwommen zalmen en forellen, rood en gezwollen van de kuit. Ze worstelden en sprongen stroomopwaarts in de richting van de plek waar de rivier in een reusachtige scheur in de muur van ijs verdween.

'Hierdoor,' fluisterde Wolf. Ze liepen de reusachtige spleet binnen. Toen hij naar boven keek, zag Rent In Licht een dunne, grillig gevormde reep van de blauwe hemel waar de wanden van ijs elkaar niet raakten. Even verderop gingen ze de duisternis binnen. Hier was het eeuwig nacht. Enkel zijn vingers op de vacht van Wolf verzekerden hem dat zijn ziel niet voor altijd begraven was.

Na een tijd werd een lichtpuntje zichtbaar dat steeds groter en helderder werd. De wanden weken uiteen en toonden meer van de blauwe hemel. De angst viel van hem af als de wintervacht van de kariboe in de lente. Lange tijd liepen ze door blauwe schaduwen. Onder hun voeten knerpte grint en kiezelstenen. Toen werd hun weg versperd door een rij rotsblokken die door het water glad waren gepolijst.

Wolf belandde met een soepele sprong boven op een van de rotsblokken en keek over zijn schouder naar hem. Vrouw Wind woelde met haar vingers door zijn lange grijswitte vacht.

'Dit is de weg, man van het Volk,' zei de stem van het dier, luid weerkaatsend tegen de wanden. 'Ik toon je de weg naar de redding. Ik had hier eerder naar toe moeten gaan. Dan had ik niet aan Vliegt Als Een Zeemeeuw hoeven knagen en zou jij me niet hebben doorboord met je pijl. Neem nu mijn vlees. Eet het en word sterk, zodat je deze weg kunt gaan.'

Wolf sprong van rotsblok tot rotsblok. Zijn ruige staart ving het zilveren zonlicht toen hij een ogenblik op het bovenste rots-blok balanceerde, om vervolgens met een grote sprong uit het zicht te verdwijnen.

Rent In Licht beet op zijn lip. Plotseling voelde hij zich een-zaam, hier in de bleekblauwe schaduwen tussen de hoge ijswan-den. Hij begon te klimmen. Langzaam trok hij zich omhoog, met handen en voeten houvast zoekend aan het gepolijste graniet, steeds hoger.

Zijn gezicht baadde in het licht van Vader Zon toen hij hijgend de top bereikte. Half verblind door zweet keek hij om zich heen, en wat hij zag, deed zijn adem stokken. Welige grasvlakten rim-pelden onder de liefkozing van Vrouw Wind. Mammoeten met glanzende roodbruine vachten draaiden zich om en hieven hun kop, hun slurf omhooggestoken tussen witte slagtanden om de wind op te snuiven. Hij zag kariboes met het begin van geweien, niet meer dan knobbels onder een huid van fluweel. Een mus-kusos stampte met zijn hoeven en liet zijn kop zakken, zodat de horens dreigend naar voren staken. Ver weg op de vlakte rende Wolf en begroette Vos, en Wezel, Kraai, en anderen.

Rent In Licht glimlachte en spreidde zijn armen zodat Vader Zon het bloed in zijn aderen kon verwarmen. Onder hem rolde Grootvader Bruine Beer op zijn rug in het gras, met zijn voor-poten zijn achterpoten omklemmend. Hij rolde om, stond op en schudde zijn vacht uit, glanzend in het heldere licht. Lang-hoornbizons graasden op de vlakte. Hun staarten zwaaiden ner-veus heen en weer. In het ondiepe water van de stroom stonden elanden die hun kop onder water staken om te zoeken naar sap-pige planten.

'Dít is het land van het Volk,' fluisterde Rent In Licht. 'Het land van Vader Zon. Dit is zijn woonplaats in het zuiden. Wolf, gezegend ben je dat je me de weg hebt getoond. Ik zal het Volk hier brengen... en samen zullen we je danken in onze liederen.'

Hij wendde zich met moeite af. Graag was hij nog langer ge-bleven. De klim naar beneden, de blauwe schaduwen achter de rotsblokken in, vergde erg veel van zijn krachten, en tegen de tijd dat hij de bodem bereikte, was hij door en door koud, en moe.

2

Een sterke windvlaag deed de stapel rotsblokken schudden en gierde door de spleten tussen de zwarte stenen. IJsvuur, die met de armen over elkaar in de beschutting van de stapel stenen zat, huiverde en dook nog dieper weg in zijn parka van kariboehuiden.

Hij tuurde, door de witte nevel van ijskristallen die door de wind werd opgeworpen, naar de ontelbare sterren boven hem. Sneeuw ritselde over de stenen, zweefde als een fijn poeder omlaag en hoopte zich op rond zijn laarzen.

IJsvuur, Meest Geëerde Oudere van het Mammoetvolk, liet zijn tong glijden over wat er resteerde van zijn gebit. Het nieuwe gat in zijn bovengebit, waar hij een kies had verloren, voelde vreemd aan. Hij kon nog slechts kauwen met de rechterkant van zijn mond. Hij tastte met de punt van zijn tong de richels aan de achterkant van zijn bovenste snijtanden af en bestudeerde de sterren.

'Ik ben al zoveel jaren alleen,' fluisterde hij tegen de hemel. 'Waarom is me alles afgenomen waar ik ooit van heb gehouden? Groot Mysterie daarboven, wat wil je van me?'

Enkel het onophoudelijke gefluit en gesis van de wind waren hoorbaar. Hij luisterde in de hoop een stem te zullen horen. Hij hoopte dat zich in de kolkende sneeuw die aan kwam waaien vanuit de eindeloze vlakte een visioen zou vormen, een visioen dat machtig genoeg was om dit verschrikkelijke jaar uit te wissen.

Een steen drukte in zijn rug toen hij ging verzitten om naar het noorden te kunnen kijken. Hij voelde zich nog steeds niet op zijn gemak als hij terugdacht aan wat hij daar had beleefd. Hoe lang geleden nu al? Bijna twee keer tien vingers sinds hij voor het eerst de roep volgde en naar het noorden reisde. Nu voelde hij de roep opnieuw, maar ditmaal kwam ze uit het zuiden. Ze verstoorde zijn slaap, zoals in deze nacht. Ze bleef opduiken aan de rand van zijn geest en viel hem lastig, tot hij de warme tent van mammoethuiden verliet en de hoogten beklom, waar hij ging zitten en wachtte en keek en zich afvroeg wat er zou gebeuren.

Daar bevond zich de Vijand – in het zuiden. De Vijand wiens land ze nu bejaagden. De Vijand die nooit terugvocht, maar zijn bezittingen in de steek liet en steeds verder zuidwaarts vluchtte. Hij snoof minachtend. Een krijger kon aan hen geen eer behalen. Hoe kon de Clan Van De Witte Slagtand op deze manier ooit tonen dat ze de Heilige Witte Huid, de totem van zijn stam, waard was, terwijl er tussen de andere clans in het westen voortdurend oorlog werd gevoerd?

'We moeten die lafaards dwingen met ons te vechten,' mompelde hij.

Hij wreef met een met ijs bedekte want over zijn neus. Toen leunde hij achterover en keek weer omhoog naar de sterren, die zwak zichtbaar waren door de stuivende sneeuw. De Huid was het kostbaarste heilige object van het mammoetvolk. Het was het vel van een wit mammoetkalf, zorgvuldig gelooid zodat het niet verging, hoewel het al heel oud was. Op het gedeelte van de huid dat het hart symboliseerde, waren met fijne lijnen de geschiedenis van de verschillende clans, de windrichtingen en de symbolen voor aarde, lucht, water en licht getekend, met bloed uit het hart van een pasgedode mammoet. Zonder de Huid zou het volk sterven van de honger. De mammoeten zouden hen niet langer horen. De mensen zouden sterven en worden weggeblazen als donsveertjes uit de borst van een sneeuwgans.

Vermoeid liet IJsvuur zich een beetje onderuit zakken, warm in zijn huiden, behaaglijk, op de kramp in zijn knieën en de puntige steen in zijn rug na.

Zoals altijd op eenzame nachten zoals deze werd hij achtervolgd door de herinnering aan de vrouw op het strand. Wat een schoonheid! Hij was er vast van overtuigd geweest dat zij hem naar die eenzame plek had geroepen – deel van het visioen, van de Droom vol pijn die achterbleef nadat zijn vrouw was gestorven. Misschien had ze hem inderdaad geroepen. In het visioen had ze zichzelf aan hem gegeven, had ze hem overgehaald haar lief te hebben en zich te verliezen in haar omhelzing. En toen was de Getuige tussenbeide gekomen en had alles veranderd. Het visioen was uiteengespat en hij had in ontzetting gekeken naar wat hij had gedaan. Macht was misbruikt. De toekomst en het verleden waren uiteengereten. Wat goed had kunnen zijn, was veranderd in iets verschrikkelijks. De aanwezigheid van de Getuige was net zo tastbaar geweest als honger of dorst... of pijn.

Hij was weggerend, ontzet door wat hij de vrouw, die hij had willen liefhebben, had aangedaan. Tevergeefs had hij de hoge plaatsen beklommen en het Grote Mysterie om een verklaring gevraagd. Woedend had hij geroepen om een confrontatie met de Getuige, had haar uitgedaagd zich opnieuw te laten zien – maar het had allemaal niets opgeleverd.

'Ik ben slechts je werktuig,' siste hij naar de hemel. 'Waarom heb je me op deze manier gebruikt, Groot Mysterie daarboven? Wat ben ik voor je, ik, die alleen maar een gewone man zou willen zijn? Waarom heb je me vervloekt? Waarom ben ik kinderloos gebleven terwijl ik meer dan wat ook verlangde naar zonen?

Hij sloot zijn ogen en schudde zijn hoofd. De wind kalmeerde hem. Sneeuwvlokken vulden de plooien in zijn parka en hechtten zich aan de bontrand van zijn kap.

De lokroep van het nieuwe land werd krachtiger, en omdat hij moe was, liet hij zich meetronen naar het zuiden, steeds verder naar het zuiden. Hij zweefde over het land als rook van een mestvuur, hij zag, voelde en hoorde de geest en de ziel die opsteeg uit de rotsen, de aarde en de toendra onder hem. Een tijdlang genoot hij van deze totale vrijheid, van de vreugde die voortkwam uit het verbreken van alle banden.

Toen rees een jonge man voor hem op en blokkeerde zijn pad. Zijn voeten waren stevig op de rotsachtige heuvel geplant, en hij was gekleed op de wijze van de Vijand. Hij droeg een mantel die gemaakt was van de huid van een witte beer, en hij had de glanzende ogen van een Dromer.

'Verdwijn, man!' beval IJsvuur. 'Je staat in de weg van de

32

Clan Van De Witte Slagtand. In de weg van mijn volk.'

'Wat zoek je?'

'Dat wat ik door het noodlot was voorbestemd te vinden. De weg voor mijn volk. En de zonen die ik zou hebben verwekt.'

De jongeman keek hem aan met scheefgehouden hoofd. 'Je hebt al zonen. Je noodlot wacht je – als je bereid bent. Je zonen zijn je noodlot. Welke zal je kiezen? Licht of Duisternis?' Hij hief zijn hand.

Het visioen van een mooie vrouw vormde zich in de wolken. Haar haar golfde in de wind.

De lange jongeling sprak. 'Zij is Licht. Kies haar, en jij en de jouwen zullen hierlangs gaan.' Hij hief weer zijn hand en blies over zijn open palm. Uit zijn hand ontsprong een regenboog die zich uitstrekte over de hemel en zo helder was dat zelfs de kleurige banden van licht die het Grote Mysterie over de hemel in het noorden deed uitwaaieren er dof bij leken. De jongeman wees naar een donkere wolk. 'Kies Duisternis, en jullie zullen allen sterven.'

'Verdwijn, zei ik! We zullen jullie onder onze voeten verpletteren, ondanks jullie magie,' bracht IJsvuur er hijgend uit, om zijn angst te verbergen. 'We zullen dat Dromen, die magie van jullie, wegvagen. Het Grote Mysterie zal ons daarbij helpen. Onze pijlen zijn sterker dan jullie Dromen, sterker dan jullie Getuigen. Speel niet met ons, man van de Vijand. We zullen jullie breken als een dorre wilgetak.'

De jongeman glimlachte. 'Is dat wat je zoekt? Het vernietigen van leven? Is dat je keus?'

'Nee,' zei IJsvuur schor. Een rilling van angst liep over zijn ruggegraat. 'Ik zoek mijn zonen, het lot van mijn volk en het bezit van de Heilige Huid.'

'En wat ben je bereid daarvoor te geven?' De ogen van de jongeling draaiden als lampen rond in zijn hoofd.

IJsvuur slikte. 'Ik... Alles.'

'Geef je me je zoon? Ik zal je er een zoon voor teruggeven. Een overwinning in ruil voor een nederlaag. Leven in ruil voor de dood.'

'Maar ik –'

'Stem je toe? Ruil je wat van jou is voor wat van mij is?'

Verward opende IJsvuur zijn mond. Zonder het te willen mompelde hij: 'Ik zou het doen... als het –'

'Dan zal het geschieden.' De jonge man draaide zich om en liet zich op handen en knieën vallen. Zijn gestalte verloor zijn omtrekken, en armen en benen verdubbelden zich tot hij was veranderd in een rode spin. Het dier klom snel tegen de regenboog omhoog en vertraagde bovenaan zijn vaart. Het spreidde zijn poten en wierp de kleuren van de regenboog naar alle windrichtingen, tot ze zich ineenvlochten tot een web dat de hele hemel bedekte en waarin de sterren flonkerden als dauwdruppels.

IJsvuur schrok wakker en tuurde het donker in. De wind joeg nog steeds de ijskristallen voort in lange nevelslierten. Zijn benen waren gevoelloos van het lange zitten. Hij hees zich overeind en voelde de tinteling van zijn bloed, dat weer begon te stromen.

Toen hij omhoogkeek naar de vaag zichtbare sterren, zag hij de gedaante van de spin die daar hing en keek en wachtte.

'Dan zal het geschieden,' fluisterde hij, nog steeds onder de indruk van het visioen. Zijn hart kromp ineen. 'Een zoon in ruil voor een zoon?' De lijnen rond zijn mond werden dieper. 'Ik héb helemaal geen zoon. Groot Mysterie, speel je weer met me? Werp je me heen en weer zoals een kind zijn pop van visgraten? Heb je niet een andere man om onder te dompelen in verdriet?'

Op benen die nog steeds prikten en tintelden, verliet IJsvuur de steenhoop en strompelde langs de helling omlaag naar de kegelvormige tenten van mammoethuid die op de vlakte onder hem stonden.

3

Dansende Vos trok de laatste repen leer strak aan rond de dode baby van Lachend Zonlicht en bedekte het kleine, kleurloze gezichtje voor de laatste maal. Ze ademde langzaam uit. Ze was een mooie vrouw met een ovaal gezicht, hoge jukbeenderen en fonkelende zwarte ogen die net zo groot en rond waren als die van een uil. Ze klemde haar kaken op elkaar in een mengeling van verdriet en woede terwijl ze de benen priem met stijve, onwillige vingers door het stijfbevroren leer stak.

'Dat vervloekte –'

'Wat?' zei Zonlicht met bevende stem.

'Ik praatte tegen het leer. Het is zo stijf bevroren dat ik de ijskristallen kan horen knisteren als ik de priem erin steek.'

'Schiet alsjeblieft op,' zei Lachend Zonlicht. 'Ik kan dit niet verdragen.'

Dansende Vos legde de dode baby in haar schoot, sloeg het losse einde van haar mouw om haar hand heen en duwde met haar aldus beschermde vuist de priem in het leer. Nadat de priem met een dof gekraak door het leer geschoten was, nam ze hem tussen haar tanden en voerde de pees door het gat. Vervolgens trok ze de pees strak aan, zodat het leer het gezichtje van de baby aan het oog onttrok.

Er zijn er al zoveel gestorven. Heeft de Lange Duisternis onze zielen verslonden? Hebben licht en leven de wereld verlaten? Ze wreef over haar magere buik. Ze was bang dat het zaad van Kraailokker was ontkiemd in haar baarmoeder. De laatste twee maanden had ze geen bloeding gehad – maar dat zag je wel vaker bij vrouwen die honger leden.

Lachend Zonlicht, tegenover haar, jammerde binnensmonds en schommelde heen en weer op haar hielen, een grimas op haar driehoekige gezicht met de gebogen neus. Met een scherf die ze van een van de vuurstenen van Zingende Wolf had geslagen, sneed ze de huid van haar wangen open tot het bloed eruit stroomde. Daarna gebruikte ze de scherf om haar haar tot aan haar kraag af te snijden. Lange zwarte lokken vielen op de bevroren grond.

'Zonlicht?' zei Dansende Vos zachtjes terwijl ze de laatste knoop in de pees legde. De herinnering aan het blauwe gezichtje van de baby hing als een dikke nevel in haar geest, als de rook van een olievuur op een koude ochtend. Ze reikte de moeder de zak met het kind erin aan, maar Zonlicht schudde verbitterd haar hoofd.

Dansende Vos legde de zak in de holte van haar linkerarm en legde haar rechterhand vertrouwelijk op Zonlichts schouder. 'Hou daarmee op,' zei ze zacht. 'Je verbruikt kracht die je nodig hebt om te leven.'

'Misschien wil ik wel helemaal niet leven,' jammerde Zonlicht terwijl ze haar met bloed bevlekte gezicht in haar handen verborg. 'Al mijn kinderen zijn deze Lange Duisternis gestorven.'

'Stil! Natuurlijk wil je leven. Je kunt weer nieuwe baby's krijgen. Zo oud ben je nog niet.'

'Heeft er dan niemand meer Dromen?' riep Zonlicht hysterisch terwijl ze met haar vuisten op de bevroren grond bonkte. De doffe slagen waren even zovele steken in Vos' hart. 'Wat is er met ons gebeurd?' zei Zonlicht. 'Waarom gaan we langzaam dood van de honger? Heeft Vader Zon ons overgeleverd aan de geesten van de Lange Duisternis?'

'Misschien,' zei Dansende Vos bitter. 'Maar ik ben van plan te blijven leven, al was het maar om Hem dwars te zitten. En ik sleur jou met mij mee. En hou nu op met jezelf te kwellen. Onze plichten wachten ons.'

Zonlicht veegde de tranen uit haar ogen en fluisterde: 'Is je hart net zo leeg als je buik, Vos? Wat heeft Kraailokker je aangedaan?'

'Wat hij me heeft aangedaan?' herhaalde ze peinzend. Het noemen van de naam van haar echtgenoot had de oude pijn in haar hart weer doen oplaaien. Ze sloeg haar ogen neer en keek

36

met een frons op haar gezicht naar de grond. 'Hij heeft me sterker gemaakt.'

'Je bedoelt dat hij je harder heeft gemaakt. Vroeger was je altijd zo vriendelijk en –'

'Vriendelijkheid is voor de levenden,' zei ze terwijl ze de deurhuid die de opening van het onderkomen afsloot, opzij duwde. Een koude wind woei naar binnen en rukte aan hun met bont afgezette kappen. 'De doden hebben het niet meer nodig.'

Zonlicht hield haar hoofd schuin. 'Maar de geest van mijn kleine meisje kan nog steeds horen wat we zeggen.'

'Er zijn geen geesten.'

'Je... Natuurlijk zijn er geesten. Waardoor denk je anders dat er –'

Vos schudde heftig haar hoofd. 'Nee, er zijn geen geesten. Ik bid al twee manen tot Vader Zon en zijn Monsterkinderen om –'

'Sinds je met Kraailokker bent getrouwd?'

Vos liet de deurhuid weer terugvallen en knikte strak. 'Ze hebben nog geen enkel gebed verhoord.'

Zonlicht vocht tegen haar tranen en slikte moeizaam. 'Misschien is Kraailokkers Macht er de oorzaak van dat je niet gehoord wordt.'

'Misschien.'

'In dat geval zouden de geesten toch bestaan,' zei ze, 'en kan mijn kind me horen.'

'Natuurlijk,' zei Dansende Vos. Schaamte om haar ongevoeligheid kleurde haar wangen rood. Ze plukte verlegen aan het leer van de doodszak en streelde het bedekte hoofdje. Wat was er in haar gevaren, dat ze haar vriendin haar laatste hoop ontnam? 'Ik meende het niet, Zonlicht. Natuurlijk kan ze je horen.'

'Ik weet dat je het niet meende.' Zonlicht glimlachte en klopte Vos troostend op de arm. 'Je bent gewoon moe en hongerig – net als iedereen.'

Ze wisselden een tedere glimlach en kropen onder de deurhuid door, het vale grauwe daglicht in. Dansende Vos' benen trilden van zwakheid toen ze overeind kwam. Hoewel het haar moeite kostte, hielp ze Lachend Zonlicht met opstaan.

Iets verderop stond Kraailokker, met een geërgerde uitdrukking op zijn uitgezakte en gerimpelde gezicht. Aan één kant van zijn haviksneus fonkelde een dodelijk zwart oog, aan de andere kant staarde een witte bol voor zich uit, blind en levenloos. De mond met de dunne lippen was humorloos, en het was duidelijk dat de dood van de baby voor hem niets betekende. Hij hief zijn handen en begon met ijle, onvaste stem het doodslied te zingen waarin hij het Gezegende Sterrenvolk opriep dit kind in hun midden op te nemen, ook al had het geen naam.

Vanzelfsprekend hadden ze het nog geen naam gegeven. Een kind kreeg pas een naam nadat het vijf Lange Duisternissen had overleefd. Tot die tijd was een baby niet meer dan een dier. Het werd pas menselijk als het leerde praten en denken en een van het Volk begon te worden. Dan kwam er een menselijke ziel – in een Droom – en vestigde zich in het kind.

Zingende Wolf, de echtgenoot van Lachend Zonlicht, kwam naar voren en omhelsde zijn vrouw. Hij nam het kind uit Vos' armen en legde het in de onwillige armen van Zonlicht. Een voor een kropen de stamleden onder de bevroren deurhuid van hun tenten door naar buiten en hesen zich wankel overeind. Sommigen zwaaiden op hun benen, duizelig van de honger.

De mensen waren lang en recht, met een huid die gebruind was door het zonlicht dat door ijs en sneeuw werd weerkaatst. Het knijpen tegen het felle schijnsel had diepe lijnen rond hun ogen getrokken. De brede lippen, die gemaakt waren om te lachen, waren dun en strak geworden, en in de ogen lag een blik van pijn en wanhoop. De vingers van Vrouw Wind rukten aan hun op maat gesneden dierehuiden. De vellen waren vuil en vol dof geworden vetvlekken. In het zwakke licht zagen de mensen er zacht en rond uit in hun dikke kleding, even versleten en verweerd als de glad gepolijste zwerfkeien waartussen ze hun kamp hadden opgeslagen.

Zonlicht strompelde tussen de met bevroren sneeuw bedekte tenten door naar de sneeuwhopen erachter, en de stamleden volgden haar in een lange rij, met plechtig gezang. Zonlicht beklom een helling door gaten in de witte korst te schoppen. Ze struikelde en verloor bijna het kind, maar ze herstelde zich, haalde diep adem en ging verder.

Ze bereikten de andere kant, waar de doden lagen, gedeeltelijk zichtbaar in de sneeuw, soms verwrongen in de gruwelijkste houdingen. De ouderen waren het eerst gestorven. In het begin waren ze zonder iets te zeggen de door de wind gegeselde woestenij ingelopen om alleen te sterven, zoals hun recht was. Maar later, toen de honger hen had verzwakt, waren de ouderen doodgevroren in hun mantels, nadat ze geweigerd hadden nog langer te eten.

Zonlicht plaatste de doodszak met het kind op de top van de sneeuwhoop en liet zich snikkend op haar knieën vallen. Rondom haar zongen de stamleden het lied van de dood, in de hoop dat ze het naamloze kind terug konden sturen naar het Sterrenvolk.

Kraailokker hief zijn handen. 'Het was maar een meisje!' riep hij luid. 'Laten we opschieten, zodat we terug kunnen gaan naar de tenten.'

Zonlicht hield abrupt op met huilen en keek de oude sjamaan met een smekende blik in haar roodomrande ogen aan.

Woede laaide op in Dansende Vos' borst toen ze de pijn in Zonlichts ogen zag. 'Hou je mond, echtgenoot,' mompelde ze met een stem die trilde van ingehouden woede. 'Ieder kind is kostbaar.'

'Wil je zo graag dat ik je buik vul dat je genoegen neemt met ieder resultaat, vrouw? Zwijg als ik spreek.'

'Nee.'

Hij zond haar een woedende blik. 'Dapper, hm? Ik zou je baarmoeder moeten vervloeken zodat je nooit geen kinderen meer kunt krijgen.'

'Wil je dat?' antwoordde ze giftig. 'Ik zou je er dankbaar voor zijn.'

Een zacht gemompel steeg op uit de rijen, Vos' opstandigheid bracht een frons op vele gezichten. Zo sprak een jonge vrouw niet tot een oudere – vooral niet als die oudere haar echtgenoot was. Vos zag de veroordeling in hun blikken, en haar maag kromp ineen. Heel haar leven al had ze geprobeerd de regels te gehoorzamen. Waarom lukte haar dat nooit helemaal?

Kraailokker hief langzaam zijn kin. Woede vlamde in zijn zwarte oog. Een van zijn in dikke wanten gestoken handen kwam omhoog en priemde naar haar. 'Zien jullie het? Dit is eens te meer een bewijs dat vrouwen niets waard zijn. Het enige waar ze voor dienen, is het laten groeien van het zaad van de man.'

'Het is waar,' riep een stem achteraan. Het was de jongeman Arendschreeuw. 'Iedereen weet het. Laten we ons haasten en naar de tenten teruggaan!'

'Luister –' begon Kraailokker.

'Dwazen!' riep een broze oude stem uit de richting van het kamp. 'Wie heeft er jullie billen afgeveegd toen jullie baby's waren? Wie droogde jullie tranen als jullie bang waren? Je vader soms?'

Mensen draaiden zich om en keken nadenkend naar Gebroken Tak, het oudste stamlid, die de helling op kwam strompelen. Dof grijs haar kwam in slierten onder haar kap vandaan en piekte alle kanten op. Haar neusvleugels trilden en in haar oude bruine ogen stond onverholen minachting te lezen. De stamleden stapten achteruit en maakten plaats voor haar.

Toen ze de top van de heuvel had bereikt, bleef ze staan en keek alle mannen een voor een doordringend aan. Een paar zetten uitdagend een hoge borst op, maar de meesten sloegen hun ogen neer om eerbied te tonen.

Ze maakte een gebaar alsof ze met geen van hen iets te maken wilde hebben. 'Waarom maken jullie ruzie terwijl een lid van onze clan dood is?' Vrouw Wind onderstreepte haar woorden door woedend over de sneeuwhopen te gieren. De stamleden zochten houvast bij elkaar. 'Jullie kunnen beter nadenken over hoe we moeten voorkomen dat er nog meer sterven!'

'Ja,' snauwde Kraailokker terwijl hij haar uit een ooghoek opnam. 'We moeten ons kamp opbreken en weggaan van hier. De dood zit ons op de hielen.'

'Ik heb je bijval niet nodig, bedrieger,' zei Gebroken Tak.

Kraailokkers oog vonkte van woede. Hij schudde een vuist

onder haar neus en schreeuwde: 'Niemand van het Volk heeft een grotere Macht dan ik!'

'Dat heb ik je al heel wat keren horen vertellen.'

Dansende Vos deed onwillekeurig een stap achteruit toen haar echtgenoot brulde als een gewonde kariboestier. 'Daag me niet uit, ouwe heks! Ik zal je ziel vervloeken zodat hij het Sterrenvolk niet kan bereiken. Ik zal ervoor zorgen dat je begraven wordt, voor altijd opgesloten onder de grond, waar je ziel zal rotten in de duisternis.'

De stamleden deinsden achteruit zodat Gebroken Tak alleen kwam te staan.

'We vertrekken morgen!' zei Kraailokker, en hij knikte als om zijn woorden te bevestigen.

'Vertrekken?' zei Zingende Wolf terwijl hij met een hand het hoofd van zijn vrouw streelde; Lachend Zonlicht leek het niet te merken. 'Ik heb overal gejaagd en nergens wild gezien. Als we van honger sterven als we zitten, zullen we dan niet nog sneller van honger omkomen als we lopen? Bovendien hebben we onze honden opgegeten en zullen we alles op onze eigen rug moeten dragen.'

'Als we weggaan van hier,' zei Hij Die Huilt nadenkend, 'zullen we een spoor van doden achterlaten. Denk je dat de ouderen het tempo zullen bijhouden? En waar moeten we heen?' Hij hief een hand op om zijn woorden kracht bij te zetten. 'Waar zijn de mammoeten? Waar zijn de kariboes?'

Lachend Zonlicht begon opnieuw te snikken. 'Was het ons lot om naar deze plek te komen?' riep Zingende Wolf heftig tegen Kraailokker. 'Jij bent de Dromer! Doe iets! Ik ben het beu te moeten toezien hoe mijn kinderen sterven. We moeten teruggaan, zeg je. Maar achter ons zijn de Anderen. Als we teruggaan, zullen ze ons doden. Misschien kunnen we verder naar het zuiden trekken.'

'We kunnen niet naar het zuiden,' zei Kraailokker schor. Zijn ene goede oog tuurde naar de gezichten om hem heen. 'De vader van mijn vader is daar geweest.' De kap van zijn parka flapperde rond zijn met wit doorschoten zwarte haar. 'Hij vond daar een muur van ijs die zo hoog was dat geen man hem kon beklimmen. Hoger dan de zeemeeuw kan vliegen. Alleen arenden kunnen zo hoog vliegen. Ze jaagden –'

'Hoe weet je dat geen man die muur kan beklimmen?' zei Gebroken Tak honend terwijl ze haar neus afveegde aan haar mouw. 'Nou? Heeft je grootvader het geprobeerd?'

Er viel een stilte. Zelfs Lachend Zonlicht hield op met huilen, zo geschokt was ze door deze aanval op de machtigste sjamaan van het Volk.

Het gezicht van Kraailokker werd donker van woede. 'Dat was niet nodig. Eén blik was genoeg om te zien dat –'

'Hij was een lafaard,' zei Gebroken Tak. 'De mensen wisten het van hem... en we zien dezelfde eigenschap in jou. Ga maar terug naar het noorden als je dat zo graag wilt. Laten die Anderen je maar doden.' Ze gebaarde met haar gewante hand naar de grauwe horizon. 'Maar ík ga naar het zuiden. Reiger is daar ook heen gegaan. Dát was nog eens een Dromer! Een *echte*.'

'Wat?' riep Kraailokker spottend, 'wil je een heks volgen? Een boze geest die de ziel uit mensen zuigt en uitspuwt in de Lange Duisternis? Trouwens, ze bestaat niet eens, alleen in de legenden. Je geest is vertroebeld en ziet schimmen waar ze niet zijn.'

'Bah! Wat weet jij er nou van? Ik heb haar gekend!' spoog de oude vrouw. 'Ze ging naar het zuiden, zoekend naar Macht.'

'Ga dan!' schreeuwde Kraailokker. Hij wendde zich tot de anderen. 'Dit oude wijf verdient te sterven. Ze is het Volk van geen enkel nut meer. Ze is te oud om te jagen of te vissen, en haar baarmoeder is net zo dor en onvruchtbaar als haar geest. Ze kan niet eens meer *Dromen*.'

Gemompel ging door de rijen, gezichten verstrakten. Niet meer Dromen? Dat was het teken dat de geestenwereld zijn handen van iemand had afgetrokken. De oude sjamaan richtte zich op en genoot van zijn triomf. De ogen van de stamleden gingen van Kraailokker naar Gebroken Tak en terug, aarzelend, niet wetend wat te doen.

Gebroken Tak trok een wenkbrauw op. 'Wel, in dat geval ben ik beter af dan jij. Ik hoef me in ieder geval niet te laten verlok-

ken door valse Dromen... Dromen die het Volk kwaad doen...
of, erger, ze zelf te verzinnen om het Volk te laten geloven in een
Macht die in werkelijkheid al lang geleden gestorven is.'

Er klonk een ontzet gefluister en enkelen deden een stap achteruit.

Dansende Vos' mond werd droog toen ze de haat in Kraailokkers zwarte oog zag opvlammen. Zijn witte oog deed haar altijd
aan de dood denken: het was als een lijk dat lang onder de
sneeuw begraven had gelegen.

'Beschuldig *jij* mij ervan Dromen te verzinnen?' schreeuwde
de sjamaan. 'Jij die –'

'Vertel me waarom we naar het noorden zouden moeten gaan,'
zei Raafjager tegen Kraailokker, na vol verachting op de grond
voor Gebroken Tak gespuwd te hebben. 'Waarom moeten we
die kant uit?'

'Dat land is van ons!' riep de sjamaan boven het huilen van
Vrouw Wind uit. 'Moeten we vluchten en de beenderen van onze
voorvaderen achterlaten omdat de Anderen –'

'Ik ben niet bang voor de Anderen,' zei Raafjager kalm. 'Denk
na,' ging hij verder. 'Wat is er met ons gebeurd? De Anderen
wonen op onze beste jachtgronden, op de trekroutes van de kariboes. Hoe verder we naar het zuiden gaan, hoe droger het
wordt. En de bodem wordt almaar hoger en rotsachtiger. En er is
meer wind. En een heleboel meren die we niet over kunnen
steken in het Lange Licht, als het water niet bevroren is. We
kunnen geen schelpdieren meer verzamelen aan de kusten.
Waarom? Omdat de Anderen ons verdreven hebben! Komen de
kariboes zo ver zuidelijk? Komen de mammoeten tot hier? Kijk
naar de mossen, de alsem, het beemdgras. Zien jullie hoe klein
ze hier zijn? Als we nog verder zuidwaarts gaan, verdwijnen ze
misschien helemaal. Als de kariboes en de mammoeten niets te
eten kunnen vinden, kunnen wij dat ook niet. Ik heb Grootvader
Witte Beer gedood, en zo zal ik ook Anderen doden,' besloot
Raafjager.

'Je bent een jonge dwaas,' snoof Gebroken Tak vol verachting. 'Ga weg en laat je niet meer horen.'

'Zwijg, oude vrouw,' kraste Kraailokker. 'Het kan het Volk niet schelen wat jij te zeggen hebt. Verdwijn!'

Gebroken Tak schudde haar hoofd. 'Zijn we onder jouw leiding zo diep gezonken dat we zelfs ruzie maken terwijl we zouden moeten bidden voor de ziel van deze baby?' Ze gebaarde naar Lachend Zonlicht.

'*Ga!*'

Maar ze bleef, haar ogen hard als obsidiaan. De oude Klauw, die achter haar stond, knikte goedkeurend.

Kraailokker bestudeerde de bezorgde gezichten om hem heen. Sommigen ontweken zijn blik; anderen keken hem hoopvol aan. Kraailokker had al eerder dreigende woorden tegen Gebroken Tak gesproken, en nu zou hij zijn dreigementen misschien uitvoeren.

'Ik zal jullie vertellen over dat zuiden waarheen die oude vrouw wil dat jullie gaan,' riep Kraailokker op ruwe toon. 'Mijn grootvader en zijn volk hebben daar gejaagd, dagenlang. Maar ze vonden niets anders dan kou en rotsen en grint en meren die ze niet konden oversteken. Ze verhongerden, net als wij nu. Ze volgden de ijsmuur vele dagen lang, terwijl ze hun kleding opaten om sterk te blijven. Velen stierven. Toen trokken ze weer naar het noorden, in de hoop daar mammoeten, of zelfs zeehonden of vossen te vinden. Ze liepen tot ze aan het zoute water kwamen. Maar de ijsmuur ging verder en strekte zich uit tot in het zoute water. Wanhopig gingen ze in westelijke richting op weg naar de Grote Rivier. Ze wisten dat ze daar voedsel zouden vinden.' Hij verhief zijn stem om boven de huilende wind uit te komen. 'Ze vonden zeehonden en schelpdieren en kariboes. Ze bleven in leven, en mijn grootvader vertelde het verhaal aan mijn vader, en mijn vader vertelde het mij: "*Ga niet naar het zuiden. Er is daar een muur van ijs… de dood wacht je daar.*"'

'Dan moeten we naar het noorden,' zei Hij Die Huilt. 'Misschien kunnen we een westelijke richting aanhouden en de bergen volgen.'

'Vrouw Wind zal ons vangen,' zei Grijze Rots, smakkend met haar tandeloze mond. 'Vergeet niet, dit is het midden van de

Lange Duisternis. Vrouw Wind zal lachen en Wolkmoeder roepen. Wat voor kans hebben we daar het er levend af te brengen? Nou? Vertel me dat eens. Wat voor kans hebben we als we door een storm worden overvallen? Vrouw Wind zal ons onder het lopen bevriezen.'

'Wat voor kans hebben we hier?' vroeg Kraailokker. 'Herinneren jullie je dat ik in de buik van de zeemeeuw heb gekeken? Ik zag toen dat we naar het noorden moesten gaan. Ik zag –'

'Je zag niets!' hoonde Gebroken Tak terwijl ze met een vuist naar hem schudde. 'Je ziet al sinds jaren niets anders meer dan duisternis. En nu lieg je ons voor om te voorkomen dat het bedrog uitkomt. Ook al zou dat betekenen dat je ons allemaal naar de ondergang voert!'

Dansende Vos zag uit een ooghoek hoe Springende Haas naast haar plotseling verstarde en toen begon te rennen. Hij holde tussen de bevroren lijken door en liet zich op zijn knieën zakken. 'Kijk!' riep hij, met grote ogen. 'Bloed! Hier, bij de voet van Vliegt Als Een Zeemeeuw.'

De mannen schuifelden naar voren. Dansende Vos negeerde hen en hurkte naast Lachend Zonlicht om haar te troosten. 'Kom, ik zal met je meezingen,' zei ze sussend. 'Jij en ik kunnen de baby zelf wel naar het Sterrenvolk zingen.' Ze zette het melancholieke doodslied in, en Zonlicht voegde aarzelend haar stem bij de hare.

'Wolvesporen,' bromde Hij Die Huilt. Zijn woorden deden de vrouwen abrupt zwijgen. 'Hier heeft de wolf gesprongen.' Hij bukte zich en bestudeerde de sneeuw vanonder een hoek. 'Daar, zien jullie? Hij kwam daar neer en rende weg.' Hij volgde het spoor op handen en voeten, zijn hoofd laag boven de sneeuw. 'Aieee! Hier ligt ook bloed! De wolf is zwaar gewond.'

Raafjager keek om zich heen en bestudeerde de gezichten. 'Waar is mijn broer, Rent In Licht?'

Dansende Vos' adem stokte en haar hart begon te bonzen. 'Rent In Licht?' Ze gaf een laatste klopje op Zonlichts arm, stond op en liet zich lang de helling omlaagglijden in de richting van de tenten. Het ijs glansde verraderlijk terwijl ze zich naar de tent van Rent In Licht haastte. De inspanning benam haar de adem en deed haar benen trillen. Ze kroop onder de deurhuid door en staarde rond in de duisternis van de tent van mammoethuid. Een paar oude mensen en enkele van de zwakkere kinderen keken haar afwezig aan. De slaaphuid van Rent In Licht was leeg en zijn wapens waren verdwenen.

Ze kroop weer naar buiten en beklom hijgend de helling. 'Hij is weg. En hij heeft zijn wapens meegenomen.'

'Eén wolf,' zei Zingende Wolf met opeengeklemde kaken. Hij trok een want uit, bracht de met urine doordrenkte sneeuw naar zijn neus en snoof. 'Een hongerige wolf. Hij heeft al een tijd niets gegeten... net als wij.'

'En Rent In Licht heeft hem geraakt met een spies!' riep Hij Die Huilt. 'Misschien was het geen diepe wond – maar de wolf zal sterven. Ik ruik darmsappen in dit bloed.'

Een golf van opluchting ging door het Volk, als de beweging die door de wilgen gaat wanneer Vrouw Wind zich ermee vermaakt. Op het gezicht van Dansende Vos verscheen een glimlach, en een licht gevoel maakte zich meester van haar hart. Rent In Licht zou hen redden. Ze was trots op-

Een harde hand greep haar bij de schouder. Het zwarte oog van Kraailokker boorde zich in de hare, en hij siste: 'Blij, hè? Blij dat Rent In Licht een wolf heeft gedood?'

Ze probeerde zich los te rukken, maar hij hield haar vast. 'Natuurlijk ben ik blij,' zei ze. 'Dacht je dat ik dood wil gaan?'

'Eén wolf? Voor al die hongerige magen?' De hand kneep tot het pijn deed. Tegen haar wil staarde ze in het blinde witte oog. Zoals altijd huiverde ze.

'De andere... jagers hebben helemaal niets gevangen,' zei ze.

'Jij bent míjn vrouw. Maar je hebt alleen maar oog voor Rent In Licht. Voor hem heb je altijd een glimlach klaar. Ik weet wat je voor hem voelt, vrouw.' Hij kneep zo hard in haar schouder dat ze een zachte kreet slaakte. 'En ik weet wat hij voor jou voelt.'

'Wat maakt het uit?' zei ze op smekende toon. 'Ik ben je vrouw. Ik kan niet –'

'Als je dat maar nooit vergeet.' Hij duwde haar weg en riep luid: 'Ik vertrek van hier bij het opgaan van Vader Zon. Ik ga naar het noorden... en daarna naar het westen, rond de bergen. Dat is de weg, de weg naar de mammoeten! Dat heb ik gezien in een Droom!' Hij draaide zich abrupt om en begon de helling af te dalen.

Gebroken Tak schreeuwde hem na: 'Wie zal je volgen? *Wie volgt een man met valse Dromen?*'

Kraailokker hield een ogenblik zijn pas in. Toen liep hij verder alsof haar woorden niet meer waren dan het gehuil van Vrouw Wind. Dansende Vos staarde hem na, met een hart dat brandde van haat.

'Ga bij hem weg,' fluisterde Gebroken Tak in haar oor. 'Je kunt bij mij intrekken.'

'Maar dan krijgen we geen van beiden te eten, grootmoeder.'

'Licht zou nooit toestaan dat je omkwam van de honger,' fluisterde ze. 'Zijn gevoelens voor jou zijn niet verminderd.'

Dansende Vos voelde een snik opwellen in haar keel. Ze slikte moeizaam. 'Het heeft geen zin meer. Bovendien is Kraailokker meester over mijn ziel – en ook over die van jou.'

'Je bedoelt die plukjes haar en dat doekje met maanbloed? Die werken alleen in de handen van een man met Macht. Maak je maar geen zorgen over hem. Hij is zo ongevaarlijk als een tandeloze wolf.'

'Zolang het Volk achter hem staat, is hij niet ongevaarlijk, grootmoeder. Hij kan alles met me doen wat hij wil, en niemand zal het wagen om –'

'Laat je geest niet door hem breken,' bromde Gebroken Tak. 'Dat is erger dan een uitgestotene te zijn.' Ze draaide zich om, streelde even Zonlichts gebogen hoofd en strompelde weg naar de warmte van de tenten. De oude Klauw riep op bestraffende toon iets tegen haar. Gebroken Tak snauwde iets terug, gebaarde boos met haar hand en liep door.

Klauw aarzelde, deed een stap in de richting van Dansende Vos, en bleef staan. Haar mond vertrok in haar bruine gezicht. Toen zuchtte ze, draaide zich om naar de tenten en volgde Gebroken Tak.

47

Dansende Vos verplaatste ongemakkelijk haar gewicht van de ene voet naar de andere. Ze kon onmogelijk weggaan bij Kraailokker. Hij zou haar doden – en het Volk zou hem helpen. Ze hoorde achter zich zacht gelach en draaide zich met een ruk om. Het was Raafjager. Op zijn knappe gezicht lag een veelbetekenende uitdrukking, alsof zijn scherpe oren ieder woord dat Gebroken Tak had gefluisterd, hadden opgevangen.

'Wees voorzichtig,' zei hij zacht. Hij kwam naderbij tot hij boven haar uittorende. 'De Macht van je echtgenoot mag dan verdwenen zijn, maar niemand gelooft dat, behalve Gebroken Tak. Ze zullen je aan stukken scheuren als je schande over hem brengt.'

'Ik heb je raad niet nodig.'

Hij grijnsde en nam haar van hoofd tot voeten op. 'Nog niet. Maar dat komt wel.'

'Nooit!'

Glimlachend greep hij een lok van haar haar die in de wind wapperde. Terwijl hij de haarlok streelde, fluisterde hij: 'We zullen zien.'

Ze rukte zich los en keek hem woedend aan. Zijn ogen keken diep in de hare. 'Wanneer je geen kant meer op kunt,' zei hij op samenzweerderige toon, 'onthoud dan dat ik er altijd voor je zal zijn.'

'Ga weg!'

Hij keek haar aan met schuingehouden hoofd, lachte, draaide zich om en liep op een drafje de helling af.

Ze kneep haar ogen stijf dicht.

4

Dansende Vos bevond zich aan de rand van het groepje mensen dat bij de hoek van de grote tent stond. Ze staarde met een hart dat als een steen in haar borst lag naar de drie mannen die aan kwamen lopen over de door sneeuw en wind gegeselde vlakte.

Rent In Licht liep voorop. Zijn versleten parka van kariboehuid flapperde in de wind, en de plooien in het leer waren wit waar de sneeuw was vastgekoekt en bevroren. Een gemompel van ontzag ging op toen het laatste licht op zijn gezicht viel.

Vos bracht een gewante hand naar haar mond. *Kijk hoe hij zijn gezicht beschilderd heeft!* Met bloed waren rode lijnen op zijn wangen en rond zijn mond getekend, en op zijn voorhoofd, waar het opgedroogde bloed was gaan schilferen, was nog vaag het profiel zichtbaar van de kop van een wolf of een beer die naar links keek.

Haar hart begon wild te kloppen. *Kijk naar die vreemde glans in zijn ogen – als het schijnsel van een walvisolielamp in de nacht. Hij heeft iets machtigs gezien. Bestaan er dan toch geesten?*

'Hah-heeee!' gilde gebroken Tak schril. Haar piekerige grijze haar wapperde in de greep van Vrouw Wind. Ze wees met een knoestige bruine vinger naar het naderende drietal. 'Daar! Daar gaat een echte Dromer! Zie je het licht in zijn ogen? De geest heeft zich in hem bewogen. De geest heeft de merktekens geplaatst van een machtige Droom!' Ze danste op en neer van opwinding.

Vos keek angstig naar Kraailokker. Hij stak zwart en dreigend af tegen de nevel van voortjagende ijskristallen. Zijn kaakspieren rolden onder zijn ingevallen wangen.

'Mijn broer een Dromer?' schimpte Raafjager. 'Het enige dat hij ziet, zijn denkbeeldige sneeuwvlokken als Vader Zon schijnt.'

Vos rechtte haar schouders, zich bewust van zijn glimmende zwarte ogen op haar gezicht. Ze hoorde dat hij naast haar kwam staan. Met opeengeklemde kaken hield ze haar aandacht op Rent In Licht gevestigd.

'Mijn broer heeft een simpele geest, vrouw,' fluisterde Raaf-jager. 'Hij leeft in een andere wereld dan jij of ik.'

Ze slikte en keek op naar zijn harde gezicht. 'Hoe kun jij dat weten?'

'Je slechte gedachten staan even duidelijk op je gezicht ge-tekend als sporen in pasgevallen sneeuw,' zei Raafjager spot-tend. 'En ik ben niet de enige die ze ziet.'

'Ik begrijp niet waar je het over hebt.'

'Ik denk van wel.' Hij liep glimlachend weg, soepel, als een roofdier, ondanks de honger die ook hem had verzwakt. Mocht hij voor eeuwig begraven worden! Waarom was hij zo zeker van zichzelf? Iets in zijn blik had haar aan het denken gezet. Hoog-hartig of niet, Raafjager maakte zelden een vergissing. Dat was zijn kracht: hij kende de werking van de zielen, zowel van men-sen als dieren.

Twee kinderen maakten zich los uit de groep en holden stru-kelend naar voren om het drietal te begroeten. Springende Haas en Hij Die Huilt droegen brokken bevroren wolfsvlees. Rent In Lichts last hing om zijn schouders: de grijze vacht van een wolf met de kop er nog aan, de ogen dof en bevroren.

'Rent In Licht brengt vlees!' riep Springende Haas. Zijn stem werd voller en rijker, als het geluid van een gespannen walrus-darm in de zon. 'En hij brengt een Droom!'

Ze staarden naar de rood-witte stukken vlees op de schouders van de jagers, naar de belofte van leven. Een Droom? Een Geest-droom?

Rent In Licht bleef voor de groep mensen staan en liet zijn blik over hun gezichten gaan. Niets bewoog behalve Vrouw Wind, die speels aan hun kleding trok en hun gezichten kietelde met losse haarlokken.

'Vertel ons,' zei Gebroken Tak begerig. Haar stem klonk luid en scherp in de stilte.

'Het was een Wolfdroom,' zei hij zacht. Zijn gezicht toonde geen enkele emotie. 'Maar ik vertel haar niet hier in de kou. Laten we naar binnen gaan voordat Vrouw Wind ons alle warmte ontneemt en onze zielen de Lange Duisternis in blaast.'

'Verdeel het vlees!' snauwde Kraailokker zuur. 'Speel geen spelletjes, jongen. De mensen hebben honger.'

'Nee,' antwoordde Rent In Licht met een vreemde kalmte. 'Wolf heeft me het vlees gegeven opdat we naar het zuiden kunnen gaan. Hij kwam in een Droom en toonde me de weg. Zijn lichaam zal het Volk kracht geven voor de reis. Zijn hartsbloed stroomt in mijn aderen. Er is geen andere weg.'

'Ha! Jij? Jij bent nog maar een jongen! Je weet niet eens wat een Geestdroom is.'

'Hoe dúrf je dat te zeggen?' zei Gebroken Tak heftig. Haar benige vinger schoot dreigend naar Kraailokkers gezicht. 'Kijk naar Rent In Licht! Kijk en zie de Macht! De Droom in zijn ogen.'

Vos' adem stokte toen ze de glans in Rent In Lichts ogen zag wervelen en dansen. Het deed haar denken aan de gloed van wolveogen die oplichten in het schijnsel van een nachtelijk vuur.

'We gaan naar het noorden,' zei Kraailokker terwijl hij naar de verre horizon wees. 'Ik heb ook een Droom gehad... *jongen*. De mammoeten roepen ons terug naar waar we vandaan kwamen.'

'Ga dan.' Rent In Licht hief zijn kin. 'De macht van de Geest gaat waar hij wil. Mensen hebben daar niets over te zeggen. Wolf gaf me zijn Macht. De Wolfdroom zal mij, en degenen van het Volk die mij willen volgen, naar het zuiden brengen. Daar bij het Grote IJs –'

'Wacht jullie de *dood*!' kraste Kraailokker.

Rent In Licht richtte zijn ogen op Kraailokker, en de oude sjamaan bevochtigde zijn lippen en stapte achteruit alsof hij bang was voor de jongen. 'De dood! Hoor je het goed, *jongen*?' Zijn witte oog gloeide dreigend, terwijl zijn zwarte oog vonkte als vuursteen dat tegen graniet wordt geslagen. 'In het ijs wonen monsters. Je hoort de stemmen van verloren zielen in het ijs.' Hij draaide zich om naar de anderen. 'Als je in de buurt van het

Grote IJs komt, hoor je de zielen kreunen en gillen en hoor je het kraken van hun botten, die onder het gewicht vermorzeld worden. Ze zullen jullie doden! We moeten naar het noorden toe.'

'Ga jij maar naar het noorden!' schreeuwde Gebroken Tak. 'Misschien is het alleen jouw lot om door de Anderen te worden gedood.' Ze hinkte naar Rent In Licht en greep met haar dunne, benige vingers zijn parka beet. 'Kijk me aan, jongen. Kijk in mijn ogen. Toon me de Droom... de Droom.' Ze trok zijn gezicht zo dicht naar het hare toe dat de damp van hun adem zich vermengde tot een witte wolk rond hun schouders.

Een lang ogenblik stond ze zo, haar handen rond zijn nek geklemd. Toen trok ze hem nog dichter naar zich toe, tot hun ogen elkaar bijna raakten.

'Ha-heee!' bracht ze hijgend uit. Ze liet hem los en wankelde achteruit, zwaaiend met haar armen om haar evenwicht niet te verliezen. Plotseling liet ze zich op de grond zakken en begon zacht in zichzelf te zingen terwijl iedereen angstig en geboeid toekeek.

'Dwazen, allebei,' gromde Raafjager.

'Grootmoeder?' Lachend Zonlicht nam een van de verschrompelde handen van de oude vrouw in de hare, 'Wat zag je in Lichts ogen?'

'Droom...' fluisterde Gebroken Tak. Haar mond hing open en ze staarde zonder iets te zien in de verte. 'Wolf is in zijn ogen. Wolf...'

Hij Die Huilt wendde zich ongemakkelijk tot Kraailokker. 'Is dat waar? Jij hebt ons naar vele plaatsen geleid en ons genezen als we ziek waren. Maar Rent In Licht zegt dat je visioen verkeerd is. Hoe weten we wie gelijk heeft?'

'Hij is nog maar een jongen,' zei Kraailokker vlak. 'Hij speelt spelletjes terwijl de dood het Volk bedreigt. Om Dromen te kunnen ontvangen, moet je vasten en je voorbereiden. Ze komen niet zomaar.'

'Hij heeft vier dagen niet gegeten,' flapte Lachend Zonlicht eruit. 'Hij heeft zijn eten aan mij gegeven... voor de baby.' Ze wees met een trillende vinger op de plek waar het dode kind onder de sneeuw was verdwenen.

'Ai-eee,' zong Grijze Rots. Haar kleine glanzende zwarte ogen hechtten zich aan Rent In Licht. 'Vier dagen, hè? Het getal van de Geest. Als het pad dat Vader Zon volgt over het hart van de aarde. Het kruisen van de tegenstellingen.'

'Het is nog maar een jongen!' schreeuwde Kraailokker, zwaaiend met een gebalde vuist.

Rent In Licht huiverde alsof de eeltige hand van de sjamaan hem geslagen had. 'Wolf kwam naar me toe. Hij zal degenen redden die naar het zuiden gaan. Hij toonde me een doorgang door het Grote IJs. Daar voorbij zijn mammoeten en bizons. En kariboes eten daar van het jonge gras en krijgen nieuwe geweien.'

Dansende Vos' lippen weken vaneen toen ze Lichts ogen ontmoette. 'Ik zie de Droom,' fluisterde ze. 'Ik zie de weerkaatsing van de droom in zijn –'

'Ga de tent in!' beval de oude sjamaan. 'Ga mijn slaaphuiden warmen. Morgen vertrekken we naar het noorden, en ik wil vannacht goed slapen.'

Zijn woede trof haar als een zweepslag, maar ze bleef staan en zei: 'Nee.' Het magere gezicht van de oude man vertrok van haat en hij hief een hand op om haar te slaan.

Ze hield haar armen afwerend voor zich uit en deed een paar passen naar achteren terwijl ze riep: 'Raak me niet aan!'

'Ga!' schreeuwde Kraailokker.

Terwijl ze zo snel als haar benen haar dragen konden naar de tent rende, ving ze een glimp op van de uitdrukking op Rent In Lichts gezicht toen hij naar voren stapte. Gebroken Tak hield hem tegen door een hand op zijn schouder te leggen.

Terwijl Vos onder de deurhuid door kroop, hoorde ze de krachtige stem van haar echtgenoot zeggen: 'Luister niet naar dit kind! De mammoeten zijn daar! In het noorden! Ik heb gezien hoe onze jagers ze zullen omsingelen en hun speren diep in de loeiende kalveren zullen steken. De moeders zullen hun slurven in de lucht steken om de lucht af te tasten naar onze geur. Maar we zijn geslepen jagers! De kalveren blijven steken in de diepe sneeuw en hun bloed kleurt onze speren rood. De kudde slaat op hol en vlucht naar het noorden, en wij oogsten –'

'*Leugenaar!*' gilde Gebroken Tak woedend. 'Je ziet niets. Je verzint maar wat. Uit jóuw ogen spreekt geen Droom.'

Vos kromp ineen toen ze de harde klap hoorde. Ze trok de slaaphuiden van Kraailokker over haar hoofd om de klappen die volgden niet te hoeven horen. Ze werd aangegrepen door zo'n heftige woede dat haar maag ineenkromp en ze moest kokhalzen. Ze was bang dat Kraailokker de oude vrouw, en haarzelf, iets aan zou doen omdat ze zich tegen hem had verzet. Ze wist dat ze vanavond de prijs voor haar opstandigheid zou moeten betalen. Ze krulde zich op tot een bal en jammerde bij de gedachte aan de pijn die ging komen.

Kraailokker hief zijn hand op om Gebroken Tak nogmaals te slaan. De oude vrouw schuifelde, nog steeds zittend, weg over de sneeuw, binnensmonds mompelend.

'Laat haar met rust,' zei Rent In Licht met vaste stem. Het beeld van de angst op Dansende Vos' gezicht stond in zijn geheugen gegrift. Wolf vloeide vol en krachtig in zijn aderen. Diep in zijn ziel welde haat op voor deze oude man die zijn volk kwelde.

'Wat?' zei Raafjager, die met de armen over elkaar geslagen toekeek. 'Dappere woorden uit de mond van mijn broer?'

'Durf je mij te bedreigen?' zei Kraailokker tegen Rent In Licht. '*Jij?* Wil je de vrede van het Volk verbreken?'

'Er is geen vrede als een oude vrouw moet lijden. Jij hebt de vrede al verbroken.'

Kraailokker richtte zich op in zijn volle lengte, zijn borst vooruit. 'Ik heb het recht te straffen wie en wanneer ik wil.'

'Niemand heeft dat recht.'

'Ik zal je doden, jongen. Mijn Macht is groot!' De oude sjamaan trok zijn lippen op in een grijns, zodat zijn gele, brokkelige tanden bloot kwamen. Zijn magere arm gleed uit de mouw van zijn parka en begon magische tekens in de lucht te maken.

Rent In Licht haalde diep adem en betastte nerveus zijn werpspiesen. 'Wolf beschermt me. Ik ben niet bang voor je,' zei hij. Maar hij was wél bang. Hij was maar al te vaak getuige geweest van de gevolgen van de magie van de oude man. Hij bad in stilte tot Wolf.

Hij hoorde gedempt gefluister en het schuifelen van vele voeten op de sneeuw. De stamleden maakten ruimte voor de twee sjamanen. De ijzige lucht leek te gonzen van Macht.

Kraailokker wierp zijn hoofd in zijn nek en zette een spookachtige melodie in. 'Over vier weken,' zong hij, 'zul je krimpen van de pijn en zal je maag zich binnenstebuiten keren...' De woorden werden al snel onverstaanbaar. De oude man hief zijn handen naar de hemel en begon een vreemde dans, terwijl hij door bleef zingen met een hoge, trillende stem.

Rent In Licht kneep zijn ogen dicht. De geest van Kraailokkers Macht schuurde langs de randen van zijn ziel. 'Wolf beschermt me, Wolf beschermt me...' herhaalde hij zonder ophouden, met bonzend hart. 'Hij zal me niet laten sterven voor ik het land voorbij het Grote IJs heb bereikt.' Hij raakte de met bloed getekende afbeelding van de wolf op zijn voorhoofd aan. 'Wolf zal me naar het zuiden leiden, naar het land van Vader Zon. Ik volg de Droom van Wolf.'

De druk van Kraailokkers Macht op zijn ziel leek af te nemen. Rent In Licht opende zijn ogen en keek met een glimlach van opluchting naar de dansende oude sjamaan.

Kreten van ontzag weerklonken als gevolg van deze demonstratie van zijn Macht. De zittende Gebroken Tak greep haar voeten beet en schommelde heen en weer als Grootvader Bruine Beer. Ze grijnsde breed zodat haar tandeloze zwarte tandvlees en roze tong zichtbaar werden. 'Wolfdroom!' kakelde ze. 'Ha-heee! Ik ga naar het zuiden met Rent In Licht. Ik ga met Wolf naar het zuiden!'

Het laatste reepje van Vader Zon zonk onder de ruwgetande horizon in het zuidwesten. Schaduwen vulden de holle wangen en oogkassen van de stamleden en deden ze eens zo diep lijken. De duisternis viel als opaliserende sluiers van rook. De heldere flakkerende vuren die werden veroorzaakt door de oorlog tussen de Monsterkinderen lichtten op aan de noordelijke hemel. De Tweelingen bevochten elkaar al vanaf het begin der tijden, de een goed, de ander slecht, gewikkeld in eeuwige strijd.

'In het zuiden wacht je de *dood!* Hoor je me, Vader Zon? Ik,

Kraailokker, heb je Droom. Voel je mijn Macht? Ik vervloek deze... deze verraders! Hun zielen zullen nooit het Gezegende Sterrenvolk bereiken. Dood!' krijste hij terwijl hij ronddraaide met zijn armen gespreid als een arend, om ten slotte vlak voor Rent In Licht tot stilstand te komen.

'Ik volg Wolf,' zei Rent In Licht. 'Iedereen die het vlees van Wolf eet, volgt mijn Droom.' Hij draaide zich om, liep tussen de mensen door naar zijn tent en verdween onder de deurhuid.

5

Het rode schijnsel van het vuur danste op de wanden van de tent. De mensen zaten zwijgend ineengedoken rond de vlammen, een blik van angst en verlangen in hun ogen.

Hij Die Huilt bracht het handvat van zijn nieuwe stenen pijl-punt naar zijn mond en klemde zijn tanden rond de knoop in de pees. Hij trok en voelde de knoop hard worden. Hij bestudeerde de verbinding met een kritisch oog en gromde tevreden. De stenen punt zat precies goed in het gespleten eind van de schacht.

Zingende Wolf porde met een stok tegen het smeulende stuk mammoetmest in de vuurkuil. Samen met het gedroogde mos gaf de mest wat warmte, zij het niet veel. Ze hadden geluk gehad: een van de kinderen had de mest gevonden op een plek waar de wind de sneeuw had weggeblazen. De dood van zijn kind woog nog steeds zwaar op zijn hart. Hij staarde in de rode gloed van de smeulende mest, knipperend tegen de zware, scher-pe rook.

Hij Die Huilt keek langs de lange schacht van zijn werpspies naar het stuk wolvevlees dat in het midden van de tent op de grond lag te ontdooien. 'Moet ik hier de hele nacht zitten en naar dat vlees staren?'

'Wat is groter,' vroeg Zingende Wolf, met een begerige blik op het vlees, 'je honger, of je angst voor wat Kraailokker zal doen als je van de wolf eet?' Hij staarde naar het vlees, dat een vreem-de rode kleur had in het licht van het vuur. Hij slikte, alsof het water in zijn mond hem irriteerde.

'Sjamanen!' mompelde Hij Die Huilt terwijl hij de werpspies zenuwachtig tussen zijn handen heen en weer rolde. 'Ze strijden om de Macht terwijl het Volk van honger omkomt. Ik ga eten.' Hij begon op handen en voeten naar het vlees te kruipen.

'En ga je dan ook naar het zuiden met Rent In Licht?' vroeg Zingende Wolf, een wenkbrauw optrekkend.

Hij Die Huilt verstijfde, zijn handen boven het vlees. Diepe rimpels verschenen in zijn voorhoofd. Hij beet met stompe tanden op zijn onderlip. Zijn ronde gezicht met de hoge jukbeenderen en de platte neus zag er bijna mollig uit in het zwakke licht van het vuur. Zijn ogen, waarin anders altijd pretlichtjes blonken, hadden een onzekere, gepijnigde uitdrukking. 'Raafjager zegt dat zijn broer een dwaas is,' zei hij schouderophalend. 'Een dwaas kan zichzelf van alles wijsmaken. Je kent Rent In Licht; hij ziet altijd van alles.'

'Die Raafjager, dát is nog eens een verstandig man. Hoe is het mogelijk dat twee broers zo van elkaar verschillen?'

'Wat zullen we doen? Moet je al dat vlees toch eens zien.' Hij wees. 'Waarom bemoeien die geesten zich met de manier waarop ik mijn buik wil vullen? Waarom blijven ze niet weg nu de dood overal om ons heen is?'

'Omdat sjamanen allemaal gek zijn,' kreunde Zingende Wolf.

'Ik ga van het vlees eten. Vertrouw jij geestesvlees?'

Zingende Wolf krabde zich onder zijn arm, zijn ogen nadenkend tot spleetjes geknepen. 'Doe niet zo idioot. Natuurlijk niet. Geesten zijn onbetrouwbaar.' Hij zweeg even. 'Kraailokker wilde niet voor mijn kind zingen. hij *wilde* het gewoon niet!' De ogen van Lachend Zonlicht, die iets opzij van hem zat, werden vochtig. Hij pakte haar hand en hield hem stevig vast.

Hij Die Huilt zond hem een gepijnigde blik. 'Je hebt de ogen van Licht gezien, niet? Heb je de Droom erin gezien?'

Zingende Wolf haalde zijn schouders op, slecht op zijn gemak. 'Ik weet het niet. Er was iets, maar...'

'Wat?'

'Raafjager zei –'

'Ik weet wat Raafjager gezegd heeft,' gromde Hij Die Huilt vol afkeer. Hij schommelde heen en weer op zijn hielen en klemde zijn kaken zo hard op elkaar dat zijn kiezen knarsten.

Zingende Wolf schudde zijn hoofd en haalde met een boos gebaar een vuurstenen graveerstift uit zijn buidel. Hij pakte een gespleten mammoetrib – al lang geleden ontdaan van alle merg – en begon met een geconcentreerde uitdrukking op zijn gezicht figuren in het bot te krassen. Na een tijdje zei hij op koele toon: 'Kraailokker heeft een vloek uitgesproken over iedereen die van de wolf eet.'

'Nou en? Kraailokker en Rent In Licht hebben op één punt gelijk: we moeten hier weg. Maar we zullen niet ver komen op een lege maag.'

Groen Water, de vrouw van Hij Die Huilt, kwam bij hen zitten, een deken van wolfsvellen strak rond haar schouders getrokken. 'Met hier zitten vullen we onze buik ook niet,' zei ze met haar welluidende stem. Ze bestudeerde haar echtgenoot met een opgetrokken wenkbrauw. De tedere blik in haar ogen als ze naar hem keek, was niet veranderd onder de invloed van honger en ontberingen. Ze zei: 'Niemand heeft wild gezien, zelfs geen enkel spoor. Zullen we nog wel kracht hebben om te lopen als we hier langer blijven?'

Hij Die Huilt keek naar zijn nieuwe werpspies en zegende hem met een gemurmeld machtslied voor hij de spies in zijn koker van kariboekalfshuid liet glijden. 'Ik ben in ieder geval van plan van het vlees te eten.'

'Mijn kind is dood,' zei Zingende Wolf vlak. Hij wierp een blik op Lachend Zonlicht, die zwijgend naar hem keek, een uitdrukking van smart rond haar mond. Hij richtte zijn blik weer op het glinsterende vlees. 'Al mijn kinderen zijn gestorven.'

De vrouwen staarden voor zich uit, zonder iets te zeggen. Een tijdlang was het stil.

'Is Lachend Zonlicht de volgende?' ging Zingende Wolf verder. 'Of ik? Ben ik nu aan de beurt? Wie is de volgende die sterft van honger?'

Hij Die Huilt haalde hulpeloos zijn schouders op en groef met een stompe vinger naar een roetdeeltje in een van zijn ogen. 'Volgens Kraailokker ben jij de volgende... als je van dat vlees eet.'

'Mijn kind zou een schoonheid zijn geworden, een brenger van leven voor het Volk.' Hij zweeg even. 'Kraailokker wilde niet eens voor haar zingen. Een waardeloos leven, zei hij. De zo-

59

veelste dode. En nu ligt daar vlees. Hoeveel malen zijn we erop uit gegaan om te jagen? En hoeveel malen hebben we niets anders gezien dan sneeuw?'

'Te vaak.'

Zingende Wolf boog zijn vingers rond de graveerstift en hanteerde hem met meesterlijke vaardigheid.

'Vallende Beenderen ging op jacht en vond Grootvader Witte Beer,' bracht Groen Water hem kalm in herinnering.

'Dat is een ander punt,' ging Hij Die Huilt verder. 'Wie heeft ooit gehoord dat Grootvader Witte Beer zo ver zuidelijk kwam?' Hij haalde zijn neus op en beproefde met zijn duim het snijvlak van de gebroken pijlpunt die hij uit de schacht van de werpspies had gehaald. 'Ik zal deze opnieuw moeten scherpen. Hier in het zuiden is het moeilijk om geschikte stenen te vinden. Misschien vinden we wel obsidiaan aan de andere kant van het Grote IJs, hm? Of een paar mooie stukken kwartsiet? Misschien wijzen die verloren zielen waar Kraailokker het over had ons wel de weg. Wat denken jullie?'

Lachend Zonlicht zei zacht: 'Hoeveel kwaad zou je kunnen overkomen door geestesvlees te eten?'

Zingende Wolf zuchtte. 'Als ik moest kiezen tussen de twee Dromen, dan zou ik die van Rent In Licht kiezen.'

'Hij is nog maar nauwelijks volwassen.'

'Kraailokker heeft in het verleden vaak gelijk gehad,' merkte Groen Water op terwijl ze speelde met een vouw in haar pelsmantel.

'Misschien hebben ze alle twee gelijk?' vroeg Zingende Wolf zich af. 'Ieder op zijn eigen manier? Maar ik kan niet twee Dromers tegelijk volgen! Ik kan mezelf niet doormidden delen!'

'Maar heb je de uitdrukking in Rent In Lichts ogen gezien?'

'Ik geloof dat ik liever doodga van de honger dan dat ik mijn maag binnenstebuiten laat keren. Herinner je je die keer dat Kraailokker een vloek uitsprak over Drie Stenen? Al zijn tanden vielen uit zijn mond.' Hij Die Huilt rommelde in zijn buidel en haalde er een scherp geslepen geweipunt uit en een dik vierkant stuk huid met een gat erin. Bij het licht van het vuur bestudeerde hij de beschadigde pijlpunt en bromde. Hij stak zijn duim door het gat in het stuk huid en legde de pijlpunt in zijn door het dikke leer beschermde palm. Daarna zette hij de geweipunt tegen de rand van de pijlpunt en drukte. Een lange scherf sprong van de vuursteen af.

'Hé!' riep Zingende Wolf, 'doe dat buiten. Iedere keer als ik ga zitten, snij ik me aan die kleine scherfjes. Ze gaan overal in zitten, tot in het eten toe.'

'Nou en? Morgen gaan we hier toch weg. Denk je dat het de wolven iets kan schelen als ze hier komen snuffelen om te zien of wij iets hebben achtergelaten? Ze kunnen heel goed onderscheid maken tussen scherpe steensplinters en brokjes ijs – in tegenstelling tot jou.'

Groen Water slaakte een geërgerde zucht en wierp uit haar ooghoeken een boze blik op de mannen. Daarna ging ze verder met het repareren van de zool van een laars.

Een tijdlang was er geen ander geluid dan het klikken en kraken van de vuursteen en het krassen van de graveerstift van Zingende Wolf over het mammoetbot. Hij draaide het bot af en toe om de tekening in het rode schijnsel van het vuur te bestuderen. 'Gebroken Tak zegt dat Kraailokkers Macht verdwenen is. En Kraailokker zegt dat Licht nog maar een jongen is die voor sjamaan speelt.'

'Ha!' snoof Hij Die Huilt. 'Als we naar het noorden gaan, lopen we die Anderen zo in de armen. Je weet dat ze het grootste gedeelte van Geisers Clan hebben gedood. Ze hebben een heleboel vrouwen meegenomen en het kamp vernietigd. Degenen die het overleefd hebben, konden de Anderen het afgelopen Lange Licht maar net vóór blijven. Het zijn slechte mensen, die Anderen. Ze hebben een zieke geest.'

'Raafjager wil ze doden,' zei Zingende Wolf peinzend. 'Hij denkt dat er een manier is om ze te verjagen en te zorgen dat ze ons met rust laten. Misschien heeft hij wel gelijk.'

'Raafjager wil aanzien verwerven,' snauwde Hij Die Huilt. Hij dacht aan de voortdurende vechtpartijen tussen Raafjager en Rent In Licht, en hoe de eerste altijd won. 'Laat hem maar sterven als hij dat zo graag wil. Ik weet wel betere plaatsen voor een werpspies dan mijn buik.' Hij beproefde de snijrand van de pijlpunt tegen zijn eeltige duim. 'Ik ga van het vlees eten. Wolf zal niet toestaan dat Kraailokker ons kwaad doet. Dat is niet Zijn manier.'

'Kraailokker is bang voor het zuiden,' voegde Groen Water eraan toe, van de een naar de ander kijkend. Haar vriendelijke uitdrukking zette hen aan tot nadenken. Groen Water had een manier van doen die sterk en tegelijkertijd gevoelig was, en kalm, en verstandig.

'Ja,' beaamde Zingende Wolf. Zijn tong gleed over zijn lippen. 'Waar kan een man met Macht als hij nu bang voor zijn?'

'Geesten,' zei Hij Die Huilt. Hij keek Zingende Wolf strak aan en wees met de gescherpte vuurstenen punt terwijl hij sprak. 'En als hij geen Macht heeft, is dat ook wel begrijpelijk. Rent In Licht is niet bang.'

'Ja, dwazen zijn nergens bang voor.' De graveerstift in Zingende Wolfs sterke vingers glansde in het licht van het vuur terwijl ze met een hol krassend geluid over de mammoetrib gleed. 'Ik zou me niet graag het ongenoegen van Kraailokker op de hals halen. De volgende keer dat ik me zou moeten verbergen voor Grootvader Witte Beer, zou Vrouw Wind mijn geur rechtstreeks naar zijn neusgaten blazen omdat Kraailokker me mijn toverkracht had afgenomen.'

'Maak je maar geen zorgen. Die geur van jou is zo sterk dat Grootvader Witte Beer waarschijnlijk meteen aan de haal zou gaan.'

Zingende Wolf keek hem kwaad aan. 'Dit is niet iets om grapjes over te maken. Het kan me niet schelen wat Gebroken Tak zegt, die oude man heeft Macht. En toch vertrok Rent In Licht geen spier toen Kraailokker zijn magie aanwendde. Geen spier!' Hij keek naar de ineengedoken gestalte van Lachend Zonlicht, die met een droevige uitdrukking op haar gezicht naar het vlees staarde. Zingende Wolf sloeg zijn ogen neer en tuitte bedachtzaam zijn lippen. De herinnering aan het kleine bundeltje in de sneeuw drukte ook op hem – zwaar als de slagtand van een oude mammoetstier.

'En? Weet je al wat je gaat doen?' vroeg Hij Die Huilt.

Lachend Zonlicht kwam tussenbeide. 'Wat moet je doen als er geen prooidieren zijn en er geen kans is om voedsel te vinden? We moeten kiezen tussen verder trekken naar het zuiden of te-ruggaan naar waar we vandaan kwamen. We weten niet of we iets te eten zullen kunnen vinden in de heuvels in het zuiden. Misschien alleen wat overgebleven bessen die door Vrouw Wind van sneeuw zijn ontdaan.'

'En hoe lang kunnen we daarop in leven blijven?' vroeg Zin-gende Wolf ruw. 'Wat als Rent In Licht zich heeft vergist? Wat als zijn Droom niets meer blijkt te zijn dan de verbeelding van een kind?'

Hij Die Huilt tuurde naar de grond.' Nou, dan kunnen we al-tijd nog teruggaan. De Hernieuwing wordt ieder jaar op dezelfde plek gehouden. Als Licht zich heeft vergist en er geen gat in het ijs is, kunnen we naar de Hernieuwing gaan en ons aansluiten bij de clan van Bizonrug. Hij zal ons niet afwijzen.'

Zingende Wolf slikte en staarde naar de graveerstift in zijn hand. 'Mijn kind is gestorven van de honger.' Hij wierp de be-werkte mammoetrib op. Hij Die Huilt ving hem handig op en bekeek de tekening bij het licht van het vuur.

Zingende Wolf wierp een snelle blik op Lachend Zonlicht ter-wijl hij zich over het vlees van de wolf boog, dat naast het smeu-lende rode oog van het vuur lag. Groen Water kroop ook naar het vlees.

Hij Die Huilt staarde naar de tekening op de mammoetrib. Zingende Wolf, de beste kunstenaar van hun clan, had een dier met vier poten, een lange snuit en spitse oren in het bot gekerfd. Het was duidelijk wat de tekening voorstelde. Zeer beslist geen vos.

'Wolvevlees?' Hij Die Huilt trok een vies gezicht. 'Dat is net alsof je op een oude zweterige mocassin zit te kauwen… behalve dat een mocassin beter smaakt!' Aarzelend kroop hij naar het vlees en ging naast Zingende Wolf zitten. Hij nam zijn nieuwe pijlpunt en sneed lange repen van het sappige rode vlees, en met een flauwe glimlach gaf hij enkele brokken aan Lachend Zon-licht en Groen Water.

63

De oude vrouwen zaten dicht bijeen. De huidplooien in hun ge-rimpelde gezichten glinsterden van het vet in het flakkerende schijnsel van het vuur. Lange schaduwen dansten over de wan-den van de tent.

Vakkundig spleet Gebroken Tak een dijbeen overlangs in tweeën, zodat het roze beenmerg zichtbaar werd. Ze schraapte het merg eruit met de lange, gedraaide nagel van haar duim, maakte er twee hoopjes van en gaf er een van aan Grijze Rots.

'Dat geestesvlees stelt ook weer niet zóveel voor, hè?' zei Ge-broken Tak met een schalkse grijns.

Grijze Rots likte haar vingers af. 'Honger jaagt me meer angst aan dan vervloekingen.'

'Ik heb altijd geweten dat je een sluwe oude heks was.'

'Nee, dat heb je niet. Je hebt me wel honderdmaal verteld dat –'

'Vergeet maar wat ik je eerder verteld heb. Ik ben van gedach-ten veranderd.'

Grijze Rots glimlachte en stopte weer een stukje vet in haar mond. 'Jammer,' zei ze, al kauwend, 'eindelijk ben je verstandig geworden, en nu krijg ik niet de kans om ervan te genieten.'

'Ga met ons mee. Ha-heee, er is Macht in het zuiden! Ik voel het diep in mijn hart.' Gebroken Tak gebruikte een botsplinter om het laatste merg uit het sponsachtige binnenste van het ko-gelgewricht te peuteren en schoof het vet haar mond binnen zon-der acht te slaan op de vlijmscherpe scherfjes die meekwamen. 'Dat is het voordeel als je geen tanden hebt,' mompelde ze grijn-zend. 'Er kan niets tussen blijven steken.'

'Nee,' gromde Grijze Rots. 'Alleen schuurt het je billen rauw als het er aan de andere kant weer uitkomt.'

'Het komt er in ieder geval uit. Jouw probleem is dat je dicht gaat zitten. Beïnvloedt je humeur. Je wordt er raar van, net als wanneer je al een jaar of wat geen man hebt gehad.'

Grijze Rots wuifde haar woorden weg. 'Wie wil er nou een man hebben? Het enige dat ze doen, is jammeren en klagen, en zelf mag je negen maanden lang hun nakomelingschap in je buik dragen – en dat is nog het makkelijke gedeelte.'

'Ga met ons mee naar het zuiden,' smeekte Gebroken Tak terwijl ze vanonder stoppelige grijze wenkbrauwen naar haar keek. 'Ik heb je nodig. Mijn enige gezelschap is die kinderen. Niemand om een verstandig woord mee te wisselen.'

'Hoe verder je naar het zuiden gaat, hoe onbegaanbaarder het terrein wordt. Meer rotsen om te beklimmen – en ik ben niet meer zo soepel en lenig als ik was.' Ze boog nadenkend haar hoofd en wierp tedere blikken op haar vriendin. 'Bovendien ben ik Kraailokker nog iets schuldig. Hij heeft mijn leven gered toen ik zo'n koorts had.'

'Dat is al een tijd geleden. Hij is zijn Macht nu kwijt. Al jaren.'

'Ik weet het niet.' Grijze Rots schoof haar benen onder zich, een gezicht trekkend vanwege de pijn in haar gezwollen gewrichten. 'Weet je nog toen mijn laatste tand begon te rotten? De hele zijkant van mijn gezicht zwol op van het gif.'

Gebroken Tak liet een kakelende lach horen en knikte heftig bij de herinnering. 'Je gezicht zag eruit als een opgeblazen walrusblaas, helemaal rond en strak! Ha-heee!'

'Ja. En herinner je je ook nog wat Kraailokker toen deed?'

'Je hoeft me niet zo uitdagend aan te kijken, raar oud wijf. Natuurlijk weet ik dat nog. Hoe zou ik ooit kunnen vergeten hoe je jammerde als een wolf met een dichtgeklapte oesterschelp om zijn neus?' Gebroken Tak sloeg zich op haar dijbeen en grinnikte. 'Hoeveel jagers waren er ook weer nodig om je in bedwang te houden terwijl die ouwe Eenoog zijn helende werk deed? Vijf? Tien?'

'Daar gaat het niet om!' zei Grijze Rots nijdig. 'Het punt is dat hij mijn leven heeft gered.'

'Bah!' Gebroken Tak smakte met haar lippen. 'Hij boorde een gat in je wang met een grote benen priem. Dat had ik ook kunnen doen. En net zo goed!'

Grijze Rots pruilde even voor ze op norse toon zei: 'En toch heeft hij mij het leven gered.' Ze zweeg weer even en vervolgde toen: 'Ik ga naar het noorden.'

Gebroken Tak schraapte zorgvuldig het laatste merg uit het

bot. Ze likte het vet van haar vingers en borg de twee bothelften op om er later het resterende vet uit te kunnen koken.

'Nou... Ga dan.' Ze stak haar vingers op en schudde ermee naar Grijze Rots. 'Dan moet je het zelf maar weten! Ik zeg je dat hij geen Macht meer heeft. Je zult al heel snel weer omkeren naar het zuiden – als een van die Anderen niet eerst je buik doorsteekt met een werpspies.'

Grijze Rots liet haar tong over haar tandeloze tandvlees glijden terwijl ze haar vriendin bestudeerde. 'Een werpspies is misschien te verkiezen boven de geesten in het Grote IJs.'

'Wat zouden die geesten met een oud wijf als jij moeten beginnen? Je zou ze alleen maar in de weg lopen, ze tot last zijn. Je zou ze waarschijnlijk zo in de war brengen dat ze vergaten te spoken of iets dergelijks.'

Grijze Rots glimlachte flauwtjes. 'Ik heb tegen Springende Haas gezegd dat hij met Rent In Licht mee moet gaan.'

'Wat?' bracht Gebroken Tak hijgend uit. 'Dat is verkeerd! Je zoon moet bij jou blijven. Zingende Wolf en die draaikont van een Hij Die Huilt gaan al met Rent In Licht mee. De groep van Kraailokker zal niet genoeg jagers tellen. Als je diep in je hart denkt dat het goed is om naar het zuiden te gaan, waarom ga je dan zelf niet mee?'

'Raafjager gaat met ons mee. Dat is voldoende.'

'Bah! Hij zal jullie last bezorgen met de Anderen. Die jonge idioot! Het enige dat hij wil, is oorlog. Het zit hem in het bloed. Ik herinner me nog toen hij geboren werd. Bloed... kwaad bloed.'

Grijze Rots tuurde door een spleet in de deurhuid om te zien hoeveel tijd ze nog hadden. Een grauw licht verspreidde zich over de hemel. 'Ze maken zich klaar om te gaan. Ik hoor dat ze bezig zijn.' Alsof het haar nu pas te binnen schoot, vroeg ze: 'Denk je werkelijk dat Reiger die kant op is gegaan?'

'Dat weet ik zeker. Ik heb haar zien vertrekken.'

'De meeste mensen denken dat ze een mythe is, dat ze nooit werkelijk –'

'Alleen de ouderen herinneren het zich nog.'

66

Grijze Rots fronste haar wenkbrauwen. 'In de verhalen wordt verteld hoe verdorven ze was, hoe ze verkeerde met de Machten van de Lange Duisternis. Waarom is ze weggegaan? Hebben de clanleden haar verdreven?'

Gebroken Tak schudde ongemakkelijk haar hoofd. 'Nee. Ze is uit zichzelf weggegaan. Ze zei dat ze alleen wilde zijn.' In de stem van de oude vrouw klonk iets van schuld door; schuld en wroeging.

Grijze Rots keek ernstig naar haar sombere gezicht. 'Wat heb je gedaan? De moeder van Reiger gedood? Die blik op je gezicht...'

'Hou op met naar dingen te vragen die je niet aangaan.'

'Goed,' zei Grijze Rots vermoeid. 'Ik wilde alleen maar wat praten.'

Gebroken Tak kwam langzaam overeind en stak haar vriendin een hand toe. Grijze Rots deed tevergeefs moeite om op te staan. Gebroken Tak gromde: 'En jij wil naar het noorden lopen om je aan te sluiten bij een andere clan van het Volk? Je kan niet eens overeind komen!'

'O, houd je mond, ouwe aaseter,' spoog Grijze Rots. Maar ze pakte de hand en hees zich met krakende botten overeind. 'Als ik eenmaal sta, is er niets aan de hand. Wacht maar tot ik op gang ben, dan kan niets me tegenhouden. Maar als ik zit, willen mijn heupen niet meer. Dat komt door al die buitenmaatse kinderen die ik gedragen heb.'

Op een voor haar doen ongewoon vriendelijke toon zei Gebroken Tak: 'Zorg dan dat je niet gaat zitten. Ik zal er niet zijn om je overeind te hijsen.'

Grijze Rots knikte, waggelde naar de deurhuid en dook eronderdoor. In het grauwe ochtendlicht zag ze Kraailokker staan, met om zich heen de mensen die met hem mee gingen. 'Tot ziens tussen de sterren,' fluisterde ze, en ze knipoogde ten afscheid voor ze wegschommelde in de richting van de oude sjamaan.

Gebroken Tak keek haar na, en weer voelde ze in haar hart de bekende pijn. Ze wist dat ze Grijze Rots niet terug zou zien.

67

6

'Wolfdromer?'

Rent In Licht draaide zich om en zag Springende Haas aan komen lopen. Zo noemden ze hem nu – althans, degenen die de Droom accepteerden. Wat de anderen betrof, wel... Raafjager noemde hem een kind. Dat was niets nieuws. Ze zaten elkaar al van jongsaf aan in de haren. Hij had nooit begrepen waarom. Toch deed het pijn om door hem zo genoemd te worden.

'Ik geloof dat alles ingepakt is,' zei Springende Haas. 'Iedereen is klaar. We hebben niet veel tijd. De dag is maar zo kort.'

'Ik weet het.' Onwillekeurig ging Lichts blik naar de groep rond Kraailokker. Er stonden veel vrienden, onder wie ook Dansende Vos. Zijn hart kromp ineen in zijn borst. Hij zei: 'Ik ben gereed.'

Er was een frons op Springende Haas' gezicht verschenen; hij had Rent In Lichts blik gevolgd. 'Je kunt niets doen. Ze is van hem. Haar vader heeft haar aan hem gegeven als betaling voor genezingen. Zij moet die schuld inlossen. Zo gaat het nu eenmaal in het leven.'

'Ik weet het. Maar ik voel dat dit mijn laatste kans is. Als ik haar nu niet van hem afpak, zal ik altijd alleen blijven.'

'Zo lijkt het altijd. Ik heb hetzelfde doorgemaakt toen mijn eerste liefde met een ander trouwde. Maar nu heb ik roem verworven. Bij de eerstvolgende Hernieuwing zal ik een vrouw vinden. En jij ook. Wacht maar tot de volgende Hernieuwing.' Springende Haas gaf hem een vriendschappelijk klopje op de schouder, liep weg en dook een van de tenten binnen.

Rent In Licht voelde de behoefte om alleen te zijn. Hij sjokte naar de andere kant van een sneeuwhoop, buiten het zicht van het kamp. Angst deed zijn darmen wriemelen als het nest maden dat hij eens uit de keel van een dode kariboe had gesneden. Zijn hele leven lang hadden onbekende gezichten en stemmen zijn slaap verstoord, roepend in een of andere hol klinkende grot in zijn geest. En één stem klonk boven alle andere uit, de stem van een vrouw. Hij had het merkwaardige gevoel dat hij op het punt stond naar haar op zoek te gaan. Het joeg hem vrees aan. *Was dit verbeelding of werkelijkheid? Neem ik mijn volk mee op een Droomtocht? Of voer ik hen naar hun dood?* Wolf was naar hem toe gekomen; dat was echt, dat wist hij. Toch voelde hij nog iets van twijfel, diep weggestopt onder zijn vertrouwen. Een gefluister van verraad en tovenarij onder de stem van zijn geloof. Had die Dromende man van de Anderen een vervloeking over hem uitgesproken? Zond de man hem op deze manier zijn ondergang tegemoet?

Hij trok de pezen van zijn kap strakker aan en staarde naar de witte woestenij die zich tot aan de horizon uitstrekte. De wind deed de sneeuw opwervelen in een witte nevel. Hoog in de helwitte lucht cirkelden raven. Zonlicht glansde als zilver op hun nachtzwarte vleugels.

'Wolf?' riep hij zacht. De bontrand van zijn kap wapperde in de bries. 'Laat me hier niet alleen. Help me.'

'Rent In Licht?' zei een zachte welluidende stem achter hem.

Zijn maagspieren verstrakten. Hij herkende haar stem – duizend Lange Duisternissen na nu, als hij Droomde te midden van het Sterrenvolk, zou hij haar stem nog herkennen. Hij kneep zijn ogen stijf dicht en mompelde: 'Ben je gekomen om afscheid te nemen?'

Ze liep om hem heen en ging voor hem staan. Hij voelde haar aanwezigheid, sterk en warm, en opende zijn ogen. Ze was mooi, ondanks de honger die haar wangen had doen invallen. Haar haar, dat als het loshing tot haar middel reikte, danste rond de randen van haar kap.

Hij keek haar in de ogen. Haar vriendelijke uitdrukking bleef onveranderd, maar iets in haar blik leek tot stilstand te komen, balancerend op het scherp van een mes, wachtend op de laatste harteklop die eindigde in de dood. 'Je kon dus komen,' stamelde hij, bij gebrek aan iets beters.

Ze stond op het punt te antwoorden, maar toen haalde ze diep adem en zweeg. Hij zag hoe in haar ogen verdriet en angst om de voorrang streden. Ze sloeg haar blik neer en staarde ongelukkig naar de wervelende sneeuw. 'Hij zou me doden,' zei ze ten slotte. 'Hij heeft... delen van mijn lichaam. Dingen die hem macht geven over mijn ziel. Het zou jullie ondergang kunnen betekenen als ik met jullie meeging. Hij zou een kwade geest uit de Lange Duisternis achter ons aan kunnen sturen.'

'Dat risico neem ik. Kom met mij mee, Dansende Vos. Ik zal je beschermen. Wolf zal niet toestaan dat je iets kwaads overkomt.'

'Ik heb wat van Wolf gegeten,' fluisterde ze.

'Je –'

'Ik kan niet met je meegaan, maar ik wilde toch deel hebben aan je Droom. En ik wil dat je weet...' Ze keek naar hem op, en hij voelde hoe zijn hart in zijn keel begon te kloppen.

Ze heeft gekozen. Hij had het gevoel alsof hij viel.

'Zeg het niet,' sprak hij ruw. 'Het zal ons geen van beiden helpen.'

Tranen sprongen in haar ogen. Ze deed een snelle stap naar voren, en voor hij wist wat er gebeurde, had ze haar armen om zijn middel geslagen en haar hoofd tegen zijn borst gedrukt. 'Wil je een spoor voor me uitzetten? Misschien kan ik...'

'Ik zal een spoor voor je uitzetten.' Het was hopeloos. Kraailokker zou haar nooit laten gaan. Hij drukte haar broze lichaam dicht tegen zich aan. Zelfs door de dikke lagen huid heen voelde hij haar adem schokken.

Ze boog naar achteren en staarde verwilderd langs hem heen naar de top van de sneeuwhoop. 'Ik moet weg. Hij zal naar me op zoek gaan.'

Met tegenzin liet hij haar los. Ze deed een stap naar achteren en bekeek hem alsof dit haar laatste kans was. Haar vingers wriemelden zenuwachtig in de sleetse vettige wanten.

'Als je kan ontsnappen, kom dan naar mij toe.'

'Dat zal ik doen.' Ze liep haastig weg en wierp nog een laatste blik over haar schouder voor ze over de top van de sneeuwhoop verdween.

Hij staarde een tijdje naar haar voetafdrukken voor hij binnensmonds mompelde: 'Hou jezelf niet voor de gek. Je weet dat ze niet kan komen.' Hij schudde zijn hoofd en fluisterde: 'Ik weet niet of ik wel echt wil dat ze meegaat. Stel dat mijn Droom niet…' Hij kon de zin niet afmaken.

Hij haalde diep adem en liet zijn blik over de golven bevroren sneeuw dwalen. Strepen donkerbruin verhieven zich waar Vrouw Wind de toppen van de richels had schoongeblazen. Die rotsachtige richels zouden zijn leidraad zijn op zijn tocht naar het zuiden, steeds verder en hoger langs de door de wind gegeselde-

'Heel aandoenlijk.'

Rent In Licht draaide zich met een ruk om en zag Raafjager overeind komen. Raafjager zei: 'Ik dacht waarachtig even dat ze zou bezwijken en het risico nemen dat haar liefde voor jou sterker was dan de wraak van Kraailokker.'

'Wat wil je van me?' vroeg Rent In Licht.

Raafjager spreidde zijn armen. 'Ik kom gewoon afscheid van je nemen, idiote broer van me. Dat is toch het recht van een familielid, niet? Ik wilde mijn broer een laatste maal welwillendheid en barmhartigheid betonen.'

'Waarom?'

'Ik weet het zelf niet,' zei Raafjager terwijl hij hem met schuingehouden hoofd aankeek. 'Jij bent altijd de vreemde van ons tweeën geweest. Ik heb nooit begrepen waarom Drie Stenen en Zeemeeuw altijd zo weg van je waren. Ik deed alles veel beter, kon goed sporen lezen en verhalen vertellen; maar ze hadden altijd alleen maar oog voor jou.'

Rent In Licht slikte en moest snel een zijstap doen om niet om te vallen. Woorden welden ongevraagd op in zijn keel en deden hem bijna stikken, en de wereld golfde voor zijn ogen. De woorden braken los en stroomden over zijn lippen: 'Jij… Jij en ik zijn de toekomst, broer. Doe niet wat je van plan bent, anders zal een van ons de ander moeten vernietigen.'

Raafjagers harde lach verbrak de betovering als een steen die door het ijs wordt geworpen. 'Is dit een bedreiging?'

'De strijd zal de wereld in tweeën scheuren.'

'Het is voor jou te hopen dat het nooit zover zal komen, broer,' zei Raafjager met een zelfgenoegzaam lachje. Hij boog voorover zodat zijn harde hete ogen zich in die van Rent In Licht boorden. 'Ik ben sterker en kwaadaardiger, en heb geen last van zwakheden als genade en medeleven, zoals jij. Mij bedreigen, stel je voor! Je bent nog gekker dan ik dacht!'

'Ik- ik ben niet gek,' fluisterde hij onzeker. 'Het is mijn hoofd dat... De visioenen –'

'Ik zal je waarschuwing niet vergeten, broer. Eens zal je wensen dat je me niet had bedreigd. Ik zal je voor straf iets afpakken dat je dierbaar is. En wie weet, misschien werp ik je nog wel een bot toe wanneer ik je voorbijstreef. Hmm?'

Hij lachte, draaide zich om en beklom de sneeuwhoop, stampend op de voetsporen van Dansende Vos tot ze niet meer waren dan gaten in de sneeuwkorst.

Rent In Licht sloot zijn ogen en drukte zijn angst weg met de herinnering aan de Wolfdroom. Opnieuw hoorde hij de woorden: *'Dit is de weg, man van het Volk. Ik toon je de weg.'*

Een huivering kroop langs zijn ruggegraat omhoog. Hij tuurde naar de cirkelende raven en liet vervolgens zijn blik zoekend over de golvende witte vlakte gaan. 'Ik hoor je, Wolf.'

Hij beklom de sneeuwhoop en liep naar de plek waar zijn eigen groep zich had verzameld. Gebroken Tak wuifde naar hem, een brede grijns op haar oude gerimpelde gezicht.

Verderop riep Kraailokker: 'Kom!' tegen zijn kleine groep.

Rent In Licht liet zijn ogen over zijn eigen groep gaan. 'Zoveel?'

'Ha-heee! Wolfdroom!' gnuifde Gebroken Tak. Ze schommelde weg in zuidelijke richting, gebogen onder de last die op haar rug hing aan een hoofdband die diep in haar oude voorhoofd sneed.

Een bitterzoete glimlach deed zijn mondhoeken krullen. *Ze geloven dat ik hen kan redden. Maar kan ik dat ook?* Zijn ogen zochten Dansende Vos, die haar spullen bijeenzocht voor de reis naar het noorden. Een hol gevoel bekroop hem.

Een vuist landde zo hard tegen zijn schouder dat hij achteruit struikelde. 'Hou daarmee op,' zei Groen Water op bestraffende toon.

'Waarmee?'

'Met naar haar kijken alsof je haar voor altijd kwijt bent. Tenzij Grootvader Witte Beer haar te pakken krijgt, zul je haar weerzien.'

Hij opende zijn mond om te vragen waarom ze dat zo zeker wist, maar hij hield zich in. In plaats daarvan kneep hij zijn ogen tot spleetjes en vroeg: 'Heb jij ook Dromen?'

'Ja, jonge dwaas. Je hebt mededingers. Hou dat goed in gedachten.' Ze knipoogde, greep hem bij een mouw en liep op een sukkeldrafje weg, hem achter zich aan slepend.

7

De rook van de mestvuren die door het briesje omhoog werd gevoerd, ving het eerste ochtendlicht. De kille blauwe schaduwen
werden langzaam korter, maar talmden in de holten onder aan de
sneeuwhopen. De leden van Kraailokkers groepje spraken opgewonden over de komende reis naar het noorden en keken hoe
Rent In Licht en de zijnen in zuidelijke richting wegtrokken, geleid door Gebroken Tak, die driftig voortstapte op haar oude
benen.

Dansende Vos trok de veters van haar parka aan en hing het
pak op haar rug aan de hoofdband. Ze volgde heimelijk Licht
met haar ogen. Toen hij de top van de richel bereikte, draaide hij
zich om en keek. Het zonlicht glansde op de wolfshuid rond zijn
schouders. Hij bukte zich en stapelde twee stenen op elkaar.

Het spoor.

Ze rechtte haar rug, hoewel de angst haar maag deed tintelen.
Zou ze de moed hebben om-

'Als je je ogen niet wilt kwijtraken, kun je beter een andere
kant opkijken,' zei de stem van Kraailokker achter haar.

Ze draaide zich met een ruk om. 'Ik heb niets verkeerds gedaan!'

'Zorg dat het zo blijft.' Hij grijnsde kil en haalde een klein
bruin zakje onder zijn parka vandaan. Ze herkende het: het bevatte de haarlokken en andere zaken waarmee hij macht had over
haar ziel. Hij zwaaide het dreigend voor haar opengesperde ogen
heen en weer, terwijl zijn blik naar Rent In Licht ging en weer
terug. Zijn verweerde gezicht was hard als steen. 'Denk alleen
aan mij, vrouw!'

Ze wendde zich met een ruk af en zei met bevende stem: 'Ik
denk wat ik wil, echtgenoot. Je mag dan macht hebben over mijn
ziel, maar mijn gedachten zijn van mijzelf.'

Hij greep haar bij de arm en schudde haar zo heftig heen en weer dat ze het gevoel had dat haar nek zou breken. 'Je houdt ervan gestraft te worden, hè?'

'Nee, ik –'

'Ik zal je op je wenken bedienen!' Hij duwde haar van zich af en beende met geheven kin weg.

Dansende Vos schoof haar draagband weer op zijn plaats en volgde hem langzaam, tussen de andere mensen door, naar de kop van de groep. Ze hield haar ogen neergeslagen om de nieuwsgierige blikken te ontwijken en om de strakke gezichten waarmee de clanleden hun gedachten maskeerden niet te hoeven zien.

In een lange rij beklommen ze de winderige richel – een vermoeid volk zonder bestemming. Hongerig, gehuld in kleding van kariboehuiden die op vele plaatsen scheuren en slijtplekken vertoonden, sjokten ze tegen de wind in. Sommigen keken bezorgd achterom naar waar de dunne lijn van Rent In Lichts groep zich uitstrekte in de verte.

Dansende Vos wierp een laatste blik op het Mammoetkamp, de plaats waar haar leven een andere wending had genomen. Haar hart was verkild toen ze aan Kraailokker was uitgehuwelijkt. Haar vader had haar aan hem gegeven alsof ze een oude deken was, in ruil voor bewezen diensten. Toen hij stierf, had ze niet gerouwd.

Ze was uit haar oude wereldje weggerukt als een haas uit zijn leger. Haar hoop en verlangens waren vertrapt en kapot gemaakt onder de bruine slaaphuiden. Iedere nacht kroop Kraailokker op haar en spreidde haar benen en nam haar. Het Sterrenvolk zij dank was hij altijd snel met haar klaar. Schaamte deed haar wangen branden.

Het Mammoetkamp achter hen zou langzaam wegrotten. De beenderen die het geraamte van de tenten vormden, zouden versplinteren, de huiden vergaan, de uitwerpselen van de mensen tot voedsel voor kevers en vliegen dienen. De doden, wier zielen glinsterden in de sterren, zouden een woonplaats worden voor insekten, en hun vlees zou gegeten worden door kraaien en zeemeeuwen en misschien een passerende wolf. De skeletten zouden uiteenvallen en muizen zouden hun nesten bouwen in de schedels. Een gedeelte van de overblijfselen zou door de regen worden weggespoeld, de rest zou langzaam overwoekerd worden tot er niets meer restte dan alsem, zegge en beemdgras.

'Enkel mijn smart zal blijven,' fluisterde ze.

Iedere stap die ze deed, veroorzaakte een brandende pijn. Ze liep met haar benen zo wijd mogelijk uiteen om de delen te ontzien die haar echtgenoot de afgelopen nacht had gekneusd en verwond. De bijtwonden op haar borsten schrijnden waar ze tegen het haar van de pelzen schuurden.

Ze staarde met felle blik naar de rechte rug van Kraailokker, die aan het hoofd van de rij liep. Een golf van haat wiste een ogenblik haar pijn weg. *Je wilt dus dat ik alleen aan jou denk, oude man? Goed, dat zal ik doen.* Ze concentreerde zich met heel haar geest op de haat die ze voor hem voelde, tot ze nauwelijks meer aan iets anders kon denken. Haar pijnen namen af en verdwenen. *Ik haat je*, reciteerde ze in stilte onophoudelijk.

Ze liepen urenlang, tot ze een rotsrichel bereikten die ze op handen en voeten moesten beklimmen. Nadat ze hijgend de top had bereikt, bleef Vos even staan om het land rondom haar te bekijken. Vader Zon hing laag boven de verre horizon en zijn licht viel tussen nevels en wolken door in onregelmatige patronen op de witte ijsvlakte.

'Loop door,' beval Kraailokker terwijl hij haar passeerde. Hij onderstreepte zijn woorden met een klap tegen haar arm.

Ze zuchtte en werkte zich over de glibberige rotsen naar beneden naar de witte vlakte. Reusachtige rotsblokken lagen her en der verspreid over de vlakte, ingebed in opgewaaide sneeuw die soms tot zeven meter hoogte reikte. Het zonlicht weerkaatste zo verblindend op de sneeuw dat het pijn deed aan de ogen. Ze trok haar leren riem met oogspleten uit haar pak en bond hem voor haar ogen.

Raafjager liep ver voor de anderen uit. Als hij een sneeuwhoop beklom om uit te kijken naar mammoeten of Grootvader Witte Beer leek zijn donkere gedaante op een vlieg die rondkroop over een brok vet. Gebroken Tak had hen gewaarschuwd hun jacht-honden niet op te eten, maar de honger had het gewonnen van het gezonde verstand. Nu de honden er niet meer waren om hen te waarschuwen, liepen ze voortdurend gevaar door roofdieren te worden aangevallen. Deze Lange Duisternis had honger ge-bracht voor mens en dier, en zelfs het feit dat ze met zovelen waren, zou niet genoeg zijn om een uitgehongerde beer lang op afstand te houden.

Het lege gevoel dat bezit had genomen van Dansende Vos toen ze het kamp verliet, werd met iedere stap die ze deed sterker. Steeds verder verwijderde ze zich van Rent In Licht. In het kamp had ze in ieder geval nog af en toe met hem kunnen praten en hem aanraken als niemand het zag. Maar nu had ze niemand meer die troost kon bieden als tegenwicht voor de wreedheden van haar echtgenoot.

Urenlang sjokten ze voort. Wolkmoeder trok geleidelijk een deken van houtskoolgrijze wolken over hun hoofden heen. In het begin gaf Vrouw Wind slechts speelse rukjes aan Vos' kleding, maar tegen de tijd dat Vader Zon de helft van zijn weg in de zuidelijke hemel had afgelegd, moest ze optornen tegen gie-rende vlagen. Sneeuw woei als rook van de top van de rotsri-chels, en ijskristallen prikten in haar gezicht als ijzige botsplin-ters.

Haar aandacht ging van Rent In Licht terug naar Kraailokker, en haar haat laaide opnieuw op. *Hij is meester over mijn ziel.*

Ik zal je beschermen! klonk de wanhopige stem van Licht in haar geheugen.

Ze betastte haar pijnlijke borsten en voelde de blauwe plekken en beten die Kraailokker erop had achtergelaten. De herin-nering aan zijn lichaam dat tegen het hare wreef, deed haar kok-halzen.

Vóór haar wendde de oude sjamaan zich af van de wind, schraapte zijn keel en spoog.

'Ik kán het niet,' fluisterde ze voor zich heen. 'Ik kan niet bij hem blijven. Ik kan de gedachte aan zijn vieze oude mond op de mijne niet verdragen, ik word onpasselijk bij het idee van zijn uitgezakte magere karkas op mijn lichaam. Ik ga nog liever dood.'

De storm woedde nu in volle kracht en beperkte het zicht tot minder dan de afstand die een werpspies kon overbruggen. Dansende Vos vertraagde haar pas en liet zich terugvallen naar het eind van de rij. Ze keek om zich heen en beet nadenkend op haar lip. Na een lichte aarzeling stapte ze uit de rij en ging op haar hurken zitten alsof ze zich moest ontlasten. Haar hart bonsde zo hard dat het leek alsof het uit de kooi van ribben wilde ontsnappen. De mensen wendden hun ogen af van haar, zoals het hoorde.

Ze bleef ineengedoken zitten in de jagende sneeuw, met knikkende knieën. De rij mensen vervaagde tot een asgrauwe streep en verdween toen in de storm. Het enige dat nog op hun bestaan wees, waren hun snel verwaaiende voetafdrukken.

Ze verzamelde al haar moed en rende halsoverkop naar de lijzijde van een sneeuwhoop. Ze volgde de vonk van hoop die in haar leefde, weg van de anderen, en onder het gaan keek ze voortdurend angstig over haar schouder. Zouden ze al naar haar zoeken?

Huiverend draaide ze haar gezicht in de snerpende wind en bad: 'Vrouw Wind, wis alsjeblieft mijn spoor uit. Ik moet aan hem ontsnappen.'

In de verte hoorde ze, heel zwak, Kraailokker schreeuwen, alsof de geest van de wind de woorden met opzet in haar richting blies. Flarden van vervloekingen woeien aan op de storm, en één woord kwam telkens terug: 'Dood... dood...'

Ze rende weg zo hard ze kon, met pompend hart en zwoegende longen. Ze klauterde tegen een rotsrichel op en liep verder over de grillige kam, schuilend achter ieder rotsblok om op adem te komen en te luisteren. Lange tijd ging ze zo voort, zich van niets anders bewust dan van de richting waarin ze liep en de zwakte van haar door honger uitgeputte lichaam.

'Wolf?' fluisterde ze tegen het donker wordende grijs van de dag. 'Wolf, je hebt beloofd dat je Macht sterk zou zijn. Bescherm me.'

Na lange tijd ving ze een glimp op van hun oude kamp. De donkere huiden van de tenten staken zwart af tegen de sneeuw.

'Ben ik er nu al?' mompelde ze, haar voorhoofd in denkrimpels getrokken. Maar in een storm ging alle gevoel voor tijd verloren. Ze liep verder en vond het begin van het spoor dat Licht voor haar had achtergelaten. De gedachte aan zijn vriendelijke ogen en tedere aanraking warmden haar hart.

Het begon steeds harder te sneeuwen, tot de wereld alleen nog maar uit grijs leek te bestaan. Ze schuifelde op de tast verder langs een muur van ijs, tot haar uitgestrekte hand plotseling in een gat verdween.

'Wat...' mompelde ze beverig. Ze boog zich voorzichtig voorover en tuurde de kleine grot in. Ze was leeg. Ze knielde en kroop naar binnen.

Haar toevluchtsoord was nauwelijks twee bij drie meter, en ongeveer anderhalve meter hoog. Ze schuifelde gehurkt naar de achterkant van de grot, liet haar pak van haar rug glijden en zakte vermoeid op de grond.

'Wolf?' Haar stem weerkaatste van de grillig gevormde wanden van de grot. 'Zodra de storm gaat liggen, zullen ze naar me op zoek gaan.'

Ze dook ineen, bevend van uitputting, en sloot haar ogen. Ze probeerde in haar ziel te kijken, om te zien of Kraailokker een gedeelte had weggenomen, maar de pijn van de honger verdrong alle andere gevoelens.

Sneeuw joeg in vlagen voorbij de monding van de grot, begeleid door het jammerende gekrijs van Vrouw Wind. Vos dook diep weg in haar kleding en staarde voor zich uit.

Ondanks haar angst kwam de slaap snel. Haar uitgeputte ledematen leken op te lossen in warmte, en haar jagende gedachten kwamen tot rust. De gedaante van Rent In Licht vormde zich in een glanzende zuil van licht, scherp afstekend tegen de omringende duisternis. Hij huilde. Achter hem fonkelde het Sterrenvolk boven rijen grillig gevormde rotsrichels. Iedere traan die van zijn kin drupte, bevroor voor ze de grond raakte, zodat ze landde met een zacht tinkelend geluid. Huilde hij voor haar?

Nee, ze voelde dat het veel dieper ging, dat het een wond in zijn ziel was die alleen hijzelf kon helen. Toch ging haar hart naar hem uit. Ze wilde naar hem toe, om hem te-

'Aha. Daar ben je dus, Dansende Vos,' zei een strelende stem.

Ze schrok op uit haar droom en opende haar ogen. Het kwam allemaal terug, Kraailokker, haar vlucht, de storm... *de angst.*

'Raafjager,' zei ze met trillende stem, vechtend tegen de tranen die opwelden. De oude man moest hem achter haar aan hebben gestuurd. 'Wat wil je van me?'

Hij lachte en ging naast haar zitten, geamuseerd door haar angstige houding. Hij hield zijn handen op om te laten zien dat hij niets kwaads in de zin had. Ze vertrouwde hem niet en wachtte op een kans om naar buiten te rennen en in de storm te verdwijnen.

'Je bent dus niet verdwaald, hm?'

Ze zweeg en sloot haar ogen. Haar hart leek weg te zinken in een gapende afgrond.

'Och, kom,' zij hij op verwijtende toon. 'Ik ben hier niet gekomen om je kwaad te doen. Laten we zeggen dat het nieuwsgierigheid was.' Zijn volle lippen krulden op in een grijns. Zijn rechte neus en hoge jukbeenderen glommen rood van de kou, maar in zijn zwarte ogen brandde een donker en onpeilbaar vuur.

'Nieuwsgierigheid?'

'Ja,' zei hij luchtig terwijl hij zijn kap achteroverduwde en zijn lange haar uitschudde. 'Ik had niet verwacht je hier te zien. Het is geen dag om uit wandelen te gaan.'

'Hou op,' zei ze zacht. 'Je bent me gevolgd. *Hij* heeft je gestuurd.'

'Nee,' zei hij vlak. 'Ik ben niet naar de groep terug geweest. De storm kwam zo snel opzetten dat ik de kans niet had. En toen ik je terug zag rennen naar het Mammoetkamp, wilde ik weten waarom.'

Ze keek hem met kille woede aan.

Hij trok zijn wanten uit, opende zijn pak en haalde er een stuk gedroogde mammoetmest uit. Met de achterkant van de atlatl hakte hij een ondiepe kom in de ijsvloer en legde de mest erin.

Daarna haalde hij de vuurstokken en wat mos uit zijn buidel en draaide de stokken behendig rond tot het mos begon te smeulen. Hij blies zachtjes tot er een vlam opschoot, die hij voedde met stukjes mest. Hij hield zijn handen met de lange vingers boven het knetterende vuurtje en keek haar aan, een wenkbrauw opgetrokken.

Ze keek boos terug.

'Ik zag je over de top van de richel rennen.' Hij blies een wolkje damp uit en glimlachte flauwtjes. 'Vertoon je nooit op hoge plaatsen als je probeert te ontsnappen. Je staat er verbaasd van over welke afstanden mensen je kunnen zien.'

Ze sloeg haar blik neer en staarde naar de rode gloed in de vuurkuil. Ze had aangenomen dat de sneeuw haar aan het oog zou onttrekken – en misschien had de sneeuw dat ook gedaan, maar alleen aan de ogen van de groep. Ze was Raafjager helemaal vergeten. In stilte vervloekte ze zichzelf.

'Wat wil je?' vroeg ze bruusk.

'Op dit moment wil ik alleen mijn buik vullen.' Hij haalde een zenig stuk bevroren vlees uit zijn pak, stak het op een werpspies en hing het boven het vuur.

'En daarna?'

Hij vleide zich behaaglijk tegen de wand, zuchtte en keek haar aan met zijn priemende ogen. 'Dat hangt ervan af,' zei hij nonchalant. Stilte. 'Je probeert je dus bij mijn waardeloze broer te voegen.'

'Ik...' Ze had het idee dat haar keel werd dichtgeknepen. 'Hij –'

'Hij laat een spoor voor je achter. Ja, dat heb ik gemerkt. En die ouwe Eenoog heeft het ook gezien, denk ik.'

Hoewel hij de woorden zacht uitsprak, troffen ze haar als een vuistslag in de maag. Kon het waar zijn? Nee, Kraailokker zou haar onmiddellijk gestraft hebben. Zo was hij nu eenmaal. 'Je liegt.'

Hij lachte. 'O ja? Lichts bedoelingen waren anders duidelijk genoeg. Dat rare ritueel met die stenen op de kam van de richel, en de manier waarop jullie elkaar aankeken; alleen een dwaas zou het gemist hebben.'

81

'Dan verbaast het me dat jij het gezien hebt,' snauwde ze terwijl ze haar handen beschermend om haar bovenarmen sloeg.

Hij keek naar haar vanuit zijn ooghoeken, een zweem van een glimlach om zijn lippen. 'Je wilt me toch niet vertellen dat je nog steeds verliefd op hem bent? Ik dacht dat de liefkozingen van Kraailokker hem al een tijd geleden uit je gedachten verdreven zouden hebben.'

'Ik heb nog liever dat een steekvlieg zijn eitjes in me legt dan dat ik het zaad van die vieze oude man ontvang.'

'Wat een toewijding van zijn liefhebbende jonge vrouw.'

'Die ouwe Eenoog. Zo noemde je toch de machtigste man van het Volk? Wat een blijk van eerbied van een jonge jager voor een oudere.'

Hij grinnikte. 'We schijnen elkaar wel aan te voelen.'

Ze keek hem woedend aan, maar van binnen dacht ze hoe strelend zijn stem klonk, strelend – en vriendelijk. Een gevaarlijk teken. Raafjager was alleen maar vriendelijk als hij dacht dat hij er iets mee kon winnen.

'Nu hééft die idiote broer van me je inderdaad ten huwelijk gevraagd,' ging Raafjager verder, 'maar dat was nádat je vader je aan Kraailokker had gegeven. Een kostelijk voorbeeld van zijn gevoel voor het kiezen van het juiste tijdstip, vind je niet?'

'Je hebt een zieke geest.'

Hij zette grote ogen op alsof hij verbaasd was en wees op zichzelf. Toen fluisterde hij: 'Maar ik ben op dit moment ook je enige vriend.'

'Mooie vriend,' schamperde ze.

'Ik heb je nog niet teruggesleept naar je echtgenoot, nietwaar?' Hij boog voorover om het vlees te draaien zodat de andere kant ook gaar kon worden. Toen hij achterom keek, glinsterden er vlekjes rood van het vuur in zijn vreemde zwarte ogen. 'Vraag je je niet af waarom?'

'Het stormt te hevig.'

'Ik heb mijn weg gevonden in stormen die veel erger waren dan deze.'

Haar maag kromp ineen, alsof haar lichaam iets wist dat haar geest weigerde te geloven. Instinctief maakte ze de afstand tussen hem en haar zo groot mogelijk. 'Waarom dan?'

Hij ging weer rechtop zitten en kruiste zijn lange benen. 'Ik wilde met je praten.'

'Waarom?'

Hij glimlachte en schudde zijn hoofd. 'We hebben nooit eerder de kans gehad om eens onder vier ogen te praten.'

Een hevige windvlaag drong hun schuilplaats binnen en voerde sneeuw aan die op hun gezichten kleefde en in het vuur siste. Dansende Vos hield haar armen beschermend voor haar gezicht. Raafjager klopte de sneeuw van zijn parka en blies zachtjes op het vuur.

'Ga je me terugslepen?' vroeg ze, zich inspannend om haar stem zo vlak mogelijk te houden.

'Ik heb nog geen beslissing genomen.'

'Wanneer neem je die?'

'Heb je zo'n haast?' Hij hief zijn handen op in voorgewende verbazing. Toen kregen zijn ogen een ernstige uitdrukking. 'Maar dat is juist wat ik altijd zo in je bewonderd heb. Weet je nog toen je vader je aan Kraailokker gaf aan het begin van de Lange Duisternis?'

'Hoe zou ik dat ooit kunnen vergeten?'

Hij keek naar buiten naar de voorbijwervelende sneeuw. Het begon donker te worden nu de dag ten einde liep. 'Ik wou dat ik het kon vergeten.'

Ze schoof ongemakkelijk met haar voeten. De geur van het vlees deed haar maag rommelen. 'Wat bedoel je?'

'Herinner je je nog dat ik terugkwam?'

'Je had de huid van Grootvader Witte Beer bij je. De beer die Vallende Beenderen doodde en opat.'

Hij knikte. 'Die huid was voor jou. Voor je vader. Ik... Ik zou toen om je hand gevraagd hebben.' Zijn lippen beefden even voor ze weer verstrakten. 'Als... nou ja, als je me had willen hebben.'

Ze was zo verbaasd dat de woorden haar in de keel bleven steken. Dit kon hij niet menen. In haar hele leven hadden ze nauwelijks drie zinnen met elkaar gewisseld.

'Maar je lag al in de slaaphuiden van Kraailokker. Er viel verder niets meer te zeggen.' Hij haalde zijn neus op en leunde achterover. 'Vreemd hoe de dingen gaan. Vooral tussen mijn broer en ik. Jij hield van hem. En onze ouders, Zeemeeuw en Drie Stenen, hielden ook van hem. En waarom? Hmm? Hij doet altijd alles maar half. Begrijp je wat ik bedoel? Alsof hij maar met één been in deze wereld staat.'

'Is dat de reden waarom je hem zo haat?'

Raafjager knikte en zei zacht: 'Ja.' Toen lachte hij. 'Maar we zullen nog wel eens zien wie er aan het langste eind trekt. Alles is veranderd. Vliegt Als Een Zeemeeuw is dood. Ik heb Grootvader Witte Beer gedood. Over niet al te lange tijd zal ik de machtigste man van het Volk zijn.'

'Grote woorden.'

'Maar waar.' Hij keek of het vlees gaar was en ging verzitten om haar in de ogen te kunnen kijken. 'En ik wil jou naast me hebben.'

Ze beet op haar tong. Aan zijn ernst viel niet te twijfelen. Uit zijn ogen straalde Macht. Hij meende ieder woord.

'Maar Kraailokker dan? Hij zal je –'

Raafjager schudde langzaam zijn hoofd. 'Mij niet. En ik weet wat hij jou heeft aangedaan. Ik heb hem te keer horen gaan, 's nachts; ik heb je horen jammeren. Ik zou je nooit op die manier pijn doen.'

Een merkwaardig ademloos gevoel nam bezit van haar, en ten prooi aan verwarring bracht ze eruit: 'Ik... Ik snap niet...'

'Ik wil dat je mijn vrouw wordt, Dansende Vos. Ik heb Grootvader Witte Beer voor je gedood. Kraailokker is een dwaze oude man. Het is waar, ik heb hem nu nog nodig. Maar verder betekent hij niets. Ik kan hem de baas.'

'Maar zijn Macht dan?'

'Daar geloof je toch niet echt in, hè?'

'Ik –'

'Denk na over mijn aanbod. Meer vraag ik niet.' Hij glimlachte en keek haar aan met schuingehouden hoofd. 'Ik zou je heel

84

gelukkig maken en zorgen dat je altijd voldoende te eten had. Je zou deel mogen nemen aan de beraadslagingen van het Volk. Een betere keus dan mij zou je niet kunnen doen.'

'En als ik niet op je aanbod inga?'

Hij slaakte een vermoeide zucht. 'Uiteindelijk krijg ik je toch. Het zal moeilijker zijn voor ons beiden, maar de uitkomst staat vast. Een direct gevolg is natuurlijk dat ik je terug moet brengen naar Kraailokker.'

'Ik ga niet mee.'

'Ik denk daar anders over.'

'Ik vertrek zodra de storm luwt.'

'Denk eens goed na.' Hij plaatste de toppen van zijn vingers tegen elkaar en zei met een ernstige frons: 'Je hebt niemand meer. Je vader was je laatste levende familielid, afgezien van wat ooms en neven en nichten in de clan van Bizonrug. Als ik je mee terug neem, zal Kraailokker vervloekingen op je hoofd stapelen en iedereen zal je mijden uit angst voor zijn bedreigingen. Je zal een uitgestotene zijn, versmaad door je eigen volk. Je zou gedwongen zijn om eten te bedelen en genoegen te nemen met wat de mensen je toewerpen.'

'Misschien.'

'Bovendien,' ging hij verder alsof hij haar niet had gehoord, 'kan iedere man je nemen wanneer hij maar wil.' Hij keek haar ernstig aan. 'Iedere man. Wanneer hij maar wil.'

'Zou je mij dat aandoen?'

Hij zoog zijn longen vol lucht en blies de adem weer uit. 'Ik kan het doen. En waarschijnlijk zou ik het ook doen.' Hij schudde langzaam zijn hoofd. 'Het is vreemd. Hoeveel ik ook van je hou, ik kan de gedachte dat jij en Licht met elkaar zouden slapen niet verdragen.'

'Haat je hem zo erg?'

'O, ja.' Hij glimlachte triest.

'Zou je me liever kapot maken dan me naar Rent In Licht laten gaan?'

'Eigenlijk behoed ik je voor een verschrikkelijk lot.' Hij draaide het vlees, dat was begonnen te sissen. 'Je zou bij Licht zo'n ellendig leven hebben dat je Kraailokker zou smeken om je terug te nemen.'

'Ik betwijfel het.'

'Ik weet dat je er nu zo over denkt. Maar ik zie ook dingen in mijn hoofd, net als mijn achterlijke broer. Ik heb dit nog nooit eerder aan iemand verteld. Het zijn losse flarden, zonder samenhang.' Hij staarde haar aan met een merkwaardig lege blik. 'Maar ik zie hoe ongelukkig je zou zijn als je probeerde met hem en zijn waanbeelden te leven. Hij is gek, wist je dat? Volkomen dol, als een kariboe met een wond die door maden wordt aangevreten. Hij is bezeten van dingen die aan zijn ziel vreten.'

'Het kan me niet schelen.'

'Dan heb je voor mij beslist. Ik neem je mee terug naar Kraailokker.'

'Ik ga niet mee.'

'Denk je werkelijk dat jouw mening meetelt?'

Ze bevochtigde haar droge lippen en zei: 'Ja. Ik schiet er misschien het leven bij in, maar ik zal me verzetten tot –'

'Heeft niemand je vrouwelijke schaamte geleerd toen je klein was?' vroeg hij nonchalant. Hij trok het vlees van de spies, blies erop om het af te koelen, sneed het in repen en reikte haar er een aan.

Ze staarde naar de reep vlees die hij haar voorhield en probeerde zichzelf ervan te overtuigen dat ze moest weigeren. Maar toen hij aanstalten maakte zijn hand terug te trekken, griste ze het vlees uit zijn vingers en borg het op in haar buidel – voor later.

'Heel verstandig van je. Het is een lange reis terug naar het Volk.'

'Je zult me het hele eind moeten slepen.'

De blik die hij haar toewierp, deed haar tot op het bot verkillen. 'Ik wil je geen kwaad doen, Dansende Vos,' zei hij. In zijn zwarte ogen glinsterde een verborgen pijn. 'Maar ik heb de toekomst gezien. Begrijp je? Je denkt dat ik je kapot maak, je verneder, maar uiteindelijk zal het het juiste blijken te zijn.'

Haar ogen vernauwden zich tot spleetjes. *Hij is waanzinnig. Heilig Sterrenvolk, ik moet hier weg.*

86

Hij glimlachte flauwtjes. 'Ik hou van je, zie je. Je bent de enige op de wereld om wie ik werkelijk geef.'

'Bewijs dat dan en laat me gaan.'

Hij schudde droevig zijn hoofd en tuitte zijn lippen. 'Dat kan ik niet doen. Ik moet dit doen omdat ik meer van je hou dan je kunt begrijpen.'

'Wil je me dan dood hebben? Kraailokker zal er niet tevreden mee zijn me uit te stoten! Hij haat me. Hij zal me —'

'Nee.' Hij huiverde plotseling, alsof hij het koud had. 'Nee, dat zal nooit gebeuren.'

'Maar dan —'

'Ik... Ik weet niet waarom. Ik heb het... gezien. Of misschien heb ik het wel Gedroomd? Wie zal het zeggen?' Hij lachte zuur. 'Ik lijk mijn idiote broertje wel. Het enige verschil is dat dit echt is. Het is net of ik slechts een blad in de wind ben. Ik móet je tot mijn vrouw maken of je vernietigen.'

Hij zei het zo beslist en afgemeten dat haar hart tegen haar ribben begon te bonzen. Hij at op zijn gemak enkele repen vlees op. Daarna veegde hij zijn handen af aan zijn laarzen en bood haar nog een reep vlees aan. 'Eet,' zei hij zacht. 'Je zult de kracht nodig hebben als je een poging wilt doen aan mij te ontsnappen.'

Ze nam het vlees aan en begon erop te kauwen. Ze herkende de scherpe smaak: wolf. Hij had er dus ook van gegeten. Ze slikte het vlees met tegenzin door, bang om iets anders te doen.

In een poging tijd te winnen, vroeg ze: 'Wat heb je nog meer Gedroomd?' Tijdens het spreken wierp ze angstige blikken op de duisternis buiten.

Hij overhandigde haar het laatste stuk vlees en porde in het met as bedekte stuk mest. 'Ik zie bloed en dood komen.' Hij wees noordwaarts met zijn kin. 'Ik kan niet alles zien, maar ik weet dat mijn pad vastligt. Ik zal het moeten volgen, zoals een kariboestier in de paartijd de hinden volgt.'

'Zelfs als dat de ondergang betekent van de vrouw die je liefhebt?'

Hij knikte afwezig. 'Zelfs als dat de ondergang van ons beiden betekent. Als ik dat geklets over Vader Zon geloofde, zou ik zeggen dat ik een werktuig in zijn handen was en dat hij me al deze dingen laat doen omdat het hem plezier geeft.'

Ze sprong op en probeerde langs hem heen te glippen naar de opening, maar zijn sterke armen sloten zich om haar middel en sleurden haar terug. Ze schopte en sloeg hem terwijl hij haar tegen de grond drukte. Zijn benen pinden de hare vast en zijn handen klemden zich om haar polsen.

Ze staarde omhoog in zijn gezicht, dat rood verlicht werd door het oplaaiende vuur. Ze worstelde en probeerde zijn blik te mijden; zijn ogen namen bezit van haar en boorden zich in haar ziel.

Hij is zo knap… net als Licht.

Zijn adem verspreidde de zoetige geur van vlees.

Hij liet zijn hoofd zakken en raakte met zijn wang zacht de hare aan. Zijn huid voelde wonderlijk warm aan, en de aanraking was teder.

'Laat me gaan.' Ze leek in de zachte zwartheid van zijn ogen te vallen. Alles begon te dansen voor haar ogen. Was het de vermoeidheid, samen met de honger? Of was het de macht van zijn ziel die de hare zocht?

'Wil je niet de mijne zijn?' vroeg hij. Zijn stem klonk verdrietig.

Ze schudde langzaam haar hoofd, met haar ogen nog steeds op de zijne gericht. 'Nooit.'

Zijn gezicht vertrok in een uitdrukking van pijn. 'Dan zal ik het op de moeilijke manier moeten doen.'

Ze verzette zich terwijl hij de veters van haar parka losmaakte en het kledingstuk wegrukte, zodat haar lichaam blootkwam. De lijnen van pijn op zijn gezicht werden dieper toen hij de wonden en blauwe plekken zag die Kraailokker had achtergelaten. 'Ik heb je gezegd dat ik je nooit kwaad zou doen,' fluisterde hij. Zijn knie dwong haar benen uiteen.

Ze beet haar tanden op elkaar en wendde haar hoofd af, de ogen stijf dichtgeknepen, wachtend op de pijn. Maar hij deed iets dat nieuw voor haar was. In tegenstelling tot wat Kraailokker altijd deed, gleed hij in haar en vulde haar zonder iets te forceren. Ze voelde geen pijn.

8

Bleekgeel namiddaglicht kleurde de door de wind opgewaaide sneeuwhopen en wierp lange blauwe schaduwen die zich als vingers uitstrekten over het land. Rook steeg op uit de opening van een uit sneeuwblokken opgetrokken burcht. De gespleten beenderen van een door kou en honger omgekomen bizon lagen verspreid over het ijs, en ertussen dwarrelde hier en daar een veer van een kraai. Kinderen drukten zich tegen de witte wanden van het onderkomen en sprongen nieuwsgierig op en neer toen ze de twee mensen zagen naderen. Voor de burcht stonden Kraailokker en de anderen. De oude sjamaan had zijn kin geheven en zijn zwarte oog vlamde.

'Raafjager,' smeekte Dansende Vos zachtjes. 'Doe het niet. Je weet wat hij –'

'Ik moet. Dat heb ik je al verteld.'

Kraailokker liep hen met grote, arrogante passen tegemoet. Hij keek met schuingehouden hoofd naar de leren veters waarmee haar handen gebonden waren en zei onzeker: 'Wat is dit?'

'Ik heb haar betrapt toen ze naar Rent In Licht wilde vluchten,' zei Raafjager somber terwijl hij Dansende Vos een duw gaf, zodat ze aan de voeten van haar echtgenoot belandde.

'Ik… ik vluchtte niet.' Ze hijgde en haar angst was zo groot dat ze bijna moest overgeven. De andere clanleden kwamen dichterbij en keken naar haar met grote, bezorgde ogen. Ze beantwoordde hun blikken en smeekte met haar ogen om hulp. Grijze Rots stak een hand uit, maar trok hem op het laatste moment weer terug. Ze durfde het niet.

De kaak van de oude sjamaan trilde van woede. Hij wees met een knokige vinger naar Dansende Vos en schreeuwde: 'Wilde je je clan te schande maken door bij mij weg te lopen?'

'Nee, nee, ik ben verdwaald. De storm…' *Waarom lieg ik?*

*Waarom vertel ik hem niet gewoon de waarheid? Wat kan het mij
schelen wat hij me wil aandoen? Waarom maak ik hem niet erger te
schande dan hij mij doet?*

Het gezicht van Raafjager was bleek geworden en had de uitdrukking van iemand die zich in een ondraaglijke situatie be-
vind. 'Dat is niet waar. Ik vond haar terwijl ze terugrende langs
het pad dat het Volk zojuist gegaan was.'

'Ik was verdwaald!' riep ze. De herinneringen aan de nachten
die ze samen hadden doorgebracht, drongen zich aan haar op.
'Ik wist niet waar ik was! Ik –'

'Ze volgde jullie sporen terug naar het mammoetkamp,' zei
Raafjager.

'Leugenaar!' Ze keek hem aan en zag het ironische medeleven
in zijn ogen. Hij wendde zijn blik af.

'Ze kan het niet helpen,' zei hij zacht. 'Ze moet protesteren.
Ze heeft niets meer. Maar ik... ik vraag je, Kraailokker, haar
terug te nemen. Ze is geen slechte vrouw, ze is alleen in de war
en –'

'Ik ga niet terug!' gilde ze. 'Ik haat hem!'

Kreten van ontzetting stegen op, en de clanleden keken angstig naar Kraailokker. Het goede oog van de oude man spoot
vuur terwijl het witte oog haar met blinde boosaardigheid aanstaarde. De sjamaan balde en ontspande zijn vuisten en trapte
haar toen met alle kracht die hij bezat tegen de ribben. Een kreet
van pijn ontsnapte haar. Ze hees zich op haar knieën en kokhalsde. Haar lege maag trok zich krampachtig samen, telkens opnieuw.

Ze keek smekend op naar Raafjager, maar hij reageerde niet.
En als ze hem er nu eens van beschuldigde haar verkracht te hebben? Nee, dat had geen zin meer. Wie zou haar geloven? Ze boog
haar hoofd.

'Ze probeerde te ontsnappen naar mijn waardeloze broer,' zei
hij zacht, alsof het hem moeite kostte erover te spreken. 'Ik heb
haar teruggebracht zodat ze haar rechtmatige plaats naast haar
echtgenoot weer kan innemen.'

'Sta op!' beval Kraailokker. Hij greep haar kin en dwong haar in zijn ogen te kijken. Ze probeerde overeind te komen, maar ze was zo zwak dat ze terugzakte en op het ijs viel.

'Ik vervloek deze vrouw!' riep haar echtgenoot boven het huilen van Vrouw Wind uit. 'Haar geest zal benedenwaarts spiralen, weg van het Gezegende Sterrenvolk. Wanneer ze sterft zal haar lichaam begraven worden. Haar ziel zal voor altijd gevangen blijven onder de aarde, samen met de plantewortels en de schimmels en alles wat rot. Ze heeft schande gebracht over onze clan!'

Vos zag oude vrienden hoofdschuddend teruglopen naar de burcht. Enkele van de jongere vrouwen aarzelden nog een ogenblik voor ook zij zich afwendden. Alleen Grijze Rots bleef staan, oud, gebogen en broos in haar dierehuiden.

'Kraailokker,' zei de oude vrouw timide. 'Doe haar geen kwaad. Ze is nog te jong om te –'

'Verdwijn!' krijste hij, een hakkend gebaar met zijn arm makend. 'Of wil je dat ik een vloek uitspreek over je benen zodat ze hun kracht verliezen en je de anderen niet meer kan bijhouden?'

Grijze Rots kromp ineen. 'Nee, maar je –'

'Ga dan!'

Ze wierp een laatste blik vol spijt en verdriet op Dansende Vos alvorens ze zich omdraaide en wegstrompelde naar de burcht.

Kraailokker knielde naast haar neer, greep haar arm met een hoornige klauw en keek haar dreigend aan. 'De mensen zullen me achter mijn rug uitlachen. Ze zullen zeggen dat ik niet mans genoeg was om mijn eigen vrouw aan me te binden.'

'Waarom niet voor één keer de waarheid onder ogen gezien?'

'*Hou je mond!*' schreeuwde hij en gaf haar zo'n hevige slag dat haar hoofd met een bons tegen het ijs sloeg.

Ze bleef slap liggen, duizelig en misselijk, en voelde de kille adem van Vrouw Wind langs haar gezicht strijken. Ze hoorde het schurende geluid van ivoor en steen op leer toen de oude sjamaan zijn mes uit de schede trok.

Het is beter om te sterven. Voel je hoe ik je roep, Rent In Licht? Ik probeerde je te bereiken, geliefde. Het is niet jouw schuld... Neem het jezelf niet kwalijk.

Ze opende haar ogen en zag Kraailokkers lange mes van obsidiaan flonkeren in het bleke licht, en haar adem stokte toen hij haar haar om zijn hand wikkelde. Haar hart bonsde en haar keel leek dichtgesnoerd.

'Dromer?' zei Raafjager terwijl hij de hand van de oude man vastpakte. 'Ze heeft je te schande gemaakt en je gezag bespot. Maar dit is niet goed.'

'Zwijg!' De wangen van Kraailokker werden rood en zijn adem ging sneller. 'Ik zal haar doden om de schande uit te wissen die –'

'Maar op deze manier komt ze er zo makkelijk van af.'

'Dit is jouw zaak niet!'

Raafjager haalde zijn schouders op en liet de trillende hand van de oude man los. 'Dat is zo. Maar denk eens na. Als je haar in leven laat, kun je haar iedere dag straffen voor wat ze je heeft aangedaan. Dat is veel rechtvaardiger dan haar nu uit haar lijden te helpen.'

Zijn stem klonk heel redelijk en beheerst, maar Dansende Vos slikte toen ze de wanhoop in zijn ogen las. Hij hield een van zijn lange werpspiesen in zijn hand, klaar om toe te steken.

De oude sjamaan verstijfde en staarde nadenkend naar zijn vrouw, die aan zijn voeten lag. Hij wreef met een hand over zijn mond. 'Een uitgestotene van haar maken, bedoel je?'

Raafjager knikte. 'Op die manier zal ze alleen in leven blijven op wat de mensen haar toewerpen en wat ze zelf bij elkaar kan scharrelen, als een kraai.'

'Ja...'

Vos sloot haar ogen. *En jij kunt me dan kwellen wanneer je maar wilt.* 'Echtgenoot,' smeekte ze. 'Dood me. Ik ben van geen nut meer.'

'Niemand zal zijn voedsel met haar delen. We hebben allemaal honger,' zei Kraailokker peinzend. Langzaam verscheen er een glimlach op zijn gerimpelde gezicht.

Raafjager begon ook te glimlachen. 'Op deze manier zal haar doodsstrijd lang duren.'

'Blijf leven, vrouw!' bulderde de oude man. 'Kijk wat je ermee

92

opschiet.' Hij boog zich dreigend over haar heen en fluisterde kwaadaardig: 'Vóór het gezicht van Vrouw Maan één keer verdwenen en verschenen is, zul je wensen dat ik je je keel had afgesneden.'

Ze staarde afwezig naar de verre bergpieken die waren gehuld in een matpaarse gloed. Rent In Licht zou nu daar zijn en ging misschien op ditzelfde moment door het gat in het ijs naar het paradijs daarachter. Ze zag in gedachten zijn gezicht en de tedere blik in zijn ogen als hij naar haar keek. Haar hart kromp ineen van verdriet.

'Ik zal het aan het Volk gaan vertellen,' zei Kraailokker. Ze hoorde hoe zijn voetstappen zich verwijderden.

Raafjager liet zijn adem luidruchtig ontsnappen en knielde naast haar neer. Hij pakte haar bij de kin en dwong haar hem aan te kijken. Hij deed haar heel sterk aan Rent In Licht denken... behalve die kille glans in zijn ogen.

'Ik dacht even dat ik hem zou moeten doden. Maar het ziet ernaar uit dat we de beproeving hebben doorstaan.'

'Welke beproeving?'

Hij fronste alsof hij het een domme vraag vond. 'Heb ik je dat niet verteld? Er zullen er nog vele komen op het pad. Maar maak je geen zorgen, ik zal ervoor zorgen dat je genoeg te eten krijgt, zodat je de kracht zult hebben om ze te doorstaan.'

'Waarom?'

De lijnen in zijn gezicht werden zachter. 'Omdat ik van je hou. En omdat je belangrijk bent voor de toekomst van de...' Hij zweeg, hield zijn hoofd schuin en staarde afwezig naar de met wolken bedekte hemel. 'Ik weet niet precies hoe alles zal verlopen. Maar op een dag zal ik je nodig hebben. Onthoud dat je je leven aan mij te danken hebt.'

Ze keek in zijn glazige ogen, en wat ze zag deed haar huiveren.

'Maak je geen zorgen,' zei hij en nam haar wanten in beide handen, alsof hij een angstig kind troostte. 'Ik zal voor je zorgen.'

Ergens ver weg, tussen de sneeuwhopen, klonk het gehuil van een wolf, rijzend en dalend op de adem van de wind.

9

In het melkbleke licht van de avondzon rafelde vrouw Wind de wolken uiteen tot lange draden van goud en knaagde ze aan het gebeente van het Volk. Een dunne laag rijp bedekte de bontranden van hun kappen. De clanleden tuurden voor zich uit naar de eindeloze opeenvolging van kale rotsrichels. Onder hun harde ogen stonden donkere kringen.

Hij Die Huilt keek achterom naar de rij voortstrompelende mensen die zich langs de helling omhoogwerkten. Gebroken Tak was de laatste die aan de beklimming begon, zorgvuldig haar voeten op het met ijs en sneeuw bedekte gesteente plaatsend. Voor haar liepen drie kleine kinderen. Voor de rij uit liep degene die ze nu Wolfdromer noemden, zijn werpspiesen over zijn schouder, voortgedreven door zijn Droom.

Hij Die Huilt wierp een blik op Springende Haas. Zijn jonge neef zag er net zo verweerd en troosteloos uit als het omringende landschap. Hij veegde de korsten ijs van de bontrand rond zijn gezicht en kneep zijn ogen tot spleetjes om ze te beschermen tegen de ijzige wind terwijl hij in de verte tuurde. 'Vier weken, zei Kraailokker. Het zou vier weken duren voor we de honger zouden voelen.'

Springende Haas klemde zijn lippen opeen. 'Wat hebben we gevangen? Drie hazen sinds we het Mammoetkamp verlieten?'

'En dat is nog maar een week geleden,' gromde Hij Die Huilt somber, starend naar de rug van Wolfdromer. 'We hadden terug moeten gaan.'

'Wat maakt het uit?' fluisterde Groen Water. 'Of we nu hier doodgaan van de honger of in Mammoetkamp.'

Hij Die Huilt sloeg zijn ogen neer en begon weer te lopen, langzaam de ene in huiden gewikkelde voet voor de andere zettend. Hij wist uit ervaring dat de duisternis hen zou overvallen voor ze de top van de richel hadden bereikt. Schaamte brandde in zijn borst. Had hij zo snel het vertrouwen in de Wolfdroom verloren?

Behoedzaam klommen ze verder, stap voor stap. Hun spieren waren door de honger zo verzwakt dat ze zich geen enkele overbodige beweging konden veroorloven.

'Geesten,' mopperde Springende Haas binnensmonds. 'Rent In Licht moest zo nodig naar Wolf luisteren. Hij wilde zich met alle geweld inlaten met Macht.'

'Geloof je dat nog steeds?' vroeg Zingende Wolf laatdunkend.

'Jij dan niet?'

'Wolf zou ons niet doodmartelen als we zijn Droom volgden.'

'Stil! We moesten toch íets doen,' zei Lachend Zonlicht berispend. 'En hoor je de vrouwen klagen? Wij verspillen onze energie niet aan praten. Als de mannen verstandig waren, volgden ze ons voorbeeld.'

Er viel een drukkende stilte. Ze wierpen onzekere blikken om zich heen. Het gezicht van Vader Zon kwam af en toe tussen de wolken te voorschijn, als een schijf van zilver. Hij was al dicht bij de horizon.

'Misschien wordt ons geloof op de proef gesteld,' zei Groen Water met een zucht.

Hij Die Huilt keek omhoog naar de loodgrijze hemel. 'Doodgaan van de honger is geen slechte manier om te sterven. Er zijn heel wat ergere manieren. Tanden die ontsteken en je kaak vullen met etter, bijvoorbeeld. Of gewrichten die schuren en branden, zodat je nauwelijks meer kunt lopen van de pijn. Of een been breken als je alleen op jacht bent en opgegeten worden door Grootvader Witte Beer. En herinneren jullie je nog wat die oude Walrustand overkwam? Zijn benen zwollen zo verschrikkelijk op dat zijn laarzen barstten. En toen zat er bloed in zijn urine. En dan had je nog dat geval met –'

'Zwijg!' zei Groen Water geprikkeld.

IJsvuur werd midden in de nacht wakker. Rondom hem kon hij het zachte ademhalen van de clanleden horen. Boven hem deed de gure wind de dakhuiden van de tent klapperen. Wolkjes damp stegen op uit de slaaphuiden rondom hem. Hij ging verliggen onder zijn zachte stapel huiden en tuurde met gefronst voorhoofd in de naar zee geurende duisternis.

Hij had een merkwaardige droom gehad. Hij was naar het zuiden gelopen, op zoek naar iets, en achter hem kwam de Clan Van De Witte Slagtand, hongerig, en vol vertrouwen. Hij had zich onderweg voortdurend afgevraagd of hij was verraden door een of andere Macht die zich schuilhield in het duister. Maar toen hij zijn groep was voorgegaan, de rotsachtige heuvels op, hadden ze ogen op zich gericht gevoeld, ogen van iemand die hen van bovenaf bekeek. Daar, op de helling van die door de wind gegeselde heuvel, had hij zich omgedraaid en zijn blik over de bewolkte hemel laten gaan.

En hij had haar ogen gezien die naar hen staarden: de ogen van de Getuige!

Hij rolde zich om in zijn slaaphuid en probeerde het gevoel van naderend onheil van zich af te schudden. De obsederende lokroep echode in de grotten van zijn geest. Hij knipperde met zijn ogen, gaapte en probeerde de slaap te hervatten. Uren later duwde hij de huiden van zich af, trok zijn parka aan en liep naar de kouvang.

'Kun je weer niet slapen, Oudste?'

'Nee, Rode Vuursteen, mijn oude vriend.' Hij zweeg even, de deurhuid in zijn hand, en voelde de ijzige kou door de kier naar binnen sijpelen. 'Soms vraag ik me af of ik niet langzaam gek word.'

Rode Vuursteen ging rechtop zitten in zijn slaaphuid en porde met een stok in de vuurkuil. Het rode oog van een gloeiend kooltje werd zichtbaar. 'Je wilde dus weer in het donker gaan rondzwerven als een verloren geest?'

IJsvuur haalde zijn schouders op.

Rode Vuursteen trok zijn parka aan, boog zich over het vuur en begon te blazen. Hij voedde het kleine rode oog met gedroogd mos en bladeren en wilgetakjes, tot er een vlam oplaaide.

'Het licht kan de anderen wekken,' zei IJsvuur, gebarend naar de bundels huiden rondom hen.

96

Rode Vuursteen grijnsde, en zijn platte gezicht kreeg in het schijnsel van het vuur komische trekken. 'Ik betwijfel het. Je hebt ze uit hun slaap gehouden met dat verhaal over de Hemelspin die het web spint dat de hemel en de zon op hun plaats houdt. Nee, die blijven wel doorslapen.'

IJsvuur ging op het voeteneind van de slaaphuiden van zijn vriend zitten en kruiste voorzichtig zijn benen. Hij staarde in de flakkerende gele vlammen.

'Je gaat toch niet dood, hoop ik?' zei Rode Vuursteen. 'Soms kunnen mannen niet slapen voor ze sterven.'

IJsvuur boog zijn hoofd en lachte zachtjes. 'Nog niet.'

'Wat zit je dan dwars?'

Hij pakte een wilgetak en porde er langzaam mee in het vuur terwijl hij nadacht. Waar moest hij beginnen? 'Ik heb gedroomd over een oude vrouw – een heks. Ik...' Hij fronste zijn voorhoofd. 'Ik ken haar. Althans, ik heb haar aanwezigheid eerder gevoeld.'

'Zo, ouwe schurk. Zolang je nog de aanwezigheid van vrouwen kunt voelen, ga je niet dood. Maar je smaak is achteruitgegaan. Ik heb nog een dochter, Maanwater. Een ontluikende schoonheid. Dat zou een goede –'

'Wil je dit horen of niet?' vroeg hij geïrriteerd.

'Het spijt me. Je was zo somber, en ik dacht dat het zou helpen als ik je een beetje plaagde.'

IJsvuur gaf zijn vriend een klap op zijn knie en zweeg even, starend in de vlammen. 'Herinner je je nog dat ik je heb verteld over de vrouw die ik jaren geleden heb overweldigd, op het strand?'

'De vrouw van de Vijand.' Rode Vuursteen knikte, en zijn ogen glansden. 'Ja.'

'De heks was er toen ook en keek toe.'

'Ik dacht dat je zei dat je niemand gezien had.'

'Dat is ook zo. Maar ik weet hoe het visioen van een heks aanvoelt, net zoals ik weet hoe de schacht van mijn werpspies aanvoelt in mijn hand. Ik hoef er niet naar te kijken, ik weet uit ervaring hoe zwaar mijn werpspies is, uit welk materiaal hij is gemaakt, hoe zijn balans is. En hetzelfde geldt voor die heks. Ik weet hoe ze aanvoelt.'

Rode Vuursteen krabde de zijkant van zijn verweerde gezicht. 'Denk je dat ze je roept? Of heeft ze je behekst? We zouden kunnen proberen haar met gezangen te verdrijven en haar Macht tegen haarzelf te keren.'

'Nee.' Hij hief een hand op. 'Het is iets anders. Er is een Macht opgestaan die haar heeft aangeraakt... en mij ook. Er staat iets te gebeuren.'

Rode Vuursteen staarde somber in het vuur. Gouden lichtjes weerkaatsten in zijn toegeknepen ogen. Hij zei: 'Je weet dat het met de andere clans niet zo goed gaat. De Tijgerbuik Clan heeft verleden jaar veel terrein verloren. Honderden jonge krijgers werden gedood in gevechten met het Gletsjervolk. De Clan Van De Ronde Hoef in het westen werd van het Grote Meer verdreven en moest zich helemaal terugtrekken op het grondgebied van de Bizon Clan. We hebben overal onze oude jachtgebieden moeten verlaten.'

'De hele wereld is aan het veranderen, en we zijn niet talrijk genoeg meer om onze vijanden terug te drijven.'

'Is dat het wat die heks je vertelt?'

IJsvuur schraapte zijn keel en wreef met een hand over zijn nek. 'Dat is er een onderdeel van, maar er is meer. Er is nog een andere reden waarom ze me naar het zuiden lokt.'

'Wat is die reden?'

'Het heeft iets te maken met de Droomwandeling die ik jaren geleden gemaakt heb, nadat mijn vrouw was gedood. Ik reisde vele dagen over moeilijk terrein. Twee weken lang at ik niets. Ik herinner me dat ik geslapen heb op een rotspunt die zo hoog oprees uit de grond dat ik kon neerkijken op de vogels. In het zuiden zag ik een reusachtige witte muur, en, daar voorbij, een vrij land, vol dieren maar zonder mensen.'

'Maar in het zuiden bevindt zich de Vijand,' merkte Rode Vuursteen op.

'Nu, ja, maar toen niet.'

'Moeten we proberen dat land te bereiken?'

'Ik weet het niet. De Droom was onduidelijk en de volgende dag vond ik de vrouw van de Vijand. We moesten samenkomen, zij en ik. Ik... voelde dat het goed was, en noodzakelijk. Een soort heelmaking zou je kunnen zeggen. Haar lange haar wapperde in de wind. Water bruiste en kolkte rond haar voeten. In de vervoering van mijn Droom liep ik naar haar toe, en ze glimlachte. We paarden hartstochtelijk, zij en ik, daar bij de zee, en ik plantte mijn zaad in haar.'

'Maar dat gedeelte was echt.' De borstelige wenkbrauwen van Rode Vuursteen gingen omlaag.

'Ja... en nee.' IJsvuur wreef met de lange, harde vingers van een van zijn handen over zijn gezicht. 'Het visioen brak in stukken toen ik opstond en in de... de ogen van de Getuige keek. Toen besefte ik dat ik de vrouw had verkracht. Ik had haar huilend en vernederd achtergelaten op het zand. Ik had haar moeten liefhebben en koesteren, en in plaats daarvan had ik haar kapot gemaakt.'

'En je denkt dat de heks die door je dromen spookt dit veroorzaakt heeft?'

'Ik weet het niet zeker.'

Rode Vuursteen ging ongemakkelijk verzitten en pookte het vuur op tot de vlammen helder oplaaiden. 'Wat gebeurde er daarna?'

'Ik draaide me om en zag hoe alle clans mijn voetsporen volgden, achterna gezeten door vele vijanden.'

'Was dat het einde van de Droom?'

IJsvuur knipperde met zijn ogen en schokschouderde even. 'Nee. Nadat ik zag wat ik gedaan had, rende ik weg. Ik kon die afschuwelijke aanblik niet verdragen. Die nacht had ik de ene nachtmerrie na de andere. De vrouw in de Droom stond op en strekte haar handen naar me uit. In de ene lag een stuk vlees, en in de andere hield ze een werpspies.'

'Leven of dood?'

'Dat is wat ik erin zag.' Hij steunde zijn kin op zijn handen. 'Toen keek ik achterom, en de zee kwam aanstormen in een poging ons allemaal te verzwelgen. Ik nam het vlees, en de vrouw glimlachte weer en zei: 'Jij en ik zijn een. Wij zijn een.' Toen pakte ze mijn hand en veranderde me in een grote vogel, de Stormvogel, en samen vlogen we in zuidelijke richting naar het nieuwe land voorbij de witte muur.'

Rode Vuursteen zoog op zijn tanden en dacht na. 'Is dat de reden waarom je ons hebt gedwongen in zuidelijke richting te gaan, ondanks dat het wild steeds schaarser werd?'

'Sinds ik op die speurtocht ben gegaan, heb ik de geest nooit meer zo krachtig in mij voelen bewegen als nu. Ze achtervolgt me, houdt me uit mijn slaap. Ik voel me voortgedreven, alsof die heks me dwingt alle clans naar het zuiden te brengen.'

Rode Vuursteen tuurde naar het schijnsel van het vuur dat over het plafond van huiden danste. 'Maar de andere clans gaan niet met ons mee. Ze zeggen dat er daar voor krijgers geen eer te behalen valt. De Vijand neemt de vlucht als een troep zeemeeuwen doet als je er een steen naar gooit.'

'Ik weet het.' Hij keek onderzoekend naar het bezorgde gezicht van zijn vriend. 'Stel dat ik onze clan kan redden voor de zee het land overstroomt en iedereen verdrinkt?'

'Dan zullen we je volgen naar het zuiden, ook als de anderen niet meegaan. Eén ding is in ieder geval zeker: die laffe Vijand is niet talrijk en ze wordt steeds zwakker. We zullen hen verjagen als lastige vliegen.'

IJsvuur wreef zijn eeltige handen tegen elkaar. 'Misschien. Maar ik heb gedroomd over een jongeman. Een lange, boze jongeman. Ik heb gezien hoe hij zijn werpspiesen opnam en dood onder onze mensen zaaide. Hij is een leider; het soort dat jonge krijgers kan bezielen...' Hij aarzelde.

'Ga door.'

'Ik zal hem misschien moeten doden.'

Rode Vuursteen staarde hem roerloos aan. 'Je hebt al vaker mannen gedood. Waarom voel je je in dit geval bezwaard?'

IJsvuur keek hem aan met een gekwelde blik. 'Ik weet niet zeker of ik ertoe in staat zal zijn.'

'Waarom niet?'

'Ik... ik geloof dat hij mijn zoon is.'

10

Bezorgd liet Wolfdromer zijn blik gaan over het woeste land. Het golfde en verhief zich hier en daar in scherpe pieken. De rauwe adem van Vrouw Wind deed hen wankelen op hun vermoeide voeten. Nergens in de leegte was beschutting te vinden. In de spleten in het gesteente hielden dichte bosjes wilgen en dwergberken de sneeuw vast, waardoor verraderlijke valkuilen ontstonden waar hij meer dan eens ingevallen was. Het kostte gevaarlijk veel energie om er weer uit te klauteren. Ze moesten gladde, met ijs bedekte hellingen oversteken waar het gevaar van een fatale misstap altijd op de loer lag. Hij kon geen val riskeren, geen gebroken botten. Het zou zijn dood betekenen.

En het Volk was zíjn verantwoordelijkheid.

De last woog zwaar op hem, als het gewicht van een mammoettand op zijn schouders. Maar de smaak van het bloed van Wolf brandde nog steeds op zijn tong, en het vuur van de Droom joeg hem voort.

Ze was echt geweest.

Naarmate de moeizame dagen verstreken, moest hij steeds meer zijn best doen om zichzelf ervan te overtuigen dat Wolf geen grap met hem had uitgehaald. Maar het was ondenkbaar dat Wolf zou spelen met de levens van het Volk! Rent In Licht bleef staan, leunend op zijn werpspiesen, en staarde naar de met ronde, grijze rotsblokken bezaaide ijswoestijn.

Hij voelde hoe de Zieleters van de Lange Duisternis naderbij zweefden nu het daglicht niet langer sterk genoeg was om hen op een afstand te houden. 'Is het weer tijd voor een nieuwe Droomjacht?' fluisterde hij. 'Ik ben te moe.' *Kon ik maar gaan rusten, kon ik maar gaan liggen in de sneeuw en de Lange Duisternis het leven uit me laten zuigen, tot mijn ziel wegwoei op de adem van*

Vrouw Wind. De dood zou een verlossing zijn. Maar hij klemde zijn kaken opeen en sprak zichzelf streng toe. *Lafaard.*

Hij haalde diep adem en dwong zijn om voedsel schreeuwende lichaam verder te gaan. Achter hem volgden de anderen, met lege magen en ingevallen gezichten en een verwijtende blik in hun ogen. De meesten geloofden niet langer in het gat in de ijsmuur.

'Wolf?' smeekte hij schor. '*Leid me.*'

Hij keek achterom en zag dat Hij Die Huilt en Springende Haas begonnen waren een onderkomen uit te graven in de zijkant van een hoop opgewaaide sneeuw, gebruikmakend van het aangescherpte schouderblad van een bizon.

'Moeten we hier ons kamp opslaan?' fluisterde hij.

Hij zag Gebroken Tak en de aanblik vervulde hem van medelijden. Ze strompelde nog steeds voort, met een grauw gezicht, maar met het vuur van de Droom in haar ogen.

Hij balde zijn vuist en liep weg van de gravende mannen – weg van het Volk.

Vrouw Wind wikkelde hem in sluiers van sneeuw. IJskristallen tinkelden tegen elkaar alsof ze de stilte van het lege land wilden trotseren. Hoger, steeds hoger waren ze geklommen, de ruige heuvels in. Het kille, desolate landschap leek op de ruggegraat van een of ander reusachtig monster dat in het ijs leefde. De blauwzwarte rotsen, verweerd en door de wind gegeseld, doemden dreigend en massief op in de invallende duisternis.

'Er zijn zoveel monden om te voeden, Wolf. En er is maar zo weinig eten.'

Toen hij buiten het zicht van het kamp was, liet Rent In Licht zich op zijn knieën zakken. Zijn in wanten gestoken handen klauwden in de sneeuw.

'Was mijn Droom onwaar?' riep hij tegen de zich verzamelende geesten van de duisternis. Hij boog zijn hoofd en voelde hoe ze zich rondom hem verdrongen, in een rusteloze dans. Hun ijle vingers plukten al aan zijn ziel.

Maanlicht stroomde als vloeibaar zilver over de hellingen van de sneeuwhopen. Hier en daar was het gat van een onderkomen zichtbaar waarin het gele schijnsel van een vuur flakkerde. De glinsterende ogen van het Sterrenvolk gluurden af en toe tussen de voortjagende wolken door.

Dansende Vos zat ineengedoken naast een van de gaten en luisterde naar het rumoer binnen. De obsederende doodsgezangen werden nu en dan overstemd door luid gesnik. Grijze Rots was dodelijk verzwakt. Haar uitgeputte oude lichaam was niet langer in staat de vermoeienissen van het dagenlange lopen en klimmen te verdragen. Vos werd gekweld door verdriet. Ze wilde naar binnen rennen en haar armen om de oude vrouw heen slaan en haar heen en weer wiegen terwijl ze woorden van liefde en dankbaarheid sprak.

Maar Dansende Vos was een uitgestotene. Ze mocht alleen naar binnen als iemand zo vriendelijk was haar uit te nodigen, en ze vreesde dat Grijze Rots te ver heen was om dat te doen.

De bittere kou deed haar huiveren. Haar adem kwam als witte damp uit haar mond. De wind geselde haar gezicht en voerde het droevige jammeren van wolven aan.

'Waarom ga ik niet weg?' fluisterde ze boos voor zich heen. Maar ze kende en haatte de antwoorden. De afstand tussen haar en Rent In Licht was nu te groot, en ze was bang dat de sneeuwstormen reeds lang geleden het spoor dat hij voor haar had achtergelaten, hadden bedekt. Bovendien kon ze niet aan eten komen. Als ze vluchtte, zou ze de tocht zonder wapens of voedsel moeten maken.

Een leegte gaapte in haar hart. Kon ze Rent In Licht maar bereiken; hij zou haar helpen en troosten. Maar die wetenschap maakte haar gevecht om te overleven nog ondraaglijker dan het al was.

Het gezang in het onderkomen hield plotseling op.

Ze wachtte, haar vingers krampachtig verstrengeld in de mouwen van haar parka. Ze vreesde het ergste. Achter haar deden voeten de sneeuw zacht knisperen.

'Ze was een goede vrouw,' zei Raafjager op spijtige toon. 'Jammer dat Springende Haas niet hier is.'

Er liep een rilling over haar rug. 'Ik wou dat ik voor haar kon zingen.'

'Onmogelijk,' zei hij op meelevende toon. 'Ze zijn bang dat je vervloekte ziel die van haar ervan zou weerhouden op te stijgen naar het Gezegende Sterrenvolk.'

Ze keek naar hem op. Zijn sombere ogen glansden flauwtjes in het weerkaatste maanlicht. 'Waarom ben je naar buiten gegaan?' vroeg ze.

Hij hurkte naast haar neer in het donker, en ze kon zijn warmte op haar gezicht voelen. 'Ik heb daarbinnen weer een glimp opgevangen.'

'Van wat?'

'Jij en ik zullen getuige zijn van de dood van het Volk, tenzij er iets gedaan wordt.'

'O ja?' zei ze hatelijk.

Boven het gieren van de wind uit klonk gejammer uit de richting van het onderkomen. Ze mompelde verbitterd: 'Ze is dood.'

Ze sloot haar ogen en probeerde niet te denken aan de doden die ze al hadden moeten achterlaten. De oude Klauw zou de volgende zijn. Ze kwam nauwelijks meer vooruit op haar wankele benen. Wanneer zou er aan het sterven een eind komen?

'Ik heb wat vlees in je pak gedaan. Het is niet veel. Ik heb het kadaver van een bizon gevonden. De wolven en de kraaien hadden er nog wat vlees aan laten zitten. Morgen zal ik de beenderen naar het kamp brengen. Er zit genoeg merg in om het leven van een paar mensen nog wat langer te rekken.'

Ze negeerde hem en staarde met droge ogen naar het onderkomen. Ze herinnerde zich de restjes eten die Grijze Rots regelmatig voor haar had achtergelaten. Wat was ze daar blij mee geweest. Grijze Rots was een van de weinigen geweest die hun eten met haar hadden gedeeld en haar af en toe bemoedigend hadden toegeknikt of voorzichtig wat woorden met haar hadden gewisseld.

'Ik zal Grijze Rots missen,' fluisterde Vos verdrietig. 'Ze vergat nooit hoe belangrijk het voor me was om zo nu en dan een vriendelijk woord te horen.'

Raafjager hoorde haar zwijgend aan. Ze was hem er dankbaar voor, maar ze wist dat ze er later voor moest betalen wanneer hij onder haar slaaphuiden kroop. Iemand in het onderkomen begon onbeheerst te snikken. Als verdoofd ging Vos staan. Na een ogenblik kwam Raafjager ook overeind.

'Je komt vanavond zeker weer bij me om me met geweld te nemen?'

Hij haalde zijn schouders op. 'Er is niemand die het voor je wil opnemen. Ik doe je geen kwaad. Wie zou er anders een vriendelijk woord tegen je moeten spreken nu Grijze Rots er niet meer is? Bovendien zorg ik dat je genoeg te eten krijgt. Je mag dan een uitgestotene zijn, maar je maag is beter gevuld dan die van Kraailokkers lievelingetjes.'

'Ik haat je.' Ze liep weg.

'Ik ben je vijand niet, Dansende Vos.'

'Wat ben je dan? Mijn bewaker? Waarom heb je me niet gewoon laten ontsnappen? Waarom heb je me teruggesleurd hiernaar toe?'

Hij liep met grote, langzame passen naast haar voort. De sneeuw knerpte onder de zachte zolen van zijn laarzen. 'Omdat ik van je hou. Ik kon niet toestaan dat je omkwam in de sneeuw.'

Ze bleef abrupt staan en riep woedend: 'Je houdt niet van me!' Ze spoog in de sneeuw om haar woorden kracht bij te zetten. 'Ik ben voor jou niet meer dan een speeltje.'

Haar hoofdhuid begon te prikken toen ze de waanzinnige blik zag die in zijn ogen verscheen. Hij glimlachte vriendelijk en zei: 'Op deze manier heb ik je helemaal voor mezelf alleen.'

Ze deed een stap achteruit. 'Ja, daar heb je wel voor gezorgd. Ik ben gebonden alsof je me hebt vastgesnoerd met repen mammoetdarm.'

Hij legde een hand op haar schouder en dwong haar hem in de ogen te kijken. Zijn stem klonk scherp als een mes van obsidiaan. 'Ik zeg het je nogmaals, ik hou van je. Op een dag zul je het begrijpen.'

'Blijf met je handen van me af.'

Hij verstevigde de greep op haar schouder. 'En ik heb je

nodig. Ik ben de hoop van het Volk. Ik heb het gezien, begrijp je? Ik kan alleen niet... niet alles zien. Maar ik weet dat ik de Anderen moet tegenhouden, anders zullen ze het Volk vernietigen.'

'Die waandenkbeelden van jou zullen ons allemaal de dood injagen.'

Hij zuchtte zwaar en zijn schouders zakten. Hij zei met gebogen hoofd: 'Haat me dan maar als je niet anders kunt. Ik moet het Volk redden. Ik... en een vreemde man. Als ik van aangezicht tot aangezicht met hem sta, zal hij me iets geven. Iets dat het lot van het Volk zal wijzigen.' Hij strekte zijn armen uit. 'Ik weet niet wat het is. Maar ik weet wel dat mijn zoon –'

Ze schrok op en keek hem met grote ogen aan. 'Is dat de reden waarom je me wilt hebben? Om een zoon te krijgen?'

'Ik weet niet zeker of –'

De klap was zo hard en onverwacht dat hij een ogenblik wankelde. Hij bevoelde zijn gloeiende wang, en een trage glimlach deed zijn lippen krullen. 'Het visioen is onvolledig, maar delen ervan heb ik al in vervulling zien gaan, zoals toen ik je die dag vond in de sneeuw. Ik zou mijn eigen leven en dat van onze clangenoten ervoor op het spel durven zetten, zó zeker ben ik ervan dat de rest ook in vervulling zal gaan en dat ik die vreemde man zal ontmoeten. Hij is als... als...'

'Ik heb genoeg gehoord!' spoog ze. 'Je bent gek!'

Kraailokker kwam zingend uit het onderkomen, gevolgd door de anderen. Ze gingen met het lichaam van Grijze Rots op weg naar de top van de sneeuwhoop om haar ziel naar het Gezegende Sterrenvolk te zingen.

Raafjager greep Vos bij de arm, en zijn ogen boorden zich in die van haar. 'Onthoud goed,' zei hij, 'ik zal het Volk redden, ook al moet ik ons tweeën daarvoor opofferen.'

Hij gaf haar een zet zodat ze achteruit wankelde en liep weg om voor de ziel van Grijze Rots te zingen.

Dansende Vos duwde haar haar terug onder haar kap en haalde diep adem. Met de tanden opeengeklemd liep ze naar haar versleten slaaphuiden. In haar pak vond ze verscheidene repen gedroogd vlees. Het water liep haar in de mond, en ondanks een gevoel van schuld viel ze erop aan, zich niets aantrekkend van de ranzige smaak.

Die nacht kwam Raafjager niet bij haar.

11

'Laten we teruggaan!' zei Springende Haas terwijl hij iedereen om beurten aankeek. Rondom hen glansden de wanden van de ijsgrot in het oranje licht van het vuur.

'Terug naar wat?' vroeg Hij Die Huilt.

Groen Water legde de laatste wilgetakken op de gloeiende as. Ze zag dat haar echtgenoot zijn blik op haar gericht hield, wachtend op wat ze zou gaan zeggen.

'Terug?' vroeg ze kalm. 'Het gebied dat we zijn doorgetrokken, bestond uit niets anders dan kale rotsen. Misschien ligt er vóór ons beter land.'

'Misschien, maar –'

'Hier vinden we tenminste wat bladeren en af en toe een handvol bevroren bessen. In het Mammoetkamp hadden we zelfs dat niet. Misschien is er wild in het gebied waar we naar toe gaan.'

Zingende Wolf klemde zijn kaken opeen en zwaaide vijandig met zijn armen. 'We zijn te zwak om te jagen. Er is kracht nodig om te kunnen doden.'

'Het lukt ons wel,' verzekerde Hij Die Huilt.

'Zelfs de muizen hebben zich teruggetrokken in hun holen onder de sneeuw,' mompelde Springende Haas. 'En de hazen zijn ook verdwenen. En die paar sneeuwhoenen die we hebben gezien, vlogen te hoog.'

'Raafjager heeft ons gewaarschuwd,' zei Zingende Wolf op ruzieachtige toon. 'Rent In Licht is nog maar een jongen.'

'En we hebben niet naar Raafjager geluisterd.'

Gebroken Tak, die tot nu toe zwijgend in een hoek had gezeten, boog zich plotseling voorover. 'Jonge idioten dat jullie zijn,' zei ze. 'Wat mankeert jullie? Denken jullie dat híj een jongen is? Kijk eens naar jezelf!' Ze richtte een benige vinger op ieder van hen. 'Zodra jullie maag een beetje begint te rommelen, rennen jullie weg om je hoofd in de sneeuw te begraven.'

'Maar, grootmoeder!' zei Springende Haas ongelovig. 'We gaan dood van de –'

'Bah! Jullie zijn de gave van Wolf niet waard. Schiet op! Verdwijn!' Ze haalde het wolvebot dat ze nog steeds in haar buidel droeg te voorschijn en begon er luid smakkend op te zuigen, terwijl ze hen tussen de slierten grijs haar die over haar ogen vielen door strak aankeek.

Springende Haas sloot zijn ogen. Zelfs in deze omstandigheden wilde hij een oudere niet terechtwijzen. 'Misschien worden we straks inderdaad gedwongen om weg te gaan, grootmoeder. Om te kunnen overleven.'

'Ik geloof dat we allemaal vergeten,' zei Groen Water vermanend, 'dat deze Lange Duisternis ongewoon is. Niemand van ons kan zich herinneren een ergere te hebben meegemaakt. We kunnen niet meer terug, want in het noorden en westen zijn de Anderen. Hier heeft Vrouw Wind in ieder geval de rotsen vrij van sneeuw geblazen. Op de vlakten in het noorden zouden we voortdurend op sneeuwschoenen moeten lopen.'

'Maar daar zouden we een kans hebben een kamp van het Volk te vinden,' merkte Springende Haas op.

'En denk je dat ze genoeg voedsel zouden hebben om met ons te kunnen delen? Of zou onze komst voor hen de hongerdood betekenen... evenals voor ons?'

'Overleven,' mompelde Zingende Wolf. 'We doen hier ons best om een manier te vinden om in leven te blijven, en wat doet onze vermaarde *Dromer?*' Hij wees naar de opening van de ijsgrot. 'Hij rent weg omdat hij ons niet onder ogen durft te komen!'

Er viel een onbehaaglijke stilte, die alleen verbroken werd door het knetteren van het vuur en de smakkende geluiden van Gebroken Tak, die op haar bot kloof.

'Hij probeert de dieren naar zich toe te roepen,' zei Groen Water eindelijk.

'Ha! De honger heeft zijn geest vertroebeld. Alleen een man met Macht kan de dieren naar zich toe roepen. En welke dieren zouden er moeten komen? Er is hier niets dan steen en ijs.'

'Misschien wat muizen of –'

'Ik heb hem vandaag zien struikelen en vallen. Hij is zijn Macht kwijt! Hij zal ons allemaal de dood injagen!'

Hij Die Huilt ademde zwaar uit. 'Ik geloof niet –'

'Misschien hebben de geesten van de Lange Duisternis al de ziel uit zijn lichaam gezogen en haar meegenomen, het donker in, zodat de geesten nu sterk genoeg zijn om ook onze zielen op te zuigen.'

'Jij...' fluisterde Gebroken Tak. Haar zwakke ogen glinsterden in het flakkerende licht. Iedereen hield de adem in toen ze de vijandige uitdrukking op haar verweerde, ingevallen gezicht zagen. 'Wat heb jij ooit voor het Volk gedaan? Nou? Niets. Jij klaagt alleen maar en doet niets. Jij laat anderen de risico's nemen, en als het misgaat, ben jij de eerste om ze verwijten te maken. Jij bent nog erger dan de geesten van de Lange Duisternis, jij maakt onze zielen zwak met je gejammer en geklaag.'

Zingende Wolf staarde haar met open mond aan. Bittere woorden vormden zich op zijn tong. 'Jij gekke ouwe –'

'Geen brutale opmerkingen, jongen, anders krijg je ervan langs met dit bot!' Ze gaf hem een stevige mep op zijn sleutelbeen. Hij krabbelde haastig naar achteren, terwijl hij haar met een hand afweerde.

'Gek oud wijf! Je bent gek! Net als die verdoemde Rent In Licht!'

Gebroken Tak kroop naar hem toe en priemde met het bot in zijn richting. 'Laat me je wat vertellen, *jongen*. Je hebt jezelf nog nooit bewezen! Dat is de reden waarom je Kraailokker altijd naar de ogen keek. Dat wil zeggen, tot het moment waarop hij weigerde voor je dochtertje te zingen, die dag in de sneeuw. Nietwaar?'

'Ik begrijp niet waar je het over –'

'Toen was voor jou de maat vol.' Ze tikte met het bot zijn knie aan. 'Dat vernietigde je geloof in Kraailokker en was voor jou de reden om de Wolfdroom te volgen. En voor die tijd? Wat vernietigde je geloof in Gebroken Tand? Misschien het feit dat hij je geen jachtleider maakte toen je dacht dat je het verdiende?'

Zingende Wolf sloeg zijn ogen neer en staarde naar de vloer van de grot.

'Je emoties gaan met je op de loop, jongen. Denk daar maar eens over na. Je loopt altijd maar te weeklagen, zonder je af te vragen wat je doet of waar je heen gaat. Als iemand het Volk kan doden, dan ben jij het, en anderen zoals jij.'

Zingende Wolf klemde zijn kaken zo hard op elkaar dat iedereen het knarsen van zijn tanden hoorde. De anderen bogen ongemakkelijk hun hoofd.

'En jij wil een leider zijn?' zei Gebroken Tak met een minachtend lachje. 'Diep binnen in je heb je de aanleg, maar je bent altijd te laf geweest om iets met die aanleg te doen.'

'Grootmoeder, hij probeert het,' zei Groen Water zacht. 'Dit is voor iedereen een moeilijke tijd.'

'Hij probeert het niet erg hard. Wat die jongen nodig heeft, is een beproeving die hem de kans geeft te laten zien wat hij waard is. Dan zal hij ophouden met het beledigen van mensen die harder hun best doen dan hij.'

Groen Water glimlachte flauwtjes. 'Ons hart doen pijn als we om ons heen kijken en de vele lege plekken zien op de plaatsen waar vertrouwde gezichten zouden moeten zijn. Hebben we nog niet genoeg beproevingen doorstaan? Neem het Zingende Wolf niet kwalijk. Deze Lange Duisternis is vooral voor hem erg zwaar geweest.'

Gebroken Tak schonk Groen Water een koele blik vanuit haar ooghoeken en wendde zich toen tot Zingende Wolf. Hij zat ineengedoken, met gebogen hoofd. 'Klopt dat, jongen? Heb jij het zwaarder gehad dan de anderen?'

Hij kwam abrupt in beweging, kroop langs de oude vrouw en ging door de opening van de grot naar buiten, waar de nacht hem opslokte.

Springende Haas mompelde tegen Hij Die Huilt: 'De honger wordt hem te veel. Het verstoort zijn geest.'

Hij Die Huilt sloeg zijn blik neer. 'Niemand van ons is helemaal goed bij zijn hoofd.'

'Vooral Rent In Licht niet.'

Gebroken Tak gaf Springende Haas met haar bot een venijnige prik in zijn arm. Hij slaakte een kreet van pijn.

'Wat weet jij van Dromen af?' grauwde ze. 'Ik heb de Droom gezien! Ik zag hem in zijn ogen!'

Hij Die Huilt wierp een afkeurende blik op zijn neef, die ineengedoken over zijn arm zat te wrijven, en zei op sussende toon tegen Gebroken Tak: 'Hij meende het niet, grootmoeder.' Hij legde een verzoenende hand op haar schouder.

'Wie zegt dat het waar is wat je gezien hebt?' zei Springende Haas nors. 'Misschien is hij echt gek, zoals Raafjager zei.'

Gebroken Tak keek boos naar de hand op haar schouder. 'Laat me los, leeghoofdige dwaas, anders ben jij de volgende,' waarschuwde ze, zwaaiend met het scherpe bot. Hij Die Huilt trok zijn hand terug alsof hij hem had gebrand. Gebroken Tak keek woedend de grot rond en zei: 'We zijn nog niet dood, hm?'

'Nee,' beaamde Groen Water zachtjes. 'De Droom leeft voort.'

'Droom?' schreeuwde Zingende Wolf buiten in het donker. 'Die Droom van hem zal ons allemaal het leven kosten.'

'*Nee!*' Gebroken Tak schoof naar Hij Die Huilt toe en begon zwakjes aan de mouw van zijn parka te rukken. 'Heb jij het niet gezien? Heb jij zijn ogen niet gezien?' Haar blik werd wazig en ze liet zijn mouw los en zakte achterover. 'De Droom was echt.'

'Ik geloof in hem, grootmoeder,' zei hij.

Groen Water boog zich naar voren en klopte haar geruststellend op de arm. 'Ik heb zijn ogen gezien, grootmoeder. Hij Droomde.'

Springende Haas beet op zijn lip en keek een andere kant uit.

Groen Water werd wakker. Door haar huiden heen voelde ze de kou van het ijs dat hen omringde. Vader Zon zou spoedig opkomen. Ze hees zich moeizaam in zittende positie, met trillende ledematen.

Ze hadden al twee dagen niet gereisd. De mensen lagen ineengedoken in hun huiden, met holle oogkassen van de honger. Niemand had de kracht om te lopen.

Onze laatste rustplaats, mompelde ze binnensmonds.

Ze wierp een blik op de slaaphuiden van Rent In Licht; ze waren nog steeds leeg. Ze kroop behoedzaam over de slapende mensen heen naar de nauwe opening van de grot en schuifelde erdoor naar buiten. Boven haar twinkelde het Sterrenvolk nog, maar in het zuidoosten verlichtte de lange dageraad de horizon. Het matte licht van Vrouw Maan glansde op sombere pieken. Gletsjers kropen zwaar en traag langs hun flanken naar beneden, majestueuze bergen van ijs vol diepblauwe kloven en scheuren. Vrouw Wind had een ogenblik haar rusteloze gebulder gestaakt. Rechts van Groen Water opende zich een brede vallei die zich uitstrekte tot aan het rotsachtige hoogland in de verte. Zelfs in het zwakke licht waren de opeengestapelde morenen te zien.

Toen ze zich een kwart slag draaide, zag ze hem.

Hij zat op zijn hurken en zijn hoofd lag in zijn nek, in een houding die onnatuurlijk aandeed. Sneeuw had zich tegen zijn kleding opgehoopt.

Met een hart dat bonkte in haar keel schuifelde Groen Water naar hem toe. Ze pakte hem bij de schouder en schudde hem heen en weer, maar hij werd niet wakker. Ze verdubbelde haar inspanningen en in haar ogen welden tranen op. 'Rent In Licht! Word wakker!' Angst bekroop haar toen ze zag dat de bontrand van zijn kap bijna vrij was van ijs. Dat kon alleen maar betekenen dat hij al een tijd niet meer ademhaalde, of nauwelijks…

'Nee,' fluisterde ze. Een leegte leek zich binnen in haar te openen.

Ze liet zich op haar hielen zakken, nam een want vol met sneeuw en wreef de sneeuw in zijn gezicht. '*Wolfdromer*? Zo mag het toch niet eindigen?'

Hij bleef stijf en stom.

Ze sloeg hem hard in zijn gezicht, en nogmaals terwijl ze schreeuwde: 'Je mag niet doodgaan! Laat ons hier niet sterven van de honger! Jij hebt ons hiernaar toe gebracht!'

Hij bewoog nog steeds niet.

'Nee… nee…' kreunde ze. Ze sloeg haar handen voor haar gezicht.

'Moe.'

Het gefluisterde woord drong door haar woede en wanhoop heen. Ze slaakte een kreet en begon haastig de sneeuw van zijn wangen te vegen. 'Wat zei je?'

'Moe.'

'Sta op!' Ze begon hem te bewerken met haar vuisten. *'Sta op!'*

Ze pakte hem bij een arm en rukte hem in een wanhopige krachtsinspanning overeind. Hoewel ze wankelde onder zijn gewicht, dwong ze hem te lopen in de hoop dat zijn lichaam nog genoeg warmte kon produceren om hem in leven te houden.

'Vervloekte dwaas! Ben je buiten gebleven om ons niet onder ogen te hoeven komen? Je had kunnen sterven, en dan zou onze laatste hoop vervlogen zijn.'

'Eten,' mompelde hij. 'Heb eten gevonden. Werd moe. Moest gaan... rusten.'

Groen Water bleef staan en keek hem aan alsof ze bang was dat ze het niet goed gehoord had. 'Eten?'

Rent In Licht knikte zwakjes. Hij gebaarde met zijn kin. 'Daar, achter die rotsen. Het was zo zwaar. Ik kon het niet hierheen verslepen.'

'Kom, je moet naar binnen om warm te worden,' zei Groen Water. Ze leidde hem naar de opening van de grot en hielp hem naar binnen. Daarna volgde ze de voetsporen die hij in de sneeuw had achtergelaten. Aan de andere kant van de rotsrichel, tussen twee rotsblokken geklemd, lag een harig bruin voorwerp. Ze herkende het ruige haar en de zware hoef: de achterpoot van een muskusos. Niet erg veel vlees voor zoveel mensen, maar misschien genoeg om hen in staat te stellen dit rotsachtige oord te verlaten en naar een plaats te gaan waar prooidieren leefden.

De wolven hadden de poot aangevreten; hun tanden hadden diepe voren in de huid getrokken en plukken haar losgerukt. Dit mocht dan aas zijn, maar in de winter, met een lege maag, kon niemand dat iets schelen.

Ze haalde een vuurstenen mes uit haar buidel en begon met trillende vingers op het bevroren vlees in te hakken.

12

Hij Die Huilt, Zingende Wolf en Springende Haas hesen met vereende krachten de achterpoot naar de top van de richel zodat de vrouwen het vlees verder naar het kamp konden slepen.

'Pffff,' zei Springende Haas, uit alle macht duwend tegen de achterpoot. Zijn voeten gleden voortdurend weg op de gladde steen. 'Hoe heeft hij die in zijn eentje helemaal hier naar toe gekregen?'

'De geesten moeten hem kracht hebben gegeven,' zei Hij Die Huilt tussen opeengeklemde tanden door.

'Geesten,' gromde Zingende Wolf minachtend. 'In nood doen mensen nu eenmaal rare dingen.'

'Hij zei dat hij wolvesporen had gevolgd.'

'Nou en? Denk je dat we nu gered zijn?' Zingende Wolf snoof. 'Misschien is dit genoeg om een dag lang onze buiken te vullen. En daarna?'

Springende Haas beet op zijn lip en keek ongelukkig. 'Wolfdromer zei dat er meer was op de vlakte.'

Met een laatste ruk schoven ze het stuk vlees naar de top van de richel. Daarna leunden ze hijgend tegen de rotsen. Hij Die Huilt nam Zingende Wolf uit zijn ooghoeken op, met een onbehaaglijk gevoel. De man werd met de dag lastiger en vijandiger, veroorzaakte ruzies, en moedigde mensen aan Rent In Licht achter zijn rug om te bekritiseren. Na de reprimande van Gebroken Tak was zijn houding nog nukkiger geworden. Hij gedroeg zich als iemand die een instorting nabij was. De Dromer zocht niet langer het gezelschap van de anderen rond de nachtelijke vuren omdat hij bang was de op fluistertoon uitgesproken honende opmerkingen te zullen opvangen.

'Laten we de rest gaan zoeken,' zei Hij Die Huilt. Hij daalde de richel weer af, gevolgd door de twee anderen. Ze liepen langs het spoor dat de Dromer had achtergelaten en dat werd gemarkeerd door lange bruine haren uit de vacht van de muskusos. 'Ik hoop dat de aaseters ons niet voor zijn geweest.'

'We hebben de verkeerde keus gemaakt,' bromde Zingende Wolf. 'Ik wist wel dat ik dat gekke joch niet had moeten volgen.'

'Wacht maar,' zei Hij Die Huilt ongemakkelijk. 'Je zult zien dat hij gelijk heeft. Ik weet zeker dat we op de vlakte –'

'Niets zullen we daar vinden! Over een week zullen onze magen weer krampen van de honger.'

'Je bent in een verbazend goed humeur.' Springende Haas' sarcasme was even snijdend als de wind.

'Ik ben geen dwaas. Ik weet wanneer ik –'

'*Hou op!*' bulderde Hij Die Huilt. 'Wolf heeft voor ons gezorgd! Schei uit met klagen.'

Zingende Wolf lachte laatdunkend. Hij Die Huilt versnelde zijn pas; hij wilde voorkomen dat zijn woede hem de baas zou worden. Hij wenste dat Gebroken Tak zijn neef niet had geprikkeld.

'Als Wolf ons werkelijk leidde,' gilde Zingende Wolf hem na, 'denk je dan dat hij ons zo'n armetierige doodgehongerde muskusos zou brengen? Hm? Nee! Hij zou een hele kudde mammoeten voor ons roepen!'

Hij Die Huilt waadde door een dikke laag stuifsneeuw naar de top van de volgende richel. Het bloed bonsde in zijn slapen van boosheid. Als het zo doorging, zou Zingende Wolf vroeg of laat kennis maken met zijn vuist.

Zingende Wolf haalde hem in en zei, met iets van hoop in zijn stem: 'Ik denk dat ik samen met mijn vrouw terugga. Waarom ga je niet met ons mee?'

Hij Die Huilt schudde zijn hoofd en liet zijn blik over het eindeloze landschap gaan. 'Je vergeet de Anderen.'

'Daar ben ik niet bang voor.'

'Ik ga naar beneden, naar de vlakte,' mompelde Springende Haas verontschuldigend. 'Er is daar een muskusos gestorven. Misschien zijn er meer.'

Terwijl ze bezig waren met de afdaling, zagen ze het karkas.

116

Er stonden wolven omheen die hen aankeken met achterdochtige gele ogen.

Zingende Wolf rende ernaar toe en schreeuwde: 'Ga weg! Vooruit! Verdwijn!'

De dieren stoven uiteen, jankend en grommend.

'Waarom heb je dat gedaan?' riep Hij Die Huilt. 'We hadden er een of twee kunnen doden. Een wolf smaakt slecht, maar vlees is vlees.'

Springende Haas zuchtte en staarde naar de beesten die nu op hun hoede waren en buiten het bereik van hun werpspiesen bleven. 'Eén zo'n wolf was misschien net genoeg geweest om een paar van de oudere mensen hun krachten terug te geven.'

Zingende Wolf opende zijn mond om hen fel van repliek te dienen, maar toen leek de waarheid van Haas' woorden tot hem door te dringen. Zijn schouders zakten en hij wendde snel zijn blik af.

Hij Die Huilt tuurde naar het kadaver. De muskusos was in een kuil gevallen die onzichtbaar was geweest onder de sneeuw en had niet meer de kracht gehad om eruit te komen. De wolven hadden zich op hun gemak te goed gedaan. 'De ingewanden en het grootste gedeelte van het vet zijn verdwenen. Maar er is nog genoeg over om ons in leven te houden.'

Springende Haas bevochtigde zijn gesprongen lippen. 'Zou het niet dom zijn om dit helemaal naar het kamp te slepen als we hier later toch langskomen op weg naar dat gat in het Grote IJs?' Hij wierp een schuchtere blik op de twee andere clanleden. 'We gaan toch die kant op, niet?'

Hij Die Huilt vulde zijn longen met lucht, en ademde toen langzaam uit. 'Ik ben niet van plan weer over al die richels te klauteren naar het Mammoetkamp.'

'Mooi!' flapte Springende Haas eruit, opgewekt met zijn armen wiekend. 'Ik zal de anderen gaan halen.' Hij draaide zich snel om en rende terug langs het spoor.

Hij Die Huilt wierp een blik op Zingende Wolf. Zijn neef keek haastig de andere kant uit, met ogen waarin schuld te lezen stond.

De leden van Kraailokkers groep waren aan het eind van hun krachten, en de een na de ander moest het opgeven. Twee Wolken was plotseling verdwenen, en Leisteen struikelde en viel en weigerde op te staan, zodat ze geen andere keus hadden dan hem achter te laten. Kraailokker spoorde hen aan met woorden en klappen, maar ze waren zo uitgeput dat ze niet meer konden reageren.

Dansende Vos sjokte voort, zich ervan bewust dat ze op de rand van de afgrond balanceerde. Zonder het eten dat Raafjager haar toestopte, zou ze allang van honger en kou zijn omgekomen. Ze liep achter aan de rij en probeerde de achterblijvers in beweging te houden. Soms lukte het haar, soms niet.

Zelfs Raafjager had een doffe, lege blik in zijn ogen. Enkel zijn ontembare wil stelde hem in staat voor de groep uit te lopen, speurend naar prooi. Af en toe ving hij een haas of een sneeuwhoen of vond hij de aangevreten resten van een kadaver, en dat gaf de anderen weer net genoeg kracht om voort te blijven strompelen. Velen van hen verkeerden op het randje van de dood.

Dansende Vos zag Rent In Licht in haar dromen, en zijn ogen waren altijd nat van tranen. Een van de Dromen kwam steeds terug. Rent In Licht stond op de top van een rotsachtige heuvel en Dansende Vos probeerde naar hem toe te klimmen. Maar hoe meer ze haar best deed, hoe steiler en rotsachtiger de helling werd en hoe groter de afstand tussen haar en hem leek te worden.

Ze riep naar hem en strekte haar armen uit naar waar hij stond, maar hij leek haar niet op te merken en staarde met onbewogen gezicht voor zich uit.

Als het verdriet haar uiteindelijk te veel werd en ze begon te gillen, wendde hij zich af, de ogen op zijn Droom gericht, langzaam weglopend in een baan zonlicht, haar in de duisternis achterlatend.

'Ik had met Rent In Licht mee moeten gaan,' hoorde ze de oude Klauw die voor haar uit strompelde zwakjes mompelen. 'Dat had ik moeten doen. Wolfdroom. Gebroken Tak had het goed gezien. Die had verstand van Dromers.'

Het was alsof een kille hand zich om Vos' hart sloot. 'Ja,' fluisterde ze. 'Ze wist het.'

118

Klauw keek achterom. Ze was vergeten dat er een vloek op Dansende Vos rustte. 'Diep in mijn hart wist ik dat de Macht van Kraailokker verdwenen was. En toch leidt hij ons.'

'Hij is een dwaas,' zei Dansende Vos. 'En wat erger is, hij heeft mensen gedood die hem vertrouwden, enkel om zijn gezicht te redden.'

'Wel, hij heeft mij ook gedood,' hijgde Klauw. Haar adem verliet in snel opeenvolgende witte wolkjes haar mond. 'Ik ben moe, meisje. Moe en door en door koud. Ik voel het in mijn botten. Als ik me niet beweeg, ril ik aan één stuk door. Je weet toch wat dat betekent? Geen vuur meer in het lichaam. Geen vuur, meisje.'

'Je haalt het wel,' zei Dansende Vos ferm. 'Hier, leun op mij.'

De oude vrouw schudde haar hoofd en bleef staan. 'Nee,' zei ze met een zucht. 'Ik ben te moe. Begrijp je? Het is gebeurd met mij.'

Dansende Vos' hart begon te bonzen tegen haar ribben. 'Hier, pak mijn hand vast. Ik zal je helpen. Je zult sterven als je achterblijft. De duisternis zal je overvallen voor je het onderkomen voor de nacht hebt bereikt.'

Klauw antwoordde met een droog lachje. 'Je hand vastpakken? En mijn ziel laten bezoedelen door die van jou?'

Dansende Vos liet haar arm langs haar zij vallen en sloeg haar blik neer. 'Ik wil alleen dat je blijft leven, dat is alles.'

'Het was maar een grapje, kind. Ik trek me van zijn vervloekingen niets meer aan. Zijn Macht is hij kwijt. Hij kan jou of mij geen kwaad meer doen.'

Ze keken elkaar een ogenblik in de ogen, elk de ziel van de ander peilend.

'Het spijt me dat ik je links heb laten liggen,' fluisterde Klauw verdrietig. 'Ik maakte me zorgen over wat de anderen van me zouden zeggen. En moet je nu eens zien.' Ze gebaarde zwakjes. 'Ze lopen allemaal door en laten me in de steek. En wie neemt de moeite om me bemoedigend toe te spreken? Een vrouw die verdoemd en uitgestoten is door die idioot van een Kraailokker.'

'Kom.' Dansende Vos glimlachte en legde een arm om de

knokige schouders van de oude vrouw. 'Laten we verder gaan. Raafjager zal me vanavond wat te eten brengen. Ik zal het met je delen. Blijf het proberen, al was het alleen maar voor mij.'

'Kraailokker zal proberen ons beiden te begraven, weet je dat?' Ze dacht even na en voegde eraan toe: 'Als het hem lukt zo lang in leven te blijven.'

'Als...' mompelde Vos terwijl ze de oude vrouw ondersteunde. Ze voelde hoe de kou in haar benen beet en wist dat ze zelf een ineenstorting nabij was.

'Zeker,' zei Klauw grimmig. 'We haten hem allemaal zo intens dat ik er niet van zou opkijken als het zijn dood werd.'

Dansende Vos hoopte in stilte dat de oude vrouw gelijk zou krijgen.

Ze haalden hun sneeuwschoenen uit hun pak en bonden ze met leren veters onder hun laarzen. Daarna liepen ze de open vlakte in, speurend naar prenten van kariboes, muskusossen of een verdwaalde eland. Een vos kwam op een drafje naderbij, maar maakte dat hij wegkwam toen hij zag dat het mensen waren. 's Avonds groeven ze een nieuw onderkomen uit in de zijkant van een hoop opgewaaide sneeuw.

Rent In Licht kauwde op een dunne reep rauw bevroren vlees. De warme smaak van muskusos streelde zijn tong en het water liep hem in de mond. Zo weinig maar. Eén stevige maaltijd. Genoeg om hen in leven te houden. Waar waren de mammoeten? Ze hadden toch een paar van die dieren moeten zien, bezig de sneeuw weg te schrapen met hun enorme slagtanden. En waar waren de kariboes?

De Droom was zo echt, zo levendig geweest.

Hij keek aarzelend, als met tegenzin, hun onderkomen rond. De kinderen lagen al veilig en warm onder huiden in een hoek, naast hun moeders. Mannen zaten met grauwe, sombere gezichten onderuitgezakt tegen de grillig gevormde wanden van de grot. Niemand beantwoordde zijn blik. Ze spraken met elkaar alsof hij er niet was. Iedereen behalve Gebroken Tak. Zij schuifelde naar hem toe en hielp hem een holte voor zijn slaaphuiden in de sneeuw uit te graven.

'Ben ik een uitgestotene, grootmoeder?' vroeg hij zacht.

Ze snoof in het donker en legde een gewante hand op zijn knie. 'Denk alleen aan de Wolfdroom, jongen. Die zal ons leiden.'

'Ben je daar zeker van?'

'Natuurlijk. Wolf kijkt alleen of we hem waardig zijn.'

Hij boog zijn hoofd, en zijn lange zwarte haar viel over zijn borst. Terwijl hij frunnikte aan de veters van zijn laarzen, vroeg hij: 'Stel dat de visioenen een gevolg waren van de honger?'

'Honger, of een klap op je hoofd – het maakt niet waardoor de Droom veroorzaakt wordt, als hij maar komt.'

Hij keek de schemerig verlichte grot rond. 'Ze doen alsof ik niet besta.'

Haar knokige hand verstrakte op zijn knie. 'Nou en? Je hebt hun steun toch niet nodig om te geloven in wat Wolf je heeft verteld?'

'Ik twijfel.'

'In dat geval heb je niet het recht om hier te zijn! Ga naar buiten, het duister in, en roep Wolf opnieuw!' Ze maakte een geërgerd gebaar en schommelde weg op haar pezige benen, een koppig licht in haar oude ogen.

Dwaze oude vrouw. Wat wist zij ervan? Hij had Wolf wel honderdmaal geroepen, maar er kwam geen antwoord. En de herinnering aan de Macht die hem doorstroomd had tijdens zijn confrontatie met Kraailokker, werd met de dag vager en was nog slechts een schim die fladderde langs de grenzen van zijn geest.

'Wolfdroom,' fluisterde de oude vrouw korzelig terwijl ze wegdommelde. 'Wolfdroom.'

Rent In Licht krulde zich op, trok de huiden over zijn hoofd en begroef zijn angsten in de warme duisternis.

De volgende ochtend hees hij zijn pak op zijn rug en liep naar de plek waar Springende Haas en Zingende Wolf druk met elkaar stonden te praten. Toen ze hem opmerkten, zwegen ze en keken hem met verwijtende blikken aan.

'Ik...' Hij zocht naar woorden en glimlachte smekend. 'Is alles gereed?'

'Natuurlijk,' zei Zingende Wolf stug.

Hij knikte, draaide zich om en liep naar het eind van de rij, waar Gebroken Tak stond. Hij vermeed de blikken van de anderen. Springende Haas ging als eerste op weg, grote stappen nemend op zijn sneeuwschoenen. Die dag, en de volgende, concentreerde Rent In Licht zijn volledige aandacht op het plaatsen van de ene voet voor de andere, onderwijl met iedere ademtocht Wolf aanroepend. In gedachten zag hij weer de weelderige groene vlakten en de glanzende vachten van de dieren die zich over die uitgestrektheid bewogen.

13

Donkere wolken stapelden zich op aan de horizon, en de kille wind voerde de geur van een beginnende storm aan. Het laatste zonlicht viel in gouden banen over Klauws oude uitgeteerde gezicht. Ze lag in Dansende Vos' armen, en diepe rillingen voeren door haar lichaam.

'Blijf leven,' smeekte Vos. 'Leef, grootmoeder, leef.'

Ze trok de versleten kariboehuid dichter om hen heen, maar een enkele huid was nauwelijks genoeg om hen warm te houden, ondanks de isolerende laag sneeuw. Hier op de vlakte vonden ze geen plekken waar de wind de sneeuw had weggeblazen. Er was dus geen mos of gedroogde mest of wilge- of berketakken om een vuur mee te maken.

Bulten in het besneeuwde landschap markeerden de plaatsen waar de andere clanleden gehurkt onder hun huiden zaten. Dit was het einde. Iedereen wist het.

'Je bent een lief kind, Vos,' fluisterde Klauw. 'Mijn benen zijn warm. Mijn voeten voelen aan alsof er een vuurtje onder brandt. Heel behaaglijk.'

Dansende Vos sloot haar ogen. 'Daar ben ik blij om.'

'Doodvriezen is geen slechte manier om te sterven.' Klauw zuchtte. 'Werkelijk niet. Je valt gewoon in slaap en wordt niet meer wakker.'

'Je gaat nog niet dood, grootmoeder.'

'Jawel. Ik ben van binnen zo koud. Het is de kou van de dood. Vreemd dat doodgaan van de kou in het begin zo pijnlijk is – en dat je je daarna helemaal warm voelt worden.'

'Stil. Spaar je krachten.'

'Ik zal warm inslapen. Warm,' fluisterde ze. Een zwakke glimlach plooide haar gebarsten lippen.

Dansende Vos trok Klauw dicht tegen zich aan. De botten van

de oude vrouw voelden even broos aan als dorre takken.

Klauw raakte met haar want licht de plekken aan waar het laatste licht hun huiden dofgoud kleurde. 'Ik zal in ieder geval niet alleen sterven.'

Dansende Vos zag hoe Kraailokker verderop een poging deed om op te staan. De sneeuw wolkte van zijn huiden. Hij hees zich moeizaam overeind, deed een paar wankele stappen en viel toen languit in de sneeuw, waar hij stil bleef liggen.

Vos glimlachte.

'Een spoor,' zei Hij Die Huilt zonder emotie. Hij bukte zich en bestudeerde de tekens in de sneeuw. Hij deed een paar stappen en schopte tegen een hoopje mammoetmest. Het was wintermest, vol met strootjes en twijgjes.

Rent In Licht keek naar de bezorgde gezichten om hem heen. Die ochtend hadden ze een van de kinderen levenloos aangetroffen, doodgevroren in haar huiden. Zingende Wolf ondersteunde een meisje dat om de paar stappen struikelde.

Een mammoet? Hoe konden verzwakte mensen verwachten een mammoet te doden? Vooral een volwassen exemplaar? Maar de twijgjes in de mest waren het bewijs dat er ergens genoeg vegetatie was om een mammoet te voeden. Misschien waren daar ook hazen die ze konden vangen? Of kariboes? Maar de doffe ogen van de clanleden verrieden dat ze geen hoop meer koesterden.

'We kunnen niet verder,' zei Lachend Zonlicht moedeloos. 'Ik heb er de kracht niet voor.'

Groen Water liep naar haar toe en keek haar bezorgd in de ogen. Ze trok een want uit en bevoelde Zonlichts wangen. 'We moeten een poosje rusten,' zei ze. 'Als we dat niet doen, bezwijkt ze.'

'Ik ook,' zei de jonge Mos, die op zijn benen stond te trillen.

Het gezicht van Hij Die Huilt vertrok. Hij bestudeerde het grijze landschap en de laaghangende wolken, voelde de bijtende adem van Vrouw Wind. Sneeuwvlokken wervelden langs.

'Laten we halt houden. De duisternis valt. Morgen zullen zij die kunnen lopen het mammoetspoor volgen.'

Rent In Licht hakte blokken uit de opeengepakte sneeuw en droeg ze weg. Misschien bleven door zijn inspanningen enkele mensen leven, zodat ze later zouden verhongeren. De twijfel had zo lang aan het geloof in de Droom geknaagd dat het nu dunner was dan een haar van een kariboe. *Was het visioen echt geweest?* Hij wist het niet meer.

Groen Water nam hem een ogenblik vanuit haar ooghoeken op voordat ze langzaam naar hem toe liep en een hand op zijn schouder legde. 'Ik weet wat je denkt,' zei ze. 'Trek je niets aan van de woorden van Zingende Wolf.'

Hij huiverde en keek haar met knipperende ogen aan. De twijfel was als een afschuwelijk gezwel in zijn borst. 'Misschien heeft hij gelijk. Ik... ik ben verantwoordelijk. Ik heb jullie hiernaar toe gebracht.'

'Je hebt je best gedaan, Wolfdromer. Je hebt je eervol gedragen. Meer kan iemand niet doen.'

'Mijn best?' fluisterde hij dof. 'Is dat genoeg? Ik lees hun gedachten in hun ogen. Ik zie hoe ze over me denken.'

'Ze zijn gewoon moe,' zei ze berispend. 'Oordeel hen niet zo hard.'

Hij liet zijn blik over de bloedrode hemel gaan. Opgewaaide sneeuwhopen sloten hen als muren in. 'Zingende Wolf noemde me een valse Dromer.'

'Ik weet het. Hij is in de war. Hij ziet zich geplaatst tegenover iets dat hij niet begrijpt. Voor de eerste maal sinds hij aan de borst zoog, is hij niet in staat voor zijn gezin te zorgen.'

Hij sloeg zijn ogen neer voor het begrip en de vriendelijkheid in haar broze glimlach. 'Geen van ons is in staat voor de zijnen te zorgen.'

'Het is heel erg voor een man om dat onder ogen te moeten zien.'

'Alleen voor een man?'

Groen Water knikte. 'Ik heb altijd medelijden gehad met mannen. Ze voelen zich verantwoordelijk voor een heleboel dingen waar ze niets aan kunnen doen. Zingende Wolf gaat bijvoorbeeld gebukt onder de dood van zijn dochtertje. Hij is bang dat

Lachend Zonlicht hem zal verlaten voor een andere man... een die beter voor haar kan zorgen.'

'Hij is gek.' Wolfdromer kauwde op zijn lip. 'Ze houdt van hem.'

'Maar dat ziet Zingende Wolf niet. Zo zijn mannen nu eenmaal.' Ze knipoogde naar hem. 'Wees maar blij dat wij er zijn om jullie uit de nesten te halen. In omstandigheden als deze houden vrouwen het hoofd koel. Ze moeten wel.'

Hij balde een vuist. 'Toch ben ik verantwoordelijk.'

Ze klopte hem op de schouder. 'Kom, laat dat rusten. Ik geloof in je. Lachend Zonlicht, Oker, Gebroken Tak, we geloven allemaal in je. We weten allemaal wat je voor ons gedaan hebt, en dat waarderen we.' Ze schonk hem een warme glimlach.

Hij keek haar een ogenblik aan. Toen knikte hij, draaide zich om en hervatte zijn werk.

Nadat er drie onderkomens in de zijkant van de sneeuwhoop waren uitgegraven trok hij zich onopvallend terug en liep in de schemering weg van het kamp, met zijn vingers het spoor van de mammoet aftastend. De laatste keer hadden wolvesporen hem naar de muskusos geleid. Misschien zou ditmaal Wolf zelf komen. Of misschien stootte hij wel op een tweede kadaver – voor Groen Water en de anderen.

Op onvaste benen liep hij de invallende duisternis in, zich op de tast een weg zoekend over het ongelijke terrein.

Het geblaf van Zwart deed Reiger wakker schrikken.

Ze ging rechtop zitten en wreef met haar vuisten in haar ogen. 'Dat geblaf van jou klinkt anders dan normaal,' mompelde ze.

Gloeiende stukken houtskool die in een ring rond de met stenen volgestapelde vuurkuil lagen, verspreidden een zwak rood schijnsel. Reiger stond op en trok haar parka aan. Weer hoorde ze het geblaf. Het kwam nauwelijks boven het gehuil van de wind uit. Ze schoof haar voeten in haar laarzen en trok de leren veters goed strak aan. Haar haar bond ze samen voordat ze de kap dichttrok rond haar gezicht.

Ze legde wat takken op het vuur, pakte haar werpspiesen en

haar sneeuwschoenen en liep naar de opening van de grot. Toen ze haar hoofd onder de deurhuid door stak, voelde ze de ijskristallen die door de wind werden aangevoerd in haar huid priemen. Ze hield haar hoofd schuin om beter te kunnen luisteren. Even overlegde ze of ze haar kap terug zou slaan. Nee. Het zou niet goed zijn als haar hoofd nat werd. Een onbeschermd hoofd koelde te snel af.

Zwart blafte opnieuw. Ze hoorde nu uit welke richting het geblaf kwam, maar toch aarzelde ze nog. Ze kende dit gebied weliswaar heel goed, maar alleen een dwaas zou zich in zo'n storm naar buiten wagen. Er was echter iets in het geblaf van Zwart dat haar deed besluiten naar buiten te gaan.

'Ik heb je nog nooit op die manier horen blaffen,' mompelde ze bezorgd terwijl ze in de richting van het geluid liep. Haar laarzen knerpten op de versgevallen sneeuw.

Ze floot en hoorde in antwoord een zwak gehuil. Ze bukte zich en bond haar sneeuwschoenen onder. Toen beklom ze de helling, tegen de wind in leunend, met een werpspies in haar atlatl gereed om te gooien. Haar lippen verstijfden van kou zodat ze moeite had met fluiten. Ze moest met haar kin op haar borst lopen om te voorkomen dat de voortjagende sneeuw haar totaal verblindde.

In de verte klonk weer het opgewonden gekef van Zwart.

Haar oude benen protesteerden als ze door een diepe laag sneeuw waadde. Ze floot telkens opnieuw en volgde de aanwijzingen van Zwarts geblaf. Het leek alsof ze eeuwig zo voortzwoegde door de nacht, wankelend onder de onophoudelijke aanvallen van Vrouw Wind, terwijl het geblaf van Zwart steeds luider werd.

Toen kwam hij jankend aanspringen vanuit het donker, zoals altijd gevolgd door het onzekere teefje Wit. Zwart ging er weer met grote sprongen vandoor, en zij liep in de richting die hij had aangegeven.

Ze miste hem bijna. Hij lag half begraven in de sneeuw, zijn armen om zijn gezicht geslagen om het te beschermen tegen de woede van de storm. Rondom hem stonden de pootafdrukken van Zwart. De hond keek kwispelend en zacht jankend naar haar op.

'Goed zo,' zei ze. 'Brave jongen. Je training is niet voor niets geweest, hm?'

Ze bukte zich en bekeek de kleding, haar ogen inspannend in het donker. 'Iemand van het Volk? Hier?' Haar hart begon te bonzen bij de vertrouwde aanblik. Ze schoof zijn met ijs bedekte arm weg en bekeek zijn uitdrukkingsloze gezicht. 'Te laat.' Ze zuchtte. 'Zo te zien is hij bevroren.'

14

Reiger gaf hem een harde trap tegen zijn ribben, en tot haar verbazing kreunde hij.

'Kom,' gromde ze. 'Sta op.'

Hij slaagde er met haar hulp in overeind te komen. Reiger bestudeerde de grond waar hij had gelegen. Mammoetsporen. Waarschijnlijk de pootafdrukken van de oude stier die op weg was naar de warme bronnen. De man had de sporen gevolgd.

'Zwart,' riep ze terwijl ze de man ondersteunde, 'naar huis, Zwart.'

De hond draafde gehoorzaam weg, een pikzwarte vlek in de duisternis.

Ze liepen en liepen. Haar adem brandde in haar keel. De man wankelde voortdurend en ze moest zich inspannen om hem op de been te houden. Zelfs door de huiden van zijn kleding heen kon ze zijn botten voelen. Uitgehongerd. Voetje voor voetje kwamen ze vooruit. Zwart rende heen en weer en wees hen de weg, met zijn neus op de sneeuw.

Na een tijd bereikten ze de top van de richel. De man viel op zijn knieën en sleurde haar bijna mee. Reiger greep zijn kap en liet hem langs het pad naar beneden glijden, tot aan de rand van het water.

Hij begon onbeheerst te rillen.

'Je gaat toch niet dood nadat ik al die moeite heb gedaan?' gromde ze. Ze trok haar wanten uit en maakte met haar stijve vingers zijn parka los. De honden renden zenuwachtig heen en weer, aangestoken door haar bezorgdheid.

Het kostte moeite de stijve huiden van hem af te pellen. Hij stonk zo erg dat Reiger haar gezicht afwendde. De geur was die van ziekte en oud zweet. Klappertandend rukte ze het laatste kledingstuk los, ontdeed zich van haar eigen kleding en sleepte hem het warme water van de bron in, zonder erop te letten dat zijn huid over de stenen schuurde.

De damp die opsteeg van het water, kolkte in de wind en hulde hen in een warme mist. Ze hield zijn hoofd boven water en luisterde naar zijn hart en zijn ademhaling. Het was vreemd een ander menselijk lichaam tegen zich aan te voelen, na al die tijd.

Hij begon zwakke bewegingen te maken.

'Je bent hier veilig,' zei ze.

De jongeman mompelde iets met dikke tong, onverstaanbaar. Ze tuurde in zijn ogen en zag de verwarring. Plotseling verstrakte ze en haar hart leek te stokken. *Ze kende hem.*

'Het heeft lang geduurd,' mompelde ze, 'maar je bent uiteindelijk toch gekomen.'

Reiger dook onder de deurhuid door naar buiten en liep naar de poel, de jongeman achterlatend in de grot. Hij had de hele dag bijna niets gezegd, verzonken als hij was in zijn eigen gedachten. Ze had niets willen forceren, maar binnenkort zou ze hem toch moeten dwingen te spreken.

Ze liep langs de rand van de poel, tussen de rotsblokken door die vochtig waren van de damp die van het water opsteeg. Plotseling bleef ze staan. De oude mammoet daalde met zware, trage bewegingen de helling af en waadde de poel in. Hij zoog water op met zijn slurf en sproeide het over zijn rug en flanken.

'Ben je weer terug? Je hebt me een mens gebracht, wist je dat? Hij heeft je spoor gevolgd.'

Het enige antwoord was een heftig gesnuif toen hij achterdochtig haar geur probeerde op te vangen. Hij kwam altijd vlak voordat er een storm losbarstte. Ze begreep waarom. Gewrichten werden pijnlijk vlak voor een onweer, dat wist ze uit eigen ervaring.

Ze sprak zachtjes tegen haar twee honden, die met gespitste oren toekeken, en gebaarde dat ze zich stil moesten houden. Zij en de oude mammoetstier hadden een soort wapenstilstand gesloten en als de een gebruik maakte van de poel bleef de ander uit de buurt. Ze ging op een rotsblok zitten en wachtte. Het reus-

130

achtige dier, dat tot aan zijn buik in het dampende water stond, zwaaide met zijn slurf alsof de scherpe geur van zwavel onaangenaam was voor zijn gevoelige reukorgaan.

Hier, aan de lijzijde van de rotsen, kon de wind haar niet bereiken, maar uit de grijze lage hemel daalden kleine sneeuwvlokken neer die smolten zodra ze de warme rotsen raakten. Plotseling doemden kariboes op uit de mist. De jonge stier met het halve gewei die ze 'Eenstang' noemde, schudde geïrriteerd met zijn kop omdat de fluwelige huid die de volgroeide stang nog bedekte, hevig jeukte. De kariboes voelden Reigers serene rust en kwamen naar het water om te drinken.

Zwart bewoog onrustig. Reiger gebaarde de hond stil te zijn. Wit brak haar zachte gejank af en staarde naar de kariboes alsof ze haar kansen woog.

De oude mammoet gromde, hief zijn slurf en waadde naar de kant. Zijn reusachtige poten wierpen witschuimende golfjes op die kapotsloegen tegen de stenen. Het water liep in stroompjes van zijn ruwe roodbruine vacht af toen hij de poel verliet, zijn poten plaatsend met een delicate precisie die niet bij zijn omvang leek te passen.

'Ja,' zei Reiger zacht. 'Ga maar terug naar je wijfjes. Hoeveel wachten er daar boven op je? Drie? En twee kalfjes die je in de gaten moet houden? Pas maar op, oude man. Het Lange Licht neemt in kracht toe. Er zullen jongere stieren komen om een poging te doen je te verjagen en de wijfjes op te eisen.'

Hij wendde zijn massieve kop in haar richting en liet een laag gebrom horen.

'O, schiet op.' Ze wuifde hem weg. 'Wat moet je met een oude vrouw als ik?'

Hij hief zijn slurf en bewoog zijn kaken, zodat de kiezen luidruchtig langs elkaar schuurden. Toen draaide hij zijn kop in de wind en liep weg, een deinende berg van vlees en haar. Zijn enorme lichaam vervaagde en werd een met het duister.

Zwart jankte zacht en snoof de lucht op. De kariboes wierpen achterdochtige blikken op de hond terwijl ze dronken, af en toe luid snuivend als om hun afkeur van de scherpe zwavelgeur kenbaar te maken. Reiger wachtte geduldig tot ze genoeg gedronken hadden en zich van de poel verwijderden. Toen het laatste dier in de nevels was verdwenen, stond Reiger op en trok haar kleren uit.

Ze liep behoedzaam tussen de rotsblokken door en waadde de poel in tot het warme water tot haar heupen kwam. Met een sierlijke beweging dook ze onder en zwom met lange slagen naar de andere kant, waar ze een mondvol naar zwavel smakend water uitspuwde toen ze bovenkwam.

Ah, wat deed dat water haar goed. Ze ging staan en wrong haar haar uit met eeltige handen. Een briesje deed het wateroppervlak rimpelen en maakte kolkingen in de nevels. Zwart draafde met lichte stappen heen en weer langs de kant en verloor haar geen moment uit het oog.

Reiger liet zich behaaglijk drijven terwijl ze keek hoe het duister inviel. Ze voelde het leven terugkomen in haar oude botten. Dit was zalig. Wat een rijkdom, deze poel van haar. Boven haar, tussen de rotsen en verborgen door de mist, spoot en siste de geiser, wolken stoom opstuwend naar de hemel. Het hete water spetterde op de rotsen en stroomde met een melodieus geruis naar beneden naar de poel.

Als herboren zwom Reiger naar de kant en stapte uit het water. Haar adem condenseerde tot mist terwijl ze het vocht van haar armen en benen schudde. De kou deed haar huiveren. Ze raapte haar kleren bijeen en liep naar de ingang van haar grot, gevolgd door de twee honden.

Ze werkte zich langs de deurhuiden naar binnen, liep naar het vuur en gooide wat berketakken op het smeulende houtskool. Ze ging dicht bij de vlammen staan om zich te drogen. De jongeman zat aan de andere kant van het vuur en bekeek haar onzeker. Hij was knap om te zien, met een volmaakt ovaalvormig gezicht, grote ogen en volle goedgevormde lippen. En hij was lang en breedgeschouderd.

Zwart krabde nerveus aan de deurhuiden en keek haar vragend aan.

'Je hebt natuurlijk honger,' mompelde Reiger.

Zwart kwispelde, niesde en rekte speels zijn voorpoten.

'Vooruit dan! Kijk maar wat jullie te pakken kunnen krijgen.' Ze gebaarde dat ze konden gaan. Zwart en Wit kropen onder de kariboehuiden door en verdwenen in de schemering.

Reiger wrong haar haar uit en spreidde het uit boven het vuur. 'Ik denk dat je wel blijft leven, als ik zo eens naar je kijk,' zei ze.

De jongeman knikte langzaam. 'Ik wel. Maar ik maak me zorgen over de anderen die ik heb achtergelaten. Ik vraag me af hoeveel er nog in leven zijn.'

'Morgen, als het licht is, gaan we hen halen.' Ze zuchtte. 'Het is gedaan met mijn rust.'

Hij at zwijgend van haar pemmican. Het mengsel van bessen en vet zou zijn ondervoede lichaam kracht geven. Reiger kon haar ogen niet van hem afwenden. 'Je bent veel knapper geworden dan ik ooit voor mogelijk had gehouden.'

Hij keek op, zijn wenkbrauwen gefronst. 'Wat?'

'Laat maar. Ik zal het je later uitleggen. Eerst moet je me vertellen waarom je hier bent.' Ze schoof een dikke tak met de punt in de knetterende vlammen. 'Ik dacht dat de vader van de oude Kraailokker iedereen gewaarschuwd had niet naar deze plek toe te gaan.'

'Dat heeft hij ook gedaan.' Zijn ogen kregen een schuldige uitdrukking. 'Toch heb ik de mensen hiernaar toe gebracht.'

'Een wijze keus.' Haar stem klonk schor. Ze was niet gewend met een mens te praten. Door haar jarenlange eenzaamheid was ze het gebruik van haar stem ontwend.

Hij sloeg zijn handen voor zijn gezicht. De wanhoop in het gebaar ontroerde haar. Hij moest gebukt gaan onder een verschrikkelijke last.

'Wil je me erover vertellen?'

Hij haalde ongemakkelijk zijn schouders op. 'Ik... ik Droomde. We hadden honger. De honger doet vreemde dingen met iemands geest.'

'Natuurlijk doet de honger vreemde dingen, maar dat heeft niets te maken met Dromen.'

'Hoe weet je dat?' vroeg hij, met een mengsel van angst en hoop in zijn stem.

133

'Ik weet het, laat dat genoeg zijn.'

Hij bloosde en haalde verward een hand door zijn lange haar. 'Wolf... riep me... Ik bedoel...'

Reigers hart begon sneller te slaan. Ze liep om het vuur heen en pakte zijn kin vast. 'Kijk me in de ogen, jongen. Vertel me wat Wolf tegen je heeft gezegd.'

Hij slikte en zijn kaak bewoog krampachtig onder haar harde vingers. 'We gingen langzaam dood van de honger in de tenten. Ik hoorde Wolf krabben aan het lijk van mijn moeder. Ik... ik kon enkel aan vlees denken.' En hij vertelde haar het hele verhaal, eerst haperend, maar daarna vloeiend. Ze onderbrak hem toen hij vertelde over zijn pogingen om de dieren naar zich toe te roepen. 'Wat gebeurde er toen je de dieren probeerde te roepen?'

Hij schudde zijn hoofd en spreidde in een hulpeloos gebaar zijn handen. 'Ik kon ze niet voelen, kon ze niet... Ik ben geen Dromer. Kijk wat ik gedaan heb. Ik heb mijn Volk naar het eind van de wereld geleid.'

'Je geest zat verstopt. Heb je aan andere dingen gedacht? Was je wanhopig?'

Hij knikte schuchter.

Reiger fronste haar wenkbrauwen. 'En toch zei je dat je Kraailokker het hoofd geboden hebt en dat de kracht van Wolf in je was.'

Er kwam een vonk van opstandigheid in zijn blik. 'Ja. Zo voelde ik het. Het was er... toen.'

'Ja,' zei ze peinzend. 'Ik zie het aan je. Maar waarom is die kracht er nu niet?'

'Ik weet het niet!' riep hij boos.

'Wie van het Volk heeft er nu Dromen?'

'Kraailokker.'

Ze trok een wenkbrauw op. Wat was er gebeurd in die lange jaren dat ze weg was geweest? 'Ik heb nooit een goed gevoel over hem gehad. Hij Droomde altijd op de verkeerde manier... alsof het slechts halve Dromen waren. Hij bracht veranderingen in zijn visioenen aan en stond zichzelf niet toe vrij te zijn. Om te kunnen Dromen, heb je vrijheid nodig, en afzondering.'

134

'Gebroken Tak zei –'

'Gebroken Tak?' bracht Reiger er uit. 'Leeft die verraderlijke heks nog steeds?'

Het gezicht van de jongeman vertrok. 'Toen ik haar voor het laatst zag, leefde ze nog.'

Reiger grinnikte en sloeg zich op haar dij. Toen kwamen er onplezierige herinneringen naar boven en haar hart verkilde. 'Ik heb veel zin om een vervloeking over haar gewrichten uit te spreken.'

'Ken je haar?'

Ze keek hem schuins aan. 'Ja, ik ken haar.'

'Ik geloof dat ze de oudste mens op de wereld is. Ze was al oud toen ik een kind was.'

'Hm. Als ik haar te pakken krijg, zal ze misschien niet veel langer meer te leven hebben.'

Hij fronste zijn wenkbrauwen. 'Ze is op dit moment eigenlijk nog de enige die me steunt. Ze gelooft in Dromen en praat er veel over.'

'O ja? Vroeger maakte ze me uit voor gek als ik Dromen had. Ze zei altijd dat ik kwade geesten in mijn buik had.'

Rent In Licht hield ongelovig zijn adem in. 'Droom je?'

'Ik Droom, ja.'

'Is dat de reden waarom je Gebroken Tak haat? Vanwege de dingen die ze over je Dromen zei?'

Opnieuw kwamen er herinneringen bij haar boven. 'Nee... nee, dat is niet de reden. Eens, lang geleden, was er een man. Een machtig jager. Hij was beroemd om zijn jachten op Grootvader Bruine Beer. Hij daagde de beren uit, sarde ze, tot ze achter hem aan gingen. Dan rende hij langs een verborgen valkuil waar de beren in vielen. Vervolgens liep hij terug en plantte een werpspies tussen de schouders van het dier. Op die wijze heeft hij vele beren gedood. Ik hield van die man en ik zou bij hem gebleven zijn als Gebroken Tak – die in die tijd een schoonheid was – hem niet het hoofd op hol had gebracht en hem van mij had afgepakt.'

Plotseling daagde er begrip in zijn ogen. Hij fluisterde: 'Jij – jij bent *Reiger?*'

Ze kneep haar ogen tot spleetjes en bestudeerde hem, als een grote witkoparend die naar een prooi staart. 'Spreekt ze nog steeds kwaad over me?'

'Iedereen zei dat je niet echt bestond, dat je een legende was.'

'Behalve Gebroken Tak, durf ik te wedden.'

Hij knikte. Reiger zag de angst in zijn ogen, het ontzag voor haar. Hij was zo ver mogelijk bij haar vandaan gekropen, naar de achterkant van de grot. Gekke knul. Waar was hij bang voor? Dat zij hem zou beheksen? 'Als je een uitgang zoekt,' zei ze vriendelijk, 'die is daar.' Ze wees op het met roet bedekte rook-gat boven hen. 'Ik maak er ook weleens gebruik van als Grootva-der Bruine Beer zich niet laat ontmoedigen door vuur of werp-spiesen.'

Hij bevochtigde nerveus zijn lippen. 'Kraailokker zei –'

'Je hebt naar hem geluisterd? Erg pienter ben je niet, he? Maar wees maar gerust, ik eet geen baby's.'

Rent In Licht keek nog steeds onzeker. 'Gebroken Tak zegt dat je met de dieren sprak en ze naar je toe riep.'

'Natuurlijk, alle Dromers doen dat.'

Hij slikte moeizaam, en zijn magere gezicht kreeg een schuld-bewuste uitdrukking. 'Ik kan het niet.'

'Ach, je bent nog jong.'

'Anderen zeiden dat je omgang had met de geesten van de Lange Duisternis en deelde in hun Macht, en dat je mensen uit de dood kan laten opstaan... of de ziel uit iemands lichaam kan zuigen en haar uitspuwen in de wind zodat ze eeuwig jammerend moet blijven rondzwerven.'

'Muizekeutels!' snauwde ze. Ze bekeek hem met scheefgehou-den hoofd. 'Ik doe wat iedere Dromer doet. Het enige verschil is dat ik het híer, ver van alle verwarringen en ouwewijvenpraatjes en liefdesperikelen, beter doe.'

Zijn ogen zwierven nog steeds naar de opening van de grot, alsof hij overwoog wat zijn kansen op ontsnapping waren. 'Maar waarom ben je hier helemaal alleen? Als je geen slechte dingen doet, dan –'

'Ik ben hier voor dezelfde reden waarom jij hier zou moeten

136

zijn.' Ze keek hem strak aan en zag hem verbleken. 'Voor de Dromen, jongen! Want het gezelschap van mensen vertroebelt de geest, zodat je niet helder en zuiver kunt denken.'

Ze zag de verwarring in zijn ogen en ze knikte. 'Ja, ik ken je, Rent In Licht. Ik heb je geboren zien worden. Ik heb zelfs gezien hoe je werd verwekt! Je keek in mijn ogen. Toen was je al een Dromer. En je broer? Hoe heet hij?'

'Raafjager,' fluisterde hij moeizaam.

Ze zag het visioen weer voor zich en knikte. 'Heel toepasselijk. Dorst hij nog steeds naar bloed? Want zo is hij geboren: in bloed.'

'Hij is met de groep van Kraailokker meegegaan om zich te verzetten tegen de Anderen.'

'Daar heerst de dood,' mompelde Reiger. 'Velen zullen sterven.' Ze keek op. 'De wereld is aan het veranderen, jongen. Het ijs smelt. De dieren zoeken nieuwe gronden, en de mensen volgen. Vroeger trok ik vaak over de hoge bergen ten westen van hier naar het zoute water, waar ik op een rots ging zitten om te kijken naar het breken van de golven. Je kunt dingen zien in de branding. Een goede plek om te Dromen.' Haar ogen hadden een peinzende uitdrukking. Toen verscheen er een rimpel tussen haar wenkbrauwen. 'Drie jaar geleden ben ik er voor het laatst geweest. De rots waar ik altijd op zat, wordt nu door de golven overspoeld.'

'Ja?' zei hij onzeker.

'Dat betekent dat het water stijgt, jongen.'

Ze keken elkaar een ogenblik diep in de ogen voor hij het waagde angstig op te merken: 'Zal het water al het land bedekken?'

'Hoe zou ik dat kunnen weten?'

'Heb je niet in je Dromen gezien hoe –'

'Grote Mammoet, nee! Ik heb gewoon gezien dat het water ieder jaar hoger kwam.'

'O,' zei hij, zichtbaar opgelucht.

'Als ik het in mijn Dromen had gezien, zou je je dan in de golven geworpen hebben om te verdrinken?'

137

'Misschien wel.'

Ze grinnikte en sloeg hem op de arm. 'Jij bent een jongen naar mijn hart. Je hebt respect voor ouderen.'

Hij glimlachte flauwtjes.

'En nu wat die Anderen betreft. Niemand kan hen verslaan.' Het gebaar dat ze maakte, deed hem schrikken. 'Het Volk kan kiezen uit twee mogelijkheden. Als het verkiest te vechten, zal het sterven. De andere mogelijkheid is: opgaan in de Anderen, door hen te worden opgenomen, als bloed in de vacht van een vos.'

'Opgenomen? Maar Vader Zon heeft ons het land en de dieren gegeven.'

'Niets is eeuwig, jongen. De mammoeten niet, jij niet, ik niet, zelfs het Volk niet.'

Zijn ogen kregen een starende uitdrukking alsof hij iets zag dat heel ver weg was. 'De man van de Clan Van De Witte Slagtand zei dat –'

'Welke man?' zei ze scherp.

'Hij was lang, met grijzend zwart haar. Hij liep naar me toe en ik blies een regenboog uit mijn handpalm.' Hij keek haar aan alsof hij verwachtte dat ze hem een leugenaar zou noemen. 'Ik zei tegen hem dat ik hem een zoon zou geven in ruil voor een zoon. Ik... ik vroeg hem te kiezen tussen licht en donker.'

'Kende je hem?'

'Nee.'

Reiger verstijfde en haar lippen werden een dunne streep. 'Had hij een ovaal gezicht? Een dunne neus? Volle lippen?'

Hij knikte langzaam, behoedzaam.

Reiger zag in gedachten een man met een mager gezicht die een vrouw van het Volk verkrachtte, op het grijze zand, met het gebulder van de branding op de achtergrond. Een witte vacht was om zijn schouders geslagen.

'Ken... jij hem?' vroeg de jongeman.

Reiger knikte en liet haar adem in een zucht ontsnappen. 'Het is je vader.'

Rent In Licht keek haar verbijsterd aan. 'Mijn vader was Drie Stenen.'

138

'Drie Stenen heeft je als zoon aangenomen. Nee, de man in de Droom is je echte vader.' Ze glimlachte wrang. 'Je wilde hem dus een zoon geven in ruil voor een zoon? Interessant. Wat betekent het?'

'Ik weet het niet.'

Er viel een lange stilte.

'Misschien ontgaat me iets,' zei Reiger peinzend. 'Een regenboog is de weg van kleuren die naar de wereld van de Monsterkinderen in het noorden voert; een Dromer die deze weg gaat, komt midden in hun oorlog terecht. Is dat de betekenis? De strijd van goed tegen kwaad?'

'Misschien.'

'Aan jou heb ik ook niet veel.'

Hij knipperde beschaamd met zijn ogen. 'Ik begrijp mijn Dromen nooit. Als ik er een gehad heb ben ik... ik weet niet goed hoe...'

'Daar zullen we iets aan moeten doen.'

'Wat?'

'Daar hebben we het later wel over. Vertel me eerst maar eens welk gevoel de Droom je gaf. Dacht je dat het Volk zou sterven door de handen van de Anderen? Door de handen van je vader?'

'Wolf vertelde me hoe ik...' Hij aarzelde en keek haar onzeker aan.

'Ja. Ga verder.'

Rent In Licht verlegde zijn blik naar de gloeiende kooltjes in de vuurkuil. 'Er is een gat in het Grote IJs.'

'Heeft Wolf het je laten zien?'

Hij knikte gespannen. 'Hij zei dat het Volk gered zou worden als we die weg volgden.'

Er verschenen diepe rimpels in Reigers voorhoofd, en ze blies haar adem uit. 'Dan zou ik maar gaan. Ik heb gezien dat de Anderen snel naderen. Jullie hebben niet veel tijd meer.'

15

Hij Die Huilt kroop naar de opening van het onderkomen om de sneeuw die naar binnen was gewaaid te verwijderen. Ze hadden geen tijd gehad om een knik in de tunnel te maken om als kouvang te dienen. De wind gierde langs de opening, geladen met sneeuw. Hij overwoog of het verstandig was verder te trekken. Hij zou misschien hun richting kunnen bepalen aan de hand van de wind. Maar wat schoot hij daar mee op? Ze konden in een afgrond vallen, of door de sneeuw zakken in een bosje wilgen of lariksen. En waar moesten ze naar toe? En wat nog erger was, de kinderen zouden achterop raken en het contact met de anderen kwijtraken.

Hij liet zich mismoedig in de sneeuw vallen en staarde zonder iets te zien naar het witte geweld van de storm. De kou van de grond drong door zijn kleren heen. De storm kon nog dagen aanhouden.

'Dit is het einde,' mompelde hij.

Aangezien ze geen kracht hadden om te jagen, kon alleen de vondst van een tweede kadaver hen nog redden.

'Misschien hadden we toch naar het noorden moeten gaan,' fluisterde hij, met een blik op waar Groen Water lag te slapen. Haar brede neusvleugels bewogen nauwelijks, zo oppervlakkig was haar ademhaling. 'Het spijt me, vrouw. Ik heb je hiernaar toe gebracht, omdat ik me liet leiden door een dwaas.'

Hij strekte een arm uit en streelde haar hand, en voelde hoe koud ze was. Gelukkig was doodvriezen geen slechte manier om te sterven. Beter in ieder geval dan wegteren door een of andere ziekte. Uiteindelijk zouden de wolven zich te goed doen aan hun vlees.

Plotseling kwam er een ironische gedachte in hem op. Hij keek over zijn schouder naar de witheid buiten, alsof hij verwachtte grijze gedaanten te zien opdoemen. 'Was dat je opzet, Wolf? De jongen erin laten lopen, hem hierheen lokken, zodat onze lichamen je vleselijke broeders konden voeden?'

Hij liet zijn voorhoofd op zijn gebogen arm zakken en lachte zachtjes. 'Nou vooruit dan maar. Iedereen moet nu eenmaal voor de zijnen zorgen.'

'Omdat we allemaal één zijn, mijn echtgenoot,' zei Groen Water. Haar stem klonk als die van de ouderen wanneer ze 's winters rond de laaiende vuren hun verhalen vertelden. 'Eens waren we sterren. Vader Zon wierp ons vanuit de hemel op de aarde. De muskusrat zag ons vallen, dook in zee en maakte een bed van modder zodat we ons bij het neerkomen niet zouden bezeren. Toen blies Vader Zon ons leven in en namen we onze vorm aan. De een werd een mens, de ander een kariboe, weer een ander een visarend. We zijn dus allemaal broeders. Wij eten wolven, en de wolven eten ons. Het leven is een.'

'Je blijft er erg kalm onder.'

Ze haalde zwakjes haar schouders op.

Hij kroop naar haar toe, schoof een arm onder haar hoofd en wreef zijn wang tegen de hare. 'Maar wie zal onze zielen terug naar de sterren zingen?'

Buiten huilde Vrouw Wind en smeet ijskristallen in hun gezicht.

'Misschien doet Wolf dat voor ons.'

'Ik hoop het.'

Hij sloot zijn ogen en doezelde weg. Hij droomde dat hij weer een jongeman was. Groen Waters verlegen glimlach en verstandige ogen volgden hem terwijl hij trots heen en weer stapte, fier op zijn prestaties als jager. De eerste prooi die hij helemaal alleen had gedood, lag voor het vuur. Toen al had ze door zijn bravoure heen gekeken en de man gezien die hij worden zou. Groen Water wist altijd alles. Niets kon haar uit haar evenwicht brengen, ze was op alles voorbereid. Zelfs de dood van hun eerste kind aan het begin van de Lange Duisternis had haar kalmte niet kunnen verstoren. Voor haar was de dood een onderdeel van het leven. Ze treurde, accepteerde wat er gebeurd was en richtte zich op de toekomst.

Zo'n geweldige vrouw... Hij was haar niet waard.

Hij schrok wakker doordat er sneeuw op hem viel. Was de tunnel al weer vol gewaaid? Hij zuchtte en vroeg zich af of het zin had om de opening weer vrij te maken zodat ze konden ademen. Stikken was misschien verkieslijker, dan waren ze eerder uit hun lijden.

Hij hoorde een hond janken. Hij was niet verbaasd; honden jankten nu eenmaal vaak. En als ze niet jankten, waren ze wel aan het vechten, of steelden ze het eten.

Toen drong de waarheid door tot zijn door honger benevelde geest. *Honden? Maar ze hadden de honden opgegeten!*

'Mijn verbeelding gaat met me op de loop,' gromde hij en keek op, recht in de snuit van een zwarte hond die vanuit de tunnel naar hem staarde.

Hij Die Huilt knipperde met zijn ogen en hoorde het dier snuffelen. *Voedsel!* Hij reikte naar zijn werpspiesen, voelde het trillen van zijn spieren. Die vervloekte honger beroofde een man van zijn kracht.

'Achteruit, Zwart,' riep een scherpe stem buiten. Groen Water ging rechtop zitten. In haar ogen streed hoop met wanhoop.

De zwarte hond krabbelde achteruit in een wolk van stuivende sneeuw. Hij Die Huilt verzamelde al zijn kracht en kroop het dier achterna, maar verstijfde toen het gezicht van een oude vrouw voor de opening verscheen.

'Hebben jullie daarbinnen honger?' vroeg de vrouw. 'Ik dacht bij mezelf, deze storm is te mooi om bij het vuur te blijven zitten, daarom heb ik een paar darmen vol met vet gestopt en heb een wandeling gemaakt.'

Hij Die Huilt staarde ongelovig naar haar. 'Ben je een geest die probeert mijn ziel te roven en aan de Lange Duisternis prijs te geven?'

'Stil,' zei Groen Water terwijl ze hem naar achteren trok.

De oude vrouw schoof op haar knieën naar binnen. De zwarte hond probeerde zich gelijktijdig naar binnen te persen, waardoor ze beiden klem kwamen te zitten.

'Zwart!' gromde de vrouw. 'Maak dat je wegkomt!' Ze gebaarde, en de hond krabbelde haastig achteruit.

'Waar is Gebroken Tak?' vroeg de vrouw, met een boosaardig licht in haar ogen.

'In het onderkomen naast het onze, geloof ik. Ken je haar?' vroeg Hij Die Huilt.

Ze keek hem een ogenblik zwijgend aan. Toen zei ze: 'Of ik haar ken? Vijfentwintig Lange Duisternissen geleden heb ik gezworen dat ik haar zou doden als ze ooit weer binnen mijn bereik kwam, en die gelofte is nog steeds van kracht.'

De honger was een brandende knoop in de buik van Dansende Vos. Haar wereld was ineengekrompen rond die schrijnende pijn, tot de zwakke, schorre ademhaling van Klauw het enige was dat haar eraan herinnerde dat er buiten de honger ook nog iets anders bestond, dat de wereld eens vol warmte, zonlicht en vrolijkheid was geweest.

Vrouw Wind woedde rondom hen en bekogelde de versleten kariboehuid waaronder ze schuilden met ijskristallen. Ze konden elkaar nog maar zo weinig warmte geven. De kou vrat zich langzaam maar zeker een weg naar binnen toe.

'Wie zal ons naar het Gezegende Sterrenvolk zingen?' vroeg ze zich met bevende stem af.

'Misschien Mammoet,' murmelde Klauw, zonder haar hoofd, dat op de schouder van Dansende Vos lag, te bewegen.

'We liggen hier al vier dagen.' Ze moest moeite doen om het klapperen van haar tanden te bedwingen. 'Ik vraag me af of de anderen nog leven.'

'Mijn grootste zorg is dat je misschien weer moet plassen,' fluisterde Klauw. 'Als je nu opstaat, vries ik dood.'

'Toch moet het misschien. Het water maakt dat je je nog kouder voelt. Het zuigt de warmte uit je.'

'Ik weet het, kind. Maar ik kan het niet meer. Mijn achterste blootstellen aan die storm? Nee, dat zou mijn dood worden. De draad die me aan het leven bindt, kan ieder moment knappen.'

Dansende Vos sloot haar ogen. 'Bedankt, Klauw, dat je me gezelschap wilde houden. Zonder jou zou ik het, geloof ik, niet –'

'Ach wat,' siste Klauw zachtjes. 'Ik wilde gewoon graag bij je zijn.' Ze lichtte haar oude hoofd op en staarde naar de wanden van ijs die hen omringden. 'Ik wou dat we beiden met Rent In Licht waren meegegaan. Er is veel Macht in een Wolfdroom.'

'Ik heb het geprobeerd.'

'Ik weet het.' Het hoofd van de oude vrouw ging op en neer toen ze slikte. 'Ik... weet het.'

Dansende Vos tilde een hoek van de kariboehuid op en staarde naar de langswervelende sneeuw. De nacht was nog niet gevallen, maar toch kon ze niets zien. Wat een verschrikkelijke plaats voor haar ziel om haar lichaam te verlaten.

'Rent In Licht?' prevelde ze. 'Eens zullen we elkaar weer zien, misschien te midden van de sterren. Dan zal ik je in mijn armen sluiten. Ik hou van je.'

Ze sloot haar ogen en vocht tegen de opkomende tranen. Het besef van haar verlies was als een speerstoot in haar hart.

'Roep je nog steeds om die idiote broer van me?'

De stem van Raafjager scheurde haar gedachten aan de dood ruw uiteen. Ze probeerde te doen alsof ze niets gehoord had.

'Kom, liefste Dansende Vos,' riep de stem. Hij was echt, bijna tastbaar. 'Til die huid op en eet dit.'

Toen ze nog steeds geen antwoord gaf, tilde hij zelf de huid op. Klauw bewoog toen de sneeuw naar binnen stoof. Vos keek op naar Raafjagers knappe gezicht.

'Ik heb Kromhoorns kamp gevonden, een dag hier vandaan,' zei hij terwijl hij haar en Klauw repen vlees aanreikte. 'Ze zijn een burcht aan het bouwen. Zo meteen hebben we een vuur, dan kunnen we vet opwarmen. Het zal moeilijk zijn, maar ik denk dat we degenen die nog niet dood zijn, kunnen redden. Zorg dat je tot die tijd warm blijft.' Na deze woorden liep hij weg.

'We zullen blijven leven,' fluisterde ze tegen Klauw. *O, Rent In Licht. ik zal blijven leven!*

'Een beste jongen, die Raafjager,' kraste Klauw. 'Je zou een heel wat slechtere keus kunnen doen, Vos. Een heel wat slechtere.'

Dansende Vos huiverde.

16

Bleekgeel licht stroomde door de nauwe opening de ijsgrot binnen en accentueerde de holle wangen en ingevallen oogkassen
van de mensen die zo dicht mogelijk tegen elkaar aan gekropen
zaten, gehuld in hun huiden. Hun wanhoop was voelbaar als een
drukkende last.

'Grootmoeder?' Rode Ster, een meisje van vijf met grote bruine ogen in een uitgemergeld gezichtje, trok zachtjes aan de kap
van Gebroken Tak.

'Hmmm?'

'Ik heb het zo koud, grootmoeder.' Ze klemde haar knuistjes
om de pop van visgraten en walrusleer die ze tegen haar wang
hield.

Gebroken Tak wreef in haar ogen en keek neer op het kind.
Rode Ster stak haar armpjes naar haar uit en keek haar vragend
aan. Bevroren traanvocht hing aan haar wimpers.

'Kom, kind,' zei Gebroken Tak vriendelijk. Ze tilde het meisje op, zette het op haar schoot en trok de krakende huiden zo
dicht mogelijk om hen heen. Ze drukte het kind tegen zich aan
en kuste het op het voorhoofd. Rode Ster zuchtte tevreden. Ze
trok een want uit, stak een vinger in haar mond en begon er zacht
op te zuigen. 'Ik heb honger.'

'Ik weet het, liefje. Maar dat zal nu snel voorbij zijn. Zo meteen komt Wolfdromer terug en dan is alles weer goed. Op dit
moment praat hij waarschijnlijk met Wolf.'

Er verscheen een rimpel boven het neusje van Rode Ster. 'Jokt
u tegen me omdat ik klein ben?'

'Natuurlijk niet,' zei Gebroken Tak gekwetst. 'Hij komt
terug, let maar eens op.'

'Misschien is hij dood en kan hij niet terugkomen.'

'Wie heeft je dat verteld?'

Rode Ster hield haar hoofdje schuin alsof ze aarzelde het te vertellen.

'Nou, zeg het dan,' zei Gebroken Tak op overredende toon. 'Wie kan het beter weten dan ik?'

'Zingende Wolf zei dat Grootvader Witte Beer hem misschien heeft opgegeten en dat we allemaal dood zullen gaan omdat we hem gevolgd zijn.'

Gebroken Tak tuitte afkeurend haar lippen. 'Die Zingende Wolf is een dwaas. Luister goed naar me. Ik ben twee keer zo oud als hij en ik weet hoe de wereld in elkaar zit. Wolfdromer komt terug.'

Rode Sters maag rommelde en ze wreef erover met haar blote handje. 'Het gromt steeds zo daarbinnen, en het doet pijn.'

'Misschien is een van de Monsterkinderen naar beneden gekomen en is hij bij je naar binnen gekropen, hm?'

Rode Ster lachte zwakjes. 'U weet best dat ze nooit uit de hemel naar beneden komen.'

'O nee?'

Het meisje schudde haar hoofdje. 'Nee. Daarom hoeven we niet bang voor ze te zijn. Ze zitten gevangen in de gekleurde lichten en moeten daar eeuwig blijven.'

Gebroken Tak glimlachte en liefkoosde haar koude wangetje. 'Je kent de oude verhalen goed, hè?'

'U zei dat het moest. Weet u nog wel?'

'Heb ik dat gezegd?'

'Ja. Toen ik klein was. U zei dat u me op mijn billen zou geven als ik ze vergat.'

'Heel verstandig van me. Het heeft gewerkt.'

Rode Ster streek met haar wang langs de bontrand van Gebroken Taks kap. Het was duidelijk dat haar nog iets anders dwarszat. Gebroken Tak volgde met haar gewante hand de denkrimpels in het jonge voorhoofdje. 'Wat zijn dit? Probeer je op mij te lijken?'

Het meisje keek verlegen naar haar op, met grote donkere ogen. 'Grootmoeder, hoe is het om dood te gaan?'

Haar hart kromp ineen en ze drukte het kind dicht tegen zich

146

aan. Ze had zich diezelfde vraag ook meerdere malen gesteld. 'Ach, het valt allemaal best mee. Het is niet zo erg.'

'Maar als er nou een beer komt en me opeet terwijl ik nog leef?'

Gebroken Tak haalde het stenen mes uit haar gordel en draaide het zodat het blad van obsidiaan dreigend glinsterde in het zwakke licht. 'Dan zou ik de buik van de beer opensnijden en je eruit halen.'

'Maar, hoe zou het voelen als... als de beer wegrende en je me niet meer kon vinden?'

Gebroken Tak keek naar de met koude blauwe schaduwen gevulde kuilen in het dak van sneeuw boven haar. Ze fluisterde: 'Het voelt alsof je gaat slapen. Je weet toch hoe het is als je indommelt? Het ene moment ben je nog wakker, en het volgende niet meer.'

Rode Ster knikte. 'Het doet dus niet echt pijn?'

'Nee, kind, in ieder geval niet lang.'

'Misschien net zo lang als een kariboekalfje nodig heeft om bij zijn moeder te drinken?'

'O nee, veel korter. Voor je het weet, is het over.'

Rode Ster zuchtte van opluchting en begon weer op haar vinger te zuigen. 'Ik was even bang.'

'Ik zag het aan je.'

Het meisje wreef met het beschilderde bont van haar pop over haar neusje en zei: 'Zalmstaart vertelde dat het heel lang pijn deed, en dat je steeds maar gilde tot de Zieleters je kwamen halen.'

'Wat weet hij er nou van?' gromde Gebroken Tak. 'Hij is pas zeven.'

'Zijn oom was Vallende Beenderen. Hij zei dat hij hem dagenlang had horen kreunen nadat de beer hem te pakken had gekregen.'

'Bah! Vallende Beenderen was zo onuitstaanbaar dat Grootvader Witte Beer er waarschijnlijk pijn van in zijn buik heeft gekregen, en dát heeft Zalmstaart natuurlijk gehoord.'

Rode Ster staarde naar de in bontlaarzen gestoken voeten van

Gebroken Tak alsof ze nadacht over wat de oude vrouw gezegd had. Toen vroeg ze: 'Wat gebeurt er daarna?'

'Nadat je dood bent gegaan, bedoel je?'

Het meisje knikte.

'Nou, dan word je wakker te midden van de sterren, zwevend als een arend.'

'Omdat ik dan weer bij het Sterrenvolk hoor?'

'Ja.'

Ze hield haar hoofdje schuin en vroeg met een ernstig stemmetje: 'Grootmoeder, geloof je dat Wolf echt naar Rent In Licht is gekomen en hem een Droom heeft gegeven?'

'Geen twijfel aan, meisje. Ik weet hoe echte Dromers eruitzien.' Haar ogen kregen een peinzende uitdrukking. Rode Ster legde haar hoofdje tegen de borst van de oude vrouw, en zo bleven ze zitten, allebei verzonken in eigen gedachten.

Plotseling klonk uit de tunnel die naar buiten leidde het gekrabbel van nagels op ijs en het scherpe geblaf van honden. Rode Ster sprong met een zachte kreet van blijdschap op en strompelde zo snel haar verzwakte beentjes haar dragen konden de tunnel in, terwijl ze met een schril stemmetje riep: 'Hij is het! Het is Rent In Licht! Rent In Licht!'

Gebroken Tak kon het nauwelijks geloven, maar toen ze buiten een stem hoorde, liet ze haar gezicht in haar wanten zakken en zond een dankgebed op naar Wolf.

'Hallo,' hoorde ze Rode Ster zeggen, op een toon alsof ze de persoon tegen wie ze sprak niet kende.

'Heb je honger, kleintje?' antwoordde een vrouwelijke stem.

'Ja, mijn maag knort en gromt de hele tijd.'

'Hier, eet dit, dan is het zo weer in orde.'

Met een schok besefte Gebroken Tak dat ze de stem kende, hoewel ze hem niet meteen kon plaatsen. Vage herinneringen doemden op.

Rode Ster schuifelde weer naar binnen, een lange, met vet en vlees volgestopte darm achter zich aan slepend. De andere clanleden waren uit hun lethargie ontwaakt en staarden met grote ogen naar het voedsel, alsof ze het nog niet konden geloven.

'Gebroken Tak,' riep de stem buiten knarsend. 'Zit je daarbinnen?'

'Ja,' antwoordde ze. 'Wie –'

'Kom dan meteen naar buiten voor ik je kom halen.'

'Wie ben je?'

Er kwam geen antwoord. Gebroken Tak legde aarzelend de huiden af en kroop op handen en knieën door de tunnel naar buiten. Sneeuw prikte in haar gezicht en dwong haar haar ogen tot spleetjes te knijpen. Ze hees zich kreunend overeind en bleef zwaaiend staan op haar zwakke oude benen terwijl ze probeerde vast te stellen wie de in parka en kap gehulde gedaante vóór haar was.

'Moge ik verdoemd worden...' gromde de vreemde vrouw. 'Die puntige neus van jou was vroeger zo mooi, maar nu lijkt hij wel een mislukte pijlpunt. Het maakt dat ik me al een stuk beter voel.'

'Wie ben je?' vroeg Gebroken Tak ruw. 'Ken ik je?'

'Jij ouwe teef. Natuurlijk ken je me. Hoe zou je iemand kunnen vergeten wier hart je hebt gebroken?'

Taks adem stokte toen ze de vrouw herkende. Ze raakte haar aan als om zekerheid te krijgen en stamelde: 'Gezegend Sterrenvolk... ben *jij* het?'

'Natuurlijk ben ik het,' snauwde Reiger. 'Er zijn toch niet zoveel mensen van wie je het hart hebt gebroken?' Ze tuurde met samengeknepen ogen naar Gebroken Tak en zei: 'Maar bij jou weet je het nooit. Misschien heb je wel een hele rij harten gebroken.'

De handen van Gebroken Tak fladderden over de parka van Reiger, onzeker en timide. Toen sloeg ze onhandig haar broze armen om de andere vrouw heen en drukte haar tegen zich aan alsof ze bang was dat ze een visioen was dat ieder moment kon vervluchtigen. 'Ik dacht dat je al lang geleden gestorven was.'

Reiger streelde teder Gebroken Taks rug terwijl ze op mild berispende toon zei: 'Ik kón niet doodgaan, want ik moest eerst mijn rekening met jou vereffenen.'

Gebroken Tak hield Reiger op armslengte en keek in het

ovaalvormige gezicht van de vrouwelijke sjamaan. Reiger was nog steeds een knappe vrouw om te zien, met fijngesneden trekken en een mooigevormde mond. Gebroken Tak zei: 'Wil je me nog steeds doden?'

Reiger haalde diep adem en keek haar een ogenblik dreigend aan. Toen zei ze: 'De drang is niet meer zo sterk als vroeger.'

'Komt dat omdat je mijn neus gezien hebt?'

'Voornamelijk. Misschien spreek ik nog een vervloeking over je gewrichten uit, maar dat weet ik nog niet zeker.'

'Daar is het al te laat voor. Iemand anders is je blijkbaar voor geweest, want ik kan me nauwelijks meer bewegen als het koud is.'

'Werkelijk?'

Gebroken Tak knikte en boog toen schuldbewust haar hoofd. 'Ik heb je nooit willen kwetsen. Ik wist niet –'

'Pfff.' Reiger wuifde het weg. 'Je hebt me eigenlijk een dienst bewezen. Ik had uit mezelf niet de moed om een Dromer te worden. Er was een diepe wond nodig om me te dwingen het Volk te verlaten.'

'Nou, die wond heb ik je wel toegebracht, hè?'

'Inderdaad.'

'Het is me altijd dwars blijven zitten. Toen je wegging, liet je een lege plek in mijn hart achter.'

'Dat zeg je nu. Maar toen het erop aankwam, hield je met mijn gevoelens geen rekening.'

Gebroken Taks ogen vernauwden zich en haar mond verstrakte. 'Natuurlijk niet. Ik mocht je niet.'

'Jij was anders ook niet zo'n lieverdje. Altijd maar kwekken met die scherpe tong van je. Ik –'

'Grootmoeder?' kwam het stemmetje van Rode Ster ertussen. 'Kom snel voor alles op is.'

Gebroken Tak wierp een blik over haar schouder en zag het smalle gezichtje van het meisje uit de opening van het onderkomen kijken. 'Ik kom zo, kindje,' zei ze. Daarna wendde ze haar hoofd weer naar Reiger. De mondhoeken van Reiger krulden langzaam op en er verscheen een twinkeling in haar ogen. 'Ik

150

weet wel iets voor die gewrichten van jou.'

'Wat? Ga je een geestesgenezing doen? Voor *mij*?'

Reiger schudde haar hoofd. 'Nee, ik weet een veel betere manier.'

'Wat kan beter zijn dan…'

Reiger begon te giechelen toen Gebroken Tak grote ogen opzette en angstig vroeg: 'Je wilt ze toch niet afhakken?'

Reiger tuitte haar lippen en zei: 'Misschien.' Ze draaide zich om en waadde met grote stappen door de sneeuw naar waar Rent In Licht stond, omringd door mensen die hem zwakjes omhelsden en op de schouders klopten en hem met stralende gezichten aankeken en zeiden dat ze nooit aan hem getwijfeld hadden.

'Verdoemenis over jou,' mompelde Gebroken Tak, turend naar de rug van Reiger. 'Jij bent de enige Dromer van wie ik ooit heb geloofd dat ze Macht bezat.' Toen ze zichzelf de woorden hoorde uitspreken, voegde ze er haastig aan toe: 'Jij en Rent In Licht.'

Boven het gieren van Vrouw Wind uit hoorde ze Reiger roepen: 'Ik heb haar gevonden. Ik zei het je toch, ze is zo taai als walrusleer.'

Een zwak gegrinnik ontsnapte aan Gebroken Taks keel. Ze haalde diep en opgelucht adem, voor het eerst in dagen, en keek naar de blije gezichten van de mensen die uit de sneeuwgrotten kwamen. Het was opgehouden met sneeuwen en de omringende vlakte was gehuld in een zachte gloed die de kleur had van de binnenkant van een oesterschelp. Het wolkendek begon te breken en hier en daar vertoonde een wolk een zilveren rand.

'Grootmoeder?' riep Rode Ster. 'Ik heb wat voor u bewaard. Maar u moet het wel snel opeten, voor mijn maag weer begint te rommelen.'

Het meisje hield een stuk van de darm omhoog. Gebroken Tak nam het eten aan en streelde het hoofdje. 'Dank je, meisje. Je bent een braaf kind.'

Rode Ster keek naar haar op, haar oogjes toegeknepen tegen het felle licht. 'Grootmoeder? Betekent dit dat de Droom van Rent In Licht echt was?'

'Natuurlijk. Ik zei toch dat hij terug zou komen?'

'De beren zullen ons dus niet opeten?'

'Nee, lieverd.' Gebroken Tak staarde naar Reiger in de verte, die met welsprekende armgebaren iets uitlegde aan de clanleden. Haar gedempte woorden leken samen te vallen met het gehuil van Vrouw Wind, tot de geluiden waren samengevloeid tot één enkele krachtige stem die de witte woestenij vulde met haar tegenwoordigheid.

'We zijn gered, kindje,' zei Gebroken Tak. Ze veegde met haar mouw een paar bevroren tranen weg die aan haar wimpers hingen. 'Onze zielen zijn nu in de handen van een grote Dromer – de machtigste Dromer die het Volk ooit heeft gehad sinds de tijd dat Vader Zon zelf de aarde bewandelde.' Ze aaide Rode Ster over haar magere wang. 'Je hoeft geen angst meer te hebben, kindje. We zijn gered.'

17

Ze rustten, en aten, en daarna rustten ze opnieuw, en langzaam keerden hun krachten terug. Toen de storm eindelijk ging liggen, gingen ze op weg, geleid door Reiger. Zwart draafde voor hen uit, zijn neus diep in de poederachtige verse sneeuw, snuffelend naar het spoor.

Tegen zonsondergang stonden ze boven op de richel en staarden vol ontzag omlaag naar Reigers vallei. Water spoot omhoog en viel klaterend op de rotsen, waarna het schuimend omlaagstroomde naar een diepe poel die de kleur had van turkoois. Erachter lagen nog meer poelen, zo ver het oog reikte. De damp die opsteeg van het water kleurde goud in het laatste licht. Hoge wilgen spreidden hun kale takken langs de oevers, zwart afstekend tegen de sneeuw. Hier en daar waren ondiepe kuilen waarin de sneeuw gesmolten was en die begroeid waren met frisgroen gras.

'Hoe lang woon je hier al?' vroeg Groen Water schuchter aan Reiger.

'Een tijdje,' zei Reiger. 'Een poos terug – hoe lang zal het geleden zijn, twintig jaar of zo? – begon de grond te beven. Ik schrok me dood. Tot dan toe leverde de hete bron maar een bescheiden stroompje, maar daarna begon het water hoog de lucht in te spuiten. Het was net alsof er daar beneden in de rotsen iets gebroken was. Blijf uit de buurt van die geiser; als je erin valt, word je gekookt. Ik gebruik hem om er mijn vlees in te koken.'

Groen Water schudde haar hoofd. Ze herinnerde zich dat ze de oude Geiser hier weleens over had horen spreken. Was hij hier geweest? Ze kon het hem niet meer vragen, want hij was dood. Langzaam liep Groen Water achter Reiger en de anderen aan naar beneden naar het stromende water, met grote ogen om zich heen kijkend. Met iets van angst herinnerde ze zich de verhalen die rond de vuren werden verteld. Hoe Reiger het Volk had verlaten en hoe ze ruilhandel had bedreven met de geesten van de Lange Duisternis. Ze wierp schielijk een blik achterom en omhoog naar de rotsrichel die donker en dreigend afstak tegen de avondhemel. Ze dacht aan de witte woestenij die ze zojuist verlaten hadden. Misschien was het hier toch niet zo erg als het leek...

Nadat ze de oever van de dampende poel bereikt hadden, verdween Reiger in een spleet tussen de rotsen en kwam terug met een stapel kariboehuiden die ze op de grond legde. 'Die kunnen jullie gebruiken om een onderkomen te bouwen. Binnen heb ik er nog meer. Terwijl jullie bezig zijn, zal ik mosthee zetten en vlees bereiden.'

Opgetogen gingen ze aan het werk, en toen Reiger een tijd later terugkwam, bekeek ze de onderkomens met een goedkeurende blik. 'Kom, ga zitten,' zei ze. 'We moeten praten.'

Ze namen plaats en Reiger legde met vaardige handen een vuur aan. De vlammen lekten omhoog en wierpen lange grillige schaduwen op de rotsen. Reiger deelde vlees uit, en hete mosthee in dichtgenaaide vellen.

Toen iedereen tevreden zat te eten, zei de vrouwelijke sjamaan: 'Ik heb genoeg voorraad om jullie allemaal een paar weken te voeden. Daarna moeten jullie zelf voor eten zorgen.'

'Hoeveel wild is hier?' vroeg Zingende Wolf, zijn handen rond een hoorn met sterke zwarte thee.

Reiger trok haar schouders op. 'Genoeg. In het dal van de rivier overwintert een kleine kudde kariboes. Ze eten er wilgetwijgjes, en als ze de sneeuw wegkrabben, vinden ze mos en gras. Het lijkt wel alsof er ieder jaar meer gras groeit. Er is veel veranderd sinds ik hier voor het eerst kwam, nu zo'n... eens kijken... nou ja, dat is ook niet belangrijk. Gebroken Tak daar was in die tijd in ieder geval nog jong genoeg om me mijn man af te pakken.'

Gebroken Tak hield op met kauwen en loerde naar haar met ogen die tot spleetjes waren geknepen.

Hij Die Huilt schraapte zijn keel en zei: 'Als de vrouwen en kinderen de kariboes opjagen, kunnen de mannen de dieren doden met de werpspiesen. Het is jammer dat we maar met zo weinigen zijn.'

'Vergeet hem niet,' zei Reiger, met haar kin naar Rent In Licht wijzend, die iets opzij zat, zwijgend, met gebogen hoofd.

Er klonken spottende geluiden. Nu ze allemaal hun buik vol hadden, stelden ze Rent In Licht verantwoordelijk voor de ontberingen die ze geleden hadden.

Reiger trok een wenkbrauw op en zei scherp: 'Dwazen! Hij heeft meer gezien dan jullie ooit zullen begrijpen.'

Er viel een onbehaaglijke stilte, en het schijnsel van de vlammen viel op strakke gezichten.

'Het geeft niet, grootmoeder,' zei Rent In Licht. 'Ik –'

'Stil, jongen. Jij en ik zijn nog niet klaar.' Ze keek hem strak aan, zonder zich iets aan te trekken van zijn verlegenheid. 'Je weet nog niet wat je bent, hm? Als je je houding niet verandert, zul je het misschien nooit te weten komen.'

'Wolfdroom,' prevelde Gebroken Tak. Haar ogen glansden.

Reiger wendde zich tot haar. 'Heb je het gezien?'

'De Droom was in zijn ogen.'

Reiger knikte. 'Is er veel veranderd sinds ik het Volk verliet? Zijn er geen Dromers meer?'

Gebroken Tak maakte een hulpeloos gebaar. 'Kraailokker was eens een Dromer, maar hij heeft de gave gedood. Zijn Dromen zijn bedorven, als vlees dat vol maden zit. De jongeren hebben nog nooit een echte Dromer gezien. Je moet terugkomen, Reiger. Het Volk heeft je nodig. Het is alsof het geen hart meer heeft. Geen vuur. De oude gebruiken zijn teloorgegaan, als rook die verwaait in de adem van Vrouw Wind.'

Reiger wees op Rent In Licht en zei: 'Hij is de toekomst.'

Zwijgend schudde hij zijn hoofd. Zijn gezicht was asgrauw geworden. Hij stond op en verdween in het donker.

Na een lange stilte zei Gebroken Tak aarzelend: 'Ik weet het niet. De geest heeft hem verlaten.' Ze zuchtte. 'De Droom is uit zijn ogen verdwenen.'

'Je hebt het mis,' zei Reiger met een glimlach. 'Zoals gewoonlijk.'

Zingende Wolf schraapte zijn keel. 'Hij is jong en jaagt waandenkbeelden na, zoals Raafjager zei.'

'Raafjager?' siste Reiger terwijl ze met een benige vinger naar Zingende Wolf priemde. 'Luister je naar die dwaas?' Haar ogen kregen een boosaardige glans. 'Wat is er met jullie gebeurd? Heeft Kraailokker jullie vermogen tot Dromen vergiftigd met zijn leugens? Weten jullie dan niet dat er zonder Dromen geen leven kan bestaan?'

Zingende Wolf stak uitdagend zijn kin naar voren en mompelde: 'Rent In Licht heeft ons bijna de dood in gejaagd met zijn Droom.'

'Dwazen!' Reiger schudde haar hoofd. 'Jullie zijn toch niet alleen maar buiken waar van boven voedsel in gaat en van onderen uitwerpselen uit komen? Hm? Of denken jullie dat de zin van het leven bestaat uit eten en kinderen maken zodat die de kringloop kunnen voortzetten nadat jullie er niet meer zijn? Verdoemenis op jullie hoofden! Geen wonder dat het Volk stervende is! *Zonder Dromen is er geen leven!*'

'Ja!' riep Gebroken Tak. Ze sloeg haar handen tegen elkaar. 'Zien jullie het?' Ze wees op Reiger. 'Daar is iemand met Macht! Dat is een Dromer! Horen jullie hoe ze spreekt? Horen jullie de Macht! Ha-heeee! De Wolfdroom heeft ons hier gebracht!'

'En de jongen, Wolfdromer?' vroeg Reiger, met haar blik gericht op Zingende Wolf, die beschaamd een andere kant uit keek.

Gebroken Tak wuifde het weg. 'Hij voelt zich schuldig omdat we onderweg een meisje verloren hebben. Maar verder is iedereen hier.'

Reiger haalde een hand over haar kin. 'Heeft Kraailokker jullie verteld dat Dromen makkelijk op te roepen zijn?' Ze keek de kring van gezichten rond. 'Wel?'

Niemand waagde het antwoord te geven, maar hun gezichten vertelden haar wat ze weten wilde.

'Het is niet waar. Het oproepen van Dromen gaat gepaard met pijn... en het kan je zelfs je leven kosten. Onthoud dat.'

Ze schudde haar hoofd zodat het met grijs doorschoten haar

over haar schouders golfde. Toen zei ze: 'Zingende Wolf?'

Hij keek haar achterdochtig aan. 'Ja?' zei hij behoedzaam.

'Denk je dat je een goede jager bent?'

'Ik ben de beste jager die –'

'Nee, dat ben je niet. Ik zal jullie meenemen op een echte jacht. Een Droomjacht. Ik zal de kariboes naar me toe roepen. Ze zullen me horen en naar me luisteren. Ze zullen het Volk helpen als ik het vraag.'

Zingende Wolf keek onzeker om zich heen. 'Bedoel je dat we ze niet zullen besluipen?'

'Nee. Ik ga ze naar me toe Dromen. Nu. Stoor me niet.'

Ze draaide zich om en liep de schemering in, langs het pad dat Wolfdromer gegaan was.

Zingende Wolf beet op zijn lip en keek verward om zich heen. Gebroken Tak stond op en schommelde naar hem toe. Dreigend zei ze: 'Heb ik je niet gezegd dat je je mond moest houden?' Ze liep verder en verdween in dezelfde richting als Reiger.

Zingende Wolf staarde zwijgend naar de grond.

Rent In Licht hoorde de zachte voetstappen. Hij onderdrukte zijn teleurstelling en zei: 'Ik ben niet de uitverkorene.'

'Nee?' De stem van Reiger had een subtiele kracht.

'Nee.'

Ze legde een hand op zijn schouder. 'Vertel me nog een keer wat je hebt gezien.'

'Ik... ik ging met Wolf door een gat in het ijs. Daarna klommen we over rotsen heen. Aan de andere kant was een groene vallei die zich uitstrekte zo ver het oog reikte. Alle soorten dieren waren er, kariboes, elanden, mammoeten. Toen volgde de Droom waarin de man voorkwam. De Ander die je mijn vader noemde.'

'Vanaf het moment dat je geboren werd, wist ik dat je een machtig Dromer zou zijn.'

Hij schudde zijn hoofd terwijl de twijfel als een mes in zijn darmen sneed. 'Ik ben geen Dromer.'

'Als je zo blijft praten, zul je het zeker nooit worden!' beet ze hem toe. Ze draaide zich met een ruk om en liep weg. De vijandelijke toon in haar stem had hem verrast, en hij luisterde opgelucht hoe haar voetstappen zich verwijderden.

Even later dook de donkere gedaante van Gebroken Tak uit de schemering op. 'Wat heeft ze tegen je gezegd?' vroeg ze.

'Dat ik een Dromer ben.'

'Dat is geen nieuws.'

Hij schudde zijn hoofd. 'Ik begrijp het allemaal niet. Waarom zei ze dat die man mijn vader was?'

'Welke man?'

'De man in mijn Droom. Reiger zei dat Drie Stenen niet mijn echte vader was.'

'Wat zei ze nog meer?'

Rent In Licht hoorde de gretigheid in haar stem. Hij beet op zijn lip. Moest hij haar de rest ook vertellen?

'Reiger vertelde dat mijn moeder was verkracht en dat ik als eerste geboren werd en in een baan zonlicht werd gelegd. En daarna kwam Raafjager. Hij was bedekt met bloed en het liep zijn mond binnen toen hij naast mij werd gelegd. Toen dwarrelde de veer van een raaf naar beneden en hij greep de veer en kneep hem kapot.'

'Ha-heeee,' bracht ze hijgend uit, en haar hand vloog naar haar mond. 'Ja. Ja, ik was erbij toen het gebeurde. Ik heb zelf de navelstreng doorgebeten. Waar werd... werd je moeder...'

'Op het strand, bij het zoute water. Reiger zei dat ze mosselen aan het zoeken was.'

Gebroken Tak liet zich langzaam op een rotsblok zakken, de blik gericht op de maan die opkwam boven de westelijke horizon. De voorbijdrijvende wolken kregen een rand van zilver. 'Ja, ik heb de geruchten gehoord.' Ze keek op. 'Een Droom. En ze heeft je gezien?'

Rent In Licht knikte somber. 'Ze zei dat ik haar in de ogen keek.'

'Ha-heeee, ik wist het. Wolfdromer. Toen al was je... anders.'

Hij begon met driftige passen heen en weer te lopen. 'Ik wil niet anders zijn! Ik wil een jager zijn, meer niet!

'Vertelde ze nog iets over het Volk?'

'Ze zei dat we door de Anderen vernietigd zouden worden... of door hen opgenomen. Opgezogen als bloed in de vacht van een vos.'

Gebroken Tak bedekte haar hoofd. 'Zou je je afkeren van je eigen volk?'

'Ik ben niet de uitverkorene!' Hij deed zijn best om niet te schreeuwen. 'Ik ben de verkeerde kant uitgegaan! Kraailokker had gelijk.'

'We zijn nog niet dood,' mompelde Gebroken Tak in zichzelf. Ze keek op. 'Als jij het niet bent... wie zou het dan moeten zijn?'

Hij keek op naar de geiser, hoorde het gebulder, zag het hete water omhoogspuiten, een sprankelende witte kolom in het maanlicht. 'Ik weet het niet!' riep hij klagelijk. Hij verborg zijn hoofd tussen zijn handen. 'Ik weet het niet.'

'Er is geen ander.'

'Hoe weet je dat?'

'Wie zou het kunnen zijn?'

'Als de Ander in mijn Droom mijn vader is zit dit Dromen ons misschien in het bloed.'

'Wat wil je daarmee zeggen?'

'Dat de redder van het Volk misschien Raafjager is!'

Gebroken Tak verstijfde en haar ogen vernauwden zich.

18

De kariboes naderden, een zwarte lijn op het grijs van de schemering. Rent In Licht keek vol ontzag toe. Ze liepen moed-willig in de fuik die door de clanleden werd gevormd, precies zoals het beschreven werd in de oude verhalen.

Reiger zat rechts van hem in een schuilhut en zong. Zingende Wolf, die links van hem stond keek onbehaaglijk naar de gestaag naderende kariboes en wierp toen een blik vol ontzag op Reigers schuilhut.

Een vreemd, warm gevoel welde op in Rent In Lichts borst, een gevoel van juistheid – van Macht. De clanleden stonden op-gesteld in een halve cirkel, de mannen in het midden, de vrou-wen op de vleugels. De vrouwen hadden hun werpspiesen al in hun atlatls geplaatst en hielden zich gereed om te gooien. Er daalde een volkomen stilte neer, slechts doorbroken door het wonderlijke gezang van Reiger en het knikken van de hoeven van de rendieren.

Rent In Lichts hart bonsde terwijl hij de dieren volgde met zijn blik. Wolkjes damp kwamen uit hun zwarte neusgaten, hun witte baarden wuifden in de wind, en het geknik van hun poot-gewrichten was als het ruisen van water. Wat waren het er veel!

'Jullie mogen er slechts dertig doden,' had Reiger gezegd, met ogen die gloeiden door de kracht van haar Droom. 'Dat heb ik beloofd. Niet meer dan dertig. Sla snel en zeker toe. Ze mogen niet lijden.'

'Niet meer dan dertig,' fluisterde Rent In Licht voor zich heen.

De voorste koe was nu op gelijke hoogte met hem gekomen. Ze bleef staan, met geheven kop. De adem wolkte in twee stroompjes uit haar neusgaten.

Rent In Licht voegde zijn stem bij die van Reiger en getuigde zingend van zijn bewondering voor de statige schoonheid van het dier, en hij beloofde haar dat hij haar ziel naar het Gezegende Sterrenvolk zou zingen. 'Je zult in mij voortleven,' zei hij. 'Jullie leven is ons leven. Deel het met ons, broeders en zusters van de sterren.' Het warme gevoel in zijn borst werd sterker toen de koe een stap naar voren deed en bleef staan wachten, haar ene hoef geheven.

Hun ogen ontmoetten elkaar, en een gewaarwording van harmonie nam bezit van hem, alsof zijn ziel reikte naar de hare en ermee versmolt. De eenheid van al het leven doorstroomde hem, hij schouwde in het kloppende hart van al het bestaande.

'Alstublieft, Moeder,' zong hij, vervuld van liefde. 'Het Volk heeft u nodig. Hoort u onze roep? Neem mij niet kwalijk dat ik het u moet vragen.'

Ze deed weer een stap voorwaarts, gevangen door de betovering van de Droom. Hij hoorde het knikken van haar gewrichten en het knerpen van de sneeuw onder haar gespreide hoeven. Hij voelde haar onzekerheid, haar angst werd de zijne. Samen liepen ze de ruimte binnen waar het doden zou plaatsvinden, en de oude koe keerde hem haar flank toe.

Gegrepen door de Macht die door zijn aderen vloeide, plantte Rent In Licht zijn voeten in de sneeuw, iedere pees gespannen. Hij bracht de atlatl naar achteren en wierp zijn spies met vaste hand. Het wapen zonk diep in de flank van de koe, en hij voelde hoe de punt haar vitale delen doorboorde. De koe viel op haar knieën en rood schuim verscheen op haar bek. Rent In Licht bleef zingen en deelde de pijn met het dier. Tranen welden op in zijn ogen en rolden over zijn gebruinde wangen. Hij was zich er vaag van bewust dat de anderen waren opgesprongen en ook hun spiesen wierpen. De vrouwen kwamen aanrennen van de vleugels. Groen Waters arm vloog naar voren en haar werpspies begroef zich in de schouder van een jonge stier. Lachend Zonlicht plantte in volle ren de stenen punt van haar speer in een koe. Rent In licht legde een tweede pijl op zijn atlatl en wierp de spies met al zijn kracht in de flank van een jonge stier. De takken van zijn pas geveegde gewei staken glanzend af tegen het zwart van zijn vacht.

'Genoeg!' riep Reiger. Haar stem verbrak de trance. De kariboes wervelden om hun as en renden weg, sneeuw opwerpend met hun donkere hoeven.

Een gewonde kariboe strompelde kreupel naar Reiger toe en bleef voor haar stilstaan. De oude vrouw bracht haar atlatl naar achteren en plantte de spies met een feilloze worp in de borst van de jonge koe. Het dier wendde zich af, wankelde en viel toen op haar zij. De poten trokken een ogenblik krampachtig en werden toen roerloos.

Er viel een stilte, alleen verbroken door het raspende gehijg van de stervende dieren.

Rent In Licht haalde diep adem, verbaasd over hoe uitgeput hij was. Reigers blik ontmoette de zijne.

'Wist je dat dit jouw werk is?' riep ze, op de dieren wijzend. Haar woorden leken te weerkaatsen in zijn geest.

Hij schudde zijn hoofd. 'Wat bedoel je?'

'Jij hebt ze het laatste stuk naar je toe gezongen. *Jij alleen.*'

Rent In Licht liet zich op een steen zakken en staarde als verdoofd naar de met bloed bevlekte sneeuw. De pijn die hij met de koe had gedeeld, schrijnde nog na in zijn borst. 'Het spijt me, Moeder,' zei hij met een gekwetste stem, starend naar het dode dier.

19

De Lange Duisternis was op de terugtocht.

De geesten die in de vlagen van Vrouw Wind woonden, trokken zich jammerend terug naar het noorden, en vanuit het zuidwesten stroomde warme lucht toe die de sneeuw veranderde in grauwe modder. In het westen glansden de bergen verblindend wit op de schaarse dagen dat de zon scheen. Water druppelde van de messcherpe rotsrichels. Smeltwater deed de grote rivier in het noorden zwellen, zodat ze woest schuimend voortstroomde in haar bedding.

Keer op keer jaagde het Volk op de kariboes en – de beste prooi van allemaal – op de kleine kudden muskusossen die op de hellingen van de uitlopers van het gebergte graasden. Het vlees van de muskusos was een geliefd voedsel: krachtig, sappig, doorschoten met vet, zelfs na dit verschrikkelijke jaar.

'Laat de mammoeten met rust,' zei Reiger toen de oude stier naar de poel kwam om zijn botten te warmen. 'Hij heeft daarboven koeien en kalveren, maar ik ken ze en zal ze niet naar me toe Dromen.'

De dieren werden geslacht en gevild, en het merg werd uit de botten gekookt. Het Volk herwon zijn vitaliteit, gezichten werden rond en ledematen gezond en krachtig.

Hij Die Huilt lachte en zong. Hij had een dagzomende laag fijne kwartsiet gevonden die hem het materiaal kon leveren voor zijn lange spiespunten. Hij was de beste steenklopper van het Volk en bestudeerde de stenen met een geoefend oog voor hij er grote platte stukken afsloeg. Daarna klopte hij de schollen in handzame stukken met vaardige slagen van zijn hamersteen.

'Goed spul!' riep hij naar Zingende Wolf. 'Kijk eens hoe mooi het gesteente zich laat splijten, breed en vlak, precies zoals je het hebben wilt.'

'Er is niet veel voor nodig om jou blij te maken, he?' zei Zingende Wolf hoofdschuddend.

'Ja,' beaamde de ander. Hij haalde de door het vele gebruik gladgeslepen geweipunt uit zijn buidel en begon met het voorvormen van een van de stukken gesteente tot een biconvexe schol. Hij Die Huilt zong geestesliederen terwijl hij lange dunne scherven van de steen klopte. Hij ging door tot hij een voorraad lensvormige stenen had die op één na in zijn pak verdwenen voor toekomstig gebruik. Uit de dubbelzijdig convexe basisvorm kon een verscheidenheid aan werktuigen worden vervaardigd: schrappers, messen, graveerstiften en priemen, spiespunten, al naar gelang de behoefte.

'Fijn om je weer aan het werk te zien,' zei Zingende Wolf terwijl hij zich op zijn hurken liet zakken om te kijken.

Hij Die Huilt floot opgewekt en voelde zich groeien. 'Je geest wordt één met de steen, weet je. Dat is een wonderlijke ervaring. En als het gesteente van goede kwaliteit is, zoals dit kwartsiet, of mooie hoornkiezel, neemt het je ziel beter op.'

Hij Die Huilt nam een basisvorm en begon haar met de geweipunt en het stuk leer met het duimgat erin te bewerken. Eerst sleep hij met een stuk zandsteen de scherpe randen vlak zodat de punt van de geweitak goed houvast kon vinden. Daarna duwde hij net zolang scherven af tot hij een wigvorm overhield die op het dikste gedeelte net zo breed was als zijn handpalm en een naaldscherpe punt bezat. Ten slotte schuurde hij met de zandsteen de scherpe randen aan de basis van de punt weg opdat ze later niet de pezen zouden doorsnijden waarmee hij de punt aan de schacht bevestigde.

Hij hield de punt op en zei tevreden: 'Dat noem ik een echte schoonheid.'

'En hier is de schacht waar hij voor bestemd is.' Zingende Wolf hief een lange rechte berketak naar de hemel en keek erlangs om te zien of de tak geen onregelmatigheden vertoonde. Vervolgens koos hij een scherf uit een van de vele die aan Huilts voeten lagen en gebruikte de geweipunt om een van de randen bij te werken tot ze vlijmscherp was. Met deze scherf schilde hij de bast van de tak en sneed hij de knoesten weg. Daarna maakte hij aan het dunne einde van de tak een inkeping en overhandigde de tak aan Hij Die Huilt.

Hij Die Huilt plaatste peinzend de stenen punt in de groef en zei: 'Weet je, ik had niet gedacht dat we ooit nog de kans zouden krijgen dit te doen.'

'Wolfdroom, hm?'

Hij Die Huilt grijnsde. 'We zijn nog lang niet dood, neef.'

De vrouwen brachten de lengende dagen door met het vervaardigen van de nieuwe kleding. Ze namen de verschillende clanleden de maat door de huiden tegen hun lichaam aan te houden en de panden uit te snijden. Daarna naaiden ze de panden zorgvuldig aan elkaar, met de haren naar binnen voor isolatie en luchtcirculatie zodat het dodelijke zweet kon verdampen.

'Het is heel belangrijk dat de naden volkomen dicht zijn,' zei Groen Water tegen Rode Ster.

'Zijn dit alleen nog maar de buitenste parka's?' vroeg ze met grote ogen.

'Ja. Om de onderkleding die we op de huid dragen te kunnen maken, zullen we moeten wachten tot de kariboes gekalfd hebben. Maar voor deze parka's hebben we huiden nodig van kariboes die hun wintervacht dragen. De haren moeten dicht ingeplant zijn. Huiden van kariboes die later in het jaar gedood worden, zijn niet geschikt, omdat het haar uitvalt.'

'We dragen dus eigenlijk twee parka's over elkaar,' zei Rode Ster. 'De buitenste van huiden van volwassen kariboes, en de binnenste van de huid van kalveren.'

Groen Water maakte het haar van Rode Ster in de war. 'Later, als je groot bent, worden jouw parka's de beste van allemaal, hè?'

'Ja!' Rode Ster begon te giechelen. 'Het zijn eigenlijk net tenten. Ze hangen bijna tot op je knieën.'

'En samen met onze lange laarzen, die tot helemaal bovenaan komen, zorgen ze ervoor dat je niet bevriest,' zei Groen Water. Ze hield de parka die ze zojuist had voltooid omhoog. Bij elkaar woog hun kleding bijna evenveel als een volwassen poolvos, maar ze hield de lichaamswarmte vast, zelfs op de allerkoudste dagen van de Lange Duisternis, wanneer je speeksel bevroor voor het de grond raakte.

'Mijn parka's worden de beste van allemaal!' zei Rode Ster. 'Dat zal je zien.'

Groen Water glimlachte en wendde haar gezicht met gesloten ogen naar de zon om de warmte op te vangen. 'Ja, dat zullen we zien. Dank zij Wolfdromer.'

Gebroken Tak hompelde zo'n beetje rond, peuterde nieuwsgierig aan de vreemde gele korst die zich op de stenen langs de rand van de poel gevormd had, of waadde de poel zelf in om zich te laten drijven in het warme water.

Doordat de sneeuw smolt, traden allerlei mossen, korstmossen en bladeren aan het licht. De vrouwen verzamelden ze om er sterke zwarte thee van te trekken. Ook de bessenstruiken kwamen onder de sneeuw vandaan: hun kleine ronde vruchten, die dank zij de isolerende sneeuw gaaf de Lange Duisternis doorgekomen waren, smaakten zoet en smolten in de mond.

De kinderen zaten elkaar lachend achterna en deden spelletjes of vermaakten zich in het water, met veel gespetter en gejoel.

Hij Die Huilt, Springende Haas en Zingende Wolf keken naar de damp die in lange kronkelende slierten van het wateroppervlak opsteeg en wierpen zo nu en dan een blik op waar Rent In Licht met Reiger stond te praten voor de ingang van haar grot. Ze konden de woorden niet verstaan.

Hij Die Huilt rekte zich uit en vulde zijn longen met lucht die naar lente geurde. Hij volgde met zijn blik een vlucht raven die vanuit het zuiden aan kwam vliegen. In het westen cirkelden meeuwen die blijkbaar ergens aas hadden ontdekt. 'Kariboes,' mompelde hij. 'Ik denk dat er een kudde deze kant op komt.'

'Dan zullen die vervloekte vliegen ook spoedig hier zijn,' zei Springende Haas, met zijn blik op het westen. Hij perstte zijn lippen opeen alsof het hem speet wat hij moest gaan zeggen. 'Als Vrouw Maan afgenomen en weer vol geworden is, zullen de clans zich verzamelen.'

166

'Voor de Hernieuwing, bedoel je?'
'Ja.'
'Ga jij?'

Springende Haas sloeg zijn ogen neer en schuifelde onbehaaglijk met zijn voeten. 'Ik heb de huwbare leeftijd bereikt. De enige plek waar ik een vrouw kan zoeken, is op de Hernieuwing, waar alle clans samenkomen.'

'Dat is waar.'

'We hebben vergissingen gemaakt, maar het leven moet doorgaan.'

Hij Die Huilt liet zijn wangen bollen en blies de adem luidruchtig uit. 'Vergissingen? We leven toch nog?'

Springende Haas negeerde de opmerking. Hij zei: 'Ik wil ook weten of mijn moeder de tocht heeft overleefd.'

'Ze is een sterke vrouw.'

'Je weet dat híj hier blijft,' zei Zingende Wolf, met zijn kin gebarend naar Rent In Licht, 'samen met de oude vrouw, hoewel hij dat zelf nog niet weet.'

Hij Die Huilt keek hem aan met schuingehouden hoofd. 'Hoe komt het dat je opeens zo'n autoriteit bent waar het Rent In Licht betreft? Ik dacht dat je hem niet kon luchten of zien.'

Zingende Wolfs uitdrukking veranderde niet. 'Weet je nog die keer in de heuvels toen Gebroken Tak me op mijn kop gaf? Dat was niets vergeleken bij wat Reiger me allemaal vertelde, een paar dagen na onze aankomst hier.'

'Wat zei ze?'

'Ze... ze is heel slim. Heeft veel verstand van mensen, weet wat er in hen omgaat. Ze vertelde me dat... ik... een groot leider kon worden als ik leerde wat mensen beweegt de dingen te doen die ze doen. Ze zei dat ik een van de beste leiders kon worden die het Volk ooit gehad heeft, maar dan moest ik wel leren mijn mond dicht te houden en na te denken voor ik handelde.'

'Ik denk dat ze gelijk heeft. Je hebt altijd een goed verstand gehad – je reageert alleen te emotioneel.'

Zingende Wolk perstte zijn lippen opeen. 'Lachend Zonlicht en ik hebben met elkaar gepraat. Ze zei dat ze het eens was met

Reiger en dat het misschien eens tijd werd dat ik nadacht voor ik ging lopen gillen en schreeuwen.'

Hij Die Huilt grinnikte. 'Als je dat doet, zul je zeker een leider worden, mijn vriend. En de volgende keer dat we honger lijden, zal ik niet de aanvechting voelen om een spies in je lijf te drijven.'

'Wilde je dat?'

'Ja zeker. Toen we die muskusos vonden.'

Zingende Wolf liet zijn hoofd hangen en staarde mistroostig naar zijn voeten. 'Ik begrijp wel waarom. Ik was geen prettig gezelschap. Voortdurend maar klagen.'

'Jammer dat je de basis van de punt niet dunner kan maken,' zei Springende Haas terwijl hij een vochtige pees wond rond een pijlpunt die hij Hij Die Huilt afhandig had weten te maken. Er verschenen denkrimpels in zijn voorhoofd. 'Ik vraag me af... Die Wolfdroom, veronderstel dat hij –'

'Wat geesten betreft, onthoud ik me van veronderstellingen,' zei Hij Die Huilt terwijl hij over zijn platte neus wreef. 'Maar ik weet wel dat Rent In Licht tijdens de tocht een muskusos heeft gevonden en ons op die manier in leven heeft gehouden. En hij bracht Reiger naar ons toe op het moment dat we allemaal dachten van honger te zullen sterven. Weet je nog wat ze zei? Het is niet makkelijk om Dromen op te roepen.' Zijn blik zwierf naar het oosten en hij voegde eraan toe: 'Eigenlijk gaat niets hier makkelijk.'

'Reiger zegt dat het Grote IJs vijf dagen lopen van hier is.'

'En ze weet niets van een gat of een doorgang,' mompelde Hij Die Huilt somber, terwijl hij zijn neef in de ogen keek.

'Geestdromen maken mensen gek,' zei Springende Haas. 'Volgens mij zat het allemaal in Rent In Lichts hoofd.'

'Rent In Licht verzint niet zomaar dingen,' protesteerde Hij Die Huilt.

'Dat heb ik ook niet gezegd! Ik denk dat hij er in het begin zelf in geloofde. Maar zo er ooit een Wolfdroom is geweest, dan is die nu dood.'

'Misschien kan hij de Droom nu niet meer oproepen, maar dat betekent niet dat hij er nooit geweest is,' zei Hij Die Huilt, hoe-

168

wel ook hij zich de laatste tijd had afgevraagd of de jongen ooit werkelijk Wolf gezien had.

Springende Haas trok zijn schouders op. 'Hoe moet het nu met de Hernieuwing? Ik wil weten hoe het met mijn moeder is. En waarom zouden we verder naar het zuiden trekken als we hier volop voedsel kunnen vinden? Daar in het ijs zal ik geen vrouw kunnen vinden om mijn slaaphuiden te verwarmen.'

Het hart van Hij Die Huilt begon schuldbewust te bonzen. 'Als we nu teruggaan, zal Rent In Licht voor altijd bekend staan als een mislukkeling en een bedrieger. Dat overleeft hij niet. De mensen zullen hem er altijd aan blijven herinneren.'

'Híj heeft het gedroomd, niet wij,' zei Springende Haas bits terwijl hij met zijn vlakke hand op een steen sloeg. 'Wij zijn niet verantwoordelijk voor de Droom van een ander. Het is zijn probleem. Hij moet het zelf maar oplossen.'

'Hij neemt het zichzelf kwalijk dat we niet in een bundel licht van Vader Zon in één keer naar het land voorbij het ijs zijn gelopen,' gromde Hij Die Huilt. 'Het doet me pijn hem te zien lijden.'

'Goed dan,' zei Springende Haas en hij liet zijn hand kletsend neerkomen op zijn dij. 'Je wilt hem dus niet zien lijden. Mooi. Ik ook niet. Maar ik wil de Hernieuwing dansen, en de meisjes keuren, en zien of mijn moeder nog leeft. Zie de waarheid toch onder ogen! Er is geen magisch pad naar het zuiden, geen land met onuitputtelijke hoeveelheden wild. Dit is het einde van de wereld! Het Volk is wat telt in ons leven, daarom moeten we terug. De Dans van de Dank moet worden uitgevoerd, de rituele handelingen verricht.'

'Hoe kun je nou weten dat er geen magisch pad is? We hebben nog niet naar het gat van Rent In Licht gezocht,' zei Zingende Wolf terwijl hij van de een naar de ander keek. 'Hij zei dat het visioen hem had getoond dat we de rivier moesten volgen.'

'Gaan jullie maar jagen als je dat zo graag wil. Ik ben niet van plan de Dans van de Dank te missen. Dat is ondenkbaar,' zei Springende Haas scherp.

'Ondenkbaar,' verzuchtte Hij Die Huilt met tegenzin.

'Vorig jaar hebben we de Hernieuwing gemist, en toen kwam de koudste Lange Duisternis die we ons kunnen herinneren. Misschien is dat wel onze schuld.'

'Als we terug willen, doen we er goed aan spoedig te vertrekken' zei Zingende Wolf. 'Je weet hoe het is als de dooi is ingetreden: alles is modderig en glibberig en voor je het weet, heb je een enkel gebroken. Nu is de grond nog bevroren zodat we snel vooruit kunnen komen.'

'En Rent In Licht dan?'

Springende Haas schokschouderde. 'Zijn beslissing gaat ons niet aan. We kunnen altijd terugkomen om te zien of hij –'

'Reiger houdt niet van gezelschap,' merkte Hij Die Huilt op. 'Wil je haar woede opwekken door hier terug te komen?'

'Ik niet,' zei Springende Haas haastig. 'Ik zou me niet graag de woede van een vrouw met haar Macht op de hals halen.'

Hij Die Huilt keek naar Zingende Wolf om te zien wat hij ervan vond. Zingende Wolf maakte een vaag gebaar en begon met een steen figuren in het stof te tekenen. Na een tijdje zei hij: 'Er is iets aan het gebeuren. Voelen jullie het ook?'

De anderen keken hem niet begrijpend aan. 'Wat bedoel je?'

'Ik bedoel dat ik... dat ik me aangetrokken voel tot het Grote IJs, alsof daar werkelijk een doorgang is.'

'O ja?'

Zingende Wolf streek met een hand over zijn smalle gezicht en knikte kort.

Springende Haas beet op zijn lip. Na een lange stilte zei hij: 'Laten we naar de Hernieuwing gaan. We kunnen hier terugkomen en ons kamp opslaan in de uitlopers van het gebergte waar Vrouw Wind de grond vrijblaast van sneeuw. We weten dat hier genoeg wild is om ons te voeden. Dan kunnen we gaan zoeken.'

'En de Anderen dan?'

'Die komen hier niet!' riep Springende Haas uit. 'Waarom zouden ze?'

'Omdat ze het wild volgen, net als wij,' zei Hij Die Huilt op besliste toon. 'En als ze deze Lange Duisternis niet komen,

komen ze in de volgende, of de daaropvolgende.'

Zijn woorden deden een rilling van angst door hen heen gaan. De neusvleugels van Springende Haas verwijdden zich. 'Ik kan niet geloven dat –'

'Geloof het maar wel. Hij Die Huilt heeft gelijk. Als wíj deze plek kunnen vinden, kunnen de Anderen dat ook.'

Springende Haas maakte een hulpeloos gebaar met zijn armen. 'We móeten terug naar de Hernieuwing. Dat is nu eenmaal de gewoonte van het Volk. Zo hebben we het altijd gedaan. Van dat pad mogen we niet afwijken.'

'Het pad...' herhaalde Hij Die Huilt spijtig.

Ze deden er alle drie het zwijgen toe.

20

Met gras begroeide heuvels verhieven zich als groene golven rondom Dansende Vos. Hier en daar glommen moerassen op de bodem van de valleien. De takken van de struiken droegen het eerste tere groen, en het briesje voerde de prikkelende geuren van wilg en alsem aan.

Vos zat ineengedoken in de schuilhut die ze met grote zorg had uitgegraven in de glooiing boven een beekje. Haar linkervoet sliep, maar ze onderdrukte haar verlangen om te gaan verzitten en hield zich roerloos.

Ze hoorde iets bewegen.

Ze verstijfde en durfde nauwelijks adem te halen. Manshoge zegge ontnam haar het zicht op de helling aan weerskanten van haar schuilhut, maar in de verte ontwaarde ze een grijsbruine gestalte. Angst bekroop haar. Als het Grootvader Bruine Beer maar niet was! Op een verrukkelijke ochtend als deze was de kans groot dat hij zou ontwaken en zijn hol verlaten, hongerig na zijn winterslaap, speurend naar alles wat eetbaar was.

De wind waaide in haar richting, dus een mogelijke prooi zou haar geur niet opvangen.

Ze wachtte met bonzend hart, haar blik onafgebroken gericht op de bruine gedaante. Het dier schudde zijn hoofd en liet een zacht gesnuif horen. Een eland! Hoe lang was het geleden sinds ze voor het laatst een eland had gezien? Vijf jaar? Misschien zelfs langer. En dat was ver naar het westen geweest in een gebied dat hen sindsdien was ontstolen door de Anderen.

De angst maakte plaats voor opwinding. Het gevoel verdreef de honger en de vermoeidheid. Haar lange vingers tastten naar de slanke schacht van de werpspies. De pijl lag op de juiste manier in de atlatl, gereed om te worden geworpen. Misschien zou het haar vandaag lukken.

Ze wilde niet terugdenken aan haar vorige poging, zeven dagen geleden, toen ze te haastig was geweest en de werpspies slechts een lange schram in de flank van de kariboe had gemaakt, zonder vitale delen te raken. Het dier was weggesprongen en gevlucht. Dat zou haar ditmaal niet overkomen. Deze keer moest haar worp volmaakt zijn.

Ze wachtte en zocht in haar geheugen naar wat ze zich over elanden kon herinneren. Het was niet veel. Ze waren zeldzaam in deze streek. Ze bleven meestal ten westen van de bergen, in de gebieden die het Volk vroeger bewoonde en waar het gras weliger groeide en wouden waren waar ze van had horen vertellen, maar die ze zelf nooit gezien had. De Anderen hadden het Volk veel ontnomen.

Door de zegge heen zag ze het dier naderen. Een lang oor bewoog heen en weer terwijl het zijn kop liet zakken. Stap voor stap kwam de eland dichterbij, en Dansende Vos wachtte, met alle spieren gespannen. Haar slapende voet was ze allang vergeten.

Nu? Nee, nog even wachten.

De eland hief zijn kop. De lange oren bewogen nerveus en de neusgaten sperden zich wijd open. Er kwam een tweede dier in zicht, een stuk kleiner dan het eerste. Een kalf.

Vos' mond werd droog en haar hart begon nog harder te kloppen. Zoveel vlees! Zo ontzettend veel vlees!

De wijfjeseland deed een paar stappen naar voren, hief haar kop met de stompe neus en snoof de lucht op. Het kalf volgde haar behoedzaam.

Vos' schuilhut bevond zich boven een murmelend beekje. Het was een volmaakte plek. Zo vroeg in het jaar was er nog niet veel stromend water te vinden, omdat de zon nog niet krachtig of vaak genoeg scheen om het ijs en de sneeuw te doen smelten. Daarom trok dit beekje dieren aan als een open wond vliegen.

Ze dwong zichzelf te wachten. Dieren zijn altijd meer ontspannen nadat ze gedronken hebben. Heb geduld. De eland liet eindelijk haar kop zakken en begon te drinken. Het kalf volgde haar voorbeeld. Nadat de moeder gedronken had, begon ze aan de hoge graspollen te knabbelen. Ze kwam steeds dichterbij.

Elanden hadden een scherpe reuk en een goed gehoor, maar hun longen waren zwak. Een goed gemikte werpspies tussen haar ribben zou voldoende zijn om haar te doden. Ondanks die kennis was Dansende Vos zenuwachtig. Het dier was reusachtig groot en het had maar één zwakke plek, en bovendien was de huid dik en taai.

Plotseling, alsof de eland gehoor gaf aan een bevel, draaide het dier haar de flank toe en begon van de zegge te eten, niet meer dan tien passen bij haar vandaan. Vos kon bijna de afzonderlijke witte haren onderscheiden die de achterpoten een zilverachtige glans gaven.

Nu!

Dansende Vos kwam in een soepele beweging overeind en slingerde de werpspies weg met alle kracht die ze bezat. De spies trof precies onder de juiste hoek, schuin naar voren en net achter de zwevende ribben. Het reusachtige dier sprong brullend op en sloeg wild met haar achterpoten. Het kalf bracht een blatend gekrijs voort dat door merg en been ging.

Dansende Vos legde een tweede spies in de atlatl maar voor ze kon werpen rende de wijfjeseland weg, gevolgd door het gillende kalf. Ze slingerde de spies achter het kalf aan, maar het wapen ging net naast.

'Het geeft niet! Je hebt de moeder!' riep Klauw vanaf de plek boven haar waar ze verborgen had gezeten. 'Mooie worp, goed diep. Je hebt haar gedood, Vos!' Ze begon de helling af te dalen, grint knerpend onder haar voeten.

Vos knikte tevreden. De eland had haar vaart vertraagd en beklom een helling waar hier en daar nog plekken sneeuw lagen. De moeder en haar kalf staken op de top van de heuvel een ogenblik af tegen de lucht en verdwenen toen uit het zicht.

Dansende Vos prentte zich de plek goed in het geheugen en liep naar de plaats waar ze het dier geraakt had. Het gras was vertrapt en omgewoeld en er lag een dampende hoop mest. Klauw kwam aanschommelen door de zegge en bukte zich om de hartvormige hoefafdrukken te bestuderen. Ze grinnikte en zei: 'Ik

174

zei je toch dat dit een goede plek was om te jagen? Ik herinnerde het me omdat ik hier... was het tien jaar?... geleden geweest ben. Mijn man wilde hier jagen. Ik was nog nooit zo ver zuidelijk geweest. We zijn teruggegaan omdat de kans op wild klein leek; hoe verder we naar het zuiden gingen, hoe kleiner en schaarser de vegetatie werd.'

'Rent In Licht bevindt zich nu nog veel verder zuidelijk,' zei Dansende Vos zacht terwijl haar blik de horizon in het zuiden aftastte. Ze schudde haar hoofd en zei: 'Zo, grootmoeder, klaar voor een wandeling? Ik denk dat we niet ver hoeven te gaan: toen ik haar het laatst zag, kwam ze met moeite vooruit.'

Klauw boog zich over het spoor en begon het te volgen. 'Kijk, bloed. Donker; komt uit de lever. Je hebt haar goed geraakt, meisje.'

'Je bent je vaardigheden niet kwijtgeraakt, hoor ik.'

'Geen enkele, kind.' Klauw grinnikte droog. 'Ik ben alleen wat stijver geworden.'

Ze liepen verder. De zon begon te zakken in het westen.

'Hier is ze langzamer gaan lopen,' zei Vos, met een blik op de plas bloed naast het spoor. Ze keek op en mat met haar hand de hoogte van de zon boven de horizon. Iets meer dan een handbreedte. Ze zouden moeten opschieten. De gedachte dat ze de eland misschien aan wolven zouden verliezen, schrijnde.

'Ze is niet ver meer.' Klauw wees. 'Kijk, schuim dat uit haar neus gedropen is. Ik denk dat ze op dit moment al dood is.'

'Of ze is gaan liggen.'

'In dat geval is ze zo goed als dood. Als ze gaan liggen, verspreidt het bloed zich van binnen en verstijven ze. We hebben haar.'

Ze liepen verder, de ogen gericht op het bloederige spoor, met de prenten van het kalf er zigzaggend overheen.

'Je hebt het al langer uitgehouden dan ik had gedacht,' zei Klauw na een tijdje, met een schuine blik op Dansende Vos.

Vos keek opzij, de ogen samengeknepen tegen het laag invallende licht. 'En ik zal het nog veel langer uithouden.'

'Het verbaast me een beetje. Ik had niet verwacht dat je zo

sterk zou zijn. Ik dacht dat je binnen een paar dagen terug zou vluchten naar de veiligheid van de groep.'

'Waarom ben je dan met mij meegegaan?'

Klauw glimlachte wrang. 'Ik weet het niet. Misschien wilde ik weleens zien hoe je het eraf zou brengen. Het is lang geleden dat een vrouw de groep verliet om voor zichzelf te zorgen. Zo nu en dan trekt een man er in zijn eentje op uit. Maar een vrouw? Reiger was de laatste, en dat is meer dan twintig Lange Lichten geleden.'

Vos knikte langzaam. Ze wenste dat ze de gave tot Dromen bezat waarover Reiger heette te beschikken, zodat ze zou weten of ze de juiste keuze had gemaakt. Er stond haar een hard leven te wachten. 'Ik kón niet langer blijven,' zei ze.

'Je mag Raafjager niet, hè?'

Ze wilde met haar hoofd schudden, maar hield zich toen in. 'Ik... Om je de waarheid te vertellen, ik weet het niet. Ik heb niet echt een hekel aan hem.' Ze snoof verachtelijk. 'Hou je het voor mogelijk? En dat nadat hij me teruggesleurd heeft naar Kraailokker zodat die me kon vernederen. Hij heeft me bijna iedere nacht misbruikt totdat jij er een gewoonte van maakte bij mij te slapen. Ik... ik weet eigenlijk niet goed wat ik van hem denken moet.'

'Is dat de reden waarom je de groep hebt verlaten?'

Ze knikte, en een glimlach brak door op haar gezicht. 'En nu ben ik vrij, grootmoeder, voor de eerste keer in mijn leven!'

'Zodra je teruggaat, is het weer gedaan met je vrijheid.'

Dansende Vos trok haar schouders op. 'Rent In Licht zal zeker naar de Hernieuwing komen.'

'Als hij nog leeft.'

Ze beet op haar lip, en een koude hand beroerde even haar hart. 'Ja, als hij nog leeft.'

'Wil je proberen met hem te trouwen?'

'Ik weet niet of hij me nog wil hebben.'

'Daar kun je achter komen, nietwaar? Maar onthoud dat Raafjager er ook zal zijn, evenals Kraailokker.' De rimpels in Klauws verweerde voorhoofd werden dieper. 'Waarom leeft die ouwe bedrieger nog steeds terwijl zo veel goede mensen doodgevroren zijn?'

Dansende Vos schudde haar hoofd. 'Ondertussen zit ik er maar mee.'

Klauw keek haar aan vanuit haar ooghoeken. 'Niemand zal je iets kwalijk nemen. Een vrouw heeft het recht weg te lopen bij een man die haar mishandelt. En Kraailokker mishandelde je, dat weet nu iedereen.'

Het begon af te koelen en er vormde zich een nevel op de laag-gelegen plaatsen. Het schuin invallende zonlicht wierp lange zwarte schaduwen over het land en glinsterde als gesmolten goud op de nieuwe blaadjes van de zegge en de alsemstruiken.

'Denk je dat ik het juiste heb gedaan?' vroeg Dansende Vos na een tijdje.

Klauw zuchtte. 'Dat moet je niet aan mij vragen, kind. Daar kan ik niet over oordelen. Ik leef eigenlijk in geleende tijd. Je hebt me in leven gehouden daar in de sneeuw, en je kunt beschikken over mijn ziel zolang die nog in dit lichaam is. Maar als ik eerlijk moet zijn, ik ben er tevreden mee een poosje zomaar wat te zwerven, mijn neus achterna. Als we worden opgegeten door een beer, het zij zo. Het is in ieder geval een eervolle dood. Jij zal me naar het Sterrenvolk zingen als ik sterf, en dat is voor mij genoeg.'

'Op dit moment is het voor mij ook genoeg.'

Klauw schonk haar een ernstige blik. 'Dit kan niet lang goedgaan, dat besef je toch wel? Op een dag zal een man je te pakken krijgen en zijn zaad in je buik planten, en als je in verwachting bent, heb je de hulp van andere mensen nodig. Dat is de vloek die op ons vrouwen rust. Er is altijd wel een man die zijn geslacht in je wil stoppen. Ze zijn óf doodsbang van je maandelijkse bloeding en dan willen ze je niet in hun buurt hebben, óf ze zitten je achterna om op je te klimmen.' Ze schudde haar hoofd.

'Ach, zolang Raafjager me niet vindt, heb ik van beide mogelijkheden geen last,' zei Vos hoopvol. Ze keek hoe de rode schijf van de zon onder de horizon begon te zakken. De dalen in het golvende landschap waren als kommen gevuld met blauwe schaduw. Klauw keek om zich heen en mompelde: 'Waar is die eland gebleven?'

'In dat dal daar.' Dansende Vos wees naar waar de grond was omgewoeld en doordrenkt met bloed. De sporen leidden naar een holte rechts van hen.

'Daar is ze,' fluisterde Klauw, wijzend met een benige vinger. Vos spande haar ogen in en zag de lange kop boven de vegetatie uit steken. De oren hingen slap naar beneden. Het kalf stond iets verderop en liet zijn blik heen en weer gaan tussen hen en zijn moeder.

'Ik had gehoopt dat ze al dood zou zijn,' zei Vos. 'Straks is het helemaal donker.'

'Wacht. Ze laat haar kop zakken. Nog even. Ha! Ze kan niet meer overeind komen.' Klauws oude benen trilden door de vermoeienis van de lange wandeling, maar ze begon niettemin de helling af te dalen. 'We zullen een vuur aanleggen, en vanavond eten we hart en lever, meisje! Wat een jager is er uit jou gegroeid! Rent In Licht zal dansen van vreugde dat hij je mag trouwen.'

Dansende Vos' wangen gloeiden van blijdschap. Ja, Rent In Licht zou trots op haar zijn, en hij zou haar spoedig in zijn armen sluiten. Misschien was het toch niet zo erg om kinderen te krijgen – als ze van hem waren.

21

Rent In Licht stond op de kam van de richel boven Reigers vallei, donker afgetekend tegen de ochtendhemel. Zijn lange zwarte
haar, dat tot zijn middel reikte, golfde in de wind. Hij droeg een
kledingstuk van aan elkaar genaaide vossehuiden dat zijn armen
vrijliet, en de spieren tekenden zich krachtig af in het schuin invallende licht. Onder hem liep het Volk in een lange rij tussen de
smeltende sneeuwhopen door, zich voorzichtig een weg kiezend
over de modderige bodem. Plassen water in de schaduw weerkaatsten het zilver van de hemel. Hij kruiste afwerend zijn
armen over zijn borst, alsof hij hoopte op die manier het schrijnende gevoel in zijn hart te kunnen onderdrukken. *Daar gaan ze.*
Ik voel me als een schelp die verlaten is door het dier dat erin woonde:
leeg en waardeloos.

Reiger kwam naar hem toe over de kam van de richel en ging
naast hem staan, haar hand boven haar ogen als bescherming
tegen de felle stralen van Vader Zon. Haar zomerkleding rook
naar zwavel uit de warme poel. 'Ga je niet mee?' zei ze.

'Onmogelijk,' antwoordde hij bitter. 'Ze zouden me voortdurend herinneren aan mijn mislukking.'

'Ze leven toch nog? Maar ik ben blij dat je niet meegaat.'

'Waarom?'

'Je bent er nog niet klaar voor.'

Hij keek haar fronsend aan en probeerde haar gezichtsuit-
drukking te lezen. 'Hoe weet je dat?'

'Eens hebben we elkaar diep in de ogen gekeken, zeventien
Lange Lichten geleden. Toen al was je naar me op zoek – om een
reden.' Ze glimlachte. 'Nee, je kunt het je niet herinneren, maar
het was zoals ik zeg.'

'Ik begrijp het niet.'

'Dat weet ik.' Ze keek hem doordringend aan, alsof ze zijn ziel wilde peilen. 'Of je het nu weet of niet, Wolfdromer, je hebt je keus gemaakt. Je hebt mij gekozen, mijn manier van leven. Ik kreeg zekerheid op de dag dat je de kariboes naar je toe Droomde. Ik ben als de Macht zelf; ook de Macht daagt je uit, achtervolgt je, laat je geen moment met rust, dwingt je het pad te gaan naar het verblindende licht binnen in je.'

Hij voelde hoe de haren in zijn nek rechtop gingen staan. 'Ik ben niet geïnteresseerd in Macht. Macht is voor mensen die... die...'

'Die wat?'

'Die haar waard zijn.'

Ze lachte zachtjes en schudde haar grijze hoofd. 'Je laat je lafheid de overhand krijgen.'

Hij voelde zich diep in zijn eer gekrenkt. 'Ik probeer alleen maar mijn verstand te gebruiken. Ik heb mezelf te lang voor de gek gehouden.'

'Je houdt van het gevoel dat je hebt als je Droomt, niet?'

'Natuurlijk,' beaamde hij. Het gevoel was als de gloed van een warm vuur in een koude winternacht.

'Maar je vindt het niet prettig genoeg om je ziel ervoor op te geven, hm? Je hoopt dat je met het vuur kunt blijven spelen zonder dat het je handen schroeit, als een kind dat nog geen ervaring heeft. Maar om het geheim van de vlammen te leren kennen, zul je jezelf moeten vergeten.'

'Ik ben de onechte zoon van een Ander!' zei hij heftig.

'Nou en?' Ze trok een wenkbrauw op en keek hem met schuingehouden hoofd aan.

Angst en een verlangen naar vroeger dagen namen bezit van hem. Woordloos riep hij om de geborgenheid die hij had gevoeld voor hij zijn Droomwandeling had ondernomen. O ja, hij had honger geleden in die tijd, maar zijn hart was kalm en vrij van kwellingen geweest. Nu voelde hij zich verscheurd en heen en weer getrokken, als een dode haas waar de raven om vochten. 'Ik behoor niet eens echt tot het Volk. Ik ben onwaardig!'

'Waarom?'

'Ik voel me niet meer op mijn plaats te midden van de mensen. Ik hoor er niet meer bij.'

180

'Diep in hun hart hebben alle mensen dat gevoel. Dat hoort nu eenmaal bij het mens-zijn.'

'Vroeger had ik wél het gevoel erbij te horen – voor Wolf me riep.'

'En waarom denk je dat je er nu niet meer bij hoort?'

Hij schuifelde nerveus met zijn voeten. 'Ik ben veranderd.'

'Natuurlijk ben je veranderd.'

Zijn keel leek te worden dichtgeknepen zodat hij slechts met moeite kon spreken. 'Waarom?'

'Omdat je de ziel van de wereld hebt aangeraakt. Je bent van dichtbij getuige geweest van de strijd van de Monsterkinderen, je hebt de donderende stilte gehoord waarin hun worsteling zich afspeelt, en in hun ogen heb je de weerkaatsing van de verblindende duisternis van je eigen ziel gezien.'

'Woorden,' zei hij nors, maar de waarheid die ze bevatten, was als het dreigende bonken van een trommel in zijn geest. 'Niets dan woorden.'

'Ja, je bent veranderd. Rent In Licht stierf op het moment dat Wolf hem riep uit het Mammoetkamp te komen.'

Hij haalde hortend adem en staarde naar het woeste landschap vóór hem, dat hel oplichtte in de zon. *Ze heeft gelijk, een deel van mij is gestorven. Waarom kan ik niet een gewoon leven leiden zoals andere mensen? Waar is Dansende Vos? Wat is er met me gebeurd? Het enige dat ik wil, is mijn leven leiden met de vrouw die ik liefheb en mijn kinderen zien opgroeien. Is dat zoveel gevraagd?*

Reiger stelde zich vóór hem op en greep een lok van zijn haar om hem te dwingen haar aan te kijken. 'Zie je niet wat je doet?'

'Nee.'

'Rent In Licht is in stukken uiteengespat, als een oesterschelp die door een meeuw op de rotsen is gesmeten; en jij doet wanhopig je best de stukken weer aan elkaar te passen. Maar dat gaat niet. Laat hem los.'

'Ik kán hem niet loslaten!' schreeuwde hij. *'Ik ben hem!* Als ik hem loslaat, heb ik niets meer.'

'Bah! Stel je niet aan als een dwaas. Als je buiten dat niets had, zou je nooit de roep van Wolf hebben kunnen horen.'

De spanning in zijn borst nam toe tot hij het gevoel had te zullen stikken. 'Ik begrijp niet wat je bedoelt.'

'Werkelijk niet?' Haar stem had een zachte, troostende klank gekregen. 'Ik weet precies hoe je je voelt. Je wordt heen en weer geslingerd tussen deze wereld en de Droomwereld. Ook ik heb me innerlijk verscheurd gevoeld. Gelukkig heeft Gebroken Tak me de beslissing uit handen genomen. Ik heb jaren moeten ploeteren voor ik had geleerd hoe ik mijn ziel moest openen voor de Geest. Jij hebt mij om je te onderwijzen; jij kunt het in een tiende van de tijd leren.'

'Ik stel geen prijs op je lessen.'

Haar oude gezicht plooide zich in een warme, begrijpende glimlach. 'Jij wilt je hele leven alleen maar met de vlammen spelen, hè?'

'Misschien.'

'Ik waarschuw je. Je kunt eindigen als Kraailokker: wrevelig zonder te weten waarom, beurtelings aangetrokken en afgestoten door de Macht, verdwaald tussen waarheid en leugen.'

'Het kan me niet schelen!' schreeuwde hij hees, terwijl hij zich met een ruk afwendde. 'Het is mijn eigen keus.'

'Dat zal ik niet betwisten.'

Hij hoorde hoe haar voetstappen zich verwijderden over het pad dat naar de poel leidde. Hij staarde uit over de glanzende vlakte voor hem. Het Volk was nu een rij donkere stippen die langzaam voortbewogen tussen de morenen die als door een reuzenhand over het landschap waren verspreid.

Het verlangen om hen te volgen was zo sterk dat het pijn deed. De weg die ze gingen, leidde naar de vertrouwde wereld, naar de warmte van een gemeenschap waar iedereen zijn plaats kende. De weg leidde naar opgetogen gelach, en warme vuren in de nacht, en de klank van de oude verhalen. Als de sporen van het zich verwijderende Volk waren vervaagd, zou de laatste band met de veilige wereld die hij eens de zijne had kunnen noemen, zijn verbroken.

Ik kan dat allemaal niet opgeven! Het betekent te veel voor me!

Met een resoluut gebaar raapte hij zijn werpspiesen en sneeuwschoenen van de grond op en begon het pad te volgen dat

182

het Volk was gegaan. Na enkele passen bleef hij staan en keek op naar de grot van Reiger. Angst ritselde met haar spookvingers langs zijn ruggegraat.

'Nee,' gromde hij binnensmonds, zich verzettend tegen het verlangen om op zijn schreden terug te keren en hier te blijven. 'Ik ben niet de uitverkorene.'

Hij liep verder over het pad, het gevoel dat hij een fout beging onderdrukkend. Maar zijn gang was slepend.

De nacht overviel hem voor hij de anderen had kunnen inhalen. Hij zocht een nis tussen twee rotsen die hun overdag opgezamelde warmte tot ver in de nacht zouden blijven afgeven en rolde zich op.

Zijn slaap werd verstoord door onrustige dromen; beelden van de Droomjacht, van de groene vallei die wemelde van dierlijk leven, van Wolf die raspend de laatste adem uitblies. De beelden waren verlokkend, als de open armen van een geliefde. Hij proefde opnieuw het wolvevlees op zijn tong, maar de smaak was scherper en bitterder dan hij zich herinnerde. Hij droomde weer dat Wolf met grote soepele sprongen voor hem uit rende door het wuivende gras. Maar Wolf draaide zich om en keek hem aan met geheven kop. 'Is mijn belofte je niet genoeg waard?' vroeg hij.

'Nee! Nee, ik... ik ben niet geschikt, een ander zou beter –'

'Ik heb jou gekozen.'

'Nee!'

Hij schrok wakker alsof de bliksem vlakbij was ingeslagen. Zijn hele lichaam was kletsnat van het zweet. Het gesteente onder hem had al zijn warmte verloren en voelde ijskoud aan door zijn kleding.

'Ik ben bang!' fluisterde hij. In zijn ogen prikten tranen. Hij sloeg in machteloze woede met zijn vuist op de rots onder hem. 'Zo bang. Wat is er met me aan de hand?'

De wind voerde een doordringende geur aan. Hij verstijfde in half opgerichte houding. In de nacht verhief een wolf zijn stem, een langgerekte, klagende roep. Andere stemmen vielen in, steeds meer, tot de wereld vervuld leek van hun woeste, treurige gehuil.

22

Gezeten op een hoge rots liet IJsvuur zijn blik dwalen over de Grote Rivier en het golvende blauwgroene heuvellandschap erachter. Een stevige bries stuwde het water op tot witgekuifde golven. Ver naar het oosten zag hij de glinsterende muur van het Grote IJs, en achter hem verhieven de met sneeuw bedekte toppen van de bergen zich tot in de wolken. Dit was het hart van het Lange Licht. Het land was vervuld van leven.

Meeuwen en een enkele visarend cirkelden boven de rivier, jagend op de overvloedig aanwezige vis, en vluchten ganzen trokken snaterend langs het blauw van de hemel op hun weg naar het zuiden. Een diep verlangen vervulde hem terwijl hij de formaties met zijn ogen volgde.

'Je kijkt nu al vier dagen naar het overvliegen van de sneeuwganzen,' zei Rode Vuursteen, die aan kwam lopen.

IJsvuur zei, zonder zijn blik van de ganzen af te wenden: 'Vogels zijn prachtige schepsels. Denk je eens in wat ze daarboven allemaal zien.' Zijn ogen zwierven naar de verre zuidelijke einder. Hij hoorde weer de lokroep, onopvallend, subtiel.

'Ganzen zijn lawaaierig,' zei Rode Vuursteen. 'Ze schreeuwen en snateren, en ze zijn bovendien dom. Als je het vel van een gans opvult met gras en het op een open vlakte neerzet, vliegen ze regelrecht je net in.'

IJsvuur keek zijn vriend schuin aan door samengeknepen oogleden. 'Ik hoop dat je een goede reden hebt om mijn rust te komen verstoren.'

'Je hebt al twee dagen niets gegeten. Maanwater begint zich zorgen te maken over je gezondheid.'

'Je dochter maakt zich altijd zorgen over mijn gezondheid. Ik zou haast gaan denken dat ik een jonge kerel was en zij een oogje op me had.'

Rode Vuursteen spreidde zijn handen en keek zo neutraal mogelijk. 'Wat haar betreft, ben je jong genoeg zoals je bent.'

IJsvuur richtte zijn blik weer op de rijen hoogvliegende ganzen. 'Ik heb een echtgenote gehad... en daarna een visioen. Dat zijn genoeg vrouwen om mijn hele verdere leven mee toe te kunnen.'

Rode Vuursteen woelde met de punt van zijn laars in het grint. 'Ik weet het,' zei hij zacht. 'Ik maakte maar een grapje. Maar Maanwater zou meteen ja zeggen als je haar vroeg, weet je. Ze aanbidt je al vanaf dat ze klein was en jij haar in de lucht gooide en haar verhaaltjes vertelde.'

IJsvuur lachte bij de herinnering aan het meisje met het ronde blozende gezichtje dat het uitgilde van de pret als hij haar hoog de lucht in gooide en weer opving. 'Ze zou een jongere man moeten zoeken.'

'Genoeg gepraat over Maanwater.' Rode Vuursteen ging op de rots zitten, naast en iets lager dan IJsvuur. 'Je bent de laatste tijd voortdurend diep in gedachten verzonken. Wat is er, Geëerde Oudere? Wat zie je daar aan de horizon? Moeten wij het weten?'

IJsvuur sloeg zijn handen om een knie en leunde achterover, zonder zijn blik af te wenden van het zonovergoten landschap vóór hem. Dagenlang had hij gebeden tot het Grote Mysterie, smekend om een visioen, een verklaring voor de spanning in zijn borst, die was toegenomen tot ze bijna ondraaglijk werd. Maar hij had geen antwoord gekregen.

'Ik kan het nog niet zeggen. Maar ik voel het hier,' fluisterde hij, een verweerde hand op zijn hart leggend. 'De lange tijd van wachten is bijna voorbij, oude vriend.'

'Is dat goed?'

IJsvuur glimlachte grimmig. 'Nee, maar het is ook niet slecht.'

'Wat is het dan?'

'Het pad van het Grote Mysterie opent zich voor ons. Goed of slecht, wie weet het? Wat telt, is dat alles anders zal worden en dat we na de gebeurtenissen andere mensen zullen zijn dan daarvoor.'

Rode Vuursteen maakte een lichte knikbeweging, maar zijn gegroefde gezicht droeg een skeptische uitdrukking. 'Als je zo praat, hoor ik de woorden wel, maar ik ben er nooit zeker van dat ik begrijp wat je bedoelt.'

IJsvuur glimlachte warm. Terwijl hij zacht een hand op de arm van zijn vriend legde, zei hij: 'Ik gewoonlijk ook niet. En als ik het wel begreep, zou het niets uitmaken. We zouden aan de loop van de gebeurtenissen toch niets kunnen veranderen.'

23

Hij Die Huilt klampte zich met de moed der wanhoop vast aan de spies, luid kreunend van angst. De schacht werd bijna uit zijn handen gerukt toen de bizon met ongelooflijke snelheid om zijn as wervelde. Hij spande zich tot het uiterste in om zijn greep niet te verliezen, met beide handen aan de schacht hangend.

De bizon gleed uit op de beijzelde grond. De beweging deed de schacht van de spies afknappen en Hij Die Huilt sloeg met zoveel kracht tegen de grond dat alle lucht uit zijn longen werd gedreven. Hij bleef versuft liggen, niet in staat zich te bewegen. De bizon kwam met rukkende bewegingen overeind, gehuld in een wolk van ijskristallen. Het dier schudde zijn massieve kop zodat het bloedige snot uit zijn neus in een boog werd weggeslingerd.

Hij Die Huilts ogen werden groot van ontzetting toen hij de bizon op zich af zag komen, de kop schuin om hem aan de lange zwarte hoorn te spietsen, het blikkerende zwarte oog op hem gericht.

Hij gaat me doden!

Hij opende zijn mond om te schreeuwen, maar er kwam geen geluid uit zijn keel.

Het machtige lichaam van de bizon draaide op het laatste moment af in een wolk van opspattende modder en kiezelstenen. Hij Die Huilt zag de reden: een tweede werpspies stak in de flank van het dier. Huiveringen liepen over het gespierde lijf alsof de bizon probeerde een steekvlieg die hem kwelde kwijt te raken.

'Héé! Hoeaa!' gilde iemand van opzij. De bizon sprong op toen een derde werpspies zich in zijn flank begroef, en Hij Die Huilt hoorde hem grommen. Het dier torende boven hem uit, een harige bruinzwarte massa, zwaaiend op zijn poten, snuivend en kwijlend. Bloed droop tussen zijn voorpoten vandaan op de grond.

Hij Die Huilt slikte en probeerde lucht in zijn longen te zuigen. Het dier merkte de beweging op en draaide zich naar hem toe, wankelend, de kop omlaag. Hij Die Huilt voelde de grond trillen onder de hoeven.

Wanhopige kreten weerklonken in een poging het dier af te leiden, en nog meer spiesen werden geworpen. Hij Die Huilt begon ruggelings weg te kruipen, steunend op zijn ellebogen, ondanks de heftige pijnscheuten die door zijn lichaam trokken.

De bizon kwam op hem af.

Met een kreet van angst probeerde Hij Die Huilt opzij te rollen, weg van de horens. Hij voelde een schok, en de punt van een van de reusachtige horens sneed door zijn parka en boorde zich diep de bevroren grond in. Hij probeerde zich los te rukken, maar de horen hield zijn parka tegen de grond gespietst. Jammerend wachtte hij tot de bizon hem zou doorboren en verpletteren onder zijn hoeven.

Maar er gebeurde niets.

'Een fraai gezicht,' zei een kalme stem.

Hij Die Huilt keek op en zag Springende Haas, die hoofdschuddend op hem neer stond te kijken.

'Nog nooit zoiets gezien,' voegde Zingende Wolf er op overdreven toon aan toe. Hij hield zijn hoofd schuin en zoog sissend zijn adem naar binnen. 'Ik geloof dat hij dood ligt te bloeden.'

Hij Die Huilt wierp hen een woedende blik toe en veegde het vuil en het bloed van zijn gezicht. Toen hij wilde opstaan, werd hij eraan herinnerd dat de horen hem nog steeds aan de grond vastpinde. De anderen kwamen hem eindelijk te hulp en gedrieën slaagden ze erin de horen van de dode bizon uit de grond te trekken en Hij Die Huilt te bevrijden.

'De punt is afgebroken.' Hij Die Huilt bestudeerde de spies die hij uit de flank van de bizon had getrokken. 'Dit is de eerste die ik gooide. Kijk, hij heeft een rib geraakt en is afgebroken.' Hij stak een stuk rib in de lucht zodat iedereen kon zien waar de punt zich in het bot had begraven en was afgebroken.

'Een rib raken kan iedereen overkomen. Maar deze' – hij raapte een tweede spies op – 'heeft geen rib geraakt. Ik stak hem van vlakbij in de bizon, en het beest draaide zich om en begon naar me uit te halen met die lange horens.' Zijn lippen vertrokken toen hij keek naar de met geronnen bloed bedekte pijlpunt die nog vast zat aan de versplinterde schacht, of wat ervan over was. Hij krabde op zijn hoofd. 'Ik greep de spies vast die uit zijn lijf stak, omdat dat me het veiligste leek. Ik merkte dat de spies er niet ver genoeg in zat. Hij is te dik op het punt waar de pijlpunt met de schacht verbonden is. De verdikking blijft steken zodat de punt niet diep in het dier kan doordringen.'

Groen Water trok vragend een wenkbrauw op. 'Wat ben je van plan daaraan te gaan doen?'

'Nieuwe kleren voor zichzelf maken,' zei Springende Haas lachend terwijl hij zijn neus dichtkneep en op de smerige, gescheurde parka van Hij Die Huilt wees.

Hij Die Huilt schonk hem een boze blik en zei: 'Ik ben van plan een betere punt te maken.'

'Het Volk maakt ze al sinds mensenheugenis op deze manier,' zei Zingende Wolf.

'Waarom?'

'Omdat dit nu eenmaal de manier is waarop punten gemaakt dienen te worden, daarom.'

Hij Die Huilt streek nadenkend over zijn kin terwijl hij naar de punt keek. 'Het probleem is de verbinding tussen punt en schacht. Op die plek is de spies te dik.'

'Dat zei ik een tijd geleden al,' bracht Springende Haas hem in herinnering.

'Maak de schacht dunner op de plek waar de punt in de groef past.'

'Dan wordt de verbinding te zwak,' zei Hij Die Huilt. 'Onze spiesen breken nu al te makkelijk af. Het hout van de wilg en de dwergberk is eigenlijk helemaal niet geschikt. Veel te slap.'

'Het bindsel moet ook een bepaalde dikte hebben, anders klapt de punt om als hij iets raakt,' zei Springende Haas.

'Een dunnere punt misschien?' Hij Die Huilt kneep een oog dicht en tuurde met het andere langs de vuurstenen punt.

'Het Volk heeft de punten altijd op deze manier gemaakt, waarom zou je daar iets aan willen veranderen?' zei Zingende Wolf. 'Het is al erg genoeg dat Rent In Licht zoveel overhoop haalt, nóg meer veranderingen kunnen we missen als kiespijn.'

'Hmm,' bromde Hij Die Huilt afwezig terwijl hij de punt om en om draaide in zijn handen.

'Aan de wandel?'

Rent In Licht klemde verschrikt zijn spiesen vast en staarde met wijd open ogen naar de puntige grijze rotsen boven hem.

'Als ik Grootvader Bruine Beer was geweest, zou ik een maaltje aan je hebben gehad.' Gebroken Tak smakte met haar tandeloze mond. 'En niet een erg smakelijke, als ik je zo eens bekijk. Durf jij jezelf een jager te noemen? Je sjokt voort zonder op of om te kijken.'

Hij slaakte een zucht van opluchting. 'Wat doe jij hier?'

'Wat ik hier doe? Dat kan ik beter aan jóu vragen.' Ze lachte kakelend en begon zich langs de gladde rots naar beneden te laten glijden. Hij antwoordde niet, maar hief zijn armen om haar te helpen. Haar handen voelden aan als vogelklauwtjes in de zijne. Toen ze op de grond stond, keek ze met doordringende bruine ogen naar hem op.

'Ga je terug naar de grot van Reiger?' vroeg hij onzeker, bang als hij was dat haar antwoord deel van het visioen zou blijken te zijn.

'Mijn botten doen zeer. Die poel van Reiger maakte dat ik me tien seizoenen jonger voelde. Bovendien ben ik een beetje uitgekeken op die Hernieuwingen. Ik heb die Dans van de Dank al zo vaak gedanst; als Vader Zon nu nog niet weet hoe ik over hem denk, dan zal hij het wel nooit te weten komen. Ik heb daar niets meer te zoeken.' Ze keek naar hem terwijl de wind haar grijze pieken rond haar gezicht deed fladderen. 'En jij? Waar ga jij naar toe?'

Hij aarzelde, nog steeds niet zeker van zijn koers, een blad in de wind dat werd voortgejaagd naar een onbekende bestemming, overgeleverd aan de grillen van een of andere vreemde macht. 'Ik...'

190

'Ik zou zeggen dat je de sporen van het Volk volgt.' Ze nam hem onderzoekend op. 'Een lange wandeling; langer dan deze oude vrouw wil maken.'

Hij sloeg zijn ogen neer. Zijn handen klemden zich om de werpspiesen tot de knokkels wit zagen.

'Je hebt het opgegeven, hè? Ben je teruggeschrokken voor de inspanningen? En wat ga je nu doen? Proberen een wit voetje te halen bij Kraailokker? Zodat iedereen je zal uitlachen?' Ze schudde mismoedig het hoofd. 'Wolf had een waardiger iemand moeten kiezen.'

'Wat ik doe, is mijn zaak, grootmoeder.'

'Je zal wel gelijk hebben.' Ze gebaarde dat hij wat haar betreft kon gaan. 'Schiet maar op. Doe wat je moet doen. Ik heb belangrijke dingen te doen. Mijn leven is nog niet afgelopen.' Ze hobbelde weg in de richting waaruit hij gekomen was.

Rent In Lichts hart bonsde zo hevig dat hij er misselijk van werd. Hij klemde zijn kaken op elkaar en rende haar achterna.

'Vooruit,' gromde ze, zonder haar pas te vertragen. 'Ga Kraailokker maar smeken of je alsjeblieft terug mag komen. Over mij hoef je je geen zorgen te maken. Ik zwierf hier al rond toen je moeder nog niet geboren was, en de moeder van je moeder ook nog niet.'

'Maar ik...'

'Wat? Praat wat harder, jongen. Vrouw Wind huilt al zo lang in mijn oren dat ik een beetje doof begin te worden.'

'Ik heb mijn moeder nooit gekend,' zei hij slapjes. Hij wilde dat ze bleef praten, want hij had steun nodig bij het nemen van de beslissing die zijn ziel in tweeën dreigde te scheuren.

'Nee, natuurlijk heb je je moeder nooit gekend! Ze stierf toen ze die grijnzende dwaas van een broer van je ter wereld bracht. Zelfs toen was hij al tegen de draad in: hij werd geboren met zijn voeten naar voren. Vliegt Als Een Zeemeeuw heeft nog geprobeerd hem te keren, maar ja... Het gaat weleens mis, hè? Hij veroorzaakte toen al moeilijkheden, en dat zal alleen maar erger worden naarmate hij ouder wordt. Zo gaan die dingen nu eenmaal. Ik heb altijd gehoopt dat jij een gunstige invloed op hem zou hebben, maar daar heb ik me blijkbaar in vergist.'

'De gewelddadige kant van zijn karakter was altijd sterker dan mijn –'

'Ja, dat weet ik. En de oude Zeemeeuw wist het ook. Ze hield van je zachtheid, het deed haar denken aan de dochter die ze had verloren voor ze de zorg over jullie kreeg. Wist je dat van die dochter?'

Hij schudde zijn hoofd.

'Ja, dat was een vreemd geval. Haar onderrug was open en de ruggegraat stak naar buiten, geen huid eroverheen, niets. Gruwelijk om te zien. Het wurm kon haar beentjes niet bewegen. Het leefde niet lang, en Zeemeeuw vond het heel erg toen het stierf. Daarom was ze dolblij dat ze voor jullie kon zorgen. Het vulde de lege plek op, en haar melk was niet verspild.' Gebroken Tak begon plotseling te grinniken en sloeg zich op haar dij. 'Het was altijd kostelijk om te kijken naar de gezichten die ze trok als die broer van jou de tepel nam. Hij had namelijk al vroeg tandjes. Die heeft hij nog steeds, maar nu zijn ze uitgegroeid tot verscheurende slagtanden.'

Hij knikte heftig. 'Hij heeft me een paar keer gebeten.'

Ze stootte een kakelend lachje uit. 'Iedereen is wel een keer door hem gebeten.'

'Gebroken Tak,' zei hij aarzelend. 'Wist je dan dat het bloed van Raafjager en mij slechts voor de helft van het Volk is?'

Ze legde een hand op zijn arm. 'Sommigen vermoedden het, maar je moeder wilde niet zeggen wie de vader was en het kon ons ook eigenlijk niet schelen.'

'Kon het jullie niet schelen?' stamelde hij ongelovig. 'Maar de Anderen zijn toch onze vijanden?'

'Baby's zijn een zegen voor het Volk, ze zijn altijd welkom. Zonder hen zouden het Volk en zijn gewoonten uitsterven. Jullie hoorden aan ons toe, niet aan hen. We waren blij met jullie.'

Hij haalde diep adem, vechtend tegen de angst en onzekerheid in hem.

Ze keek naar hem op vanuit haar ooghoeken. 'Hoe lang heeft dat je al dwars gezeten?'

Hij maakte een gebaar alsof het niet van belang was. 'Sinds Reiger het me heeft verteld.'

'Nou, vergeet het dan maar snel. Toen je vijf Lange Duisternissen had overleefd en er een menselijke ziel in je kwam wonen, was het een ziel van het Volk, niet de ziel van een Ander.'

'Maar toch stroomt het bloed van de Anderen door mijn aderen.'

'Maak er dan een pad tussen twee werelden van.'

'Een pad tussen...' Zijn stem stierf weg, maar de woorden bleven weerklinken in zijn geest. *Een Pad tussen twee werelden.*

'Op een dag zal het tot een confrontatie tussen hen en ons komen. Gebruik dat bloed van je, zoals de oude Zeemeeuw haar melk heeft gebruikt.'

Gedachten tolden door zijn hoofd, zo snel dat hij duizelig werd. Beelden doemden op; een web met de kleur van bloed sprong uit zijn borst naar voren en spreidde zich uit over de wereld. Het bereikte het kamp van de Anderen, raakte de lange man met het witte haar aan, wikkelde zich om hem heen. De man draaide zich met een ruk om en staarde hem met ingehouden adem aan.

'Het rode web,' bracht Rent In Licht er hijgend uit. 'Ik...'

'Wat?' zei Gebroken Tak scherp.

Het visioen vervaagde even snel als het gekomen was. Hij staarde verwilderd om zich heen, hijgend en rillend van kou. 'Ik zag een web dat de hele wereld omvatte.'

'Wat betekent het?'

'Ik weet het niet. Het verscheen plotseling en verdween toen weer.'

'Hoe moet je er ooit achter komen wat die visioenen betekenen?'

Een hol gevoel overviel hem. Haar werkelijke vraag was of hij ooit de verantwoording zou nemen voor de fragmentarische beelden die hij opving en of hij ooit in zichzelf zou zoeken om de bron ervan te vinden.

'Je wéét waarom je het niet weet, hè? Je hoeft me niets wijs te maken, ik heb heel wat Dromers in mijn leven gezien, tientallen!'

'Waarom weet ik het niet?'

Ze bewoog haar tandeloze kaken heen en weer. Haar ogen waren als glimmende zwarte kiezelstenen. 'Je hoofd zit vol met rommel. Het wemelt daar van binnen, als maden in een open wond.'

'Hoe moet ik volgens jou die rommel dan kwijtraken?' vroeg hij geprikkeld.

'Let op je woorden, jongen,' beet ze hem toe. 'Heb je geen manieren geleerd?'

Het bloed vloog naar zijn kaken en hij sloeg wrevelig zijn ogen neer.

'Hoe heb je geleerd te jagen? Drie Stenen nam je mee als hij op jacht ging. Je luisterde naar de verhalen en bestudeerde de gewoonten van de dieren. Je hebt leraren gehad.'

'Leraren...' Hij zuchtte en sloot zijn ogen.

'Natuurlijk, leraren. Reiger heeft aangeboden je te onderwijzen, niet?' Hij knikte.

'Zij is de allerbeste. Die Kraailokker is een leugenaar en een bedrieger die zijn positie verdedigt door dingen te verzinnen. O ja, hij weet wel iets van het behandelen van ziekten, maar hij geneest niet. Begrijp je wat ik bedoel, jongen? Neem nou die ontstoken kies van Grijze Rots. Een gat in het tandvlees maken zodat het pus eruit kan is niet zo moeilijk, dat kan de eerste de beste idioot.'

'En toch luisteren de mensen naar hem.'

Ze gebaarde geërgerd met haar magere hand. 'Ze zijn vergeten wat echte Dromers zijn. Er zijn nog maar zo weinig Dromers. Dat was vroeger heel anders. Maar de mensen vergeten snel, en er zijn steeds minder ouderen die zich de Dromers van vroeger kunnen herinneren. Die jonge blagen zoals Raafjager hebben er geen idee van hoeveel macht Dromen hebben!'

'Machtiger dan de oorlog tussen de Monsterkinderen.'

Ze snoof en knikte. 'Je weet het, hè? En toch hobbel je nog achter de anderen aan. Denk je dat je in de kring rond het vuur kunt gaan zitten en net doen alsof er niets aan de hand is, in de hoop dat het dan wel weg zal gaan? Nou, het gaat niet weg, dat verzeker ik je.'

194

Hij pakte zijn bovenarmen beet en drukte zijn armen tegen zijn borst alsof hij bang was dat de leegte van binnen hem volledig zou verzwelgen. 'Ik weet het. En ik word erdoor verscheurd.'

Gebroken Tak maakte een smakkend geluid met haar mond. 'Wel, doe er iets aan. Je kunt maar uit twee dingen kiezen. Je kunt alles vergeten en teruggaan en een leuke vrouw met een goed humeur uitkiezen... en hopen dat de Anderen je niet aan een speer rijgen. Of je kunt het pad gaan dat Wolf je heeft getoond – en het Volk redden.'

'En mezelf kwijtraken?'

'Nee, jonge idioot. Jezelf vinden! Het wordt hoog tijd dat je ophoudt met die onzin. Je bent als een vos die niet weet welke van twee muizegaten hij in het oog moet houden. Je moet kiezen. Nu.' Ze plantte haar handen in haar heupen en keek hem met harde ogen aan. 'Het wordt niet makkelijker als je het uitstelt, alleen moeilijker. Als je het steeds maar voor je uit blijft schuiven, kom je op een dag tot de ontdekking dat je een vrouw en vier kinderen hebt en nooit de verantwoordelijkheid voor je eigen leven hebt genomen – en nooit meer de kans zal krijgen het alsnog te doen.'

Zijn gedachten tolden in het rond, steeds nauwere kringen beschrijvend. De oude vrouw keek hem aan met een vreemd licht in haar ogen. Aan de horizon zag hij een troep wolven draven, op weg naar het zuiden. Een ogenblik had hij het gevoel dat hij hun harten in zijn eigen borst voelde kloppen, dat hij de wereld door hun ogen zag. Er kwam een prop in zijn keel. Hij probeerde te slikken, maar de prop bleef steken, als een slecht gekauwd stuk kraakbeen.

Langzaam richtte hij zich op en zei: 'Laten we gaan, grootmoeder.' Hij had het gevoel alsof zijn leven met wortel en tak werd uitgerukt en verpulverde en weg werd geblazen op de kille adem van Vrouw Wind.

Gebroken Tak grinnikte zacht en klopte hem op de schouder terwijl ze hun schreden zetten op het pad dat terugvoerde naar Reigers grot.

24

IJsvuur huiverde toen hij de handen op zijn lichaam voelde. De stemmen drongen langzaam door de nevel die zijn geest omgaf.

'Wordt wakker!' schreeuwde iemand in zijn oor. Rode Vuursteen. Niemand anders had zo'n raspende stem.

Hij deed zijn ogen open en knipperde om het waas dat voor zijn ogen hing te verwijderen. 'Wat is er gebeurd?' Zijn stem brak. Rode Vuursteen boog zich voorover om te luisteren.

Het waas trok langzaam weg en hij zag de bleekblauwe lucht waarin roze getinte wolken vreedzaam voorbijdreven. De zon was net op – het was vroeg in de ochtend. Het kamp bevond zich vlak achter hem, te oordelen naar de geluiden van vrouwen en kinderen. Rondom hem deden alsemstruiken hun best voedsel en houvast te vinden in de arme, rotsachtige grond. De zuidelijke hemel was gehuld in een oranje gloed, doorschoten met rode strepen, als de draden van een rood web...

'Wat is er gebeurd?' vroeg hij weer.

Rode Vuursteen maakte een hulpeloos gebaar. 'Ik weet het niet. Je was op weg naar je plek op de rots toen je plotseling een kreet slaakte. We zagen hoe je je omdraaide en in de zon staarde. Toen begon je te gillen, en je hief je armen en begon wilde bewegingen te maken, alsof je naar vliegen sloeg die om je heen zwermden.'

'Alsof je spiesen wegsloeg die op je gericht waren,' zei Walrus met een bezorgde frons. 'Het leek alsof je tegen iets vocht.'

IJsvuur verstrakte toen het visioen terugkwam. 'Ja,' hijgde hij, 'ik herinner het me.' Hij zag weer hoe de draden met de kleur van bloed naar hem zochten.

'Vertel het ons,' smeekte Rode Vuursteen. 'Wat heb je gezien?'

'Rode lijnen, als de draden van een web, die naar me reikten vanuit het zuiden. De Dromer van de Vijand was daar en spon het web, als een vreemde spin.'

Schapestaart wierp zijn spiesen kletterend op de grond en zei: 'Proberen ze ons te betoveren?'

'Dat zal ze berouwen!' riep Paardeschreeuw heftig. 'Ze zullen merken wat het Mammoetvolk doet met mensen die –'

'Nee,' kraste IJsvuur. Hij hees zich met moeite overeind op een elleboog, nog steeds ietwat verdoofd, en keek naar de gezichten om hem heen. 'De magie was niet tegen ons gericht. In het begin was ik bang voor het web dat hij gesponnen had. Maar op het eind... ja, op het eind wikkelde het zich om me heen en werd ik naar het zuiden getrokken naar de... naar de...' Hij fronste en schudde zijn hoofd.

'Was het weer de Getuige? Heeft zij je dit aangedaan?' zei Rode Vuursteen terwijl hij hem aandachtig aankeek.

'Nee, niet de Getuige. Ik heb haar aanwezigheid niet gevoeld.'

'Wie dan? Denk na. Probeer het je te herinneren, oude vriend,' zei Rode Vuursteen.

IJsvuur keek op en schudde zijn hoofd. 'Ik... ik kan het me niet meer herinneren. Het visioen brak plotseling af.'

'Naar het zuiden.' Paardeschreeuw keek met een roofzuchtige glimlach de kring rond. 'Naar de Vijand.'

IJsvuur kreeg een merkwaardig voorgevoel terwijl hij naar hem keek. 'Wees op je hoede, Paardeschreeuw. De dingen zullen niet gaan zoals je denkt.' *Niet als Macht zijn draden wikkelt rond het leven en de ziel van mensen.*

197

25

Rent In Licht hielp Gebroken Tak de steile richel die naar Reigers vallei leidde, te beklimmen. De vrouwelijke sjamaan stond voor haar grot en keek hoe ze zich een weg zochtten over het rotsachtige pad. Haar blik liet Rent In Licht geen moment los.

Toen ze haar genaderd waren, zei ze tegen Gebroken Tak: 'Zo, ben je terug? Verlang je zo naar straf, oude vrouw?'

'Ach, hou toch je mond. Dood me als je dat zo graag wilt, maar wacht nog even tot ik mijn ouwe botten heb gewarmd in die poel van je.'

Reiger schoot in de lach. 'Ga het water in,' zei ze met een twinkeling in haar ogen. 'Zodra ik tijd heb, zal ik komen om je te doden.'

'Kom eerst even praten,' zei Gebroken Tak zacht. 'Wij tweeën zijn de enigen die nog weten hoe het vroeger was. Ik mis de oude gebruiken.'

Reigers glimlach vervaagde en ze sloeg haar ogen neer. 'Ik ook,' zei ze.

'En leer die jongen wat hij aanmoet met die beelden die door zijn hoofd zweven.' Gebroken Tak gebaarde met haar duim naar hem. 'Als hij er niet snel achter komt wordt hij gek.'

Zijn hart bonsde in zijn keel terwijl hij Reiger in de ogen keek. Er brandde daar een vlam die hij niet begreep, maar die zijn darmen ineen deed krimpen.

'Je bent niet langer Rent In Licht, wist je dat?'

'Ja,' zei hij schor. 'Dat weet ik nu.'

Op de avond van de volgende dag zat hij voor Reigers vuur. Hij voelde zich onbehaaglijk. De wanden van de grot baadden in het zachte oranje schijnsel van de vlammen, en de schedels in de hoeken leken achterdochtig naar hem te gluren, alsof ze zijn vastberadenheid in twijfel trokken. Hij ging verzitten, trok zijn knieën op en steunde er zijn kin op. Hij luisterde al een hele tijd naar de oude vrouwelijke Dromer, maar hij begreep weinig van wat ze zei. Aan de andere kant van het vuur zat Gebroken Tak zwijgend een die dag gestrikte haas te bereiden voor het eten. De beide honden lagen te soezen, met de kop op de voorpoten.

'Magie,' zei Reiger, 'de wereld is er vol van. Maar niet het soort dat jij in gedachten hebt.' Ze wees. 'Ik kan die steen niet dwingen te bewegen. Ik kan geen mensen uit de dood terugroepen. Er zijn regels waaraan niet getornd kan worden, regels die de basis vormen voor al het bestaande. Een Dromer moet in de wereld verzinken, moet zich erdoor laten opslokken tot hij ophoudt te bestaan.' Ze keek hem ernstig aan. 'Luister je naar me?'

'Ja.'

'Wat denk je dat er gebeurt als je de dieren roept en ze komen?'

'Ze horen me roepen en –'

'Fout.' Reiger boog zich voorover en haar ogen boorden zich in de zijne. Hij slikte nerveus.

'Wat gebeurt er dan?' vroeg hij.

'Ze horen jóu niet. Ze horen hun eigen stem die hen naar hun dood roept.'

'Wat bedoel je?' vroeg hij, ten prooi aan verwarring.

'Ik bedoel dit: de fundamentele regel van alle magie, dus ook die van Dromen, is dat alle leven één is. Er is maar *Eén Leven*.' Met een snelle, heftige beweging duwde ze een blok hout in het vuur. Vonken wervelden omhoog, en de honden hieven hun kop.

Ze wachtte tot hij iets zou antwoorden, maar hij was zo gespannen dat hij niets kon bedenken. Ten slotte zei hij: 'Ga verder.'

'Je hebt gezien hoe een moeder Grootvader Witte Beer aanviel met een steen toen hij een van haar kinderen had gepakt.'

Hij knikte.

'Waarom deed ze dat?'

'Om haar kind te redden.'

Reiger spuwde minachtend in het vuur. 'Grote Mammoet, nee.'

Hij voelde zich onbehaaglijker dan ooit. Waar wilde ze heen? Hij onderzocht zijn eigen gevoelens en gedachten. 'Ik... begrijp het niet.'

'Ze deed het om *zichzelf* te redden.'

'Maar Grootvader Witte Beer had haar kind in zijn klauwen.'

'Het kind is het Zelf,' fluisterde ze cryptisch. 'Mensen raken soms aan het Ene Leven, en dan voelen ze een onverbrekelijke band met anderen, of met bepaalde plaatsen. Het belangrijkste is die band altijd in stand te houden.' Ze spreidde haar armen en keek hem aan met een blik die hem verlamde. 'Dat is de reden waarom de kariboes kwamen. Voor een moment raakte je de Ene aan, en toen je hen smeekte te komen en zich aan ons te geven, hoorden ze hun eigen stem, en ze kwamen. Ze brachten het offer om zelf verder te kunnen leven.'

'Maar als er maar Eén Leven is, hoe komt het dan dat niet iedereen het voelt? Waarom staan we er niet voortdurend mee in contact?'

'Onze gedachten zitten in de weg. Mensen sluiten hun geest af voor de Droom, ze geloven er niet in, ze stoppen hun oren dicht zodat ze de stem van de Ene niet horen. Als ze naar zichzelf luisterden, zouden ze de stem kunnen horen; maar voor je vrij bent om te luisteren, moet je eerst alle obstakels uit je geest verwijderen, al het dode hout, alle netten die je hebt uitgezet, alle strikken die je hebt gespannen. De meeste mensen doen dat niet. Ze vinden het te moeilijk. In plaats daarvan vullen ze hun geest met kleinzielige onzin, geroddel, gedachten aan wraak.'

'Maar de schepsels verschillen toch van elkaar?' Wolfdromer spreidde zijn handen. 'Kijk naar hoe wij geschapen zijn. Geen enkel ander wezen gebruikt werpspiesen bij de jacht. Geen enkel ander wezen warmt zichzelf bij het vuur.'

Reiger strekte een arm en pakte een schedel van de wand. 'Deze is van een mens.' Ze pakte een andere. 'Deze is van een beer. Beide hebben tanden, en dezelfde botten, alleen anders gevormd. Twee ogen. Begrijp je? Een neus. Verwijder de vacht en een beer lijkt precies op een mens. De beenderen van de voet zijn hetzelfde. Afgezien van hun vachten en de verschillende vorm van de beenderen hebben alle dieren dingen gemeen. Jij hebt vingernagels. Een beer heeft klauwen. Een kariboe hoeven. Het onderliggende patroon is bij allen hetzelfde.'

Gebroken Tak maakte een blazend geluid dat de spanning brak. Ze duwde een grijze piek uit haar gezicht en zei op zachte toon: 'In de legenden van het Volk wordt verhaald dat alle schepselen eens sterren waren, elk gevormd uit dezelfde sterrestof. Vader Zon gaf ons een duw zodat we naar de aarde tuimelden en blies ons leven in. De mens was het armzaligste schepsel van allemaal. Vader Zon had vergeten ons een vacht te geven. Daarom laten de kariboes ons nu hun vacht gebruiken nadat we hun vlees hebben gegeten. Een geschenk van een broeder. En we hebben dan wel geen slurf zoals de mammoeten, maar we beschikken over handen waarmee we dezelfde dingen kunnen doen.'

'Ik herinner me de verhalen, grootmoeder,' zei Wolfdromer.

'O ja?' zei Reiger terwijl ze dreigend met een vinger zwaaide. 'Wat is het in jou dat zich die dingen herinnert?'

Hij wees snel op zijn romp ter hoogte van zijn maag. 'Mijn lever. Ik –'

'Bah!' gromde Reiger terwijl ze een hakkende beweging met haar hand maakte. 'Ik weet dat het Volk dat gelooft, maar het is niet waar. Herinneren doe je in je hoofd – en Dromen ook. Die dingen gebeuren in je hersens.'

'Waarom denk je dat de hersens die dingen doen?'

Reiger leunde achterover, haar lippen getuit. 'Wat gebeurt er als iemand een harde klap op zijn hoofd krijgt? Dan wordt hij vergeetachtig. Als zijn arm wordt afgehakt, wordt hij niet vergeetachtig. Als zijn maag ziek is, blijft hij denken zoals hij altijd heeft gedacht. Maar als het bot rond zijn hersens schade oploopt, denkt hij heel anders. En als de schade groot genoeg is, denkt hij helemaal niet meer. Voor de andere wezens geldt hetzelfde. Sla een kariboe met een knots op zijn kop, en hij sterft. Als de hersens kapot zijn, kunnen er geen gedachten meer worden gemaakt.'

'Je zult wel gelijk hebben.'

'Niet voetstoots aannemen wat ik zeg,' zei ze. 'Denk zelf na. Kijk of het klopt. Geloof niet alles wat je verteld wordt en wat de overleveringen zeggen. Onderzoek alles!'

Gebroken Tak zei nijdig: 'Wou je daarmee zeggen dat het verhaal over Vader Zon en de sterrestof onzin was?'

Reiger knipperde met haar ogen alsof die gedachte nieuw voor haar was. 'Nee. Dat is een van de weinige dingen die je in je leven gezegd hebt die juist waren.'

'Raar oud wijf. Ik zou je eigenlijk –'

'Waarom weet je dit allemaal?' vroeg Wolfdromer. Inwendig trilde hij van angst. Waar was hij mee bezig? Als hij alles leerde wat Reiger hem wilde onderwijzen, zou hij de wereld die hij liefhad volledig kwijtraken. 'Waarom weet niet iedereen dit?'

Reiger lachte en haalde haar schouders op. 'In de kampen van het Volk heeft niemand tijd voor deze dingen. Er moeten huiden worden gelooid, er moet op dieren worden gejaagd, er moet mos worden verzameld. En dan zijn er nog de kinderen, die voortdurend aandacht moeten hebben. Ze vallen je lastig met hun vragen, of ze komen huilend aanlopen omdat ze gevochten hebben en zich pijn hebben gedaan. Een Dromer moet zich aan al die dingen onttrekken zodat hij kan denken en voelen zonder zich te hoeven afvragen wie er nu weer met elkaar overhoop liggen, en zonder te worden afgeleid door onzin en beuzelarijen.'

Ze wreef over haar neus. 'Voor het Volk hier kwam, kon je hier dingen horen en voelen, kon je de wereld indrinken door je zintuigen. De adem van het land gaat in en uit, de dieren volgen de seizoenen in een eeuwige cirkelgang. Alles komt en gaat en komt weer, en alles hangt met alles samen. Niets staat op zichzelf. Waar mammoetmest valt, groeit gras. De wind verspreidt de zaden. De mammoeten eten het gras, wat nog meer mest tot gevolg heeft. De mensen weten dit allemaal wel, maar de betekenis ervan ontgaat ze. En wie kan zich bezinnen op de eenheid van alle leven als er drie kinderen jengelen om eten en je neef achter in de burcht hardop grappen zit te vertellen?'

'Het enige dat ik dus hoef te doen, is me in de eenzaamheid terugtrekken,' zei hij skeptisch. Het klonk veel te makkelijk om waar te zijn.

Ze boog haar hoofd en giechelde. 'Het enige dat je hoeft te doen, is jezelf bevrijden.'

'Hoe moet ik dat doen?'

Ze giechelde weer en keek hem met fonkelende ogen aan. 'Eerst moet je leren lopen.'

'Lopen?' vroeg hij verbijsterd.

'Zeker. En daarna leer je te *dansen*.'

'Dansen?' Hij begreep er steeds minder van.

'Ja. En daarna leer je de Dans stop te zetten zodat je de Danser goed kunt bekijken.'

Hij schudde zijn hoofd. 'Waar heb je het in mammoetsnaam over?'

'Over het Ene Leven. Alles is een Dans, en je moet de passen kennen voor je haar kan begrijpen.'

'En jij denkt dat ik nog niet kan lopen?'

Ze haalde even haar neus op. 'Wolfdromer, je kunt zelfs niet kruipen.'

Hij woelde met zijn vingers in de bontrand van zijn parka terwijl hij nadacht. Toen zei hij: 'Wil je het me leren?'

'Ben je klaar om de lering te ontvangen?'

Zijn mond werd droog. *Ben ik er klaar voor?* 'Ja.'

'Kom.' Ze stond met krakende gewrichten op, gebaarde de honden te blijven liggen en liep naar de deurhuiden.

Toen hij haar naar buiten volgde, viel zijn blik op de bereschedel die hem somber aanstaarde met zijn lege oogkassen. Hij balde vastberaden zijn vuisten. Hij zou alles leren wat er te leren viel.

Ze ging hem in het donker voor langs de richel naar een rotspunt boven de hete bron. Hij kon de bron niet zien, maar hij hoorde het water borrelen en sissen. Ze legde een huid op de rots en zei: 'Ga zitten en blijf hier tot ik je kom halen. Je opdracht is je geest stil te maken. Vind de stilte waaruit alle geluiden voortkomen.'

Hij keek haar ongelovig aan, turend in het donker om te zien of ze meende wat ze had gezegd. 'Er is hier helemaal geen stilte! Het water maakt een hoop herrie en er zijn nog een heleboel andere geluiden. Het is geen moment stil.'

Hij zag haar brokkelige tanden oplichten in het zwakke schijnsel van het Sterrenvolk. Ze zette haar handen op haar heupen en wees met haar kin naar het met sneeuw bedekte gebergte in het zuiden. 'Geloof je dat er een gat is in het Grote IJs?'

Inwendig kromp hij even ineen. 'Ja.'

'Je zal het gat in jezelf moeten vinden voor je het gat in het ijs kunt vinden.'

Hij kneep zijn ogen even stijf dicht en klemde zijn kaken op elkaar. 'Dit is allemaal gebazel. Het Ene Leven, de Dans, het gat. Wat ben je –'

'Ze zijn allemaal hetzelfde. Alles is niets!' Ze stiet een kakelende lach uit en sloeg zich op haar dij.

Hij trok een wenkbrauw op. 'Je hebt je verstand verloren.'

Reiger gaf hem een speelse duw tegen zijn schouder. 'Precies! Nu jij nog. Kom, ga zitten. Laat alle woorden wegzinken uit je hoofd. Geen gedachte mag achterblijven, geen enkel beeld. Geef ze mee met de wind, laat ze wegdrijven met het water. Je moet je verstand kwijtraken. Om vervuld te kunnen worden, moet je eerst leeg zijn. Wat denk je, klinkt het eenvoudig?'

Hij knikte. 'Natuurlijk. Ik hoef alleen maar de stem in mijn hoofd te laten zwijgen.'

'Ik dacht wel dat je dat zou zeggen.' Ze draaide zich om en liep weg. Hij hoorde haar nog zacht over haar schouder roepen: 'Onthoud, je enige vijand ben je zelf.'

Wolfdromer streek weifelend over zijn kin terwijl hij naar de opstijgende stoom van de geiser keek, die bleek glansde in het licht van de sterren.

'Nou,' zei hij met een zucht, 'daar gaat-ie dan.' Hij sloot zijn ogen en verdreef alle woorden uit zijn hoofd door zich te concentreren op het geluid dat het water maakte terwijl het naar de poelen stroomde. Het was heel makkelijk… wel zes of zeven hartslagen lang was het stil in zijn hoofd.

Toen drongen de woorden weer zijn geest binnen. Dingen die

hij eens gezien had, kwamen in gloedvolle kleuren opnieuw tot leven, en flarden van lang vergeten gesprekken kwamen uit het niets opzetten. Hij deed zijn best om zijn aandacht bij het borrelen en murmelen van het water te houden, maar telkens ontglipten de geluiden hem. Hij spande zich tot het uiterste in, maar niets hielp.

Het gezicht van Dansende Vos zweefde voor zijn geestesoog. Hij voelde een heftig verlangen haar weer te zien, de begeerte was zo sterk dat het pijn deed. Hij duwde de gedachte met geweld weg, maar de lege plek werd onmiddellijk opgevuld door de klank van Zeemeeuws stem. Ze sprak zachte, troostende woorden, en hij liet zich wegdrijven op het ritme van de klanken. Dagdromen reiden zich aaneen, beelden volgden elkaar op en vervloeiden.

Plotseling schoten hem de woorden van Reiger te binnen: *Je enige vijand ben je zelf*. Ze klonken spottend. Zijn achterste deed zeer. De eerste tekenen van honger dienden zich aan.

De lange uren verstreken.

Hij betrapte zich erop dat hij peinsde over de zonsopgang en glimlachend genoot van de rode en blauwe tinten waarvan de hemel doordrenkt was. Hij deed wanhopig zijn best om zijn gedachten het zwijgen op te leggen. Zijn verbeelding weefde patronen uit de damp die opsteeg van het borrelende water. Het milde briesje vulde zich met bekende stemmen.

Hij had geen gevoel meer in zijn achterste en een luid gerommel herinnerde hem eraan dat zijn maag leeg was.

Het werd erger.

Hij herinnerde zich niet dat hij op zijn zij was gerold, maar de vliegen maakten hem wakker. Kleine muggen zoemden om hem heen.

'Mooie Dromer ben je,' sprak hij zichzelf bestraffend toe. Hij kon het wel uitgillen, zo gefrustreerd voelde hij zich. Woedend sloeg hij een insekt dood en veegde de overblijfselen af aan zijn zomerparka.

De ochtend verstreek. Was Reiger hem vergeten? Was ze ergens heen gegaan en was ze zijn bestaan vergeten? Misschien moest hij haar gaan zoeken.

'Nee,' mompelde hij, 'ik ga hier niet weg.'

De zon begon te branden, zweet stroomde over zijn lichaam en hij kreeg dorst. Insekten werden aangetrokken door de geur van zijn zweet en dansten in wolken om hem heen. Hij werd gestoken door muggen en gebeten door zwarte vliegen. De muggen fladderden in zijn oren en neusgaten en vielen aan op ieder stukje blote huid. Ten einde raad trok hij de kap van zijn parka over zijn hoofd en rolde zich op op de grond. Hij zakte weg in zoete vergetelheid.

Een harde trap in zijn ribben deed hem wakker schrikken en overeind krabbelen. In het westen duidde nog slechts een vage gloed op het pad dat de verdwenen Vader Zon had genomen.

Reiger keek naar zijn gezicht, dat door de muggebeten opgezwollen was, en vroeg: 'Heb je een Droom gehad?'

'Eh... ja. Ik was weer terug in de –'

'Je hebt de stilte dus niet gevonden?'

'Er is hier geen stilte!' riep hij geprikkeld.

'Grote Mammoet, je bent er erger aan toe dan ik dacht.' Ze draaide zich om en liep weg.

Hij kwam overeind op stijve benen en klopte het stof van zijn kleren. Hij had het gevoel dat hij verschrikkelijk gefaald had. Met hangend hoofd volgde hij haar naar de grot.

26

Dansende Vos en Klauw zaten naast elkaar aan de voet van een hoge rotswand van basalt. De helling onder hen was bezaaid met grote rotsblokken waartussen hier en daar wat gras groeide. Boven hun hoofd cirkelde een arend die af en toe omlaag dook om hen in het oog te houden.

'Erg mooi is hij niet,' zei Dansende Vos terwijl ze de pijlpunt die ze had gemaakt omhooghield. De richel achter hen bevatte een steensoort die niet erg geschikt was voor dit werk. Het was moeilijk om er scherven vanaf te laten springen op zodanige wijze dat er een bruikbaar werktuig ontstond. Deze steensoort was niet te vergelijken met de kleurrijke hoornkiezel en het fijn-gestructureerde kwartsiets waar Hij Die Huilt zo graag mee werkte.

'Hij is goed genoeg, Vos,' zei Klauw. 'Het gaat om de punt, die moet scherp genoeg zijn om door de huid heen te kunnen snijden. Het volgende waar je op moet letten, is het bindsel. Die waardeloze echtgenoot van mij kon niet veel, maar wat hij wél kon, was werpspiesen maken, en hij zei altijd dat een goede werpspies stond of viel met het bindsel. Te dik en de spies kon niet door de huid dringen, of te dun en de punt schoot opzij als hij iets raakte.'

Dansende Vos zoog met gefronst voorhoofd op de plek tussen haar duim en wijsvinger waar ze zich gesneden had. Rond haar voeten lagen een hoop scherfjes en een paar pijlpunten die waren mislukt omdat ze te hard of op de verkeerde plek gedrukt had. Ze hield de punt die gelukt was weer op en begon tevreden te glimlachen.

Klauw zei zacht: 'Nu moet je leven blazen in de punt, hem laden met geestelijke kracht, zodat hij weet dat hij diep in een dier moet doordringen op zoek naar het leven binnenin. Zing, meisje! Leg heel je ziel erin.'

Dansende Vos begon langzaam te zingen en voelde hoe de Macht van haar ziel overvloeide in de pijlpunt. Ze concentreerde zich op het stuk zwart gesteente in haar hand en doordrenkte het van haar wil. Een warm gevoel vervulde haar.

'Als je de punt met de schacht hebt verbonden, moet je ook daar je geest in blazen,' zei Klauw. 'De hele spies moet vervuld zijn van je kracht. De punt is er slechts een onderdeel van. Zonder een sterke rechte schacht kan de punt niet doden, en zonder de punt is de schacht ongevaarlijk. Het bindsel maakt ze een. Je moet ook inkepingen maken aan het eind en er veren in steken en vastbinden. Dat is belangrijk, want de veren maken dat de spies in een rechte strakke baan door de lucht vliegt.'

'Ik heb nooit geweten dat er zoveel bij kwam kijken.'

Klauw wreef met een hand over haar vlezige neus. 'Je kunt de pijlpunt vergelijken met een man en de schacht met een vrouw, en het bindsel met het huwelijk dat twee mensen tot een eenheid maakt. Door iets samen te voegen tot een eenheid, betreedt datgene wat is samengevoegd het rijk van de Macht en is daardoor in staat verbinding aan te gaan met de geesten van het gesteente en het hout en de dieren en vogels. Een verbintenis, dat is Macht. Mannelijk en vrouwelijk. Begrijp je wat ik bedoel?'

Dansende Vos staarde zonder iets te zien naar de pijlpunt. 'Zoals het zou zijn tussen mij en Rent In Licht,' fluisterde ze.

'Je kunt hem maar niet uit je hoofd zetten, hè?'

Dansende Vos streek haar lange glanzende zwarte haar uit haar gezicht en keek verlangend naar het zuiden. 'Nee, grootmoeder, dat kan ik niet. Ik zie hem in mijn dromen en het maakt mijn nachten eenzaam en leeg. Ik hoor zijn stem en voel zijn armen om me heen.'

'Binnenkort is het Hernieuwing. Daar zullen we hem wel vinden.'

Vos slaakte een diepe zucht. 'Ik hoop het.'

'Ben je bereid je vrijheid voor hem op te geven? Na alles wat je geleerd hebt om jezelf op eigen kracht in leven te houden?'

Dansende Vos trok haar slanke gespierde schouders op. 'Ik hou mezelf liever in leven met hem naast me om me te helpen.

Het is toch niet slecht om dat te verlangen?'

Klauw dacht even na terwijl ze met het puntje van haar tong de gaten in haar gebit aftastte. 'Eerlijk gezegd weet ik het niet, kind. Zonder kinderen kan het Volk niet voortbestaan. Maar als je eenmaal een baby hebt kun je niet blijven jagen zoals je nu doet. Mannen zijn vrij, die hoeven niet in de buurt van hun nakomelingen te blijven om op ze te passen. Maar vrouwen moeten dat wel.'

'Zou jij niet voor mijn kind willen zorgen terwijl ik erop uit ga om te jagen?'

Klauw glimlachte. 'Natuurlijk wil ik dat. Maar ik leef niet eeuwig.'

Dansende Vos knikte peinzend. 'Ook zonder hulp en met een baby kan ik jagen. Ik kan nog steeds dieren een afgrond indrijven, zoals we met die bizon hebben gedaan. Of een valkuil maken om kariboes te vangen, zoals jij me geleerd hebt. En ik kan grondeekhoorns uitroken, muizen doodslaan met een tak, nesten uithalen en hazen strikken. Het is niet nodig een prooi te besluipen zoals een man doet.'

'En waar laat je de baby terwijl je dat allemaal doet?'

'Als ik op kleine prooidieren jaag, kan ik haar op mijn rug dragen. En als ik op groot wild jaag, verstop ik haar ergens op een veilige plek waar ik haar later weer kom ophalen.'

'Dat kún je doen, dat is waar.' Klauw keek Dansende Vos aan met tot spleetjes geknepen ogen. 'Maar stel dat je alleen op jacht gaat en wordt gedood door een gewonde bizon, wat dan? Dat is juist het verschil: als een man sterft, is zijn kind veilig thuis, maar als jij sterft, blijft je kind hulpeloos achter.'

'Dus ik ben gedwongen andere mensen voor mijn kind te laten zorgen als ik op jacht ga.' Ze schudde haar hoofd.

'Je kunt er natuurlijk ook voor kiezen geen kinderen te krijgen,' zei Klauw, zich voorover buigend. 'Maar hoe moet het Volk dan voortbestaan?'

'Het enige dat ik wil, is Rent In Licht liefhebben, bij hem zijn. Waarom moet ik daarvoor mijn vrijheid opgeven?'

'Omdat Vader Zon mannen en vrouwen verschillend heeft ge-

schapen. Vertel me eens, wat zou je doen als Rent In Licht nu ineens voor je stond? Hoe lang zou het duren voor je met hem
onder de huiden lag?'

Dansende Vos sloeg haar ogen neer.

'Jaja, net wat ik dacht. Dat is de moeilijkheid, kind. Alles wat
leeft, bezit de drang tot paren. Het is een fundamenteel verlangen en het drijft ons onophoudelijk voort. Mannen zijn erger dan
vrouwen; ze willen altijd maar die speer van ze in je steken. Maar
een jonge vrouw die verliefd is, is net zo erg. Zo heeft Vader Zon
ons nu eenmaal gemaakt.'

'En het maakt een eind aan je vrijheid?'

'Ja. Daar is niets aan te doen.' Klauw haalde haar schouders
op. 'We mogen Vader Zon overigens wel dankbaar zijn dat hij de
taak van het baren en verzorgen van kinderen aan ons heeft opgedragen. Grote Mammoet mag weten wat er zou zijn gebeurd
als hij die dwaze mannen de verantwoordelijkheid had gegeven.
Waarschijnlijk zouden we door hun domheid al lang geleden zijn
uitgestorven.'

Dansende Vos bevingerde afwezig de pijlpunt. *Zou ik het kunnen verdragen in zijn buurt te zijn? Zou ik het kunnen verdragen hem
iedere dag te zien zonder hem in mijn armen te kunnen houden? Zou
ik Rent In Licht kunnen opgeven opdat ik hier in vrijheid kan leven,
in mijn eentje, als een banneling?* Ze slikte en keek op naar de zon.
De tijd van de Hernieuwing kwam dichterbij. Haar hart kromp
samen als ze eraan dacht.

'Voor hem zou ik dit kunnen opgeven,' fluisterde ze.

Klauw knikte en zuchtte. 'Ik denk dat je er niet verstandig aan
doet... maar ik begrijp het.'

Het was een zomer zoals hij er nog nooit een had meegemaakt,
zelfs niet in zijn dromen. Blauwe Hemel Man overspande de
aarde, zijn reusachtige buik slechts zo nu en dan aan het oog onttrokken door wolken. De vliegen en muggen dansten in dichte
zwermen boven het groene land. Wilgen en dwergberken schoten hoog op tussen de rotsen en omzoomden de met geel aangroeisel afgezette boorden van de stroom. Gebroken Tak dolf

210

met haar graafstok de ene lekkernij na de andere op voor het eten, werkend met de stralen van Vader Zon op haar rug en een glimlach op haar gezicht. De zoele wind geurde naar bloesems, zoet en verfijnd. De oogst aan bessen van de beredruif beloofde rijk te zijn.

Boven hun hoofden trokken vluchten sneeuwganzen en eenden voorbij, en troepen raven vlogen over met luid geklepper van vleugels. De eenzame kreten van wulpen stegen op uit de meren en poelen in het oosten. Arenden draaiden en zwenkten, spiralend tegen het eindeloze blauw.

Wolfdromer dreef op zijn rug in de poel, dankbaar voor de zwavelstank die de horden bloedzuigende zwarte vliegen en muggen op een afstand hield. Gisteren was hij met Reiger naar de grote rivier gelopen. Het geweld van het voortrazende water had hem tot in het diepst van zijn ziel geschokt. Zoveel Macht, zoveel woestheid! De grond had onder zijn voeten getrild.

'Ik heb het water nog nooit zo hoog gezien,' had Reiger gemompeld, starend naar de gezwollen stroom. 'Nog nooit.'

'Waar komt al dat water vandaan?'

Ze had zich naar hem omgedraaid met een gezicht dat uit steen leek te zijn gehouwen. 'Van dat Grote IJs van jou, Wolfdromer.'

Zoveel? Alleen het zoute water was groter – en bijna tam vergeleken met de stroom die zich met woest geweld een weg naar het noorden baande.

Hij zette de gedachte aan de rivier uit zijn hoofd en liet zich languit drijven in het warme water van de poel. Rust daalde op hem neer. Hij had de strijd bijna gewonnen. Keer op keer had hij zich ingespannen om de stilte te vinden, en de perioden dat zijn geest stil was, werden steeds langer. Reiger had veel geduld met hem gehad.

'Een kind leert ook niet in één dag lopen,' had ze gezegd.

Het gekabbel van het water in zijn oren gaf hem een geruststellend, kalmerend gevoel. Hij had ontdekt dat de stem van het water op menselijke spraak leek. Tussen de woorden in waren onderbrekingen, perioden van pure stilte.

Hij werd zich bewust – hij wist niet hoe – van de aanwezigheid van Reiger en hief zijn hoofd om te kijken hoe ze zich uitkleedde. Ondanks haar leeftijd bezat Reiger nog steeds een zekere schoonheid. Haar borsten waren iets uitgezakt, maar konden nog steeds bekoren, evenals haar vlakke buik, die niet was bedorven door het dragen van kinderen. Haar armen en benen waren rond en stevig en sierlijk en getuigden van haar vrouwelijkheid.

En Dansende Vos? Zou zij er ook nog zo uitzien als ze net zo oud was als Reiger nu? Hij probeerde zich haar voor de geest te halen, en het beeld van haar bloeiende schoonheid begon zich te vormen in zijn verbeelding. Hij zag haar naderbij komen, met wiegende heupen en een belofte in haar glanzende ogen. Zijn mannelijkheid richtte zich op.

Haar haar zou blauwzwart glanzen in de zon, uitwaaierend over haar zachte gladde schouders. Hij zag voor zich hoe ze als een zeehond de poel indook en hoe het water zich sloot boven haar gebruinde rug. Ze kwam naast hem weer boven, en haar borsten deinden op en neer door haar bewegingen. Ze zou hem aanraken, heel licht, en hij zou haar strelen en tegen zich aandrukken, en ze zou haar benen om hem heen slaan. Het was alsof hij haar kon voelen terwijl ze zich opende, klaar om hem te-

'Ben je iets van plan?' vroeg Reiger. Haar stem joeg zijn gedachten op de vlucht en deed hem schrikken. Er drong water zijn neus binnen en hij hoestte en niesde terwijl hij spartelde en pogingen deed om grond onder zijn voeten te krijgen.

Haar ogen hadden een ondeugende glans. 'Niet met mij, in ieder geval. Ik ben te oud... zelfs voor een knappe jongen als jij.'

Hij snakte naar adem en probeerde zoveel mogelijk van zijn lichaam onder water te verbergen. Zijn wangen brandden van schaamte.

Ze lachte en dook onder water, hem dwingend zich om te draaien om zijn mannelijkheid te verbergen.

Ze kwam weer boven en keek hem aan met twinkelende ogen. Hij zat ineengedoken, met zijn kin net boven het wateroppervlak. 'Ik ben nog steeds een man,' riep hij uitdagend, zijn verlegenheid maskerend met boosheid. 'Dat blijft, hoeveel je ook Droomt.'

Ze veegde de glinsterende waterdruppels van haar gezicht en grinnikte. 'En óf je een man bent. Het schijnt dat ze maar aan één ding kunnen denken.' Even later voegde ze eraan toe: 'Neem het een oude vrouw maar niet kwalijk. Het paren is onderdeel van de Dans.'

Hij liet het water opspatten met zijn handen, in de hoop dat de beroering onzichtbaar zou maken wat het heldere water anders zou onthullen. De begeerte verliet hem en hij voelde zich beter.

'Ik dacht niet aan jou,' zei hij.

Ze nam plaats op een steen die zich onder water bevond, zodat het water tot haar middel reikte. 'Aha, een jonge vrouw?' Ze liet haar blik dwalen over de wilgen langs het water, die gedeeltelijk aan het oog werden onttrokken door de damp van de spuitende geiser. 'Wacht ze ergens op je?'

'Ze is niet... Kraailokker heeft haar als vrouw genomen.' Hij maakte een boos gebaar zodat het water opspatte. 'Ze at van de wolf en accepteerde de Droom... maar ze volgde hém. Een echtgenote laat haar man nu eenmaal niet in de steek voor een andere.'

'Waarom niet?' zei Reiger.

'Dat zou schande over haar hebben gebracht! Ze zou nooit –'

'Ik denk eerder dat ze bang was van Kraailokker; bang voor wat hij haar zou aandoen.' Ze wrong het water uit haar haar en beantwoordde zijn uitdagende blik. 'Wat zie ik daar in je ogen? Je bent hopeloos verliefd, hm?'

'Niet doen,' zei hij. Het verlies van Dansende Vos was als een brandende pijn in zijn borst.

Ze knikte. 'Ik zal je niet langer kwellen. De last van haar liefde is zo al zwaar genoeg.'

'Last?' zei hij verbaasd. 'Het is eerder een troost.'

'Ik denk dat je het in de nabije toekomst anders zult zien.'

'Heb jij nooit naar een man verlangd? Hield je niet van je Jager Op Beren?' Hij had al spijt van zijn woorden voor hij ze uitgesproken had.

Ze keek hem enkele ogenblikken roerloos aan. 'Ja, ik hield van hem. Ik zou alles hebben gegeven om hem te behouden. Ik dacht er zelfs aan Gebroken Tak te doden nadat ze op slinkse wijze in zijn huiden was gekropen.'

'Waarom ben je nooit teruggegaan? Je bent zo… zo mooi dat iedere man graag met je mee zou zijn gegaan.'

Ze schudde haar hoofd en zuchtte. 'Nee, geen man voor mij.' Ze keek naar de lucht en haar lippen bewogen geluidloos. 'Wolfdromer, er is iets dat je moet weten. In het leven van een Dromer is geen plaats voor een geliefde. Als een man en een vrouw samen zijn, worden ze een deel van elkaar. De problemen van de een worden ook de problemen van de ander. Paren brengt kinderen voort, dat is nu eenmaal niet anders. Kinderen eisen al je aandacht op – terecht. Er is heel veel voor nodig om een kind op te voeden tot volwassene. Kinderen hebben geen besef van tijd, ze willen dat hun verlangens meteen bevredigd worden. Je kunt niet Dromen als je kind honger heeft, of je een vraag wil stellen, of huilt omdat het zich gesneden heeft aan een steensplinter.'

'Is dat de reden waarom je nog steeds hier bent na al die jaren?'

'Dat is de reden, ja. Waar geen mannen zijn, is ook geen verleiding. Alleen ik en mijn gedachten en Dromen. Ik heb die beslissing genomen toen mijn jager voor Gebroken Tak koos.' Ze glimlachte vermoeid. 'En ik was jong toen, en diep gekwetst. Ik wilde hem en haar niet meer zien.'

Reiger hief haar hoofd op. 'Er is sindsdien heel veel tijd verstreken. Hij is al vele Lange Duisternissen dood. Gebroken Tak en ik zijn veranderd. En ze heeft me een andere man gebracht; eentje die belangrijker is dan welke minnaar ook ooit had kunnen zijn. Ik zou me natuurlijk kunnen bezighouden met de vraag wat er gebeurd zou zijn als alles anders was gelopen. Maar als je goed genoeg kijkt, zie je dat alles zin heeft, dat er een reden is waarom alles zó gebeurt en niet anders. Het is zelfs mogelijk dat je me toen al riep.'

Hij waadde naar haar toe en ging naast haar zitten, met een frons op zijn gezicht. 'Weet je zeker dat ik het was in je Droom?'

Hij las het antwoord in haar ogen.

'Maar waarom Droomde je van mij?'

Ze haalde diep adem. 'Op een of andere manier ben je belang-

214

rijk voor het Volk. Misschien zullen we allemaal sterven als je dat gat in het ijs niet vindt.'

Een huivering van angst ging door hem heen. 'Wat moet ik met Dansende Vos aan? Iedere dag worden de gedachten aan haar sterker. Ik kan me steeds moeilijker concentreren.'

'De keus is aan jou, Wolfdromer.' Haar bruine ogen waren volkomen uitdrukkingsloos. 'Je hebt machtige gaven gekregen. Ik zie je veranderen. De man die je eens was, de man die zij kende, bestaat niet meer. Ze zal je nauwelijks meer herkennen als ze je terugziet, zo diepgaand is de verandering. Zal ze daar begrip voor hebben? En wat belangrijker is, zal je terug willen naar wat je was voor je begon met Dromen?'

'Vertel jij het me. Jij hebt dit pad vóór mij bewandeld.'

'Ik kan jouw vragen niet voor je beantwoorden, maar ik kan je wel vertellen dat Dromen hetzelfde is als eten van een machtsplant. Als je er eenmaal aan begint, kun je er niet meer mee ophouden. Het vervult je, leidt je, drijft je voort.'

'Voortdurend? Is er geen tijd om –'

'Voortdurend.'

Hij volgde fronsend de slierten damp die van het water opstegen. 'Dat is een zware prijs.'

'Een verschrikkelijke prijs.'

Hij trok een knie op, liet zijn kin erop zakken en staarde in haar ernstige ogen. Haar lippen plooiden zich in een grimmige glimlach. Ze zei: 'Is de redding van het Volk die prijs waard?'

27

Dwergberken en wilgen leken te zweven boven de nevel uit de warme poel en reikten met hun takken naar de azuren hemel. De geelgroene korst op de rotsblokken langs de oevers fonkelde in het zonlicht.

Wolfdromer streek het haar dat aan zijn bezwete voorhoofd plakte opzij en keek hoe Gebroken Tak met een steen een aantal gedroogde grondeekhoorns tot pasta stampte. Ze vermengde het vlees met fijngewreven bessen, stopte een handvol van het mengsel in een darm van een kariboe en goot er vervolgens heet vet over. Daarna stampte ze de massa stevig aan met een stok tot de darm uitpuilde.

Ze hadden gejaagd en ze hadden de kariboes weer naar zich toe Gedroomd. En hij had het gevoel gehad dat hij deze keer een enkel woord van de Ene stem die alle schepsels gemeen hadden, had opgevangen. Maar was dat wel zo? Had hij het zich niet eenvoudig verbeeld?

Achter zich hoorde hij Reigers voetstappen op het grint en hij draaide zich met een glimlach om.

'Kom,' zei ze en ging hem voor naar haar grot.

Hij volgde haar, turend om iets te kunnen zien in de diepe schaduwen waarin de kloof gehuld was. Voor hij de ingang van de grot had bereikt, dook ze voor hem op en wierp hem een zorgvuldig gelooide huid toe. Hij ving hem op voor hij op de grond kon vallen.

'De vliegen zijn verdwenen. De eerste vorst heeft ze verjaagd. Hoe lang is het geleden dat je voor het laatst hebt gegeten?'

'Drie dagen.'

'Zoek een hoge plaats op op minstens een dag lopen van hier. Breng je de Dans te binnen. Droom.'

Hij stond op het punt zich om te draaien, maar aarzelde. 'Ik heb ze deze keer alleen geroepen, niet?'

Ze keek hem nadenkend aan. 'Ik heb niets gedaan. Jij riep en ze kwamen. We hebben er genoeg gedood om de winter mee door te kunnen komen. We hebben vet voor de koude dagen, en vlees om ons kracht te geven.'

'Ik dacht...' Hij aarzelde weer. Moest hij het zeggen? Het was mogelijk dat zijn verbeelding hem parten had gespeeld.

'Wat?'

'Ik dacht even dat ik de stem van de Ene had gehoord.'

'Hoe klonk hij?'

'Het was eigenlijk niet echt een geluid.'

Ze glimlachte wrang. 'Dan heb je hem misschien inderdaad gehoord. Is er een 'stem' die we delen met de dieren en die dieper gaat dan de wereld van geluiden die we dagelijks om ons heen menen te horen?' Ze gebaarde dat hij moest vertrekken. 'Ga en Droom. Kijk of je de stem kunt horen.'

Hij voelde zich slecht op zijn gemak terwijl hij de duistere kloof verliet en zijn schreden richtte naar de met ijs bedekte bergen in het westen. Na een gesprek met haar vroeg hij zich altijd af wat echt was en wat verbeelding. Hadden ze zijn roep gehoorzaamd? Was er werkelijk Eén stem die sprak voor het Ene leven? Of was het toeval geweest dat ze in zijn val waren gelopen? Wat was echt?

De tenten zagen er dit jaar sjofel en versleten uit, en de scheuren waren slecht gerepareerd. Dansende Vos daalde langzaam de helling af, gevolgd door de moeizaam voortstrompelende Klauw. De krachten van de oude vrouw waren nooit meer helemaal teruggekeerd na die verschrikkelijke dagen in de sneeuw toen ze bijna van honger waren omgekomen. Ze was mager en gebogen, met knokige ledematen, niet veel meer dan een schim gehuld in dierevellen.

Vóór hen strekte het kamp zich uit, genesteld tegen de rand van het moeras dat het landschap domineerde, helemaal tot aan de noordelijke horizon. De vliegen en muggen zouden hier heel erg zijn in deze tijd van het jaar. In het oosten lag de Grote Rivier, een gezwollen stroom die hier en daar uit zijn bedding was getreden en gedeelten van het moeras onder water had gezet. In het zuiden, achter het kamp, verhieven zich grauwe heuvels die geleidelijk overgingen in de witbesneeuwde bergen die als de puntige tanden van een dier afstaken tegen de hemel.

Slierten blauwe rook kringelden omhoog boven de tenten, en de geuren van bakkend vlees, natte hondevachten en menselijk afval waaiden hen tegemoet. Naast een tent was een rek geplaatst waarop vis te drogen hing; een jongen met een stok hield de honden op een afstand. Rond smeulende vuurtjes zaten mensen te praten en te gebaren, gedeeltelijk verhuld door de dichte rook.

'Je hoeft niet op mij te wachten,' riep de dunne, beverige stem van Klauw. 'Ga Rent In Licht maar zoeken. Ik kom er wel.'

Ze schonk Klauw een vluchtige glimlach en zette het op een draf. Maar plotseling bleef ze stokstijf staan.

'Wat is er?' zei Klauw.

'Kraailokker zal er ook zijn, en alle anderen die het hebben overleefd. Iedereen zal hebben gehoord dat hij me uitgestoten heeft. Nee, grootmoeder, ik wil samen met jou het kamp binnengaan.'

Klauw haalde haar in en keek haar aan vanuit haar ooghoeken. 'Nog niet sterk genoeg om op eigen benen te staan, hè?'

Dansende Vos kreeg een kleur. 'Ik... Misschien. Maar het zou niet... juist zijn als ik eerder dan jij het kamp betrad.'

Waarom lieg ik?

De honden zagen hen het eerst en renden keffend en grommend op hen af, met de haren recht overeind. Dansende Vos sloeg naar ze met haar werpspiesen en ze deinsden achteruit. De kinderen volgden de honden en riepen: 'Wie komt daar? Wie komt daar?'

'Dit is Klauw,' riep ze terug. 'En ik ben Dansende Vos.'

Een van de oudere jongens, blijkbaar de leider van het groepje, bleef voor hen stilstaan en schopte naar een van de grote honden die hem voor de voeten liep. Hij was lang en mager en had een smal gezicht en kleine ogen. Hij vroeg met gefronst voorhoofd: 'Ben jij de vrouw over wie Kraailokker een vloek heeft uitgesproken?'

218

Dansende Vos verstijfde. 'Ja.'

De ogen van de jongen vernauwden zich. 'Mag je dan wel deelnemen aan een Hernieuwing? Zal je ziel niets doen? Zal ze geen ziekte veroorzaken, of ons aan de Anderen verraden?'

Klauw stapte naar voren op haar magere benen. 'Wie ben jij, jonge rekel? Heeft niemand je manieren geleerd?'

De jongen deinsde met grote ogen achteruit en stamelde: 'Het... het spijt me! Vergeef me, grootmoeder, ik bedoelde u niet. Ik wou alleen –'

'Je als een dier gedragen!' snauwde Klauw. 'Maar je ouders zullen hiervan horen, dat beloof ik je! En de leider ook. Dit mag een slecht jaar zijn geweest, maar dat geeft snotjongens als jij nog niet het excuus om je manieren te vergeten en je te gedragen als maden in het lichaam van het Volk!'

De jongen draaide zich met een ruk om en rende weg. De rest van de groep staarde hen met grote ogen aan en zette het toen op een lopen, de eerste achterna.

'Het ziet er naar uit dat mijn verhaal wijd en zijd bekend is,' zei Dansende Vos met een zucht. 'Dit zou weleens niet zo leuk kunnen worden.'

'Dat wist je voor je hier naar toe ging,' zei Klauw. 'Maar je hoeft je geen zorgen te maken. Nu Kraailokker de dood van zoveel mensen op zijn geweten heeft, zullen de anderen zijn vervloekingen minder ernstig nemen.'

'We zullen het gauw genoeg merken.'

Ze liepen tussen de tenten door en zagen honderden nieuwe gezichten. 'Kijk,' zei Klauw, en ze wees. 'Zijn dat niet Hij Die Huilt en Zingende Wolf?'

Vos hield haar adem in en bestudeerde de gezichten van de mensen in de buurt van de twee mannen, zoekend naar Rent In Licht. 'Ik zie hem niet...'

'Ik zie hem ook niet. Maar het feit dat twee van zijn neven hier zijn, betekent dat hij hen veilig geleid heeft. Ze zijn niet gestorven.'

Haar borst zwol van trots en een brede glimlach verscheen op haar gezicht. 'Inderdaad, dat is zo.'

Klauw maakte een smakkend geluid met haar lippen en mompelde iets onverstaanbaars. Toen zei ze: 'Nou, laten we die held van je maar eens gaan zoeken. Misschien wil hij wel dat we meteen onze intrek nemen in zijn tent, wie weet? Denk je dat hij een oude vrouw kan gebruiken om voor hem te naaien of te koken? En om later misschien de oude verhalen te vertellen aan jullie kinderen?'

Dansende Vos lachte en legde een hand op de schouder van Klauw. 'Ik weet zeker dat hij blij zou zijn met je hulp nu Zeemeeuw er niet meer is.'

Toen ze de tent van Hij Die Huilt gevonden hadden, riep Vos beleefd zijn naam. Groen Water dook onder de deurhuid door, wuivend met een hand om de horden vliegen te verjagen. Haar gezicht lichtte op. 'Dansende Vos!'

'Groen Water! Je leeft nog. De Wolfdroom was dus waar!'

Groen Water omhelsde haar en Klauw. Ze deed een pas achteruit en nam Vos van het hoofd tot de voeten op. Haar brede gezicht straalde. 'Ja, de Droom heeft ons in leven gehouden. En wat het gat in het Grote IJs betreft, wie weet? Maar we hebben een wijkplaats gevonden waar we voorlopig veilig zijn voor de Anderen.'

Dansende Vos keek hoopvol in het rond. 'En Rent In Licht?'

'Die is niet hier.'

'Niet...' Haar hart bleef stilstaan.

Met de kalmte die haar eigen was, pakte Groen Water haar hand en gebaarde hen de lage tent binnen te gaan. Toen ze binnen waren, zei ze: 'Hij is achtergebleven bij de oude Reiger om te leren wat hij nodig heeft om een groot Dromer te worden.'

'Reiger!' bracht Klauw er hijgend uit.

Groen Water knikte. 'Ja, ze is meer dan alleen een legende.'

Ze namen plaats op een dikke stapel huiden. Dansende Vos keek verward naar Klauw en zag een terughoudende blik in de ogen van de oude vrouw, iets dat duidde op een geheim. 'Waarom is hij bij haar gebleven? Hij ís al een groot Dromer.'

Groen Water boog zich voorover en keek haar ernstig aan. 'Hij wil net zo groot worden als Reiger. Misschien zelfs groter.'

Klauw sloeg op haar knieën en keek Vos uitdagend aan. 'Als dat het geval is, meisje, zal hij nooit tijd voor je hebben.'

'Ik geloof niet –'

'Dromen!' mompelde Klauw voor zich heen, starend naar iets dat de anderen niet konden zien. 'Echte Dromen! Het Volk heeft een Dromer nodig. Het is al zo lang geleden sinds we er een gehad hebben. Wie had ooit kunnen denken dat het Rent In Licht zou worden?' Ze wendde zich tot Dansende Vos. 'Als hij een Dromer is geworden, zal hij zich gedragen als iemand die bezeten is. Hij zal je herkennen, en als hij werkelijk om je geeft, kun je hem misschien van zijn doel afbrengen. Maar onthoud één ding goed, Vos: ook al zou je erin slagen hem een tijd lang zijn Dromen te doen vergeten, hij zal nooit helemaal de jouwe worden. Nooit.'

Het was alsof er een koude hand zich rond haar hart sloot. 'Waarom niet?'

'Omdat de visioenen zich rond de ziel van de Dromer wikkelen en haar nooit meer laten gaan.'

28

De vijf mannen naderden de val die Raafjager en zijn groep voor hen hadden opgesteld. Ze waren lang en pezig, en de manier waarop hun ogen het nachtelijke duister rondom hen aftastten, verried dat ze jagers waren. Hun kappen waren versierd met wolvetanden en arendsveren en om hun heupen droegen ze brede riemen van mammoethuid. Hun sterke handen omknelden lange werpspiesen.

Ze zagen Raafjager en de rest van zijn groep niet, die zich tussen de rotsen verscholen hielden. Ze mochten dan woest en krijgshaftig zijn, maar ze waren ook arrogant en onvoorzichtig en beenden voort alsof al het land van hen was.

Raafjager wachtte, met bonzend hart, trillend van opwinding. Het was bijna zover. Nog even. De eerste man was de val al binnengelopen. Geduld. Geen van hen mocht ontsnappen.

Raafjager voelde verrukking, ondanks de angst die zijn mond droog maakte en het bloed in zijn slapen deed kloppen. Hier, vlak voor hem, liepen de moordenaars van zijn volk. Nu zou hij eindelijk terugslaan. Door deze handeling zou het Volk zich bewijzen, en dat zou gebeuren onder *zijn* leiderschap. Ondanks zijn jeugd zou hij de cirkel betreden waar de macht was, waar beslissingen werden genomen, de cirkel waar hij rechtens thuishoorde. Een gevoel van onoverwinnelijkheid vervulde hem en het was alsof hij voorzag wat er te gebeuren stond.

'Ssssst!' siste hij tegen Springende Haas, wiens voet uitgleed op een losse steen.

De laatste Andere liep langs hen heen de val binnen.

Raafjager kwam overeind en slingerde met geoefende hand zijn werpspies. De pijl doorboorde het lichaam van de laatste man in de rij. De man stiet een kreet uit, draaide zich om met een ongelovige uitdrukking op zijn gezicht, terwijl de atlatl uit zijn krachteloze vingers glipte. Toen zakte hij ineen.

De anderen liepen verschrikt door elkaar, schreeuwend, hun wapens geheven. 'Daar! riep er een, omhoog wijzend naar Raafjager, die al een tweede pijl op zijn atlatl had gelegd en nu het wapen met een vlekkeloze worp diep in de borst van een tweede Andere slingerde. Springende Haas, Witte Berg, Kleine Eland en Arendschreeuw sprongen overeind en slingerden hun spiesen.

In een oogwenk was het voorbij. De Anderen lagen te kronkelen op de grond, kreunend en hijgend, met bloederige handen klauwend aan de spiesen die uit hun lichaam staken. Raafjager sprong soepel naar beneden vanaf de rotsen. Twee! Hij had er twee geveld! Hij rukte ruw zijn spies uit het lichaam van de eerste en was verrukt toen hij het bloed zag dat uit de wond gulpte. 'Nee, nee,' fluisterde de man. Bloedig schuim verscheen op zijn lippen, en zijn ogen verglaasden en staarden blind in het niets.

'Smerige moordenaar!' grauwde Raafjager en spuwde in het gezicht van de Ander. Toen liep hij naar de tweede en doorboorde diens hart met zijn spies.

Springende Haas en de anderen klauterden langzaam naar beneden, hun ogen groot in hun gezicht, geschokt door wat ze gedaan hadden. Raafjager liep van man tot man en maakte alle Anderen die nog leefden af met koelbloedige stoten van zijn spies.

Springende Haas schudde zijn hoofd en staarde naar de man die door zijn werpspies was gedood.

Raafjager nam zijn neef nieuwsgierig op. 'Nu ze dood zijn zien ze er lang niet zo angstaanjagend uit, hè? Ze zullen ons niet langer verdrijven van onze voorvaderlijke jachtgronden – het land dat ons door Vader Zon is gegeven! Een nieuw tijdperk is aangebroken. *Wij zijn het Volk!*'

Witte Berg glimlachte trots. 'Het Volk,' herhaalde hij, en hij sprong hoog de lucht in en slaakte een kreet van opluchting en blijdschap.

Raafjager klopte ieder van hen op de rug en prees hun moed en sluwheid, en zijn vuur en enthousiasme sloeg op hen over.

'En te bedenken dat we voor dergelijke armzalige schepsels

zijn gevlucht!' Hij balde een vuist en schudde ermee. 'Maar dat is nu afgelopen, nietwaar, mijn vrienden? Samen zullen we deze mannen terugdrijven!' Hij wierp zijn hoofd in zijn nek en slaakte een luide overwinningskreet. 'We zullen ons niet als verschrikte kariboes laten verjagen van het land waar de beenderen van onze voorvaderen rusten!'

Arendschreeuw knikte, zijn lippen opeengeperst. 'Niet meer.'

'Volg me!' zei Raafjager. 'Volg me en we zullen die Anderen van *ons* land verdrijven!'

Arendschreeuw begon zachtjes te zingen: 'Raafjager. Raafjager! *Raafjager!*'

De anderen namen het over en de roep klonk steeds luider tot hij tussen de rotswanden weergalmde.

IJsvuurs ziel deinde op de klanken van de zangers van de Clan Van De Witte Slagtand.

Rode Vuursteen ging de jongere mannen voor in de oude liederen die de zielen van de dieren zou verzoenen en ze zou terugroepen zodat ze in de toekomst binnen het bereik van de speren van het Mammoetvolk zouden komen.

De zomer was op zijn hoogtepunt en het eindeloze licht van de zonnewende lag over het land. De zon, de gave van het Grote Mysterie, hing als een gouden schijf aan de hemel. Overal verrezen de tenten van de Clan Van de Witte Slagtand. Ze waren hoog, want de wind was in dit seizoen niet erg krachtig. IJsvuur rook de geuren van roosterend bizon- en kariboevlees. Zijn mond herinnerde zich nog de verrukkelijke smaak van het kalfsvlees dat hij had gegeten.

Jonge vrouwen omringden de dansers, in hun handen klappend, een blije lach op hun gezicht. Honden snuffelden overal naar restjes, en de reuen tilden hun poot op tegen de hoeken van de tenten, hun lippen opgetrokken in een grauw als er een lager geplaatst mannetje in de buurt kwam. Een voortdurend geroezemoes van vrolijke stemmen vormde een achtergrond voor het gezang van Rode Vuursteen.

De tenten zagen er welvarend uit, de kinderen waren goed

224

doorvoed, met ronde gezichtjes en mollige armpjes. De droogrekken rond het ceremoniële kamp waren vol, en iedereen droeg
nieuwe kleding. En het mooiste van alles was dat er geen weduwen toekeken vanaf de buitenste cirkel; nergens was een vrouw
te zien met afgesneden haar. De Duisternis had verschrikkingen
gebracht, maar deze lange zomer was goed voor hen geweest –
een geschenk van het Grote Mysterie dat in die verschrikkelijke
winter hun bestaan zo goed als vergeten was.

De jongemannen sprongen en dansten en stampten met hun
voeten op het ritme van de liederen. IJsvuur sloot zijn ogen en
ademde diep de rook van de wilg in. Een heilige plant, de wilg;
zijn geur had een kalmerende uitwerking en zuiverde de ziel. Hij
werd altijd gebrand op de jaarlijkse feesten van de clan en de
geest van de wilg maakte hen heel.

IJsvuur opende zijn ogen en staarde in het vuur, en de harmonie van het leven rondom doordrong hem. De vlammen lekten omhoog, speerpunten van geel licht die eindigden in waaiers
van vonken. Hij maakte zijn geest leeg en staarde naar de onophoudelijk veranderende patronen in de gloeiende houtskool.
Windvlagen streken over het brandende oog en deden het
oplichten, en de Macht nam bezit van IJsvuur. Uit het flakkerende licht vormde zich een gezicht dat hem strak aankeek.

'Wie ben je?' vroeg IJsvuur terwijl de wereld om hem heen
vervaagde, op het gezang na, dat hem voorwaarts leek te dragen.

'Vraag je dat aan mij, vader?'

IJsvuur bracht een gebalde vuist naar zijn borst. 'Wie...'

'Ik heb je eens een regenboog toegeworpen. Was dat niet genoeg?'

'Vader? Noem je mij vader?'

'De man die mijn moeder heeft verkracht. Kom je nu voor de
rest van ons? Ga weg. Verlaat ons land, dat Vader Zon voor ons
heeft gezegend. Geef ons –' Zijn woorden gingen over in een
schreeuw.

Een scherpe pijn vlijmde door IJsvuurs borst, alsof een werpspies hem doorboorde.

'Dood,' fluisterde het gezicht in het vuur. 'Mijn broer heeft de

225

Anderen gedood. Zie je hen? Zie je hun bebloede en gebroken lichamen?'

In IJsvuurs geest vormde zich een beeld. Vijf geknakte gedaanten, met gapende wonden die zwart zagen van de vliegen die hun eitjes in het vlees legden.

'Gooit Met Hoepels, Vijf Sterren, Muizestaart...' Een voor een noemde IJsvuur hun namen. Hij staarde naar het gezicht in het vuur en slikte moeizaam. 'Heb... heb jij dit gedaan?'

'Nee. Mijn broer Raafjager – jouw zoon – heeft dit gedaan. Ik ben Wolfdromer, eveneens geboren uit jouw zaad, man van de Anderen. Dit is de oogst van je begeerte. Je zaad is opgeschoten in de rotsachtige bodem van het Volk. Waar Raafjager gaat, volgen pijn en dood en verdriet.'

IJsvuur schudde zijn hoofd. 'We zullen jullie doden! Onze eer vereist het. Wij zijn een krijgshaftig volk, terwijl jullie lijken op gewonde kariboekalveren die blatend wegrennen bij de komst van de jager. Maar aan jullie vluchten is een einde gekomen, want mijn krijgers zullen jullie achtervolgen en doden.'

'Zie de weg die je hebt gemaakt, vader. Je zoon, geboren uit bloed, nadert. Je zoon, geboren uit licht, verwijdert zich. Welke zal je kiezen?'

'Kiezen? Wat bedoel je? Wolfdromer, wat is je boodschap?' Hij stond op en boog zich voorover, starend in de vlammen. 'Wat?'

'Dood... of leven. Kan er een andere boodschap zijn, vader?' En de vlammen knetterden en wierpen een regen van vonken op die de nacht in spiraalde in een paarse werveling.

'Wolfdromer? *Wolfdromer?*' Het enige antwoord was het flakkeren van de vlammen en het sissen van de dunne wilgetakken op de hete as.

IJsvuur keek met knipperende ogen om zich heen terwijl de Macht van het visioen uit zijn lichaam wegvloeide.

'Oude vriend?' De stem van Rode Vuursteen klonk aarzelend in de stilte.

IJsvuur wreef over zijn verstarde gezicht en voelde de warme hand van de Zanger op zijn schouder. Hij draaide zich om en zag

226

hoe de dansers behoedzame blikken op hem en elkaar wierpen.

'Wat... wat is er gebeurd?'

Rode Vuursteen keek hem ongerust aan. 'Je stond op en schreeuwde in het vuur, alsof je met iemand in de vlammen praatte. Ik kwam snel naar je toe, maar zag niets anders dan gloeiend houtskool in de vuurkuil.'

IJsvuur huiverde toen het visioen van de dode jagers hem weer voor de geest kwam. Hij had het gevoel alsof hij het gonzen van de vliegen kon horen. 'Dood. Hij zei dat de dood naderde. Mijn zoon komt. En hij is geboren uit bloed.'

Langzaam liep IJsvuur tussen de roerloze dansers door, zich nauwelijks bewust dat ze hem met asgrauwe gezichten aanstaarden.

29

Vuren laaiden hoog op en de mensen dansten en zongen danklie-
deren voor de ziel van de dieren die dit jaar hun vlees gegeven
hadden opdat de mensen konden blijven leven. Het was de vier-
de en laatste dag van de ceremonie die jaarlijks werd gehouden.
De mensen dansten de Hernieuwing van de wereld en zonden
gebeden van vreugde op naar het Gezegende Sterrenvolk, dan-
kend voor de ontvangen gaven. De tenten van de huiden van
mammoeten, kariboes en muskusossen wierpen vreemde schaduwen in de rode gloed van de middernachtszon. Vrouw Wind,
haar adem getemperd door het Lange Licht, streek licht over het
kamp, vervuld van de geuren van geroosterd vlees.

Raafjager en zijn groep naderde het kamp. 'Wat zijn het er
weinig,' fluisterde hij, licht geërgerd.

'Niemand kan zich heugen dat een Lange Duisternis ooit zoveel mensen heeft weggenomen,' zei Witte Berg. 'En er is ook
nog nooit zo'n warme zomer geweest.'

De krijgers gingen het kamp binnen en liepen tussen de tenten
door naar het grote vuur in het midden van het kamp. Zwijgend
bleven ze daar wachten tot de Heilige Dans ten einde liep en
werd afgesloten met een laatste kreet, die was gericht aan het Gezegende Sterrenvolk boven hen.

Kraailokker, gekleed in zomerhuiden, stapte hooghartig naar
voren, de handen geheven. 'Het Volk leeft!' riep hij. De stemmen van de zangers zwegen en alle ogen richtten zich op de oude
sjamaan.

Kraailokker glimlachte. 'We danken het Gezegende Sterrenvolk. De zielen van de dieren horen ons en verheugen zich! Hun
kracht leeft voort in ons. Hun offer maakt ons gezond en sterk.
Ze kijken van boven op ons neer en zien onze vreugde, onze
dankbaarheid.'

Een kreet steeg op uit de kelen van het Volk, half dankbaar en half hoopvol. Nu was de tijd aangebroken om te feesten! Ze begonnen zich te verwijderen in de richting van de kookvuren, en het geluid van vele stemmen klonk op.

'Er is meer!' zei Raafjager, naar voren stappend in de rode gloed van het vuur. De rest van de groep volgde hem schoorvoetend.

Kraailokker draaide zich om. Zijn blinde witte oog glansde vreemd in het licht van de vlammen.

'Terwijl jullie dansten,' begon Raafjager, 'ben ik weggegaan, samen met vier andere krijgers.' Hij liet zijn blik over de gezichten glijden en zag hoe ze hem met grote nieuwsgierige ogen aankeken. 'We keren terug als overwinnaars!' zei hij terwijl hij de spies omhooghield die hij uit de rug van de Ander had gerukt. Iedereen zweeg, en enkel het knetteren van het vuur verbrak de stilte.

Raafjager toonde de andere werpspiesen, die allemaal zwart waren van het geronnen bloed. 'Dit, mijn volk, is het teken van de overwinning.'

Kraailokker deed een stap naar voren en keek hem met zijn zwarte oog scherp aan. 'Je hebt een dier gedood! Je weet dat er niet gedood mag worden tijdens de ceremonie van Dank. Hoe heb je dit kunnen doen?'

'Ik heb geen van onze viervoetige broeders gedood,' zei Raafjager met een cynische glimlach. 'Ik heb geen heiligschennis begaan.'

'Wat dan?' riep een stem. Er werd minachtend en nieuwsgierig gefluisterd.

'Wij, mannen van het Volk, hebben samen' – Raafjager gebaarde naar zijn groep – 'Anderen gedood.' Er steeg een geschokt gemompel op. Raafjager riep luid: 'Anderen die de leden van Geisers Clan hebben gedood. Ze hebben onze familieleden gedood toen ze hen wilden verdrijven van het land van onze voorvaderen, van het land waar de grote kudden rondtrekken!'

'Nee!' riep een oude man terwijl hij naar voren kwam. 'Wij doden niet! Dat is niet onze manier. Wij zijn een vredelievend volk.'

'We kunnen niet meer vluchten!' brulde Raafjager, schuddend met de bebloede werpspiesen. 'Dit land is van ons. *Van ons!* Waar zouden we heen moeten gaan? Naar het Grote IJs? Het zoute water in? We zitten in de val!'

'Ze zullen ons komen doden!' De oude man wendde zich naar de sombere menigte. 'Het Volk doodt geen mensen, dat is niet onze gewoonte. Raafjager heeft hun woede over ons afgeroepen.'

Witte Berg drong zich tussen de anderen door naar voren. 'Ze hebben mijn vader, Geiser, gedood. Ik... ik ben vorig seizoen voor hen gevlucht! Maar ik ben het vluchten beu. Hoor je wat ik zeg, grootvader? De Anderen kunnen verslagen en teruggedreven worden naar waar ze vandaan kwamen! Luister naar Raafjager, hij heeft de manier gevonden.'

'Maar dat is niet *onze* manier!'

'Lafaards!' riep Raafjager. 'Hebben we geen recht op ons land? Mogen we onze vrouwen en kinderen niet beschermen?'

'Maar de Anderen –'

'Denk je dat ze ons met rust zullen laten als wij hen met rust laten?'

'Waarom niet?' zei de oude man. 'We vormen geen bedreiging voor hen.'

Woede verleende de stem van Raafjager kracht. 'Hebben ze de mensen van Geiser met rust gelaten?' Zijn arm schoot uit naar de lange man naast hem. 'Vraag het aan Witte Berg. Ze hebben zijn hele familie vermoord!'

De oude man schuifelde met zijn voeten. 'Het spijt me voor hem, maar Geiser moet iets gedaan hebben dat de Anderen zo kwaad maakte dat ze –'

'Wij hebben niets gedaan!' zei Witte Berg verbitterd. 'Niets.'

Raafjager liet de stilte een ogenblik duren voor hij verder ging. 'Het enige dat wij gedaan hebben, is jagen op de dieren die zij voor zichzelf alleen wilden hebben.'

'Dan moeten we hun duidelijk maken dat we hen geen kwaad willen doen en dat we de dieren met hen zullen delen.'

'Wil je dat we onze harten openen voor onze moordenaars? Wil je dat we hen accepteren en hun vertellen over Vader Zon en het Gezegende Sterrenvolk? Hun laten zien hoe mensen behoren te leven?' Hij zweeg een ogenblik en liet zijn blik over de menigte gaan. 'Het enige dat ze van ons willen, is ons bloed!'

Verscheidene jongemannen gromden instemmend. De oudere mannen mompelden binnensmonds, slecht op hun gemak. Een oude vrouw bedekte haar gezicht met een vossehuid en schommelde kreunend en jammerend heen en weer.

Muis drong zich naar voren en ging naast Witte Berg, haar echtgenoot, staan. 'Mijn zoon is dood,' zei ze met onvaste stem. 'Wat hebben we aan de Ander die hem gedood heeft? Hij behoort niet tot het Volk, hij kent onze gewoonten niet! Ik ben trots dat mijn echtgenoot die Ander gedood heeft. Luister! Hoevelen moeten er nog huilen? Hoevelen zullen er dit komend jaar ten prooi vallen aan hun spiesen? Denk daar over na voor jullie achter jullie handen beginnen te mompelen.'

'Ze heeft gelijk!' riep Raafjager, schuddend met een gebalde vuist. 'Heeft Vader Zon ons hier neergezet voor het vermaak van de Anderen? Jullie hebben allemaal weleens Grootvader Bruine Beer met een zalm zien spelen. Hij gooit hem in de lucht, vangt hem weer op, schudt hem heen en weer en laat hem tenslotte liggen voor de vogels omdat zijn maag al gevuld is. Ik wil niet als speeltuig voor de Anderen dienen. Van nu af aan zal ik vechten en doden om het land van mijn vaderen te behouden!' Hij stak de werpspies diep in de grond, een met bloed beschilderde totem. Daarna vouwde hij zijn armen voor zijn borst en keek de anderen scherp aan. Het schijnsel van het vuur flakkerde op zijn gezicht en glinsterde in zijn zwarte ogen.

De jongemannen knikten en gaven steeds luidruchtiger blijk van hun instemming. In hun stemmen klonk gerechtvaardigde woede door. De jonge vrouwen keken naar hen, en hun tanden blonken in de gloed van het vuur. Alleen de ouderen wierpen elkaar nerveuze blikken toe en fluisterden aarzelend.

Kraailokker stak zijn handen op en keek met strak gezicht de kring rond. 'Ik zou dit zelf niet hebben laten gebeuren,' zei hij. Hij draaide zich om en keek Raafjager recht in de ogen. 'Maar er moet iets ondernomen worden.'

'Maar geen oorlog met de Anderen,' zei de oude man. 'Dat is niet onze gewoonte.'

'Sterven is ook niet onze gewoonte!' beet Raafjager hem toe. Hij wees naar het oosten. 'Daar ligt het Grote IJs. En ook de hoge bergen zijn met ijs bedekt. Daar zijn geen prooidieren, grootvader. Daar wacht ons alleen de hongerdood. En we weten dat er in het zuiden heuvels zijn, en opeengestapelde stenen, en droog land, en daar voorbij nog meer ijs! Bedenk eens wat we ons door de Anderen hebben laten ontnemen! De rijkdommen van het zoute water, en de dieren van de met gras begroeide vlakten. Alleen door de Anderen te verjagen, kunnen we weer in vrede leven.'

Zingende Wolf trad uit de rij van de dansers. 'Rent In Licht zei dat er in het Grote IJs een doorgang was die leidde naar een land dat wemelde van dieren.'

'En jij bent nu hier', merkte Raafjager met een zelfvoldane glimlach op. 'Die Wolfdroom stelt dus niets voor.'

Zingende Wolf schudde zijn hoofd. 'Ik… ik weet het niet. We zijn in ieder geval niet gestorven.' Hij putte moed uit zijn laatste woorden. 'Hebben jullie het gehoord? We zijn niet gestorven!'

'En waar is die broer van mij nu?'

'Hij is achtergebleven bij de oude Reiger.' De mond van Zingende Wolf verstrakte.

'Hij verkoos dus het gezelschap van een heks,' zei Raafjager met een spottend lachje. 'Waarschijnlijk is hij op dit moment bezig boze geesten op te roepen om ons te straffen omdat we geen geloof hebben gehecht aan hem en zijn valse Dromen!'

Het voorhoofd van Zingende Wolf betrok. 'Het is een goeie jongen! Hij zou ons nooit –'

'Waarom is hij dan niet hier om ons te vertellen over de doorgang in het ijs?'

'Dat weet ik niet,' mompelde Zingende Wolf verslagen.

'Ons lot ligt in onze eigen handen, in de handen van jongemannen met rechte, scherpe werpspiesen!'

'En de Anderen?' zei een van de ouderen. 'Denk je dat ze ons zullen toestaan hen te doden? Denk je dat ze zich niet zullen wreken?'

232

Raafjager schudde zijn hoofd. 'Springende Haas, hoeveel van onze groep zijn er gisteren gedood?'

Springende Haas schuifelde met zijn voeten, duidelijk niet op zijn gemak. 'Geen,' zei hij.

'En hoeveel spiesen werden er naar ons geslingerd?'

'Niet een.'

'Het is mogelijk dat enkelen van ons het leven zullen verliezen,' ging Raafjager verder. 'Misschien sterf ik zelf!' Hij liep met grote langzame passen heen en weer voor zijn met bloed besmeurde werpspies. 'Maar ik zal niet sterven als een kariboe in een valkuil, die je op je gemak dood kunt knuppelen. Heeft het Volk dan geen gevoel voor eer meer?'

Witte Berg ging naast Raafjager staan en zei: 'Als we ons zonder ons te verweren door de Anderen laten doden, zal er niemand meer overblijven om onze ziel naar het Gezegende Sterrenvolk te zingen! Vader Zon zal onze ziel in de duisternis werpen!'

'In de eeuwige duisternis, omdat we lafaards zijn geweest,' voegde Raafjager er op onheilspellende toon aan toe.

Een instemmend gemompel ging door de rijen. De oudere mensen, en enkele van de moeders met kleine kinderen, keken elkaar ongerust aan.

Raafjager zag aan de rand van de menigte Dansende Vos staan. Haar mooie gezicht had een sombere uitdrukking. *Ze was dus teruggekomen. Als dit voorbij was zou hij haar opzoeken...*

'Dat is de toekomst, mijn Volk,' zei Raafjager terwijl hij de met bloed besmeurde werpspies streelde. 'We moeten vechten voor ons leven. Ik zal vier dagen vasten. En op de vijfde dag zal ik tegen de Anderen optrekken en hen van ons land verdrijven met hulp van iedereen die met mij mee wil gaan.' Hij keek de jongere mannen onderzoekend aan. 'Maar als niemand anders de moed heeft, zal ik alleen gaan!'

Hij ving een glimp op van Dansende Vos, die zich haastig verwijderde. Hij draaide zich om en stapte weg uit de lichtkring van het vuur, de duisternis in. Hij liep in de richting waarin hij Dansende Vos had zien verdwijnen, terwijl achter hem opgewonden stemmen klonken. Hij voelde zich als een man die het gokspel bedreef met de teenbotjes van een kariboe: hij had de botjes geworpen naar beste vermogen. Over wat er daarna gebeurde, had hij geen macht.

'Dit is verkeerd,' zei Groen Water hoofdschuddend terwijl ze de duisternis van haar tent indook. 'Raafjager begaat ditmaal een grote fout.'

'Het enige dat ik wil, is jagen,' zei Hij Die Huilt, haar volgend. 'Dat is toch niet te veel gevraagd?'

'En de Anderen dan? Ze zijn... Hé! Er ligt iemand in mijn huiden! Ik voel hier een voet.'

'Een voet?'

'Ik ben het, Dansende Vos,' zei een zachte stem. 'Het spijt me, maar ik moest me ergens verbergen.'

Groen Water voelde Hij Die Huilt onrustig bewegen. Ze zei: 'Voor wie moest je je verbergen?'

'Voor Raafjager,' fluisterde Dansende Vos wanhopig. 'Hij zal naar me op zoek gaan. Hij wil met me... met me...'

'Het kan me niet schelen wat hij wil,' zei Hij Die Huilt. 'Je kunt niet zo maar in mijn huiden kruipen.'

'Hou je mond,' gromde Groen Water. 'Raafjager wil met haar paren. Het is heel begrijpelijk dat een vrouw zich wil verbergen voor een man als hij.'

'Wil met haar paren...' mompelde Hij Die Huilt.

'Ik ga wel weer,' zei Dansende Vos ongelukkig. 'Het was niet mijn bedoeling jullie last te bezorgen.'

'Zwijg,' zei Groen Water ferm. 'Deze huiden zijn ruim genoeg voor ons allemaal.'

'Nee, doe geen moeite. Bovendien heeft Kraailokker mij vervloekt. Het zou niet goed zijn als jullie ziel bezoedeld wordt door de mijne. Ik had eerst na moeten denken voor ik jullie tent binnenging.'

'Kraailokker!' zei Hij Die Huilt lachend. 'Zijn Macht is niet eens groot genoeg om een made ertoe te brengen een vlieg te worden.'

'Er is genoeg plaats onder de huiden,' zei Groen Water. 'Ik

234

ben het eens met wat mijn echtgenoot over Kraailokker zei. We hebben Dromers gezien en weten hoe ze eruitzien. Kraailokker is een valse Dromer.'

'Hij heeft me uitgestoten en vervloekt,' zei Dansende Vos.

'Ik heb gehoord wat hij met je gedaan heeft. En ik weet hoe het allemaal begonnen is. Hij sloeg je!'

'Hé!' protesteerde Hij Die Huilt. 'Een echtgenoot heeft toch het recht zijn vrouw te nemen wanneer hij dat wil?'

'O ja? Nou, probeer je maar eens aan *mij* op te dringen als een bronstige mammoetstier, dan zul je zien hoe lang het duurt voor je slaaphuiden buiten in de sneeuw liggen!'

'Maar dat zou ik nooit doen.'

'Natuurlijk niet,' zei Groen Water zacht. 'Daar gaat het juist om. Geen enkele goede echtgenoot zou zoiets doen.'

'Ik denk dat ik maar beter kan gaan,' zei Dansende Vos, zich oprichtend.

'Jij blijft hier.' Hij Die Huilt duwde haar terug. 'Zoals Groen Water zei, er is plaats genoeg onder de huiden.'

'En wees jij maar voorzichtig,' zei Groen Water droog, en ze porde hem met een vinger stevig in zijn ribben.

'Au! Waarom deed je dat?'

'Bij wijze van waarschuwing. Ik wil voorkomen dat je jezelf moeilijkheden op de hals haalt door te proberen dat kleine ding van je in Dansende Vos te steken.' En met deze woorden gleed Groen Water onder de dunne zomerhuiden.

'Dat kleine ding? *Klein?* Au!'

30

'Zo, daar ben je dus.'

Dansende Vos verstijfde toen ze de koele stem van Raafjager hoorde. Ze leunde op de graafstok die ze gebruikt had om wortels uit de grond te halen. Ze keek naar het landschap dat zich golvend uitstrekte tot aan de bergen in het westen. De lucht was zo helder dat ze het gevoel had dat ze de met sneeuw bedekte pieken bijna kon aanraken. Het intense groen van het wuivende gras rondom haar stak scherp af tegen het vale grijs van de rotsblokken die her en der verspreid lagen.

Ze kwam overeind en draaide zich om. Daar stond hij, lang, de armen over zijn borst gevouwen, zijn hoofd schuin. De wind speelde met zijn lange haar, dat als een glanzende blauwzwarte mantel over zijn schouders golfde. Zijn té volmaakte gezicht had een nieuwsgierige en uitdagende uitdrukking, en de blik in de ogen onder de zware oogleden was vriendelijk.

'Ik heb naar je gezocht op de laatste avond van de Dans.'

'Ik dacht dat je naar een hoge plaats was gegaan om te bidden om een visioen.'

Zijn lippen plooiden zich in een glimlach. 'Ik heb een visioen gehad.' Hij haalde diep adem zodat zijn borst uitzette. 'Dit jaar zullen we slagen. Dit jaar zullen we hen terugdrijven naar het noorden, zodat het Volk weer vrij kan ademen... voor een tijdje.'

Ze keek hem aan, slecht op haar gemak. Ze wist dat Groen Water en Lachend Zonlicht vlakbij waren, aan de andere kant van de lage heuvel. Ze hoefde alleen maar te roepen.

'Wat wil je?' zei ze.

Een uitdrukking van verbazing gleed over zijn gladde gezicht. 'Het Volk redden van de Anderen, natuurlijk. Wat anders?'

'Met mij, bedoel ik,' zei ze kil.

Hij lachte. 'Je bent toch al van mij? Wie anders zou je willen hebben? Mijn rare broer is in het zuiden achtergebleven om te leren hoe hij een Dromer moet worden. De dwaas!' Hij maakte een gebaar alsof het van geen belang was. 'Hij heeft me verteld over zijn visioenen. Over Vader Zon, die in het zuiden woonde, in een land vol vreemde dieren. Over een roodbruine kariboe met een achterste dat de kleur had van gelooid leer. En een kleiner hert, bruin en wit, dat zijn gewei slechts gedeeltelijk afwerpt en sneller is dan Vrouw Wind. Hij gaf ook hoog op van een klein soort wolf of hond. Grijsbruin, zei hij, met een dikke borstelige staart en de neus van een vos. Heel snel, zei hij, en slimmer dan een wolf.' Hij begon hard te lachen. 'Slimmer dan een wolf? Dat zal zijn geliefde geest vast niet leuk vinden!'

'Als ik jou was, zou ik niet zo licht oordelen over zijn Dromen,' zei ze stijfjes.

'Zo?' Hij keek haar arrogant aan. 'En waarom niet? Vertel me dat eens, Vos. Ik stel je raad op prijs. Op een dag zul je mijn vrouw zijn.'

Ze keek naar hem op, zich bewust van zijn nabijheid. Ze rook zijn lichaamsgeur, en die was niet onplezierig. Ze voelde de aantrekkingskracht van zijn persoonlijkheid. Als hij niet zo knap was... Nee ondenkbaar! Niet hij. Ze herinnerde zich de Lange Duisternis, en de nachten dat Raafjager zich onder haar huiden had laten glijden.

'Nee, ik zal je vrouw niet worden,' fluisterde ze, pogend haar stem zo kalm mogelijk te laten klinken.

Zijn ogen waren als diepe poelen waarin haar ziel dreigde te verdrinken. Een rilling liep over haar rug.

'Je zult een leidster van het Volk zijn, Vos.' Zijn stem klonk sussend, liefkozend. Een warmte begon zich door haar lichaam te verspreiden. 'Maar alleen als je mijn vrouw wordt.'

'Een leidster?'

Hij knikte ernstig. 'Een groot leidster. Dat is waarom ik moest doen wat ik gedaan heb. Klauw heeft je veel geleerd, niet? Ik heb gezien hoe je die eland doodde. Goed gedaan. Een volmaakte worp.'

Ze deed geschrokken een stap achteruit. 'Hoe...'

'Ik heb je vanaf het begin van het Lange Licht gevolgd en heb vol bewondering gekeken naar wat je deed. Ik moet toegeven dat ik soms in de verleiding kwam om je te overvallen, begerig als ik was naar de genietingen van je lichaam.'

'Ben... ben je ons gevolgd? Dus al die tijd...'

'Maar dat spreekt toch vanzelf! Ik wilde niet dat de vrouw die ik liefhad enig kwaad overkwam – zeker niet nadat je me zoveel liefde hebt betoond tijdens onze mars vanuit Mammoetkamp.'

Ze huiverde.

'Ik heb je nooit pijn gedaan,' bracht hij haar in herinnering. 'Ik hou meer van je dan van wat ook op aarde. Misschien met uit- zondering van ons Volk.'

Ze draaide zich om en staarde in de verte. Ze voelde hoe hij zijn armen om haar heen sloeg, warm en beschermend. Zijn vin- gers streelden haar hals en kaaklijn, en het leek alsof ze vuur deden ontbranden in haar vlees.

'Ik... ik zal nooit van je houden!' zei ze. 'Nooit. Je dwong me... gebruikte me voor je eigen plezier, alsof ik een... een... Je bracht me terug naar Kraailokker en wierp me aan zijn voeten. Je vernederde me voor de ogen van het Volk. Ik ben gevlucht om aan je te ontsnappen.'

'Ik weet het.' Hij zei het zo oprecht!

'Je weet het?' zei ze woedend terwijl ze zich losrukte. 'Wat kun jij daarvan weten? Hoe kun jij weten hoe wanhopig ik was als Kraailokker mij gebruikte en hoe ik me voelde op die dag toen Klauw en ik wegglipten uit het kamp van Kromhoorn?'

'Ik weet het door de visioenen die ik krijg.' Zijn ogen kregen een droevige uitdrukking. 'Ik heb het je al eerder gezegd, ik zal je nooit kwaad doen. Maar ik heb de toekomst gezien. Ik heb je Macht gezien, Vos. Het zal nog even duren, maar eens zal je woord wet zijn. De visioenen vertellen me dat jij de sterkste van ons Volk zal zijn.'

'En toch bespot je de Dromen van Rent In Licht?'

'Heeft hij ooit visioenen van jou gehad?'

Ze sloeg haar ogen neer. 'Nee, hij Droomde over –'

'*Ik* heb wel visioenen van jou. Jij en ik zijn met elkaar verbon-

238

den. Ik heb gezien hoe je zal veranderen, hoe machtig je zal worden. En het is mijn plicht je te dwingen het juiste pad te bewandelen en je te helpen om te worden wat je moet zijn.'

'Ik zal zijn wie ikzélf wil zijn, en niet degene die jij je verbeeldt dat ik moet zijn!' snauwde ze.

Hij schudde langzaam zijn hoofd en om zijn lippen speelde een zweem van een glimlach. 'Aangezien ik van je hou, zou ik je graag ontzien. Maar dat kan ik niet. Ieder heeft zijn plaats en moet doen wat het leven van hem vraagt, ook jij. Uiteindelijk zullen we samen zijn en dan zal het lot van het Volk in onze handen liggen. Dan zul je me liefhebben en begrijpen wat ik voor je heb gedaan.'

Haar antwoord bestierf op haar lippen toen ze de vreemde uitdrukking in zijn gloeiende ogen zag. 'Je bent gek,' zei ze.

Zijn ogen boorden zich in de hare. 'Misschien. Onthoud dat ik heb gezworen je te zullen liefhebben. Mijn woede is gericht tegen de Anderen, die ons van ons land willen verdrijven. Voor jou voel ik enkel tederheid, en het doet me verdriet als ik bedenk wat je nog allemaal moet doormaken. Wanneer je mijn zijde kiest, zal –'

'Ik zal nooit je zijde kiezen!' zei ze fel. 'Ik omhels nog liever een Ander.'

Hij deed een stap achteruit, met gefronst voorhoofd. 'Nee! Zeg dat nooit meer! Je... je bent van mij! Van mij, hoor je? Waarom denk je dat ik vecht? Niet om je in handen van de Anderen te laten vallen. Ik vecht om ervoor te zorgen dat je onbezoedeld blijft... puur en gereed om mijn zaad te ontvangen, zodat jij en ik, de grootsten van het Volk, een nieuwe tak kunnen –'

'Je bent gek,' fluisterde ze, achteruitlopend.

'Nee,' smeekte hij. 'Jij ziet het niet! Ik wel. Ik zie het kind in je baarmoeder. *Mijn kind!*' Een trillende glimlach verscheen op zijn gezicht, en zijn ogen werden vochtig. Hij stak een hand uit om haar aan te raken. 'Ik heb onze zoon gezien.'

'Nee!' gilde ze. Ze draaide zich met een ruk om en rende weg, om de lage heuvel heen, naar de plek waar Groen Water bezig was. Groen Water liet haar graafstok vallen en sloeg haar sterke armen om haar heen. 'Wat is er?' vroeg ze.

'Raafjager,' bracht Dansende Vos hijgend uit. 'Hij is gek, waanzinnig.'

'Stil maar, je bent hier veilig. Hij zal je niet lastigvallen.'

Dansende Vos keek angstig over haar schouder, maar achter haar was niets anders te zien dan het gras dat rimpelde onder de aanraking van de wind.

'Eerst was het Rent In Licht en zijn Droom, en nu wil Raafjager op Anderen jagen in plaats van op kariboes en mammoeten. Het is ook altijd wat,' mopperde Hij Die Huilt terwijl hij zijn slinkende voorraad ruw bewerkte vuurstenen bestudeerde. Hij koos er zorgvuldig een uit en zocht met zijn geoefende oog naar breuklijnen of onregelmatigheden. Toen hij tevreden was, begon hij de steen te bewerken.

'Het is zoals Reiger zei,' antwoordde Zingende Wolf, die bezig was een stuk mammoet-ivoor in de vorm van een atlatlhaak te snijden. 'De wereld is aan het veranderen. Niets is meer hetzelfde.' Hij keek naar Lachend Zonlicht, die zijn mocassins zat te herstellen. Haar buik was nog nauwelijks gezwollen van het nieuwe leven in haar.

'Raafjager en Rent In Licht hebben een wig gedreven in het Volk en het in tweeën gekliefd,' zei Hij die Huilt.

Groen Water hief peinzend haar hoofd. 'Welk deel zouden wij moeten kiezen? Rent In Licht heeft ons in veiligheid gebracht en naar Reiger geleid. Dat mogen we niet vergeten.' Ze boog zich weer over haar taak: het bewerken van een kalfshuid met een mengsel van hersens en urine. De kalfshuid was bestemd voor het maken van zachte, warme en lichte onderkleding. De buik van Groen Water was zichtbaar gezwollen door het kind dat ze droeg.

Dansende Vos was bezig verschillende stukken kalfshuid met pezen aan elkaar te naaien tot kledingstukken. Haar lange haar deinde als een zwarte golf op het ritme van haar bewegingen.

'We hadden bij hem moeten blijven,' zei Hij Die Huilt. 'Dan

zouden we al dit gekrakeel zijn misgelopen.'

'Ik hoor je dat de laatste tijd erg veel zeggen,' zei Groen Water als terloops.

'Wat?'

'We *hadden* dit... we *zouden*...' Ze zond hem een warme glimlach toen ze de frons op zijn voorhoofd zag verschijnen.

'Waarom denk je dat Kraailokker niets heeft gezegd?' vroeg Zingende Wolf nieuwsgierig.

Hij Die Huilt haalde zijn schouders op. 'Het is net alsof hij ergens op wácht.'

Dansende Vos snoof luid.

Lachend Zonlicht draaide de laarzen in haar handen om en zei: 'Je weet wat Reiger over hem heeft gezegd. En je hebt ook Gebroken Tak gehoord. Ze zeiden dat hij niet Droomt, en als iemand het kan weten, dan is het Reiger. Misschien kijkt hij eerst uit welke hoek de wind waait, zodat hij een passende Droom kan verzinnen.'

'Reiger geloofde wel in de Droom van Rent In Licht,' mompelde Hij Die Huilt. Hij bevoelde met zijn duim de snijkant van de pijlpunt die hij aan het maken was en drukte met zijn werktuigen een nieuwe scherf van de steen.

'Ze zeggen dat ze slecht is, een heks,' fluisterde Lachend Zonlicht.

'Ze heeft ons geen kwaad gedaan. Ze heeft ons gevoed en in leven gehouden. Nee, ze is een goed iemand. En ze Droomt. Ze Droomt echt. Herinneren jullie je nog hoe ze de kariboes geroepen heeft?'

'Ja,' zei Dansende Vos. 'En herinneren jullie je ook nog hoe Rent In Licht de kariboes geroepen heeft?'

'Zeker,' zei Hij Die Huilt, en hij gaf een klap op zijn priem zodat er weer een scherf van de pijlpunt sprong. 'Goed materiaal dat ik uit Reigers vallei heb meegenomen. Veel beter dan wat hier te vinden is.'

'Hé!' riep Zingende Wolf. 'Schei daarmee uit! Alles komt onder de scherven. Straks ga ik ergens zitten en snij ik me aan zo'n ding.'

Hij Die Huilt wierp hem een blik vol afkeer toe. 'Een mooie pijlpunt maken is er niet bij zolang jij in de buurt bent. Maar zodra ik er een af heb, wil je hem meteen hebben en ben je bereid hem te ruilen voor een van je tekeningen.'

'Ik kan er toch ook niets aan doen dat jij de beste pijlpuntenmaker van het Volk bent? Vooral die nieuwe dunne punt die je pas gemaakt hebt. En wat moet ik anders? Mijn gezin laten verhongeren? Bovendien, die bottekeningen die ik je ervoor in ruil geef, hebben veel macht, ze brengen je geluk.'

'Hou dan op met zeuren over die scherven! Zonder scherven kun je geen goede pijlpunt maken.'

'Ik wil die pijlpunt hebben,' zei Dansende Vos plotseling. 'Ik zal je er twee vossehuiden voor geven. Mooie huiden, om een parkakap of wanten van te maken.'

'Hij is van jou.' Hij Die Huilt keek met een brede glimlach naar Zingende Wolf, die iets onverstaanbaars mompelde en zich over zijn ivoor boog.

Hij Die Huilt zei sluw: 'Als jij een werpspies met een afneembare schacht voor me maakt, geef ik jou een paar van mijn beste pijlpunten.'

'Een werpspies met een afneembare schacht?' Zingende Wolf wuifde het weg. 'Je bent niet goed wijs.'

'Ik kwam op het idee nadat die bizon me bijna te pakken had gekregen,' zei Hij Die Huilt met gefronst voorhoofd. 'Denk er eens over na, wil je?'

'Vind je dat we Raafjager zouden moeten volgen?' vroeg Lachend Zonlicht.

Zingende Wolf krabde zijn kin. 'Er gebeuren de laatste tijd vreemde dingen. Stel dat hij gelijk heeft? Wat zou er zijn gebeurd als Geiser en zijn clan zich hadden verweerd? Ik wou dat ik meer wist. Ik weet het gewoon niet.'

'Vechten is niet onze manier,' protesteerde Hij Die Huilt. 'Ik herinner me een verhaal dat Vliegt Als Een Zeemeeuw vroeger vertelde. Het ging over een lang voorbije tijd waarin we streden tegen de Anderen. Dat is de reden waarom het Volk naar deze plek kwam, om zich te onttrekken aan die strijd. Ze zei dat het

242

beter was om weg te gaan dan om steeds maar oorlog te voeren. Ze zei dat de mensen voortdurend angstig over hun schouder keken en dat al het werk bleef liggen. Er was geen tijd meer om te jagen. Daarom heeft Vader Zon ons hier naar toe gebracht en ons regels gegeven zodat we elkaar niet zouden doden.'

'Misschien zijn de Anderen ook hiernaar toe gebracht door Vader Zon. Om ons op de proef te stellen,' zei Lachend Zonlicht.

'Misschien,' zei Zingende Wolf peinzend. 'Misschien was Rent In Licht zijn manier om ons te vertellen dat er een andere mogelijkheid is.'

'Rent In Licht! Altijd Rent In Licht! Ik heb nu wel genoeg over hem gehoord.'

'Er is niemand gestorven door zijn schuld, op dat meisje na,' zei Zingende Wolf. 'Mijn vrouw en ik zijn in leven gebleven. Hij heeft ons naar Reiger gebracht. Hij is een Dromer, een echte Dromer. Niet een bedrieger zoals Kraailokker.'

'Kraailokker!' zei Vos op verbitterde toon.

'Wat hij je heeft aangedaan was verkeerd,' zei Zingende Wolf zacht.

'Vergeet niet dat Raafjager hem geholpen heeft.'

'En je denkt dat hij gek is?'

Ze knikte heftig. 'Hij wordt door iets gekweld. Hij zegt dat het Dromen zijn, maar ik betwijfel dat.'

Hij Die Huilt zuchtte en keek Vos nadenkend aan. 'Altijd weer die twee broers. En alle twee veroorzaken ze moeilijkheden.'

Groen Water zei met een opgetrokken wenkbrauw: 'Je kunt van Rent In Licht zeggen wat je wilt, maar hij heeft in ieder geval niet voorgesteld om de Anderen te gaan bevechten. Een echte leider denkt altijd als eerste aan het welzijn van zijn Volk. Ik vind dat we er beter aan zouden doen die Anderen te mijden.'

'Rent In Licht wil niet dat we vechten,' beaamde Lachend Zonlicht. Ze trok de knoop strak met haar tanden en inspecteerde de nieuwe laarzen die ze had gemaakt. 'Hij wil alleen maar dat we worden opgegeten door de geesten in het Grote IJs.'

'Morgen komt Raafjager terug,' zei Zingende Wolf. 'De meeste jongemannen willen met hem mee. Ze branden van verlangen om hun werpspiesen in de Anderen te slingeren. Overigens is het er nu wel de beste tijd voor; we hebben volop vlees. We hoeven voorlopig niet te jagen.'

'Ik ga niet mee,' zei Hij Die Huilt op besliste toon. Hij keek naar Groen Water en zag de opluchting op haar gezicht. 'Ik heb een gezin en er is een kleine op komst.'

Zingende Wolf keek zijn vrouw aan. 'Misschien... misschien ga ik wel mee.'

Lachend Zonlicht ging rechtop zitten, met ogen waarin afschuw te lezen stond. 'Nee. Niet jij.'

'Ik wil zien wat er gebeurt. Ik denk dat het goed is als iemand als ik meegaat om getuige te zijn van wat er zich afspeelt.'

'Nee,' fluisterde ze weer terwijl ze zijn hand pakte.

Zingende Wolf keek ernstig in de ogen van zijn vrouw. 'Misschien is het moment gekomen om te doen wat Reiger en Gebroken Tak me hebben aangeraden. We moeten leren van de wijsheid van de ouderen. Ik heb behoefte aan meer kennis, ik wil beide kanten van deze zaak zien, zodat ik terug kan komen en het Volk kan vertellen wat er werkelijk is gebeurd. Ik vertrouw Raafjager niet.'

Er viel een lange stilte.

Zingende Wolf keek naar Hij Die Huilt en zei: 'Wil je mijn ziel naar het Gezegende Sterrenvolk zingen als ik niet terugkom?'

Lachend Zonlicht klemde haar kaken op elkaar en wendde haar blik af.

'We zullen je naar het Gezegende Sterrenvolk zingen,' zei Hij Die Huilt ernstig. 'Maar luister eens, het heeft helemaal geen zin dat je –'

'En zul je Lachend Zonlicht tot vrouw nemen, naast Groen Water? Zul je mijn kind grootbrengen?'

Hij Die Huilt slikte een nieuw protest in en knikte. 'Dat zal ik doen. We hebben samen veel meegemaakt, jij en ik. We hebben op mammoeten gejaagd, en elkaars leven gered. Ik zal dit voor jou doen zoals jij het voor mij zou doen. Ik zal Lachend Zonlicht tot vrouw nemen en ik zal je kind behandelen als mijn eigen vlees en bloed.'

Zingende Wolf staarde naar zijn handen. 'Misschien kan ik erachter komen welke van de twee broers de waarheid aan zijn kant heeft. Een van hen moet gelijk hebben.'

Lachend Zonlicht beet op haar lip en zei met bevende stem: 'En misschien kom je er ook achter of Reiger gelijk had wat jou betreft.'

31

Zingende Wolf kroop naar de rand van het rotsachtige plateau en keek behoedzaam over de rand. Onder hem strekte het kamp van de Anderen zich uit langs de zandige oever van een brede rivier. Het ruisen van het water klonk luid in de vroege ochtendstilte.

Hij draaide zich voorzichtig om en wierp een blik op Raafjager. De ogen van Raafjager leken te gloeien. Hij maakte met zijn spies stekende bewegingen naar het kamp, alsof hij de Anderen vanaf een afstand kon treffen. Twee kinderen die als eerste op waren, renden tussen de tenten door. Hun lach klonk als het kabbelen van water over rotsen.

Een hol gevoel nam bezit van Zingende Wolf. *Ze zouden toch geen kinderen doden?*

Uit een van de tenten onder hem kwam een grote man te voorschijn. Hij gaapte en wendde zich naar de oostelijke horizon, waar een rode gloed de opkomende zon aankondigde.

'Klaar?' fluisterde Raafjager terwijl hij zich gereedmaakte om naar beneden te springen en de helling af te dalen naar het kamp.

De jongemannen knikten en bevochtigden hun lippen. Het hart van Zingende Wolf kromp ineen.

'Vooruit!'

Raafjager slaakte een strijdkreet, sprong van het plateau af en rende langs de helling naar beneden, het kamp van de Anderen binnen. De krijgers van het Volk volgden hem, schreeuwend uiting gevend aan hun woede.

Zingende Wolf volgde Witte Berg toen deze een donkere tent binnen drong en hij keek vol afschuw toe hoe Witte Berg zijn spies als speer gebruikte en de kelen van de angstig ineengedoken oude mensen en pasgeboren baby's doorstak.

Zingende Wolf was als verlamd en Witte Berg schoof hem ruw

opzij op zijn weg naar buiten. Zingende Wolf voelde zich misselijk worden terwijl hij naar de met bloed overdekte lijken staarde
en de scherpe geur van bloed en uitwerpselen rook.

'Kom op!' schreeuwde Witte Berg buiten tegen hem.

Hij wankelde de tent uit, krampachtig slikkend. Uit een ooghoek zag hij iets bewegen: een Ander stak vanachter een vleesrek
met een spies naar hem en haalde zijn onderarm open. Zingende
Wolf sprong in een reflex naar achteren en slingerde zijn eigen
werpspies in de keel van de Ander. Uit de mond van de man
kwam een afschuwelijk rochelend geluid terwijl hij op de grond
viel.

De ochtend werd uiteengereten door gejammer en gekreun.
Vrouwen en kinderen renden gillend tussen de tenten door, zoekend naar een vluchtweg. Zingende Wolf zag een jongetje van
nauwelijks drie jaar uit de opening van een tent glippen en wegrennen. Raafjager zag het ook en schreeuwde: 'Grijp hem! Als
hij groot is zal hij ons willen doden!'

Witte Berg haalde het kind in en smeet het tegen de grond. Hij
pakte een grote steen en hief hem hoog op boven het hoofd van
het huilende jongetje.

'Nee!' gilde Zingende Wolf.

De steen kwam naar beneden en verpletterde het hoofd van
het kind. Witte Berg stond op, wierp Zingende Wolf een blik
van intense minachting toe en beende weg.

De slachting ging door. Enkele van de Anderen wierpen hun
wapens weg en vluchtten in westelijke richting, met hun kinderen in hun armen, de ouderen achter zich aan sleurend.

'Volg hen!' beval Raafjager, en verscheidene jongemannen
renden de vluchtenden achterna. Raafjager liep naar een Ander
die kreunend op de grond lag, met een werpspies in zijn buik.
Raafjager rukte de spies uit de wond en knielde naast de man
neer. Hij glimlachte minzaam en zei op honingzoete toon: 'Ik zal
je niet doden.'

'Mijn... wond is dodelijk,' bracht de man met moeite uit. Hij
had een driehoekig gezicht met een grote vlezige neus.

'Ja,' zei Raafjager. 'Maar op deze manier zal het nog lang

247

duren voor je sterft, en het zal heel pijnlijk zijn.'

De ogen van de man brandden van haat. 'Vlucht snel en ver, man van de Vijand. IJsvuur zal zoeken in de nevels van de tijd tot hij je schuilplaats heeft gevonden. En dan zullen we jullie uitroeien, als ongedierte.'

Raafjager stond lachend op en keek op de man neer. 'Wie mag die IJsvuur dan wel zijn? Een of andere valse sjamaan?'

'De grootste sjamaan die er bestaat. Hij heeft je komst voorzien.'

Raafjager snoof verachtelijk. 'Waarom heeft hij jullie dan niet op tijd gewaarschuwd zodat jullie konden ontsnappen?'

De Ander haalde uit met zijn benen en trapte Raafjager omver.

Raafjager krabbelde overeind en schopte de man met al zijn kracht in zijn zij. De man gilde, en ingewanden puilden door de opengereten buikwand naar buiten en gleden op de grond. Raafjager snauwde: 'We zullen zien hoe dapper je bent over drie dagen, als je bloed als een zwarte rivier door je aderen stroomt.'

Zingende Wolf had alles ademloos gevolgd en hij voelde respect voor de Ander. Deze man wist wat een verschrikkelijke dood hem wachtte, en toch verzette hij zich met zijn laatste kracht. Binnen een paar uur zou de wond gaan etteren en zouden de darmsappen opwellen als groen slijm. De vliegen zouden komen, en de geur zou raven en andere aaseters aantrekken – of erger, Grootvader Bruine Beer. En de pijn zou ondraaglijk zijn.

Raafjager spuwde de man in het gezicht en wendde zich arrogant af. Hij gebaarde naar zijn volgelingen en gromde: 'Kom. We moeten de tenten doorzoeken om er zeker van te zijn dat niemand het overleeft.'

Zingende Wolf zag hoe ze van tent naar tent gingen. Uit een ervan kwam het huilen van een baby. Het geluid werd plotseling afgekapt.

Zingende Wolf liep op wankele benen naar de plek waar de stervende Ander lag. De man had zich op zijn zij gerold en deed vergeefs pogingen om zijn darmen die op de grond lagen weer terug te duwen door het gat in zijn buik.

Zingende Wolf zei op gespannen toon: 'Als je dat wilt, zal ik je doden.'

De Ander keek hem aan met samengeknepen ogen, verward. 'Waarom?' steunde hij. 'Waarom zou je dat willen doen?'

'Omdat je moed hebt betoond.'

De Ander fronste en liet zijn hoofd zakken. 'We... wisten niet dat jullie de eer van de krijger kenden.'

'Wat zijn jullie gebruiken bij...' Zingende Wolf zocht naar de juiste woorden. 'Is er een speciale manier waarop jullie je zielen naar Vader Zon zenden? Of hoe jullie hem ook noemen.'

'Ja. Het Grote Mysterie,' zei de man, vechtend tegen de tranen en met een trillende vinger op zijn borst wijzend. 'Neem mijn hart en geef het aan de rivier. Zij zal het naar de oceaan voeren, en de Geest van de Zee zal komen en... me naar huis brengen.'

Zingende Wolf knielde en sneed de huiden van de man stuk zodat zijn borst bloot kwam. De borstkas ging snel op en neer en huiveringen gingen door het lichaam van de man.

'Haast je,' mompelde de man. 'Voor je vrienden terugkomen.'

Zingende Wolf wierp een snelle blik over zijn schouder. *Vrienden? Waren zijn neven eigenlijk nog wel menselijk?* Hij hoorde in de verte het honende gelach van Raafjager, vermengd met het meelijwekkende gejammer van een vrouw.

'Snel,' zei de Ander.

Ze staarden elkaar een moment in de ogen, en Zingende Wolf voelde het wantrouwen en de angst van de man. Hij hief zijn spies en zag dat de Ander zijn ogen stijf dichtkneep. Toen stootte hij de spies in de borstkas en wrikte de ribben opzij tot hij de borstholte had opengelegd en het nog kloppende hart zichtbaar werd. Met zijn vuurstenen mes sneed hij de aderen door. Het bloed gulpte over zijn handen en spatte op zijn gezicht en kleding. Nadat hij het hart had losgesneden nam hij het uit de borstholte en hield het voorzichtig in zijn handen, warm en nat en trillend.

De mond van de Ander was opengevallen en zijn ogen staarden blind in het niets. Zingende Wolf kwam overeind en liep op bevende benen naar de rivier. Hij waadde het koude water in tot het tot zijn knieën kwam. Hij bracht zijn handen met het hart erin onder water en keek hoe het zonk en door de stroming werd meegevoerd. Zacht mompelde hij: 'Breng hem naar huis, Geest van de Zee. Hij is dapper gestorven.'

Het rode bloed vermengde zich met het groene water tot er niets meer van te zien was. Toen drukte Zingende Wolf zijn handen tegen zijn eigen hart terwijl in zijn ogen tranen opwelden.

Ze gingen in noordelijke richting, de Grote Rivier volgend, en dreven de Anderen voor zich uit. Raafjager gedroeg zich met de dag arroganter. Hij prees degenen die in zijn ogen zijn lof hadden verdiend en had slechts minachtende blikken over voor lafaards zoals Zingende Wolf, die alleen doodde om zijn eigen leven te redden en de andere krijgers onophoudelijk smeekte om de gewoonten van het Volk in ere te houden.

De nachten werden in deze tijd van het jaar steeds langer, waardoor ze gedwongen waren een kamp op te slaan als het donker werd. Bovendien begon de vermoeidheid zijn tol te eisen. Iedereen was zich bewust van de nadering van de Lange Duisternis, en de mannen keken steeds vaker over hun schouder, naar het zuiden, verlangend naar huis.

Deze nacht hadden ze een kamp opgeslagen in een smalle inham die uitkwam op de riviervallei. Rondom rezen heuvels op die hen tegen de wind beschermden. Onder hen, naar het oosten toe, klonk het luide bruisen en bulderen van de Grote Rivier. Het schuim van de stroomversnellingen was duidelijk zichtbaar ondanks de duisternis.

Zingende Wolf legde een eindje van de Anderen vandaan een vuurtje aan van bladeren en gedroogde mest. Hij droogde wilgetakken om later een heter vuur mee te kunnen maken. Boven hem staarde het Gezegende Sterrenvolk omlaag naar zijn kleine oog van vuur. Hij vroeg zich af wat ze dachten – en of ze misschien hun ogen sloten bij de aanblik van de gruwelen die het Volk had begaan. Verderop hurkten mannen rond kleine vuren en lachten en gebaarden in het flakkerende licht terwijl ze elkaar vertelden over de overwinningen die ze hadden behaald.

Raafjager kwam naar hem toe en ging voor het vuurtje van Zingende Wolf zitten. Hij keek Zingende Wolf strak aan met zijn zwarte ogen en vroeg: 'Waarom verzet jij je tegen me?'

Zingende Wolf keek naar het wilskrachtige gezicht tegenover hem, dat vreemd verlicht werd door het schijnsel van de vlammen. Hij zei: 'Wat voor mensen zijn we geworden, Raafjager? Ik heb je dingen zien doen die voor altijd mijn slaap zullen blijven verstoren. Baby's het hoofd inslaan, de buik van oude mannen en vrouwen openrijten met een spies zodat hun darmen op de grond glijden. Ik heb gezien hoe je die darmen greep en eraan rukte terwijl je slachtoffers gilden en krijsten. Waarom? Welk nut heeft dat?'

Raafjager knikte ernstig, en op zijn voorhoofd verschenen denkrimpels. 'Ik begrijp je terughoudendheid... en ik walg zelf van wat ik doe. Maar er zijn zoveel Anderen. Ik heb het gezien. Hier.' Hij wees op zijn hoofd. 'Begrijp je? Ik heb visioenen gehad.'

'Nee, ik begrijp het niet,' zei Zingende Wolf fronsend terwijl hij met een stok in het vuur porde. 'Wat hebben al die martelingen en gruwelen voor zin?'

Raafjager keek Zingende Wolf ernstig aan. Als ik ze angst aanjaag, zullen ze ons met rust laten. Daarom laat ik hun lichamen in zo'n afzichtelijke staat achter. Als we hun hart verkillen, zullen ze ons mijden en ons land verlaten.'

'Er moet een andere manier zijn.'

'Hoe? We moeten deze mensen doden, hen laten gillen en schreeuwen.' Hij raakte zijn borst aan. 'Mijn hart krimpt ineen en mijn dromen zijn onrustig en angstwekkend. De Anderen verschillen niet zo veel van ons. Ze doen veel dingen op dezelfde manier. Maar ze hebben ons van ons land verdreven en ons de zee afgenomen, en de grazige vlakten in het westen. Generaties lang hebben ze ons opgejaagd, tot we niets meer over hadden. Je kent de verhalen, over hoe we eens al het land ten westen van de IJsbergen hadden. Er was daar een overvloed aan wild. Onze voorouders gebruikten heel dat gebied om te jagen. En nu? Hoe verder we zuidwaarts trekken langs de Grote Rivier, hoe droger en kouder het land wordt. Je hebt dat met eigen ogen kunnen zien. Jij bent verder zuidelijk geweest dan wie ook van ons. Uit jouw eigen mond heb ik gehoord dat het Grote IJs als een bergketen is die de Grote Rivier opslokt en de doorgang verspert, tot aan het zoute water toe.'

'Ja...' zei Zingende Wolf aarzelend.

Raafjager knikte begrijpend. 'En wat is er over voor ons?'

'Maar het veroorzaken van lijden is –'

'Noodzakelijk,' maakte Raafjager de zin af. 'Denk maar eens na. Als je de buik van een mammoet doorboort en je volgt hem dagenlang tot hij sterft, dan voel je zijn pijn, nietwaar?'

Zingende Wolf knikte. 'Iedere jager voelt de pijn van het dier dat hij doodt.'

'Dat is ons enige wapen tegen de Anderen. Begrijp je? We dwingen hen zich te vereenzelvigen met de bloederige lijken die we achterlaten, dwingen hen door onze ogen te kijken en de pijn te voelen.'

'Net zoals wij die zelf voelen?' zei Zingende Wolf nadenkend.

'Je begint het te begrijpen. Als je een kind ziet met een verpletterde schedel, draait je maag om in je lichaam bij de gedachte dat het je eigen kind ook zou kunnen overkomen, nietwaar? Kun je je voorstellen wat dezelfde aanblik bij de Anderen losmaakt?' De zwarte ogen boorden zich in de zijne met een kracht die geen ruimte liet voor iets anders.

'Voel je angst in je dromen?'

Raafjagers blik week niet. 'Een gegil vult mijn slaap. Het... het is afschuwelijk.'

'Maar waarom doe je het dan?' vroeg Zingende Wolf. 'Waarom kwel je jezelf zo?'

De ogen van Raafjager leken groter en groter te worden tot Zingende Wolf het gevoel had dat hij tot op de bodem van zijn ziel kon kijken. Hij hoorde Raafjager zeggen: 'Ik doe het uit liefde voor het Volk. Ik draag deze last, niet omdat ik een monster wil zijn, maar om het Volk te redden. Ik offer mezelf op omdat dat het kostbaarste is dat ik te geven heb.'

Zingende Wolf had het gevoel dat hij in de ogen viel, erdoor werd opgezogen. Het waren niet de ogen van een monster, maar die van een man die vreselijke kwellingen moest doorstaan. Zijn ziel gaf zich bloot, open en eerlijk, en toonde het verdriet en de angst die daar leefden.

Een huivering liep over Zingende Wolfs ruggegraat. Hij staarde naar het donkere kamp waar de mannen lagen te slapen, gewikkeld in hun huiden. Zijn vuurtje was uitgegaan en alleen een paar kleine kooltjes gloeiden nog na.

Raafjager klopte Zingende Wolf vriendelijk op de schouder. Hij zei: 'Oorlog is vreselijk. Maar we móeten vechten.' Hij stond op en liep weg, tussen de slapenden door, naar waar zijn eigen huiden lagen.

Zingende Wolf schudde zijn hoofd en staarde in de duisternis.

Drie dagen later, net na het invallen van de schemering, tuurden ze vanuit hun schuilplaats tussen de rotsen naar het kamp dat ze eerder die dag hadden ontdekt. Er brandden een handvol vuurtjes en vrouwen waren nietsvermoedend bezig vis te roosteren. Ze praatten en lachten zachtjes en streelden de kinderen die vlakbij aan het spelen waren. Verderop zaten de mannen bijeen in een kring. Ze spraken op gedempte toon en hun ogen tastten waakzaam het donker wordende landschap rondom hen af. Het schuimende water van de rivier glansde zilverig in het licht van de opkomende maan.

Zingende Wolf omklemde zijn atlatl en voelde de inkepingen die hij in het handvat had gemaakt – een voor iedere man van het Volk die was gesneuveld. Het waren er zo veel dat het handvat aanvoelde als de botten van de ruggegraat. Witte Berg was als eerste gestorven. Een spies was in zijn been gedrongen en had de grote slagader doorgesneden die langs het dijbeen liep. Zingende Wolf had geen verdriet gevoeld. Een dag later werd Twee Pijlen in de buik gestoken. De wond was gaan zweren en het gif van de ontsteking had zich door zijn lichaam verspreid. Toen hij te zwak was geworden om te lopen hadden de andere jonge krijgers hem gedragen, tot hij uiteindelijk bezweek aan de koorts, brabbelend en gillend van angst. Mos, Zeeduiker, Wuivend Gras en vele anderen vielen. Sommigen sneuvelden in het heetst van de strijd, anderen later, als gevolg van ontstoken wonden.

Het aanzien van Raafjager groeide met de dag. De jonge krijgers luisterden eerbiedig naar wat hij zei en erkenden zijn voortdurend toenemende Macht. Zingende Wolf werd achtervolgd door sombere voorgevoelens. Wat was de waarheid? De herinnering aan de pijn en de verschrikking in Raafjagers ogen bleef hem bij. Raafjager had gelijk gehad toen hij zei dat de gruwelen een afschrikwekkende werking zouden hebben. Ze hoefden zich maar ergens te vertonen en de Anderen vluchtten als hazen weg, dodelijk bevreesd. De angst voor het Volk bleek net zo effectief als hun werpspiesen.

Ik zou weg moeten gaan. Terug naar huis, naar Lachend Zonlicht, hield Zingende Wolf zich meermalen voor. Maar een of andere afschuwelijke fascinatie weerhield hem ervan weg te gaan en dwong hem alles te ondergaan alsof zijn leven afhing van de uitkomst van de strijd. Hij keek om zich heen naar de krijgers die ineengedoken tussen de rotsblokken zaten. In de ogen van de mannen was een hardheid die hij daar nog nooit eerder gezien had.

Er gebeurt iets met ons. Wat is het? De wereld is aan het veranderen. Zie je de lijnen rond de monden van de jongemannen? Zie je hoe achterdochtig ze zijn, hoe mager en roofzuchtig? Ze hebben geleerd voortdurend achterom te kijken naar een mogelijke vijand. De vrouwen die ze nemen, nemen ze met geweld. Ze zijn hard en dierlijk geworden. Grimmig is hun uitdrukking, en hun monden kennen de lach niet meer.

'Klaar?' fluisterde Raafjager gespannen. De krijgers knikten. 'Nu!'

De mannen sprongen overeind onder het slaken van wilde kreten en renden het kamp binnen, dodend wie ze te pakken konden krijgen. Zingende Wolf, die achteraan liep, zag een vrouw met een baby in haar armen uit een tent komen en in paniek wegrennen, zijn kant op. Hij hapte naar adem toen hij zijn nicht herkende die vele jaren geleden was ontvoerd.

254

'Blauwe Bes! Blauwe Bes!' riep hij, en hij deed een paar stappen opzij om haar de pas af te snijden.

Ze keek hem met grote angstogen aan en viel bevend voor hem op de knieën, haar armen beschermend om de baby geslagen. 'Dood mijn kind niet,' smeekte ze. 'Hij zal een goede zoon voor je zijn. Dood hem niet.'

'Blauwe Bes, ik ben je neef, Zingende Wolf. Zoon van Walrustand en Bruine Eend. Je neef. Ken je me niet meer?'

Ze keek angstig naar hem op. 'Het Volk,' fluisterde ze, zo zacht dat hij het nauwelijks hoorde. Hij boog zich voorover om haar beter te kunnen verstaan. 'Is het Volk gekomen om me mee terug te nemen?' Ze keek in zijn gezicht, dat vlak bij het hare was. Ze slikte moeizaam. Toen barstte ze in tranen uit en sloeg een arm om zijn nek.

'Ja, we zijn gekomen om je mee terug te nemen,' zei hij op geruststellende toon terwijl hij haar rug streelde.

Hij hield haar stevig vast terwijl rondom hem de andere jonge vrouwen die niet hadden kunnen vluchten, gevangen werden genomen door de krijgers van het Volk. In de ogen van de mannen vlamde de begeerte. Er zouden dit jaar vele nieuwe bruiden bij komen in de kampen.

Die avond, toen ze rond de vuren zaten, kwam Raafjager naar Blauwe Bes toe en begroette haar met een warme glimlach om haar angsten weg te nemen. 'Wanneer ben je gevangen genomen?' vroeg hij.

Blauwe Bes keek hem schichtig aan vanuit haar ooghoeken. 'Zes lange Duisternissen zijn voorbij gegaan sinds ze me hebben weggehaald. Een jongeman, Schapestaart was zijn naam, nam mij en mijn zus Zegge gevangen toen we naar wortels aan het graven waren. Hij nam ons mee in westelijke richting. Zegge probeerde te vluchten en hij doodde haar met een worp van zijn werpspies. Ik was heel bang en heb niet geprobeerd weg te lopen.'

Raafjager knikte nadenkend. 'Dan ben je lang genoeg bij de Anderen geweest om hun gewoonten te leren kennen. Vertel ons wat je weet. Hoe groot is hun macht?'

255

'Heel groot. Ze noemen zichzelf het Mammoetvolk. Maar toch is hun macht kleiner dan die van het Gletsjervolk.'

Raafjager fronste zijn wenkbrauwen. 'Het Gletsjervolk? Wie zijn dat?'

'Het Gletsjervolk dringt op vanuit de landen waar Vader Zon ondergaat. Ze volgen de dieren, die wegtrekken omdat het in het land waar ze geboren zijn te heet en te droog is en ze er geen voedsel meer kunnen vinden. De meest geëerde clan van het Mammoetvolk, de Tijgerbuik Clan, vecht om het Gletsjervolk ervan te weerhouden de landengte over te steken, op de plaats waar het vijf dagreizen kost om van het ene zoute water naar het andere te komen.'

'Hoe talrijk is het Mammoetvolk?' vroeg Zingende Wolf, zich vooroverbuigend, verlangend als hij was het uit haar eigen mond te horen.

'Heel talrijk,' fluisterde ze. 'Talrijk als relmuizen aan het eind van de zomer.'

Raafjager wierp een blik achterom op de sombere gezichten van zijn krijgers, die aandachtig luisterden, met ogen die glinsterden van angst. Hij lachte luidkeels. 'Ze zullen vluchten als relmuizen voor de vos! Een paar zijn er ontsnapt en ze zullen de andere clans vertellen over de moed en de krijgshaftigheid van het Volk!'

De jongste krijgers staken brutaal hun kin naar voren en zetten een hoge borst op bij de woorden van Raafjager.

Zingende Wolf perste zijn lippen opeen en staarde naar de grond. Die jonge dwazen. Konden ze niet zien wat er gebeurde? Als Blauwe Bes gelijk had, werden de Anderen misschien net zo in hun bestaan bedreigd als het Volk. 'Hoe zien de mensen van het Gletsjervolk eruit?' vroeg hij vermoeid.

'Ze hebben een witte huid en zijn bedekt met haar. Volgens de verhalen komen ze van de westelijke rand van de wereld. Ze zijn heel woest, net zo woest als Grootvader Witte Beer. Misschien zijn ze zijn menselijke nakomelingen. Ik weet het niet. Ze wonen langs het zoute water ver naar het zuidwesten. Er wordt verteld dat ze op het zoute water drijven in boomstammen die ze hebben uitgehold.'

256

'Ha!' zei Raafjager laatdunkend. 'Mensen kunnen niet op water drijven. Bomen zijn te klein en zinken onder hun gewicht.'

'De bomen hier zijn te klein,' zei Blauwe Bes timide. 'Maar ik heb bomen gezien die zo hoog waren dat ze de hemel aanraakten, en zo dik dat twee mannen de stam niet met hun armen konden omvatten.'

'Verzinsels,' gromde Raafjager. 'Deze vrouw is aangeraakt door de geesten. Ze heeft zo lang tussen de Anderen geleefd dat haar verstand er onder heeft geleden.'

Ze sloeg haar ogen neer en haar mond werd een smalle streep. De krijgers liepen een voor een weg, lachend om de verhalen die ze had verteld. Mannen met een witte huid, en bedekt met haar? Dat moest inderdaad familie van Grootvader Witte Beer zijn! Een mooi verhaal.

Zingende Wolf zag de schaamte op haar gezicht en wachtte tot de andere mannen waren weggekuierd naar hun eigen vuren. Toen zei hij: 'Ik geloof je.'

'Maar zij niet,' fluisterde ze. 'Misschien kan ik beter teruggaan naar het Mammoetvolk. Ik weet niet of ik hier nog wel thuis hoor.'

'Trek je niets van hen aan. De overwinningen hebben hen zo verwaand gemaakt dat ze volledig doof zijn geworden voor verstandige woorden.'

'Het is te hopen dat hun doofheid overgaat,' zei ze onheilspellend, 'want het is nog veel erger dan ik heb verteld.'

Een koude rilling liep over Zingende Wolfs rug. 'Wat bedoel je?'

'Daar, in het verre westen, is het ijs aan het smelten. Het Mammoetvolk wordt opgejaagd door het Gletsjervolk, maar het Gletsjervolk wordt op haar beurt weer opgejaagd door andere volken – mensen die eruitzien als wij, woeste, bloeddorstige mannen die het Gletsjervolk bevechten en jagen op de dieren die naar het noorden trekken, achter het smeltende ijs aan. Er jagen daar zo veel mensen dat de mammoeten vluchten zodra ze ook maar de minste geur van een mens opsnuiven.'

Zingende Wolf fronste zijn voorhoofd. 'Als het Mammoetvolk

zo sterk en talrijk is, hoe komt het dan dat wij hen zo makkelijk verslagen hebben?

Ze keek hem recht aan. 'Jullie hebben hen verrast, neef. In het verleden vluchtte het Volk altijd en stond het de jachtgronden zonder slag of stoot af. De Anderen werden lui en dik. Ze hoefden alleen maar een paar mensen van het Volk te doden en ze konden nemen wat ze wilden.'

'Denk je dat ze ons nu met rust zullen laten, zoals Raafjager zei?'

Ze schudde haar hoofd. 'Nee. Het nieuws zal de ronde doen dat jullie niet bang meer zijn, en dan zullen ze komen om op jullie te jagen.'

'Kunnen we niet voorkomen dat de andere leden van het Mammoetvolk het nieuws te horen krijgen?'

'Nee, neef. Mensen reizen heen en weer tussen de verschillende kampen, net als bij ons. Er zijn vier grote clans, en een heilige mammoethuid wordt doorgegeven van de ene clan naar de andere om de mensen op de hoogte te houden. En de huid wordt zwaar bewaakt.'

'Misschien kunnen we die huid in bezit krijgen.'

'Nee! Daar mag je zelfs niet aan denken! De huid is gevuld met Macht. Als je hem ook maar even aanraakte, zou je onmiddellijk sterven.'

Zingende Wolf sloeg met een vuist op de zachte warme aarde naast de vuurkuil. 'Er moet een manier zijn om hen tegen te houden.'

'Vlucht. Het is de enige weg die voor jullie openstaat.' Ze keek hem smekend aan. 'Begrijp je het niet? Je hebt hen gedood. Hun geloof zegt dat hun doden niet eerder naar het kamp van de zielen op de bodem van de zee gaan dan nadat iedere dood is gewroken. Het is voor hen een zaak van eer, de eer van de krijger.'

Zingende Wolf ademde diep in. 'En je zei dat ze talrijk zijn?'

'Als de wilgen langs de oevers van de Grote Rivier.' Ze schudde haar hoofd. 'En ze kunnen nergens heen. Ze zitten in de val, net als het Volk. Ik heb hun gesprekken gehoord. Op het moment vrezen ze jullie. Maar wat achter hen komt, is nog veel verschrikkelijker. Hun angst voor jullie zal wegsmelten als vet op gloeiend houtskool zodra het Gletsjervolk verder opdringt. Dat volk is zo woest en talrijk dat ze jullie zouden vermorzelen.'

'Het Mammoetvolk heeft dus geen andere keus dan ons land in bezit te nemen?'

'Ja. En hun eer als krijger vereist dat ze jullie kwaad doen op nog gruwelijker manieren dan jullie hen gedaan hebben.'

Zingende Wolfs gedachten gingen naar Lachend Zonlicht en het kind dat in haar buik groeide, en een huivering doorvoer hem.

32

Wolfdromers blik schoot zenuwachtig heen en weer tussen de twee oude vrouwen. Zijn gezicht was magerder geworden, en het lange haar dat aan weerskanten van zijn ingevallen wangen hing versterkte die indruk nog. Verdriet had lijnen geëtst in zijn voorhoofd en rond zijn mond. De spieren in zijn wangen werden als koorden zichtbaar onder de huid toen hij zijn kaken op elkaar klemde.

Het knetteren van het vuur klonk luid in de stille grot. Het licht van de vlammen danste op hun gezicht en wierp grillige schaduwen op de wanden.

'Vertel me wat je gezien hebt,' zei Reiger zacht.

'Het Volk,' fluisterde hij. 'Het visioen was vaag en onsamenhangend, maar ik geloof dat ik de mensen zag sterven.'

Reiger steunde haar kin in haar handen en keek hem aan vanonder half geloken oogleden. Gebroken Tak, die iets opzij zat, porde in het vuur met een gespleten kariboebot.

'Wat nog meer?' zei Reiger.

Hij schudde zijn hoofd. 'Ik zag vrouwelijke gevangenen. Een paar van hen… nee, het was niet duidelijk genoeg.'

'Wat voelde je?'

'Ik voelde een aanwezigheid. Alsof er iets naderde, iets dat nog achter de horizon was. Zoals de Lange Duisternis… maar anders.' Hij bevochtigde zijn lippen. 'Het was alsof de nacht uit het westen kwam in plaats vanuit het oosten.'

Reiger trok een wenkbrauw op. 'Begrijp je de betekenis van wat je gezien hebt?'

'Nee.'

'Dat dacht ik al,' gromde ze teleurgesteld. 'Nou ja, je hebt in ieder geval leren lopen. Het wordt nu tijd dat je enkele passen van de Dans leert kennen.'

'Wat bedoel je?'

'Je moet leren je weg te vinden in je visioenen en op te houden met blindelings rondtasten, anders loopt het slecht met je af.'

Hij voelde de bekende zinkende gewaarwording in zijn maag. 'Ik ken al een paar dingen. Ik weet hoe ik de kariboes moet roepen.'

Ze schudde haar hoofd. 'Nee, dat is niet wat ik bedoel. Alle schepsels zwieren rond in hun eigen kleine dans, maar wat aan al die dansen ten grondslag ligt, is de Ene Dans.'

Ze spreekt altijd in raadsels. Ze brabbelt maar door over de Ene dit en de Ene dat. Waarom zegt ze niet gewoon rechtstreeks wat ze bedoelt? 'Ik begrijp het nog steeds niet.'

Ze keek hem aan met haar donkere ogen, die zo diep leken dat je erin kon verdrinken. Toen trok ze de wolfshuiden die op de grond lagen weg en met een platte steen schepte ze gloeiend houtskool uit het vuur en spreidde de kooltjes uit op de stenen vloer. Ze ging ervoor zitten, op haar knieën, en balde en ontspande haar vuisten, alsof ze haar spieren wilde losmaken. Ze sloot haar ogen, haalde diep adem en begon een lied te prevelen. Haar gezicht ontspande zich en de jaren leken van haar af te glijden. Ze stak haar armen uit en legde haar handen met de palmen naar beneden op de gloeiende houtskool.

Wolfdromers adem stokte en hij wierp een vreemde blik op Gebroken Tak. Maar die had alleen oog voor Reiger. Hij keek weer naar Reiger en zag tot zijn ontzetting dat ze de kooltjes opschepte met haar handen en hoog boven haar hoofd hief, zonder haar zang te onderbreken. Ze bracht de kooltjes naar haar lippen en voorhoofd, en daarna nam ze ze in haar mond en rolde ze rond op haar tong voor ze ze uitspuwde. De gloeiende brokjes kwamen met een scherp sissend geluid op de huiden voor haar neer en dunne slierten rook stegen op van de plaatsen waar de vachten werden geschroeid. Het gezicht van Reiger vertoonde een uitdrukking van opperste verrukking. Na een tijdje hield ze op met zingen en haalde diep adem en blies de lucht uit door wijd opengesperde neusgaten.

Wolfdromer boog zich voorover en raakte voorzichtig de plekken op haar gezicht aan die met de gloeiende houtskool in aanraking waren geweest. De huid voelde glad en koel aan onder zijn vingers.

Ze knipperde met haar ogen en opende ze toen. Haar blik was wazig, maar dat duurde maar even. Ze keek Wolfdromer met scheefgehouden hoofd aan.

'Je handen... je gezicht...' fluisterde hij ongelovig. De ontzetting over wat hij gezien had, was nog steeds niet geweken.

Ze opende haar handen en draaide haar gezicht zo dat hij het goed kon bekijken. Angstig stak hij een vinger in het gat dat een kooltje in een van de vachten had gebrand. Hij zoog zijn adem scherp sissend naar binnen en trok zijn hand terug toen hij zijn vinger schroeide. 'Hoe... hoe heb je dat gedaan?' vroeg hij.

'Nergens zelfs maar een blaar, zoals je ziet,' zei ze terwijl ze hem uitdagend aankeek.

'Maar dat kan niet! Je hebt zelf gezegd dat alles aan wetten gehoorzaamt!'

Reiger schraapte onverstoorbaar de hete as terug in de vuurkuil. Ze zag dat Gebroken Tak vol ontzag naar haar staarde en zei op terechtwijzende toon: 'Doe je mond dicht, oud wijf, anders moet je straks vliegen eten.'

Gebroken Tak sloot met een klap haar mond en keek haar boos aan. 'Hoe heb je dat voor elkaar gekregen?'

'Ik heb Gedanst met de kooltjes.'

Wolfdromer begon iets te vermoeden van de waarheid waar ze op doelde. 'Bedoel je dat je de Dans van de kooltjes hebt gedaan... een ogenblik in hun voetsporen bent getreden?'

'Dat is niet helemaal juist. Achter de Dans van de kooltjes bevindt zich de Ene Dans. Ik ben een ogenblik in de mocassins van de Ene Dans gestapt.'

'Hoe?

'Ik heb de stilstand onder de beweging gevonden.'

Hij kneep met duim en wijsvinger in de brug van zijn neus. *De vervloekte stilte onder het geluid. De vervloekte stilstand onder de beweging.* De oude heks probeerde hem gek te maken. Met opeengeklemde tanden vroeg hij: 'Hoe?'

'Ik stapte uit mijn eigen Dans.'

'Je stapte uit je eigen…' Hij schudde mismoedig zijn hoofd.

Gebroken Tak lachte kakelend. Ze zei: 'Ik wist het. Je bent niet goed wijs. Je verstand heeft je verlaten en je geest is leeg.'

'Dat probeer ik je al de hele tijd te vertellen,' antwoordde Reiger.

Wolfdromer balde zijn vuisten tot de knokkels wit zagen. Hij begon te zien wat ze bedoelde en het maakte hem bang. 'Geen gedachten betekent dat er niets in de weg staat tussen jou en de bewegingen van de Dans.'

'Juist. En als je geen gedachten hebt, ben je vrij om je eigen Dans te stoppen en mee te bewegen op het ritme van de Ene Dans.'

Om tijd te winnen, wees hij op het vuur. 'Je zult je in het begin wel vaak gebrand hebben.'

Ze had hem door, maar gunde hem de tijd die hij nodig had. Glimlachend zei ze: 'Ik zat voortdurend onder de littekens.'

'Kan ik…' Hij schudde zijn hoofd, verbaasd over zichzelf. 'Kan ik het ook leren?'

'Als ik daar niet van overtuigd was, zou ik het je niet hebben laten zien. Maar de weg is lang en moeilijk, en pas als je de schaduwzijde van de wereld hebt gezien, kun je iets gaan begrijpen van het geheel. Dit is een van de stappen op het pad dat naar de Macht leidt.'

Hij huiverde toen hij de gloed in haar ogen zag. 'Is die stap noodzakelijk?'

'Jazeker. Het is noodzakelijk dat je dit onder de knie krijgt, anders zullen de Dansen die rondom je aan de gang zijn je uiteindelijk in hun passen verstrikken en je vermorzelen.'

33

Wolfdromer rende, en op de hoge grijze rotswand naast hem rende zijn schaduw met hem mee. De ondergaande zon maakte gouden pluimen van de stoom die oprees boven de warme bronnen van Reiger.

'Ren. Ren,' herhaalde hij voortdurend, in een poging zijn gedachten tot stilstand te brengen.

Hij sprong over kleine rotsblokken en liep, zonder zijn vaart een ogenblik te vertragen, om de grotere heen. Zijn borstkas ging zwoegend op en neer, zijn benen brandden van vermoeidheid. De wind kwam van het ijsveld in het zuiden en voelde koel aan op zijn bezwete gezicht.

Maak je geest leeg. Ren, Wolfdromer, ren tot je je niet langer bewust bent van je lichaam, tot je buiten jezelf gaat staan en naar binnen kunt kijken. Dans... Dans.

De eerste voorboden van de vrijheid dienden zich aan, nauwelijks waarneembaar in het begin. Toen was het alsof hij door iets heen brak, en hij ontsteeg zijn lichaam en de banden van het vlees. De vreugde over zijn prestatie deed de bel barsten en met een schok was hij terug in zijn lichaam. Zijn huid voelde aan alsof er insekten overheen kropen.

Hij vertraagde zijn vaart, stopte en bleef voorovergebogen staan, hoestend en hijgend. Het zweet stroomde over zijn gezicht en verdampte in de kille wind. Hij was zich er vaag van bewust dat hij niet stil mocht blijven staan, omdat hij anders te veel afkoelde. Hij zette wankel de ene voet voor de andere, trachtend zijn zwoegende longen tot bedaren te brengen. Zijn tong kleefde tegen zijn verhemelte.

Hij schraapte met zijn handen de laag rijp van een graspol en likte het vocht op. Toen liep hij verder.

Ten oosten van hem verrees de witte muur van het Grote IJs.

Rondom hem lagen rotsblokken hoog opgestapeld – de morenen die door gletsjers waren achtergelaten. Ze vormden de woonplaatsen van de bevroren geesten. Hij liep behoedzaam om niet uit te glijden op het ijs dat zich hier en daar had gevormd. Ten westen van hem hieven de bergen hun met sneeuw bedekte schouders naar de hemel.

Het Grote IJs leek niet op de blinkend witte, massieve wand van ijs die hij in zijn Droom had gezien. Het ijs zat vol kloven en scheuren en messcherpe richels. Het was een chaotisch, brokkelig landschap, roze, lichtpaars en bleekblauw in het licht van de ondergaande zon. De dag liep ten einde en spoedig ook het Lange Licht.

Wolfdromer staarde geboeid naar de vreemde vormen die de zon en de wind en de regen in het ijs hadden gebeeldhouwd, naar de diepe ronde grotten en de vlijmscherpe speren van blauw kristal, en de lagen grint en zand die zich aftekenden als fijne zwarte lijnen. Een rilling liep over zijn rug terwijl hij keek. *Kan ik het Grote IJs oversteken? En hoe?*

Hij dwong zich, ondanks zijn vermoeidheid, een uitstekende rotspunt te beklimmen van waar hij een weidser uitzicht hoopte te hebben. Toen hij boven was, bonsde zijn hart tegen zijn ribben, en hij nam even rust. Het was alsof de wand van ijs hem riep, zacht, nauwelijks hoorbaar, maar luid genoeg om zijn verlangen te wekken. Hij hoorde een hoog, ijl geluid, een knersen als van kruiende ijsschotsen op een rivier. Waren het de geesten in het ijs? Hij spande zich in om te luisteren, maar het bloed dat door zijn aderen joeg en de adem die in zijn keel gierde, overstemden het geluid.

Toen hij weer op adem was gekomen, nam hij plaats op een steen en volgde met zijn blik de Grote Rivier stroomopwaarts tot waar deze in de scheur in het Grote IJs verdween. Het water bruiste en kolkte, een onophoudelijke stroom, ondanks de Lange Duisternis die het land dagelijks vaster in zijn ijzige greep nam.

'Zoveel water,' mompelde hij.

Zijn blik werd getrokken door iets zwarts dat werd meegesleurd door het water, rond tolde in een draaikolk en bleef steken achter een paar rotsblokken. De vorm had iets vaag bekends. Nieuwsgierig geworden daalde Wolfdromer van zijn uitkijkpost af en begaf zich naar de rivier, zich een weg zoekend tussen de enorme rotsblokken die verspreid over de vlakte lagen en waarvan sommige groter waren dan een mammoetstier. Vader Zon was al onder de rafelige rand van de bergketen in het westen gezakt toen hij de plek bereikte waar het donkere voorwerp in het snelstromende water deinde, klem achter een rotsblok. Een van de lange hoorns was afgebroken, vlak bij de schedel, en een poot was met geweld uit het lichaam gescheurd, maar niettemin was het niet moeilijk het voorwerp te herkennen.

Een bizon! Hoe komt dit dier hier terecht? Zijn hart begon te bonzen toen hij begreep wat dit betekende. *Aan de andere kant van het Grote IJs moet een land zijn waar bizons leven.* Hij herinnerde zich de belofte van Wolf, en hoop begon te groeien in zijn borst.

Hij sprong van rotsblok tot rotsblok tot hij de bizon bereikte. Toen stapte hij in het ijskoude water, dat tot zijn knieën kwam, greep de onbeschadigde hoorn en begon het karkas naar de oever te trekken, slippend en glijdend op het grint van de rivierbedding.

Misschien is hij niet onder het ijs door gekomen, dacht hij. Misschien heeft dit karkas honderden Lange Duisternissen in het ijs gelegen.

Toen het kadaver langs het grint begon te schuren en het gewicht ervan te zwaar werd, sleurde Wolfdromer het naar een aantal puntige rotsblokken en duwde het klem, zodat het niet kon wegdrijven. Hijgend van de inspanning nam hij een scherf hoornkiezel uit zijn buidel en sneed de buikholte open. De darmen glibberden naar buiten als een nest blauwgrijze slangen. Toen hij de pens opensneed, zag hij wat hij had gehoopt te zien: een brei van plantaardig materiaal, vers en groen. Een lintworm gleed kronkelend uit de pens het water in. Hij graaide ernaar, maar hij was niet vlug genoeg.

Zou een lintworm in leven blijven als hij bevriest? dacht hij.

266

Hij tastte rond in de pens, turend in de invallende schemering, tot hij een tweede worm had gevonden. Hij haalde de worm er voorzichtig uit en legde hem in de laag sneeuw op een van de rotsblokken. Vervolgens stak hij een arm diep in de buikholte en bevoelde de binnenkant van het kadaver. Het was koud, maar niet zo koud als het zou moeten zijn als het al die tijd bevroren was geweest. Na een poosje herinnerde hij zich de lintworm. De parasiet was aan de sneeuw vastgevroren en brak in tweeën toen hij hem optilde. Hij sneed een stuk uit de lies van de bizon, waar de huid dun was, en wikkelde de lintworm in de huid. Toen ging hij op weg naar de grot van Reiger.

Zijn twijfels waren verdwenen. In al de tijd dat hij haar kende, had hij Reiger nog nooit horen praten over de aanwezigheid van langhoornige bizons in de vallei. Nee, dit dier kwam ergens anders vandaan... uit een land voorbij het ijs.

Zittend naast het vuur in Reigers grot tuurde Wolfdromer naar de lintworm die hij had ontdooid. Hij duwde ertegen. Dood. Hij staarde voor zich uit en zijn blik viel op een van de tekeningen op de wand. De tekening was bedekt met stof en roet, maar de voorstelling was niettemin duidelijk genoeg. Een rood web in een spiraal. Zijn maag kromp samen.

Waarom had Reiger die tekening zo veel jaren geleden gemaakt? Wat betekende het. Waarom een web?

Hij schudde zijn hoofd en richtte zijn aandacht weer op de dode lintworm. Reiger, die op haar zij aan de andere kant van het vuur lag, met haar hoofd steunend op een hand, keek hem met haar donkere ogen aan. 'Waar denk je aan?' vroeg ze.

'Dat lintwormen doodgaan als ze bevriezen.'

'En wat wil dat zeggen?'

'Dat die bizon niet bevroren is geweest.'

'Wat heb je verder nog opgemerkt?'

Hij keek haar fronsend aan. Werd hij weer op de proef gesteld? 'Zijn pens zat vol planten, en ik herkende de bloemen van enkele planten die in deze tijd van het jaar bloeien. Zijn zomervacht begon al wat dikker te worden... en de lintwormen leefden nog.'

267

'Wat denk je dat al die dingen betekenen?'

'Voorbij het ijs moet een land zijn waar bizons leven.'

'Je zei dat hij warm aanvoelde?

'Misschien. Mijn handen waren koud van het water, dus ik weet het niet zeker, maar ik had de indruk dat het kadaver binnenin iets warmer was dan aan de buitenkant. Hoe lang zou het duren voor een gestorven bizon helemaal is afgekoeld? Hij moet een tijd in het water hebben gelegen, want hij was zwaar gehavend – alsof hij vele keren klem had gezeten en door het water weer was losgetrokken.'

'Hij moet dus door de rivier zijn meegevoerd, door een –'

'- *gat in het ijs*,' fluisterde hij.

34

Hij Die Huilt wachtte gespannen, balancerend op de ballen van zijn voeten. De grote mammoetkoe draaide zich om en tastte met haar slurf de lucht af. Haar kleine oogjes stonden heet en zwart in haar ruigbehaarde kop.

De trillingen van haar stampende poten plantten zich voort door de rotsen waarachter hij zich verscholen hield. Zoals altijd wanneer hij op mammoeten joeg, voelde hij grote aandrang om zich te ontlasten. De koe wendde zich weer af en Hij Die Huilt richtte zich op en zijn arm ging in een snelle, soepele beweging naar achteren en weer naar voren. De lange pijl verliet de atlatl, zeilde in een boog door de lucht en trof de koe vlak bij de anus, waar de huid dun en gevoelig was.

Opnieuw werkte het. De door Zingende Wolf gemaakte schacht viel in twee delen uiteen. De dodelijke punt en voorschacht begroeven zich diep in het vlees en werkten zich steeds verder het weefsel in, terwijl het achterste gedeelte van de schacht kletterend op de grond viel.

De koe stiet een gebrul uit en draaide zich om terwijl haar slurf door de lucht zwiepte in een poging de lucht van haar aanvaller op te snuiven. Hij Die Huilt liep gebukt tussen de rotsen door naar een andere plek. De hoekige rotsen van zwarte schalie waren niet erg hoog, maar stonden zo dicht opeen dat de koe er niet tussendoor kon. Ze kon de verhoging alleen omcirkelen, waarbij ze ervoor moest oppassen niet in de geul te vallen die door erosie langs de lager gelegen rotsen was ontstaan. Als ze erin viel, zou de val van meer dan manshoog haar heel wat sneller doden dan de stenen pijlpunten van Hij Die Huilt.

Hij Die Huilt zag zijn kans schoon en rende naar de lange werpschacht die op de grond was gevallen. Hij raapte hem op en sprintte terug naar de veilige rotsen.

De koe zag hem. Ze brulde van woede en stoof op hem af, verbazend snel voor zo'n reusachtig dier. Vlak voor de puntige, schuin omhoogstekende rotsen kwam ze tot stilstand, schril trompetterend. De eerste keer dat hij zijn werpschacht had opgehaald, gebruikmakend van dezelfde techniek, had ze hem bijna te pakken gehad. Met een hart dat bonsde in zijn keel, trok Hij Die Huilt zich terug tussen de schuine wanden van schalie – veilig buiten haar bereik. 'Ik moet haar ophitsen, haar nog kwader maken,' mompelde hij hijgend.

Hij pakte een grote platte steen en smeet hem naar haar kop, wat weer een woedend getrompetter tot gevolg had. Hij kroop tussen de rotsen door en lokte de mammoet mee, ervoor zorgend steeds buiten bereik te blijven. De koe woelde de grond om met haar slagtanden en slingerde mos en aarde de lucht in, woedend dat ze niet bij haar belager kon komen.

Hij Die Huilt schoof zijn laatste voorschacht in de lange werpschacht, drukte hem stevig aan en controleerde of de verbinding goed was. Hij haalde diep adem. Zijn laatste worp.

De koe plaatste een grote poot op een plaatvormige steen en reikte naar hem met haar slurf. De steen kraakte en verbrokkelde onder haar gewicht, en ze deinsde verschrikt terug.

'Goed zo!' hoonde hij. 'Pak me dan! Kom op! Laat alle voorzichtigheid varen! Wees woedend, Moeder! Zo woedend dat je bloed kookt!'

De koe bleef staan, snuivend en blazend en schuddend met haar kop. Hij Die Huilt bracht zijn atlatl naar achteren en slingerde zijn laatste werpspies weg, met een kracht die vele malen groter was dan het geval zou zijn geweest als hij met de hand had geworpen.

De kop van de spies begroef zichzelf in de dunne huid achter de kaak van de koe, en de werpschacht kwam los en viel op de grond. De koe gilde en probeerde de pijlpunt er met haar slurf uit te plukken.

Hij Die Huilt kwam tussen de rotsen te voorschijn en schreeuwde en zwaaide met zijn armen om haar aandacht te trekken. Ze zag hem en ging tot de aanval over, de kop hoog en de slurf gestrekt. Onwillekeurig slaakte hij een kreet van angst, smeet zijn atlatl weg en rende langs de erosiegeul naar de plek waar hij en Zingende Wolf een halve dag geleden met zoveel moeite de grond hadden ondermijnd. Hij hoorde het schrille krijsen van de koe achter hem, en de grond trilde onder zijn voeten, maar hij rende uit alle macht door, zonder achterom te kijken, alle aandacht geconcentreerd op het ruwe, ongelijke terrein voor hem.

Hijgend liep hij langs de rand van het ondermijnde stuk en nam een laatste grote sprong die hem op vaste grond deed belanden, tussen de rotsen. Met bonzend hart keek hij achterom, zag de koe naderen, zag de angst in haar ogen toen de grond onder haar gewicht bezweek. Ze gleed naar voren, de voorpoten stijf uitgestrekt.

De grond beefde toen haar reusachtige lichaam in de kuil viel, met een gekraak van versplinterende beenderen. Toen was het voorbij. Met een raspend geluid, als van langs elkaar schurende ijsschotsen, ontsnapte de adem uit de longen van de mammoet.

Hij Die Huilt verliet de rotsen en liep naar de kuil, er wel voor zorgend buiten bereik van de rondtastende slurf te blijven. Uit de bek van de mammoet lekte bloed, en een zwart oog staarde hem angstig aan.

Het zou niet lang duren. Ze kon niet goed ademen in deze positie, en ze kon ook niet opstaan, want haar poten waren gebroken. Haar roodbehaarde oor ging langzaam heen en weer en haar slurf zwierde doelloos in het rond en viel toen slap neer, alsof ze de onontkoombaarheid van haar dood besefte.

Zingende Wolf, die een eind verderop op de heuvel stond, riep: 'In het begin dacht ik even dat ze je te pakken had.'

Hij Die Huilt sloot zijn ogen en zuchtte. Toen keek hij neer op de koe, die nu roerloos lag. 'Ja, Moeder, je had me bijna te pakken. Ik zal dat moment nooit vergeten.'

Zingende Wolf gebaarde naar Groen Water, Lachend Zonlicht en de anderen dat de jacht was afgelopen. Ze zouden komen om het reusachtige dier te slachten. Het zou genoeg vlees opleveren om de lange tocht naar Reigers vallei mogelijk te maken.

Hij Die Huilt liet zich op een steen zakken en keek hoofd-schuddend naar de stervende mammoet. 'Nog een handbreedte, Moeder, en je zou me tot moes gestampt hebben. Gezegende Sterren, er moet toch een makkelijker manier zijn.'

Het dier hield op met ademen. Lange tijd staarde hij naar de dode mammoet, en verdriet en spijt welden op in zijn hart. Hij liep naar de rand van de kuil en knielde neer naast de reusachtige kop. Somber streelde hij de ruige rode vacht. Toen haalde hij de amuletten uit de heilige buidel die rond zijn nek hing, blies erop en begon de ziel van de koe naar het Gezegende Sterrenvolk te zingen.

Later sneed hij met Zingende Wolf de pijlpunten uit het vlees. De nieuwe tweedelige werpspiesen hadden gewerkt. Nooit had Hij Die Huilt een pijlpunt dieper in een dier gedreven. Zingende Wolf knikte en mompelde terwijl hij de diepte van de wonden mat.

'Toch is de overgang tussen punt en schacht nog steeds te dik,' zei hij. 'Kun je de onderkant van de punt niet dunner maken?'

Hij Die Huilt wreef met een bebloede vinger over zijn platte neus en fronste. 'Nee, dan breekt de punt te makkelijk af als hij iets raakt. Dat hebben we al geprobeerd, weet je nog?'

'Misschien moet je de punt langer en minder breed maken.'

'Ik dacht dat je zei dat het Volk de pijlpunten al sinds mensen-heugenis op dezelfde manier maakte.'

Zingende Wolf haalde zijn schouders op en grijnsde schaap-achtig.

De rotsen waren bedekt met lange repen vlees. Hij Die Huilt hielp Groen Water met het splijten van de beenderen. Daarna schraapten ze het merg eruit en deponeerden het op een huid. Dansende Vos verhitte het merg boven een vuur en goot het hete vet in afgebonden stukken van de ingewanden, op de manier die Groen Water haar had geleerd. Het was een lastig karwei, want als het vet te heet was, verbrandde het de stukken darm, maar als het niet heet genoeg was, wilde het vet niet vloeien.

Zingende Wolf had het voortdurend aan de stok met de hon-den die om het karkas heen slopen en probeerden stukken vlees los te rukken, ondanks dat ze zich al zo volgepropt hadden dat hun buik bijna over de grond sleepte.

'We zouden misschien beter af zijn zonder ze,' gromde hij, dreigend een vuist heffend naar de dieren.

Hij Die Huilt keek grijnzend op. 'Je vervoert dus liever alles op je eigen rug?'

Zingende Wolf haalde zijn schouders op en zuchtte. 'Nee. En de honden zullen ons ook waarschuwen voor beren. Dit keer hoeven we onderweg minder bang te zijn om levend opgegeten te worden.'

Hij Die Huilt beet met zijn stompe tanden op zijn onderlip en keek peinzend naar de donkere wolken die vanuit het noordwesten kwamen aandrijven. Er was al sneeuw gevallen, maar de zomer was goed geweest en het gras stond nog hoog, geelbruin verkleurd. De speklaag op de rug van de mammoet was drie handbreedten dik en het vlees eronder was dooraderd met vet.

Groen Water zei: 'Ik geloof de verhalen die Blauwe Bes over het Mammoetvolk heeft verteld. Ook al zegt Raafjager dat ze liegt.'

Dansende Vos hield de darm die ze aan het vullen was scheef en liet de door de warmte uitzettende lucht ontsnappen. 'Ik zei toch dat hij gek was.'

'Hij denkt er anders over,' zei Groen Water zacht terwijl ze met haar kin wees naar Zingende Wolf, die bezig was bij het karkas van de mammoet. 'Zijn hart is ziek van de dingen die de jonge krijgers onder leiding van Raafjager hebben gedaan, maar hij is er niet van overtuigd dat Raafjager ongelijk heeft als hij wil vechten om dit land in bezit te houden.'

'Als Raafjager zo doorgaat, zal hij een speer in zijn buik krijgen en zal hij sterven.'

'Hij zal ons allemaal de dood injagen,' fluisterde Hij Die Huilt terwijl hij steelse blikken om zich heen wierp.

Ze werkten een poosje zwijgend verder. Hij Die Huilt richtte zijn aandacht op Lachend Zonlicht en Zang Van De Wulp, die lange repen vlees van de schouder van de mammoet sneden en ze lachend naar de wilgen verderop droegen, waar ze over de takken te drogen werden gehangen. De wind zou het vocht in het vlees binnen een paar dagen doen verdampen.

Uit zijn ooghoeken volgde Hij Die Huilt de jonge, mooie Zang Van De Wulp. Zij op haar beurt keek voortdurend naar Springende Haas, die samen met Zingende Wolf de huid van de mammoet afstroopte. Springende Haas trok aan de dikke huid en Zingende Wolf sneed het grijze weefsel door waarmee de huid aan het lichaam verbonden was.

Springende Haas was een tijd somber geweest nadat hij van de dood van zijn moeder, Grijze Rots, had vernomen. Maar Wulp had zijn bestaan lichter en blijer gemaakt. Hij had haar tot eerste vrouw genomen na zijn terugkeer van de strijd tegen de Anderen. Ze was afkomstig uit het kamp van Bizonrug en behoorde tot de Clan Van De Zeemeeuw. Daarna was hij ook getrouwd met Maanwater, een jonge vrouw die hij in een van de vijandelijke kampen gevangen had genomen.

Maanwater verrichtte haar werkzaamheden met een norse uitdrukking, en als ze naar Springende Haas keek, brandde er in haar ogen een smeulend vuur. Vroeg of laat zou ze moeilijkheden veroorzaken; Hij Die Huilt voelde het. Maar haar mooie soepele lichaam en gracieuze manier van bewegen trokken niettemin onweerstaanbaar zijn aandacht. Hij stelde zich voor hoe het zou zijn als hij haar kleren van haar lichaam trok en zijn handen over haar stevige volle borsten liet glijden en haar benen uit elkaar duwde. Hij voelde hoe zijn-

De dagdroom werd ruw verstoord toen een elleboog tussen zijn ribben werd geplant. Hij keek snel opzij naar Groen Water. Ze balde een vuist en keek hem veelbetekenend aan.

'Ik fantaseerde maar wat,' mompelde hij.

'Ja, dat zal wel,' gromde ze, maar haar ogen twinkelden.

Hij Die Huilt grijnsde schaapachtig en liep weg om een nieuwe armlading vet te halen.

De nieuwe vrouwen die uit de kampen van de Anderen waren ontvoerd, waren in de kampen van het Volk opgenomen, en de oudere vrouwen deden hun best om hun de legenden en mythen te leren, opdat ze een met het Volk zouden worden – ook al zou hun aanzien altijd lager blijven dan dat van de andere vrouwen. De gevangenen leerden de verhalen, maar de meeste hadden het in hun nieuwe omgeving slecht naar hun zin en deden hun werk met tegenzin. Velen ondernamen voortdurend pogingen om weg te lopen.

Hij Die Huilt kwam terug met een groot stuk vet. Hij legde het brok op de stapel, veegde zijn vingers af en masseerde zijn rug, die stijf was geworden van het werk.

'Hoe lang zal het nog duren voor we vertrekken?' zei Groen Water.

'Vijf dagen? Tien? Dan zal de grond hard genoeg bevroren zijn om snel vooruit te kunnen komen.'

'Hoe eerder hoe beter. Zingende Wolf maakt zich zorgen.'

'Ik ook,' zei Hij Die Huilt. 'De Anderen zullen terugslaan. Ze kunnen niet anders, te oordelen naar wat Blauw Bes heeft verteld.'

Groen Water keek haar echtgenoot met schuingehouden hoofd aan. 'Ik denk dat ze heel wat meer van de Anderen weet dan Raafjager. Ik luister naar haar en ik vind dat de mannen aandacht aan haar woorden moeten besteden. Als de helft van wat ze zegt waar is, staan ons grote moeilijkheden te wachten.'

'Dat is zo,' beaamde Hij Die Huilt, kijkend naar Blauwe Bes, die haar kind de borst gaf.

Groen Water stootte hem aan en zond hem een zachtaardig verwijtende blik. 'Het kind zal opgroeien als een van ons.'

'Het is toch niet te geloven dat Raafjager het kind wilde doden? Leert hij het dan nooit?'

'Hij is gek.' Groen Water hief haar kin, zodat haar lange glanzende haar rond haar gezicht zwierde. Rond haar brede mond lag een weemoedige uitdrukking.

'Ik hoop dat hij niet zo gek is als Dansende Vos zegt.'

Dansende Vos zei met een zucht: 'Dat is hij wél.'

Groen Water nam Hij Die Huilt peinzend op. 'Misschien betekent het niets, maar ik heb gemerkt dat je het grootste deel van de leiders hebt verteld hoe ze Reigers vallei kunnen vinden.'

Hij Die Huilt hoorde het klikken van steen op been; Zingende

Wolf was zijn werktuig aan het scherpen. Het geluid klonk vertrouwd en hoorde bij het slachten en het prepareren van vlees. Waarom stelde het hem dan niet op zijn gemak?

Hij vulde zijn longen en ademde langzaam uit, starend naar de pluim van gecondenseerde lucht. De lucht was koel en prikkelend en bracht de geuren van mammoet en gekneusde zegge en alsem. In het noorden, waar het zoute water was, hing een dikke, donkere wolkenbank. Dat voorspelde een fikse storm.

'Als de Anderen deze winter komen, en het zijn er net zoveel als Blauwe Bes zegt, is er maar één plek waar we heen kunnen gaan,' zei hij.

'En als er geen pad is dat uit Reigers vallei leidt?'

Hij keek haar schuin aan en grinnikte. 'Misschien kan Reiger de Anderen een Droom sturen zodat ze wegblijven.'

Een zwakke kreet woei aan op de wind. 'Mensen!'

Zingende Wolf stond op en keek in noordelijke richting, zijn met bloed bevlekte hand boven zijn ogen. Springende Haas liet de huid los en rekte zich uit om beter te kunnen zien.

'Ik geloof dat het Kleine Eland is,' riep Zingende Wolf. 'Wat doet hij hier? Ik dacht dat hij met Kromhoorn naar het noorden was gegaan om te jagen.'

'Ik zie Muis,' riep Springende Haas. 'Ik herken haar aan haar manier van lopen. Ze trekt nog steeds met dat been dat is gebroken toen Witte Bergs spies die bizon miste. Achter haar zie ik nog een heleboel mensen.'

Groen Water maakte een klakkend geluid met haar tong. Ze zei tegen Hij Die Huilt: 'Ik heb het gevoel dat er iets mis is. Ga eens kijken.'

Hij Die Huilt pakte zijn werpspiesen en liep op een drafje langs de zwarte rotsen waar hij de mammoet had uitgedaagd. De honden gingen woest tekeer en renden blaffend naar de honden die voor de groep van Kleine Eland uitliepen.

Kleine Eland voerde een groep vrouwen aan die gebukt liepen onder zware pakken, bevestigd aan lijnen rond hun voorhoofd. Hun gang was traag en slepend. Achter hen kwamen nog meer mensen met pakken op hun rug. Ze staken een ogenblik af tegen de lucht terwijl ze over de kam van de heuvel kwamen. Velen struikelden herhaaldelijk of liepen mank. Niemand lette op de vechtende kluwens honden.

Hij Die Huilt bleef staan, met een onbehaaglijk gevoel. 'Kleine Eland!' riep hij. 'Welkom. We hebben een mammoet gedood. We zullen jullie feestelijk onthalen.'

De woorden deden een golf van opluchting door de groep gaan. Muis – haar haar afgesneden in rouw voor Witte Berg – hief haar hoofd, en haar pas leek wat veerkrachtiger te worden. Het gezichtje van haar zuigeling werd zichtbaar naast het hare. Naast haar stapte een meisje voort op haar kleine dikke beentjes. Er kwamen nog steeds nieuwe mensen over de kam van de heuvel.

'Daar gaat onze wintervoorraad vlees,' mompelde Hij Die Huilt voor zich heen.

Kleine Eland hief dankbaar en opgelucht zijn handen. 'We zullen van het vlees genieten, Hij Die Huilt, en we zijn het Gezegende Sterrenvolk dankbaar dat we bij jullie onze toevlucht kunnen zoeken.'

'Ik zie dat jullie niet veel bij jullie hebben. De honden dragen niets.' Hij zag een korte, gedrongen man die moeizaam voortstrompelde. 'Is dat niet Grote Veer? Is hij gewond?'

'Getroffen door een werpspies.' Kleine Eland keek schichtig opzij, zijn lippen opeengeklemd. 'We hadden geluk bij de jacht. We troffen een kudde wilde schapen in een kleine vallei en vingen ze zonder veel moeite. We begroeven het grootste deel van het vlees als voorraad voor later. Nu de Anderen verjaagd waren, dachten we dat we daar de hele winter konden blijven.'

Hij Die Huilt voelde zijn maag ineenkrimpen. 'Wat is er gebeurd?'

'Het Gezegende Sterrenvolk heeft ons gered, mijn vriend. We hebben geluk gehad. Een van de jongemannen ging op weg naar Raafjager en Kraailokker om hun te vertellen dat we genoeg vlees hadden om vele monden te voeden. Hij zag onderweg Anderen en rende terug om ons te waarschuwen. Ik verzeker je, oude vriend, dat ze nu heel wat beter vechten. Ze doodden vier van de jagers die hen tegemoet gingen om hen te verdrijven. Er waren er zoveel. Zoveel. En ze waren woest en bloeddorstig. Het was alsof we probeerden Vrouw Wind te verjagen. Maar onze positie in de heuvels was sterk, daarom hebben we het er levend af gebracht.'

'Hoe hebben jullie ons gevonden?'

'Kromhoorn vertelde ons in welke richting jullie weggetrokken waren. We hoopten dat jullie ons zouden kunnen helpen.' Kleine Eland sloeg zijn blik neer en schuifelde onbehaaglijk met zijn voeten.

Hij Die Huilt liet zijn blik over de mannen gaan. 'Is Kromhoorn er niet bij? Hij heeft me de oude verhalen geleerd.'

'Hij is niet meer, mijn vriend. Later, misschien vannacht of morgen, zullen we bijeenkomen om zijn ziel naar het Gezegende Sterrenvolk te zingen.'

Een gepijnigde uitdrukking verscheen op het gezicht van Hij Die Huilt. 'Hoe is het gebeurd?'

'De Anderen... Wel, de werpspies trof hem onder in de buik, net boven zijn mannelijkheid. Een slechte plaats om geraakt te worden. De wond ging ontsteken en zijn buik zwelde op en begon te stinken. We hebben hem zo lang mogelijk gedragen.'

'En jullie kamp?'

Kleine Eland sloeg betekenisvol op zijn werpspiesen. 'De Anderen wonen er nu. Ik en een paar van Kromhoorns groep hebben de vrouwen begeleid om er zeker van te zijn dat ze hier veilig zouden aankomen. Daarna gaan we terug om het de Anderen betaald te zetten.'

Hij Die Huilt schudde zijn hoofd. 'De laatste keer dat je het hun betaald zette, heeft het ook niet geholpen. Hou op met vechten. Er zijn al te veel doden gevallen.' Hij gebaarde naar de naderende mensen. 'Kijk naar al die vrouwen die hun haar hebben afgesneden. Het kan zo niet doorgaan.'

Kleine Eland glimlachte triest. 'Voed mij en mijn krijgers vanavond, Hij Die Huilt. Spaar het vlees niet. Dan zullen we onze gestorven familieleden wreken.'

'Het lijkt alsof Raafjager door jouw mond spreekt.'

'Hij is een leider.' Kleine Eland knikte vol bewondering.

'Misschien.'

Kleine Eland fronste zijn wenkbrauwen. 'We hebben krijgers nodig. Gaan jullie mee? Jij en Zingende Wolf en Springende Haas?'

'Nee,' zei Hij Die Huilt, onzeker zijn hoofd schuddend.

'Maar we moeten –'

'Nee.'

'Geven jullie dan niets om de mensen die zijn vermoord?'

'Wij geven meer om de levenden. Zingende Wolf, Springende Haas en ik hebben dit al samen besproken. We vreesden dat dit zou gebeuren. We gaan naar het zuiden om de Wolfdroom te volgen. Als je werkelijk wilt dat jullie vrouwen en kinderen veilig zijn, ga dan met ons mee.'

Kleine Eland aarzelde, en schudde toen zijn hoofd. 'We moeten teruggaan. Het is een zaak van... eer.'

'Eer?'

Kleine Eland richtte zich in zijn volle lengte op, en zijn ogen kregen een felle glans. 'De eer van de krijger.' Hij schudde met zijn werpspiesen om zijn woorden kracht bij te zetten.

Een somber voorgevoel nam bezit van Hij Die Huilt. Hij boog zijn hoofd en knikte peinzend. Zijn Volk begon met de dag meer op de Anderen te lijken.

35

Het Volk trok in een lange rij door het golvende heuvellandschap. De noordelijke hellingen waren al bedekt met plekken
sneeuw en het pad dat Vader Zon volgde bracht hem iedere dag
dichter bij de horizon. Het heldere gele licht van de zomer nam
af tot een zwak schijnsel met de kleur van dor gras. De takken
van de dwergberken waren zo goed als kaal en de bodem van de
geulen die het Volk overstak, waren bezaaid met bevroren bladeren die kraakten onder hun voeten.

Dansende Vos verschoof de draaglijn die in haar voorhoofd
sneed en wierp een woedende blik op de rug van Muis. De vrouw
ergerde haar bovenmatig. Klauw, die verscheidene passen voor
Dansende Vos liep, draaide zich om en grijnsde alsof ze haar gedachten las. Klauw gebaarde haar door te lopen, en Vos zette het
op een drafje om de anderen in te halen.

'Ga weg. Jouw plaats is aan het eind van de rij,' zei Muis.

'Ik loop waar ik wil,' zei Dansende Vos uitdagend. Ze zag dat
Klauw bleef staan en zich omdraaide. De ogen van de oude
vrouw glansden donker.

'Je ziel is vervloekt,' zei Muis. 'Ik wil je niet in de buurt van
mijn baby hebben. Ga naar achteren en laat ons nette mensen
met rust.'

Dansende Vos schoot naar voren en klemde haar sterke vingers om de keel van Muis. De vrouw maakte krassende geluiden
in haar keel en probeerde zich los te rukken, maar Vos hield haar
stevig vast, trok haar naar zich toe en keek haar recht in de ogen.
Ze zei: 'De man die me vervloekte is een valse Dromer; hij heeft
geen Macht. Dat betekent dat zijn vervloeking niets voorstelt.'
Ze kneep nog harder, zodat de ogen van Muis begonnen uit te
puilen. '*Begrepen?*'

Ze duwde Muis ruw van zich af. De baby onder haar kap

begon te huilen. Muis wreef over haar keel en staarde Dansende Vos met grote ogen aan. 'Je... je bent gek,' zei ze hoestend.

Dansende Vos glimlachte grimmig. 'Hou dat goed in gedachten. Ik ben tot alles in staat als iemand me dwarszit.' Zonder haar nog een blik waardig te keuren, liep ze door.

Vanaf dat moment had ze geen moeilijkheden meer met Muis. Maar ze merkte dat de andere vrouwen haar blik ontweken. Respect? Angst? Alleen Klauw keek haar aan en knipoogde bemoedigend. Dansende Vos richtte zich fier op en liep verder, haar wapens omklemmend als een krijger.

Wolfdromer dreef in de warme poel, omhuld door het zachte gezang van Reiger. De golfjes streelden zijn naakte lichaam.

'Verlies jezelf in het lied,' instrueerde Reiger. 'Bevrijd jezelf. Beweeg mee met de geluiden. Droom deze wereld weg. Ze bestaat niet. Niets bestaat behalve de Dans.'

'De Dans,' herhaalde hij.

Hij liet zich achterover zakken in het water tot het tegen zijn oren klotste. De vogelgeluiden verdwenen en hun plaats werd ingenomen door het zachte ruisen van stromend water. Hij hoorde Reiger weer beginnen met zingen, heel zacht, ritmisch, indringend. De woorden betekenden voor hem niets. Daarom richtte hij zijn aandacht op de melodie en verbeeldde zich dat hij danste op het ritme.

Hij knipperde met zijn ogen en keek als verdwaasd om zich heen. Hij zat in Reigers grot en zijn zintuigen namen de vertrouwde vormen, geluiden en geuren waar. De schedels staarden hem met hun lege oogkassen aan en keken tot op de bodem van zijn ziel. De afbeeldingen en kleurige symbolen op de wanden leken te pulseren van leven onder de dunne laag roet. De bijtende geur van het zwavelhoudende water van de geiser drong zijn neusgaten binnen.

'Niet... niet de poel?' Hij zag Gebroken Tak ineengedoken in een hoek zitten, zachtjes voor zich heen mompelend. Haar ogen glansden fel.

'Niet de poel,' zei Reiger. 'Kijk naar je hand.'

Hij tilde zijn hand op, en zijn adem stokte. In het midden van zijn handpalm bevond zich een grote, vuurrode blaar. Onmiddellijk voelde hij een stekende pijn, en een kreet ontsnapte hem.

Reiger greep zijn pols en wreef voorzichtig vet vermengd met kruiden op de blaar. Ze zei: 'Ik zie de vraag in je ogen. Wat is er gebeurd? Ik heb een kooltje op je handpalm gelegd, Wolfdromer. Je voelde er niets van toen het gebeurde. Weet je wat dat betekent?'

Ondanks de pijn knikte hij. 'Ik heb mijn Dans gevonden.'

'Ja.'

'Maar het kooltje heeft mijn hand verbrand.'

'Ja, want je hebt alleen een verschuiving tot stand gebracht in je geest. Je hebt niet met het vuur Gedanst.'

'Waarom heb je dan het kooltje in mijn hand gelegd?' vroeg hij, enigszins gebelgd. Zijn hand klopte en gloeide nu.

Ze grinnikte. 'Ik wilde zien hoe ver je gevorderd was.'

'Waarom heb je niet gewacht tot je het me zelf kon vragen?'

'Dat is niet hetzelfde.'

Hij trok ongelovig een wenkbrauw op, maar zei niets.

'Je bent nog niet ver genoeg.'

Hij keek naar zijn hand. 'Dat zie ik.'

Ze aarzelde een moment. 'Zie je, om werkelijk te kunnen Dansen, moet je Dansen met alles om je heen... niet alleen met jezelf. Daarna moet je de Dans worden om de Ene te kunnen aanraken.'

'Maar ik ben weer een stap verder gekomen.'

'Ja,' beaamde ze. 'Weer een stap verder, Wolfdromer. Maar ik vraag me af of we tijd genoeg zullen hebben om het pad tot het einde toe te bewandelen.'

'Wat bedoel je?'

Haar ogen richtten zich op iets dat alleen zij kon zien. 'De gebeurtenissen volgen elkaar te snel op. Ik had gehoopt dat we een paar jaar zouden hebben, maar het is zelfs maar de vraag of we één jaar hebben.' Ze klopte hem op de schouder. 'Misschien is het volgende zomer al te laat.'

'Te laat voor wat?'

Ze fronste en de lijnen in haar voorhoofd werden dieper. 'Afgelopen nacht had ik een verschrikkelijke Droom. De beelden waren vaag, dreigend, chaotisch; maar hun betekenis was duidelijk genoeg.'

'Wat betekenden ze dan?'

'Ze komen,' zei ze schor, hem recht in de ogen kijkend. 'Voor we het weten zullen ze hier zijn.'

'De Anderen!' zei hij. *Hij zou zijn vader ontmoeten.*

'Nee, iets dat nog veel erger is. Een of andere verschrikkelijke duisternis. Ik kon niet goed zien wat het was.'

'Net als de duisternis die ik heb gezien?' Hij rilde. 'Hoeveel tijd hebben we nog?'

'Ik weet het niet.'

'Hoe kunnen we dat te weten komen?'

'Ik...' Ze slikte moeizaam en haar ogen kregen een angstige uitdrukking. 'Ik weet niet of ik er nog de kracht voor heb.'

Ze stond met tegenzin op en reikte naar een hoge nis in de wand. Haar handen begonnen plotseling te beven en ze liet ze weer zakken terwijl ze met grote ogen naar de nis staarde.

'Wat is er?' vroeg hij, aangestoken door haar angst. 'Zal ik het voor je pakken?'

'Nee,' fluisterde ze. 'Alleen ik mag ze aanraken.' Ze bevochtigde haar lippen, reikte in de nis en haalde er een dichtgevouwen vossehuid uit.

Een huivering beving Wolfdromer toen hij de verschrompelde zwarte voorwerpen zag die de bundel bevatte. 'Wat zijn dat?'

'Paddestoelen. Ik heb je vorige zomer gewezen waar ze groeien, op de plek waar ik alle ingewanden en ander afval deponeer. Ze hebben veel Macht. Dood, rotting en bederf is hun voedingsbodem, en daaruit maken ze nieuw leven. Een wedergeboorte, Wolfdromer. Behandel ze met eerbied – de Macht leeft in hen.'

Hij keek haar met bonzend hart aan. 'Wedergeboorte? Je zei dat ze me zouden doden.'

Haar oude zwarte ogen boorden zich in de zijne. 'Dat is ook zo. Je bent nog niet klaar voor ze.'

'Waarom niet?'

'Je hebt de Danser nog niet gezien.'

Hij liet zijn blik rondgaan door de grot terwijl hij nadacht over haar woorden. Wat had het al dan niet zien van de Danser met het eten van paddestoelen te maken?

'Begrijp je het?' vroeg ze ernstig.

'Nee.'

'Kunnen de paddestoelen je doden als je de paddestoelen zelf bent? Kun jij de paddestoelen doden als de paddestoelen in jou zijn?' Hij vergat bijna te ademen. 'De Ene,' fluisterde hij.

'Ja. Dit nederige plantje is de toegang tot de krachtigste van alle Dromen. De grap van Vader Zon, de paddestoel. Ze heeft geen kleur, ze groeit in het donker, ze wordt gevoed door de dood – en ze brengt Licht en Leven. Wedergeboorte.' Ze wees eerbiedig op de verschrompelde zwarte reepjes. 'Ze stellen je ziel in staat voorbij de Dans te gaan, naar de Ene.'

'Wat gebeurt er als ik uit de Droom kom?'

Ze hield haar hoofd schuin, als een vogel. 'Je bedoelt, wat gebeurt er als je ontdekt dat de wereld totaal is verdwenen?'

'Iets dergelijks.'

Ze wierp haar hoofd in haar nek en lachte. 'Dan weet je dat je er bent.'

'Waar?'

'Nergens.'

Hij wilde niet tonen hoe onwetend hij was en daarom vroeg hij: 'Wat heeft dat voor gevolgen voor mijn Dromen?'

'Als je dat nergens – dat gat binnen in je – kunt vinden, dan zul je in staat zijn om met vuur te spelen zonder je te branden… en gif in te nemen zonder te sterven.' Ze knikte. 'Ja, ik zie aan je ogen dat je het begrijpt.'

Hij slikte. 'In het "gat" zullen de paddestoel en ik Een zijn?'

Ze klemde haar resterende tanden op elkaar en knikte. Ze zei: 'Dat klopt. Het is de Droom der Dromen. En terwijl je Droomt, zweef je langs de afgrond van de dood. Je lichaam verzet zich, je hebt pijn, je bent misselijk, heel erg misselijk. En je moet afdalen – afdalen in je bloed en zoeken naar de Droom die voorbij de eenwording van jou en de paddestoel ligt. Wees allebei en geen van beide.'

Onwillekeurig balde hij zijn handen tot vuisten. 'Wanneer ben ik klaar om het te proberen?'

'Dat weet ik niet. Misschien nooit. En we hebben veel minder tijd dan ik dacht. Raafjager trotseert de Droom. Je broer heeft buitengewoon veel Macht, maar zijn Macht is anders dan die van jou.'

'Hij Droomt niet.'

'Niet op de manier zoals jij doet. Maar zijn Macht is... Hij heeft de gave om zijn wil aan anderen op te leggen, om de geest van anderen te sturen door middel van zijn Dromen. Hij vangt af en toe een glimp op van hoe de dingen zouden kunnen gaan. Hij is gevaarlijk.'

'Kan ik hem tegenhouden?'

'Ik weet het niet. Jullie tweeën en de Ander, je vader, zijn de toekomst van het Volk. Maar als er niets gedaan wordt, zal Raafjager het Volk van binnenuit vernietigen en zal je vader hetzelfde doen van buitenaf. En jij?' Ze keek hem aan met haar vreemde donkere ogen. 'Jij moet het gat binnen in je vinden voor je in staat zult zijn het gat in het Grote IJs te vinden dat hun enige kans op redding is.'

'En die duisternis die je in je Droom hebt gezien? Is dat het gevaar waar je over sprak?'

'Het is iets anders, iets ergers. Het zal ons allemaal opslokken en wegvagen: de Anderen, het Volk.'

'Maar dan...' Hij spreidde hulpeloos zijn handen. 'Voor we het kunnen bevechten, moeten we eerst te weten zien te komen wat het is. Misschien kan ik...' De woorden bleven hem in de keel steken, en hij wees op de paddestoelen.

Met snelle bewegingen vouwde Reiger de vossehuid dicht en klemde hem tegen haar borst. 'Raak ze niet aan. Als je er ook maar iets van binnenkreeg, zou je een afschuwelijke dood sterven. Het aflikken van je vingers zou al genoeg zijn. Hiermee vergeleken zijn de zieleters van de Lange Duisternis een pretje. Ik mag je leven niet op het spel zetten.'

Maar zijn blik werd naar de bundel getrokken zoals de ogen van een haas naar de arend die zich op hem wil storten.

36

Raafjager wenkte de oude man binnen te komen en plaats te nemen. Kraailokker liet zich behoedzaam op een stapel huiden zakken en streek de vouwen uit zijn parka. Zijn goede oog nam het binnenste van de tent op, de door de rook zwart geworden palen die de huiden van de wanden en het dak droegen, de wapens die onder handbereik stonden, de bijeengebonden wolfshuiden en mantels van kariboehuid. Gele vlammen dansten in de vuurkuil en wierpen de schaduwen van de twee mannen op de tentwanden.

'Hier, oude leraar,' zei Raafjager en overhandigde Kraailokker een beker die gemaakt was van de hoorn van een wild schaap. Hij bevatte mosthee.

Kraailokker dronk de thee op en wees op de kookzak die boven het vuur hing. 'Ik heb vanavond nog niet gegeten.'

'Ga je gang.'

De oude sjamaan glimlachte en vulde zijn beker. Hij slobberde het brouwsel luidruchtig naar binnen.

Toen hij klaar was, boerde hij en keek Raafjager aan. 'Waar wilde je me over spreken?'

'Kleine Eland is gekomen,' zei Raafjager. 'De groep van Kromhoorn is aangevallen door de Anderen. Ik ben van plan de jonge krijgers te verzamelen en de kampen van de Anderen te overvallen, en ik wil dat jij je zegen aan de onderneming geeft. De Anderen zullen niet bedacht zijn op een gevecht in het midden van de Lange Duisternis.'

Kraailokker streek bedachtzaam over zijn kin. Zijn dode witte oog staarde in het niets. 'Het is gevaarlijk om in de Lange Duisternis een gevecht aan te gaan. Wie moet er voor de zielen van de jonge krijgers zorgen als ze sterven?'

Raafjager spreidde zijn handen. 'Hun zielen, Kraailokker? En hun toekomst dan? *Onze* toekomst... Kleine Eland heeft een jongeman opgedragen de Anderen die Kromhoorns kamp hebben overvallen in het oog te houden, en hij heeft gezien dat de Anderen de jonge vrouwen die ze gevangen nemen in de groep opnemen. Moet dat onze toekomst zijn, Kraailokker? Onze vrouwen die hun nakomelingen dragen en baren, zoals bij Blauwe Bes is gebeurd?'

'Je hebt te veel ambitie voor iemand van jouw leeftijd. Heb je niet genoeg aan de woorden van een oudere?' Hij maakte aanstalten om op te staan.

Raafjager drukte hem zacht maar beslist weer naar beneden. 'Natuurlijk, ik ben ambitieus. Maar ik ben ook de redder van het Volk. Dat zullen je Dromen je toch zeker wel vertellen?'

'Ik droom vele dingen,' zei de oude man verontwaardigd.

'Laten we eerlijk zijn tegenover elkaar. Ik heb eens nagegaan welke van jouw "Dromen" uitkomen. Herinner je je die profetie in het Mammoetkamp? Over de jagers die hun werpspiesen in de mammoetkalveren slingerden? Dat is nog niet gebeurd. Je Droomde dat de eerste zoon van Witte Berg werd geboren. Weet je het nog? Je vertelde een prachtig verhaal over hoe hij zijn jongen in zijn armen zou houden. Het was een meisje; en Witte Berg is dood. Muis is naar het kamp van Hij Die Huilt gegaan.'

'Dromen veranderen soms.'

'En soms is het belangrijk dat de mensen in je geloven – of de Dromen nu waar zijn lof niet.'

'Beschuldig je me ervan te liegen?' schreeuwde Kraailokker.

Raafjager speelde met een pijlpunt en vermeed de blik van de sjamaan. 'Ik wil niet dat jij en ik vijanden worden, oude leraar. Het zou niet goed zijn voor het Volk.'

Kraailokker dacht hierover na. Om zijn mond vormden zich harde lijnen. Ten slotte zei hij: 'Waar ben je op uit?'

'Je hebt nooit echt je goedkeuring uitgesproken over mijn strijd tegen de Anderen.'

'Ik heb er ook nooit afkeurend over gesproken.'

'Dat is waar, en ik respecteer het als iemand wacht om te zien welke kant hij het beste kan kiezen.' Hij keek de oude man aan.

'Maar de tijd om te beslissen is gekomen.' Hij boog zich voorover en staarde in Kraailokkers goede oog. De oude man staarde woedend terug, maar na korte tijd wendde hij zijn blik af.

'Wat wil je van me?' vroeg hij.

'Ben je voor of tegen me?'

'Waarom heb je mijn steun nodig?'

'Gedurende de Lange Duisternis zal het enthousiasme voor de strijd – hoe zal ik het zeggen – afwezig zijn. Niemand wil vechten als hij de kans loopt dat de geesten zijn ziel zullen wegzuigen.'

Kraailokker keek Raafjager scherp aan met zijn goede oog. 'En jij denkt dat ze er misschien anders over zullen denken als de sjamaan zijn goedkeuring uitspreekt?'

'Als hij zijn goedkeuring geeft, en als hij belooft hen te zullen beschermen.'

'En als ik mijn steun niet geef?'

Raafjager slaakte een zucht van teleurstelling. 'Als de mensen te horen krijgen hoeveel Dromen van jou nooit zijn uitgekomen, zouden ze weleens kunnen gaan roddelen. Enkelen zouden je misschien zelfs openlijk bespotten, en zoals je weet, is hoon de grootste vijand van elke Dromer.'

'Waag je het mij te *bedreigen?*' zei Kraailokker, met open mond van verbazing.

'Nee. Ik probeer je genoeg informatie te geven om je in staat te stellen snel te kunnen beslissen dat je er goed aan zou doen mijn kant te kiezen.'

Kraailokkers gezicht vertrok van woede. 'Mijn Macht is groot. Ik heb macht over de zielen van de mensen, ik weet hoe ik stukjes haar en nagel en kleding moet gebruiken, ik kan iemands ziel uit zijn lichaam zuigen en uitspuwen in de Lange Duisternis, zodat ze eeuwig moet rondwaren.'

'Zullen we dat voor de ogen van het Volk aan een proef onderwerpen?'

'Wat bedoel je?'

Raafjager pakte zijn eigen geestbundel. 'Ik zal je dit morgen geven, waar iedereen bij is. En dan zullen we zien wat sterker is: jouw vervloekingen of mijn ziel.' Zijn ogen glinsterden gevaarlijk. 'Wil je dat zien gebeuren?'

288

Kraailokker bewoog zich ongemakkelijk en zijn ogen schoten zenuwachtig heen en weer. 'Het zou geen enkel doel dienen.'

'Kom, laten we eerlijk zijn, oude leraar. Vriend. Wij, die elkaar zoveel te bieden hebben, moeten geen tegenstanders worden.'

Kraailokker keek hem aan met een gepijnigde uitdrukking op zijn gezicht. 'Wil je een wig drijven in het Volk? Wil je verdeeldheid en tweedracht zaaien terwijl de Anderen onze kampen overvallen en ons doden?'

'Nee,' zei Raafjager vol afkeer. 'Ik zoek eenheid. Maar die eenheid zal pas komen als jij en ik aan dezelfde kant staan.'

Er viel een lange stilte terwijl Kraailokker nadacht. Raafjager wachtte geduldig. Langzaam zakten de schouders van de oude man. De Dromer van het Volk leek van binnenuit te verschrompelen.

Ten slotte fluisterde Kraailokker met tegenzin: 'Ik... ik zal je helpen.'

'Ik wist het. Neem nog wat te eten, mijn vriend. Samen zullen we het Volk leiden naar een nieuwe bestemming.'

Kraailokker schudde zijn hoofd en vulde zijn beker met het brouwsel uit de kookzak. 'Zo jong, en toch al zo machtig. Hoe komt het dat dit alles jouw zo makkelijk ten deel valt, terwijl ik, met al mijn kennis en ervaring, zo hard moet werken voor Dromen die ik niet eens kan vertrouwen?'

Raafjager luisterde ernstig naar de schuldbekentenis die Kraailokker slechts met moeite over zijn lippen kon krijgen. Hij zei: 'Je Macht zal terugkeren, oude vriend, nu je hebt besloten je in te zetten om het Volk te redden. Ik denk dat Vader Zon twijfelde aan je toewijding en daarom zijn handen van je aftrok. Maar je zult je Macht terugkrijgen.'

Kraailokker wierp een sceptische blik naar boven. 'Misschien.'

'Ik ben ervan overtuigd.'

'En denk je dat we deze oorlog tegen de Anderen zullen winnen? Denk je dat we hen voorgoed kunnen verdrijven?'

Raafjager keerde de pijlpunt om en om in zijn handen. 'Eerlijk gezegd, ik weet het niet. Maar we kunnen er wel voor zorgen dat ze zich tweemaal bedenken voor ze ons weer aanvallen. We zullen hun tonen dat de strijd tegen het Volk geen voordeel oplevert en dat andere mogelijkheden verkiesbaar zijn. Als Blauwe Bes gelijk heeft en de Anderen inderdaad worden opgedreven door volken uit het westen, kunnen we er misschien voor zorgen – als we genoeg van de Anderen doden – dat ze teruggaan en het land heroveren waarvan ze verdreven zijn.'

'Blauwe Bes zei ook dat er heel veel Anderen waren. Meer dan we kunnen doden – of verjagen door ze angst in te boezemen.'

'Dan zullen we sterven. Maar dat zouden we toch al. Het voeren van een oorlog zal ons in ieder geval wat tijd geven.'

'Tijd voor wat?'

'Wie weet? Misschien wel om mijn dwaze broer in staat te stellen het gat in het Grote IJs te vinden.'

'Er is geen gat!' gromde Kraailokker.

Raafjager keek hem in zijn vlammende zwarte oog. 'In dat geval hoop ik dat we in staat zullen zijn de Anderen terug te slaan.'

'Hoe kan ik daarbij helpen?' zei Kraailokker wrokkig.

'Het Volk is lui en gemakzuchtig geworden. We moeten hen harden, hen sterk en veerkrachtig maken, zodat ze met graagte zullen vechten. Jij moet hun vertellen dat je in je Dromen hebt gezien dat we zullen winnen; dat zal hen geestdriftig maken. En dan zullen we de kampen van de Anderen overvallen en leven van het rijke voedsel dat we daar vinden, en hun vrouwen zullen zonen voor ons baren.'

'Je verstoort de gewoonten van ons Volk.' Kraailokker schudde zijn hoofd. 'Doden en –'

'We hebben geen keus.' Raafjager blies op de pijlpunt om hem te doordringen van zijn geest. 'Totdat je Macht terugkeert en je in je Dromen een andere manier kunt vinden om het Volk te redden.'

'Ik geloof niet –'

Raafjager sloeg met zijn vuist op de huiden waarop hij zat, en zijn ogen kregen een krankzinnige glans. Hij boog zich voorover naar Kraailokker en keek hem met vreemd schuingehouden hoofd aan. 'En als ik de gewoonten van het Volk verstoor, wat dan nog? Niets doen en ons door de Anderen laten afslachten, zou heel wat erger zijn. Hoe denk je dat onze vrouwen zich zouden voelen als een of andere stinkende Ander haar benen spreidt en haar tot zijn tweede echtgenote maakt?'

'Toch bevalt het me niet.'

'Weet je een betere manier? Vertel maar, ik zal luisteren.'

Kraailokker fronste zijn wenkbrauwen. 'De enige plek waar we naar toe zouden kunnen gaan, is het Grote IJs. Maar daar is Rent In Licht al, en ik sterf nog liever door de werpspies van een Ander dan hem hulp te verlenen.' Hij schudde zijn hoofd. 'Ik zal tegen de jonge krijgers zeggen dat ze met jou mee moeten gaan, en ik zal ze een Droom meegeven zodat ze weten dat ze naar het Gezegende Sterrenvolk gaan als ze sterven.'

Raafjager knikte veelbetekenend. 'Ik wist wel dat je het voor me wilde doen. Jij en ik kunnen samen heel wat bereiken. Ja, heel wat. En je Macht zal terugkeren, oude vriend. Wacht maar af.'

Kraailokker trok aan zijn dunne, gebogen neus en zei: 'Je hebt belangstelling voor Dansende Vos.'

Raafjager haalde zijn schouders op en richtte zijn blik op zijn geestbundel. Hij bestudeerde de magische figuren die op de huid waren getekend terwijl hij nadacht over zijn antwoord. De toon van de oude man was niet vijandig geweest, eerder nieuwsgierig, en misschien een beetje jaloers. Hun bondgenootschap was heel broos. Kon hij het riskeren de waarheid te vertellen? Hij zei zacht: 'Zit je dat dwars? Je hebt haar tenslotte verstoten.'

'Je hebt mij gevraagd haar leven te sparen.'

Raafjager hief met een ruk zijn hoofd op. 'Op een dag zal ze mijn vrouw zijn. Dat heb ik gezien. Ik heb ook een kind gezien – een machtig kind – dat zij zal baren. Ik weet zeker...' Zijn stem stierf weg en zijn ogen staarden een moment in het niets. 'Ik weet zeker dat het kind van mij is.'

'Heb je het gezien in een Droom?'

Raafjager negeerde de vraag. 'Buiten dat vind ik haar ook nog

291

amusant. En er is geen enkele vrouw die ik aantrekkelijker vind, ondanks de schaamte die over haar is gekomen.'

'Dromen? Maar je hebt nog helemaal niet de leeftijd voor Dromen! Je bent nog maar een jongen, net als die broer van je!'

Raafjager omklemde de pijlpunt, en de spieren van zijn arm zwollen op als koorden onder de huid. 'Let op je tong, Kraailokker. Er zijn ergere dingen dan de geesten van de Lange Duisternis. De tijd dat je me een jongen kon noemen, is al lang voorbij.'

'Ik bedoelde er niets onvriendelijks mee,' zei Kraailokker haastig. Hij glimlachte beverig. 'Vrienden zouden elkaar niet moeten afsnauwen. En zeker niet wanneer het voortbestaan van het Volk op het spel staat.'

'En Dansende Vos?'

Kraailokker spreidde zijn armen en haalde zijn schouders op. 'Wat kan het mij schelen wat er met haar gebeurt? Ze zou me uiteindelijk toch in de steek hebben gelaten voor Rent In Licht.'

Raafjager knikte en keek met halfgeloken ogen naar Kraailokker. 'We begrijpen elkaar,' zei hij.

37

Reiger zat met gekruiste benen voor het vuur in haar grot en masseerde haar nek. Schaduwen dansten over haar verzameling schedels. De menseschedel leek haar ernstig aan te staren, met een macaber soort begrip in zijn lege oogkassen.

Ja, jij weet. De doden zien zo duidelijk. Wij levenden verblinden onszelf voortdurend met onbenulligheden. Zeg me, nobele doden, zal ik... zal ik sterk genoeg zijn? Kan ik de overgang naar de Danser maken? Of zal ik weer falen? Vertel me, goede doden, door welk visioen jullie-

Gebroken Tak dook onder de deurhuiden door en keek Reiger aan. 'Hij is weg. Ik ben samen met hem langs het pad naar dat grote rotsblok gelopen.'

Reiger knikte en frummelde zenuwachtig met de zoom van haar kleding. 'Bij wat ik ga doen, kan ik hem niet gebruiken. Niet nu. Dit is te belangrijk. Ik wil niet dat hij het ziet.'

Gebroken Tak schuifelde ongemakkelijk met haar gezwollen voeten. 'Je maakt me bang als je zo praat.'

'Ik word er zelf ook bang van.'

Er viel een stilte terwijl Reiger haar oude rivale bestudeerde, glimlachend bij het zien van haar dunne spitse neus en haar uitgezakte lichaam. Ze zei: 'Weet je, ik heb je bijna vergeven.'

'Doe geen moeite. Ik zit niet op je vergeving te wachten.'

Reiger lachte kakelend. 'Jij misschien niet, maar voor mezelf is het heel belangrijk om je te vergeven. Ik heb vele jaren een wond binnen in me gehad. Ik voel me beter nu ik min of meer gesteld op je ben geraakt.'

Gebroken Tak wuifde het weg en schommelde naar het vuur. Ze ging zitten en strekte haar handen uit naar de vlammen. 'Verspil je tijd niet,' zei ze. 'Ik hield van Jager Op Beren. Als ik het over mocht doen, als we onszelf terug konden Dromen naar die tijd, zou ik het weer precies zo doen. Ik heb een heleboel mooie jaren met hem gehad totdat hij werd gedood.'

'Waarom ben je teruggekomen? Je had nu een makkelijk leventje kunnen hebben in de tent van een of andere jonge jager, voorzien van alles wat je nodig had in ruil voor het opvoeden van zijn kinderen en het vertellen van de oude verhalen. Het Volk eert zijn ouderen en verzorgt hen goed.' Reiger wreef over haar armen, trachtend de spieren los te maken die waren verkrampt door de toenemende spanning in haar lichaam. 'Je hebt je hier al die tijd op de achtergrond gehouden. Je sprokkelt hout, kookt, maakt voedselvoorraden voor de winter. Dat is helemaal niets voor jou, Gebroken Tak.'

'Ha-heeee! Dan ken je me slecht. Niets voor mij, zeg je? Ha!' Ze wuifde met een kromme vinger. 'Ik heb zijn ogen gezien, Reiger. Begrijp je wat ik bedoel? Ze waren vol van de Droom... de Wolfdroom. Het raakte mijn ziel en deed me in een Droom van mezelf vallen. Ik ben teruggekomen voor het Volk, *voor hem*, opdat jij hem kon leren wat hij nodig had.'

'Waarom ik? Je mocht me niet.'

'Zwijg, oud wijf. Wat er in het verleden ook gebeurd mag zijn, jij bent nog steeds de beste. Jij bent de enige Dromer van het Volk die anderen kan onderwijzen.'

Reiger masseerde haar voorhoofd. Het beslissende tijdstip naderde en de angst woog als een steen op haar hart. 'Hij zal een machtig Dromer worden. Op een dag zal hij beter zijn dan ik – als hij tenminste lang genoeg in leven blijft.'

Gebroken Taks gewrichten kraakten toen ze een wilgetak trok uit de stapel die ze in de lange dagen van de zomer bijeen had gesprokkeld. 'Als? Heeft dat iets te maken met de Droom die je afgelopen nacht hebt gehad?'

Reiger staarde zonder iets te zien in het vuur. 'Ik zag beelden en hoorden geluiden. Het Volk wordt bedreigd door... iets van ver weg. Wat weet ik niet. Velen komen hiernaar toe. Ik zie ze strompelen over de heuvels langs de Grote Rivier. Hij Die Huilt loopt voorop, daarachter Zingende Wolf en vrouwen die ik niet ken. Vele clans volgen hen. En allemaal vluchten ze naar ons toe.'

'Zijn ze in moeilijkheden?'

294

'Ze zijn heel bang. De angst hangt boven hen als een donkere wolk. In de Droom zag ik iets groeien in het donker. Groot en machtig, als Grootvader Bruine Beer. Het hield zich schuil in de wolken, verborgen in de duisternis, wachtend, gereed om met zijn reusachtige klauwen toe te slaan.'

'Zou dat hetzelfde ding zijn dat Wolfdromer heeft gezien?'

'Ik denk het wel.'

'Kun je het verdrijven?'

Reiger trok haar schouders op. 'Er is meer. Raafjager loopt naar het noorden, langs de rand van een reusachtige poel van bloed; vele jonge mannen volgen hem. Zijn macht over hen neemt toe, zoals de Lange Duisternis het land steeds vaster in zijn greep neemt. Zelfs enkele van de jonge vrouwen gaan met hem mee, hun werpspiesen op hun rug, liederen zingend terwijl Kraailokker hen zegent en hun valse hoop geeft met zijn aanspraak op Macht en zijn loze beloften van bescherming door de geesten van de Lange Duisternis. Aan de andere kant van de poel van bloed liggen de kampen van de Andere, gehuld in bundels gloeiend licht die de kleuren hebben van het schijnsel dat de hemel verlicht als de Monsterkinderen vechten.'

'Ik begrijp de betekenis niet.'

Reiger slaakte een zucht. 'Ik ook niet. Daarom maakte ik afgelopen nacht Wolfdromer wakker. Ik moest met hem praten.'

'Je hebt hem heel wat meer verteld dan alleen de Droom. De gele stenen in de geiser. De witte kristallen onder hoopjes mammoetmest. De kruiden die genezen.'

'Misschien komt die kennis hem eens van pas. Hij heeft een heleboel geleerd, meer dan hij zich nu kan voorstellen. Ik hoop dat het genoeg is.'

Gebroken Tak ging verzitten en keek Reiger vanuit haar ooghoeken aan. 'Je praat alsof je verwacht dat je zijn opleiding niet zal kunnen voltooien.'

'Misschien niet.'

'Onzin!'

Reiger schudde langzaam haar hoofd. 'Heel mijn leven, vanaf de tijd dat ik Jager Op Beren verliet, ben ik meesteres geweest over alles wat er gebeurde – al deed ik soms niets anders dan observeren. Maar de wereld is aan het veranderen, overal sterven mensen, en ik begrijp het niet.'

'Je kunt niet alles in de wereld begrijpen, Reiger.'

'Dat is zo. Maar ik kan wel de onderliggende patronen zien.' Ze kneep even haar ogen dicht en zuchtte. 'Dat wil zeggen, vroeger kon ik dat. Maar tegenwoordig loopt alles door elkaar. De patronen zijn gebroken en uiteengeslagen, als kariboeskeletten in de lente. De oude Droompaden zijn onbegaanbaar, en de nieuwe zijn angstaanjagend. Er nadert iets, en ik ben niet van plan met mijn armen over elkaar te blijven wachten tot het er is. Nee, Gebroken Tak, ik ben een zoeker. Ik zal *weten* wat het is vóór het hier komt om me op te slokken!'

'De kennis van de geesten heeft de plaats ingenomen van Jager Op Beren, hé?'

De blik van Reiger werd zacht. 'Ja,' zei ze.

'Heb je daarom de jongen weggestuurd? Ga je het gevecht aan met dat... ding?'

Reiger beet op haar lip, en in haar voorhoofd verschenen diepe lijnen. 'Hij zou me maar afleiden en misschien iets zien waar hij nog niet klaar voor is. Hij is heel pienter en ziet soms dieper dan goed is voor iemand van zijn leeftijd. Het zou hem kwaad kunnen doen.'

'Wat ga je doen?'

'Stil! Begrijp je niet dat ik moet *zien?*'

Het licht van de vlammen speelde over Gebroken Taks gespannen gezicht. 'Je moet zien. En verder?'

'Het heeft ook met jou te maken.'

'Met mij?'

'Helaas, ja.'

'Wat bedoel je?'

'Ga naar de poel en blijf daar. Ik weet niet hoe...' Ze zweeg toen haar stem begon te trillen. Toen ze zichzelf weer in de hand had, ging ze met vaste stem verder: 'Ik weet niet hoe lang het gaat duren, maar je mag pas terugkomen als ik je roep. Begrepen? Verstoor mijn concentratie niet, want dat zou verschrikkelijke gevolgen kunnen hebben.'

296

Gebroken Tak hees zich moeizaam overeind. 'Je bent een gek oud wijf, Reiger. Ik ga. Droom naar hartelust.'

'Gebroken Tak?'

'Wat is er?'

'Over Jager Op Beren...'

Gebroken Tak sloeg haar ogen neer. 'Ik was toen jong, en het bloed vloeide heet in mijn aderen. Ik verlangde zo erg naar hem dat mijn hart pijn deed.'

'Heb je hem gelukkig gemaakt?'

'Hij is nooit bij een andere vrouw onder de huiden gekropen. Nadat hij had gejaagd, rende hij altijd zo snel mogelijk terug naar mij en de kinderen. We praatten en lachten samen. Onze kinderen bleven allemaal in leven en kregen zelf zonen en dochters. Hij hield ervan zijn kleinkinderen op schoot te nemen en met hen te spelen.'

'Hoe is hij gestorven?'

'Het gebeurde heel snel. De mammoet zwaaide met zijn slurf, Jager Op Beren gleed uit en slaagde er niet in op tijd weg te komen.'

Reiger knikte, en het bleef even stil. Toen zei ze: 'Ik had hem nooit kunnen geven wat jij hem gegeven hebt. Dromers kunnen nooit echt liefhebben, Gebroken Tak. Het – het is een vloek die op ons rust. Dromers die liefhebben, vernietigen óf zichzelf óf degenen die ze liefhebben. Het is een dodelijke zwakheid. Ik heb geprobeerd het Wolfdromer aan zijn verstand te brengen. Ik hoop dat hij het begrepen heeft.'

'Als hij het niet heeft begrepen, ligt het niet aan jou. Jij hebt je best gedaan.'

Een weemoedige glimlach verscheen op Reigers gezicht en ze knikte. 'Ga weg, Gebroken Tak. En wat je ook hoort, en wat je ook ziet, laat me met rust! Heb je dat goed begrepen? Stoor me niet. Het zou me mijn leven kosten.'

Gebroken Tak smakte met haar tandeloze mond. 'Ik zal je Dromen niet verstoren, Reiger.' Ze tilde de deurhuiden op en stapte naar buiten, het heldere zonlicht in.

Reiger keek hoe de deurhuiden terugvielen. Ze aarzelde, en de angst deed haar handen beven. 'Sta op, ouwe dwaas,' mompelde ze streng tegen zichzelf. 'Een andere weg is er niet.'

Ze klemde haar kaken op elkaar, stond op en pakte de bundel met de paddestoelen. Na de bundel naast het vuur te hebben gelegd, wierp ze een handvol wilgetwijgjes in de kookzak die aan een driepoot vlak bij het vuur hing. Hun doordringende geur vulde de grot.

Ze haalde diep en beverig adem en vouwde de bundel die de paddestoelen bevatte open. 'Hoe lang is het geleden dat ik voor het laatst gebruik heb gemaakt van je kracht?' fluisterde ze. 'Het was de nacht dat Wolfdromer me riep vanuit de mist. Je herinnert je het nog wel, nietwaar?'

De reepjes paddestoel leken te gloeien in het schijnsel van het vuur.

'We vochten met elkaar als twee beren...' Ze slikte en voelde haar angst groeien. Zo zacht dat het nauwelijks te horen was, fluisterde ze: 'Je had me bijna gedood... Weet je nog?'

Ze scheurde haar blik los van de paddestoelen en begon in het vuur te porren om te zorgen dat het gelijkmatig zou branden. Aan de grenzen van haar bewustzijn voelde ze de aanwezigheid van Gebroken Tak, ergens in de buurt van de poel. Het betekende afleiding, al was het ook nog zo weinig.

'Concentreer je!' sprak ze zichzelf ruw toe. 'Ze zal je niet storen, dat heeft ze zelf gezegd.'

Ze hoorde achter zich een zacht gemompel van stemmen en draaide zich om om naar de paddestoelen te kijken; ze riepen haar, wenkend als een minnaar.

'Ik kom,' zei ze met verstikte stem. Met bevende handen wierp ze de eerste handvol geweekte wilgetwijgen op het vuur. Ze sisten heftig, en stoom en heilige rook stegen op naar het luchtgat boven haar.

Ze sloeg haar handen voor haar gezicht en vocht tegen de doodsangst die haar borst leek te verpletteren.

De paddestoelen fluisterden haar toe, en hun spookachtige stemmen weerkaatsten van de stenen wanden.

38

Het begon donker te worden, en de oorlog van de Monsterkinderen deed de hemel gloeien in kronkelende banden van oranje, rood, blauw en groen. Het Volk hield halt om een kamp op te slaan. Te midden van blaffende honden en baby's die huilden van honger, lieten mannen en vrouwen hun pakken van hun ruggen glijden, waarna ze op zoek gingen naar hout voor de kookvuren.

'Waar is Klauw?' zei Dansende Vos, om zich heen kijkend.

Zingende Wolf richtte zich op en zocht met zijn scherpe ogen de gezichten af. 'Ik zie haar niet. Ik zal teruggaan langs ons spoor. Misschien is ze ergens gestopt.'

'Ik ga wel,' zei Dansende Vos terwijl ze onzeker naar de invallende duisternis keek.

'Alleen?'

'Maak je maar geen zorgen,' zei ze glimlachend. 'Ik heb verscheidene manen lang op mijn eentje geleefd. Ik red me wel. Bovendien is Klauw mijn verantwoordelijkheid. Help jij maar met het opzetten van het kamp, dan ga ik haar zoeken.'

Hij keek onzeker, maar knikte.

Dansende Vos nam haar werpspiesen en liep met grote stappen terug langs het spoor dat het Volk in de sneeuw aan de lijzijde van de rotsen had achtergelaten.

Hoe lang was het geleden dat ze haar voor het laatst gezien had? Ze was lange tijd verwikkeld geweest in een druk gesprek met Groen Water over de Anderen.

De nacht spreidde haar mantel uit over het land. In de verte klonk de roep van een uil, wat de stilte die erop volgde nog intenser deed lijken.

'Klauw?' riep Dansende Vos. Haar stem klonk krachteloos in de schemering. Ze versnelde haar pas tot een drafje, turend naar het spoor. 'Klauw?'

'Hier, kind,' riep een zwakke stem, nauwelijks hoorbaar, boven het suizen van de wind uit.

Vos wrong zich tussen een paar grote, grillig gevormde morenen door en kwam terecht in een natuurlijke kom, gevormd door hoog oprijzende rotsblokken die de wind buitensloten. Tussen de stenen lag zand en aarde waarin enkele alsemstruiken een precair houvast hadden gevonden. In het midden van de kom, geleund tegen een platte grijze steen, zat Klauw.

'Je hebt me dus gevonden, hé?' De oude ogen glansden.

'Ben je verdwaald, of heb je even halt gehouden om uit te rusten?'

Klauw schudde haar gerimpelde hoofd. 'Ik kan niet meer verder, meisje.'

Vos knielde neer naast de oude vrouw en zei bezorgd: 'Wat bedoel je?'

'Het is mijn tijd om te gaan.' Ze keek op naar Vos. 'Ik ben de anderen tot last, ik houd hen op, ik ben altijd de laatste in de rij.'

Vos' ogen werden groot toen ze begreep wat Klauw bedoelde. 'Nee, Klauw, je bent niemand tot last, we zorgen graag voor je. Ik zal –'

'Nee,' zei Klauw. Ze legde een broze hand op Vos' arm. 'Doe geen moeite, kind. Ik heb lang genoeg geleefd om te weten wanneer het iemands tijd is. Ik voel dat mijn dood nabij is. Mijn ziel verlangt ernaar te gaan.' Ze gebaarde naar de sterren die zichtbaar waren door de gekleurde sluiers die de hemel bedekten.

Een hol, eenzaam gevoel overviel Vos. Ze fluisterde: 'Wat moet ik zonder jou beginnen?'

Klauw lachte zachtjes. 'O, jij redt je wel, kind. Ik ben trots op je. Je hebt karakter, durf, net als de vrouwen in vroeger tijden. Ah, de manier waarop je Muis bij de keel greep, deed mijn hart goed. En herinner je je die worp met de werpspies, vlak voor de Hernieuwing? Die sneeuwgans kwam zo uit de lucht tuimelen, morsdood. Een heleboel mannen zouden je dat niet nagedaan hebben!'

'Kom,' zei Vos, 'je bent nu uitgerust. Laten we naar het kamp gaan. Het is niet ver hiervandaan.'

'Nee,' gromde Klauw. 'Twee dagen lang heb ik gewacht op een kans om er tussenuit te glippen. Die kans kwam toen Groen Water en jij aan de praat raakten. Een fijne vrouw, die Groen Water.'

'Maar je kunt hier toch niet zomaar blijven zitten?'

'Dat kan ik wel. Luister. Ik kan geen huiden bewerken. Ik val in slaap als ik op de kinderen moet passen terwijl de moeders weg zijn om vallen te zetten en planten te verzamelen. Bovendien weet ik dat ik deze Lange Duisternis zal sterven.'

'Dat kun je niet weten.'

'Dat weet ik wél. En omdat ik dat weet, ben ik hier gaan zitten. Wat moet ik anders? Het voedsel opeten dat voor een jonger iemand later misschien net het verschil zou uitmaken tussen leven en dood? In de Lange Duisternis telt iedere mondvol.'

'En als ik mijn eten met je deel?'

Klauw glimlachte. 'Je bent een lief kind, maar ik zou het niet eten.'

'Waarom niet?'

'Ik heb je alles gegeven wat ik had, Vos, en nu ben ik leeg. Ik heb je de verhalen geleerd, en wat ik weet van jagen en verzamelen. Zo doen wij van het Volk dat. We geven onze kennis door. Ik heb je geleerd te leven zoals je nu doet, en op een dag zul jij je kennis overdragen aan iemand anders. Dat is wat telt.'

Dansende Vos schudde haar hoofd. 'Ik kan niet begrijpen hoe je weet dat je doodgaat.'

Klauw glimlachte weer. 'Dat is voor een jonger iemand ook onbegrijpelijk.'

'Het kamp is niet ver hiervandaan. Toe, ga mee. Ik zal je helpen met –'

'Nee, kind.' Klauw schudde haar hoofd. 'Ga en laat mij achter. Ik waardeer wat je voor me probeert te doen, maar ik weet beter. Wat ik moest doen, heb ik gedaan. Ga je Dromer zoeken, meisje. Richt je op je toekomst.'

Dansende Vos liet zich naast de oude vrouw op de grond zakken en pakte haar uitgemergelde hand in de hare. 'Ik... ik zal hier blijven om je gezelschap te houden.'

'Ga,' fluisterde Klauw zacht. 'Het duurt misschien nog dagen voor de dood me komt halen. In de tussentijd is je Dromer misschien verdwenen.'

'Dan vind ik hem later wel.'

Een tijd was het stil. Toen zei Klauw: 'Vos?'

'Ja?'

'Je hebt nog nooit een echte Dromer gezien.'

'Ik heb Rent In Licht gezien toen hij terugkeerde met de Wolfdroom. En ik ben getrouwd geweest met Kraailokker.'

'Dat is niet hetzelfde.' Klauw zuchtte. 'De oude Dromers, de échte... Wel, ik heb er nog nooit een gezien die getrouwd was.'

'Ik begrijp niet wat je daarmee wilt zeggen.'

Klauw maakte een smakkend geluid met haar lippen. 'Daar was ik al bang voor. Luister, kind, als Rent In Licht al die tijd bij Reiger is geweest, zul je hem misschien niet herkennen als je hem ontmoet.'

'Praat nu geen onzin. Natuurlijk zal ik hem herkennen. We kennen elkaar al van kindsbeen af.'

'Dat bedoel ik niet.' Klauw hief haar hoofd en keek naar de sterren. 'Vos, mensen veranderen onder invloed van Dromen. Er gebeurt iets met ze, ze gaan anders denken. Ze verliezen hun belangstelling voor de dingen van deze wereld, en voor hun medemensen – vooral geliefden.'

'Maar een Dromer is net als alle andere mensen. Ik bedoel, Kraailokker verschilde in niets van –'

'Bah!' siste Klauw. 'Kraailokker? Dat is geen Dromer. O ja, eens, jaren geleden, heeft hij een paar flarden van een echte Droom gezien. Maar de roem die dat hem bezorgde, maakte hem begerig naar meer. Daarom is hij het kwijtgeraakt, kind.'

'Maar wat heeft dat allemaal met Rent In Licht te maken?'

'Echte Dromers verliezen hun belangstelling voor alles behalve de Droom. Niemand weet waarom dat zo is, maar het is zo. Ik herinner me dat ik heel wat verhalen over gebroken harten heb gehoord toen ik jong was.'

Vos vocht tegen de beklemming die zich van haar meester maakte. 'Je – je bedoelt dat hij me misschien niet meer wil hebben?'

'Dat bedoel ik.'

Vos slikte en mompelde koppig: 'Hij zal op me wachten. Ik weet het zeker.'

Ze zwegen weer. De plekken sneeuw aan de voet van de rotsen glinsterden in het flakkerende, kleurige licht van de Monsterkinderen, en aan de horizon werd een witte nevel zichtbaar op de plek waar Vrouw Maan zich klaarmaakte om de hemel in te springen. Na een tijdje zei Klauw: 'Hij is niet naar de Hernieuwing gekomen. Weet je waarom?'

'Hij kon niet. Hij had het te druk.'

'Als hij je werkelijk had willen zien, zou hij er geweest zijn. Maar hij bleef bij Reiger, omdat de Droom belangrijker voor hem was.'

'Waarom heb je me dit nooit eerder verteld? Dan had ik me kunnen voorbereiden.'

'Je had het al moeilijk genoeg, ik wilde er niet nog een last aan toevoegen. En ik dacht dat ik erbij zou zijn als Rent In Licht en jij elkaar eindelijk weer zullen ontmoeten. Ik was van plan je op te vangen, zodat de schok minder hard zou aankomen. Ik wist niet dat mijn krachten het zo snel zouden begeven.'

'Ik kan niet geloven dat hij... Nee, het kan niet waar zijn.' Ze schudde heftig haar hoofd. Al die ontberingen die ze had geleden, de honger, de eenzaamheid... Het enige dat haar al die tijd op de been had gehouden, was zijn belofte van liefde.

Klauw slikte. Het klonk luid in de stilte. 'Is dit het meisje dat zo hard gewerkt heeft om zichzelf onafhankelijk te maken? Je bent sterk genoeg om dit te dragen. Het wordt tijd dat je weer met beide voeten op de aarde gaat staan. Daar in de hemel kunnen alleen kraaien vliegen.' Ze wees met een knokige vinger naar boven.

Vos had het gevoel alsof haar hart zou barsten. 'Je zegt dat hij me niet wil hebben, en nu ga je zelf ook weg! Ik wil niet alleen zijn. Ik heb je nodig.'

'Je hebt niemand nodig. Je hebt jezelf wijsgemaakt dat je andere mensen nodig hebt, omdat dat nu eenmaal de gewoonte van het Volk is. Een vrouw wordt geacht afhankelijk van anderen te zijn.'

'Mensen hebben elkaar nodig.'

'O ja?'

'Natuurlijk.'

Klauw keek haar doordringend aan. 'Er is maar één reden waarom mensen angst hebben om alleen te zijn. Diep in hun hart zijn ze bang van zichzelf, kind. Ze vrezen dat ze niet genoeg moed en diepgang hebben om zonder hulp te overleven.'

'Ik ben niet bang van mezelf,' zei Vos koppig.

Klauw glimlachte zwakjes, en in haar ogen blonk trots. 'Mooi. Van alle vrouwen die ik ooit gekend heb, zijn er maar twee waarvan ik dacht dat ze het op eigen kracht konden redden.'

'Welke twee?'

'Jij en Reiger.' Klauw zuchtte en staarde naar de maanverlichte rotsen. 'Ik ken haar niet zo goed. Ik was nog jong toen ze het kamp verliet. Maar ik weet nog goed dat ik haar bewonderde omdat ze alleen wegging.'

'Wat als het niet Reiger is die Rent In Licht van me weghoudt?' zei Vos met trillende stem.

'Je bedoelt, wat als je zijn kamp binnenloopt en je ontdekt dat hij drie vrouwen heeft?'

'Ja.'

'Stort je jezelf dan van een rots af?'

Vos boog haar hoofd en staarde naar een verlaten vogelnest dat weggestopt zat in een spleet in de rotsen, vlak boven de grond. De takjes en strootjes waren bedekt met rijp. In het nest lagen de resten van een gebroken gespikkeld ei, glanzend in het donker. Vos keek Klauw weer aan en zei: 'Nee.'

'Het idee dat hij aan een andere vrouw toebehoort, is minder erg, hé?'

'Met een andere vrouw kan ik de strijd aangaan. Maar ik kan niet vechten met de hele geestenwereld.'

'Nee, dat kun je niet. Maar hij zal niet de eerste of de laatste persoon zijn die je in je leven verliest. Er zijn ergere dingen.'

'Wat zijn die dingen dan?' vroeg ze ongelovig.

Klauw keek haar ernstig aan. 'De dood van het Volk, bijvoorbeeld. Als hij zich opoffert voor de Droom, doet hij dat voor het voortbestaan van het Volk. Begrijp je? Hij doet het niet omdat hij je haat.'

'Ik hoop dat ik zal leren het te begrijpen.'

'Ik weet zeker dat het je zal lukken,' zei Klauw vriendelijk.

Ze luisterden naar het fluiten van Vrouw Wind tussen de rotsen en keken naar het flakkerende licht van de Monsterkinderen.

'Weet je zeker dat je niet meegaat naar het kamp?' vroeg Vos na een tijdje.

'Nee. Ik blijf hier om te praten met het Sterrenvolk.' Ze keek ietwat angstig naar boven.

'Ik blijf bij je. Ik wil niet dat je helemaal alleen sterft.'

Klauw gebaarde dat ze moest gaan. 'Vooruit. Sterven is een persoonlijke zaak; daar kan ik jou niet bij gebruiken.'

Een snik welde op in Vos' keel. Ze onderdrukte hem met geweld en zei schor: 'Weet je het zeker?'

Klauw keek naar haar gekwelde uitdrukking. 'Wil je echt tot het einde toe bij me blijven?'

'De gedachte dat je zwak en hulpeloos zou worden is... en de wolven...'

'Ik vind die gedachte zelf ook niet zo prettig. Ben je van plan ze uit de buurt te houden?'

'Als jij me de kans geeft.'

'Denk je dat je het aan kunt? Het betekent dat het langer zal duren voor je er achter komt wat er met Rent In Licht is gebeurd.'

Dansende Vos keek de oude vrouw in de ogen, en een begrip dat geen woorden nodig had, vloeide over tussen hen. Vos pakte een glanzend stuk schil uit het nest en volgde met een vinger de scherpe randen.

'Ik kan het aan,' zei ze.

39

De tent van IJsvuur had afmetingen die overeenkwamen met zijn status als Meest Geëerde Oudere: tien passen breed en veel meer dan manshoog. Kariboe- en mammoethuiden lagen netjes opgestapeld in een hoek, glinsterend in het licht van het vuur dat in de met stenen beklede vuurkuil brandde. Aan de wanden hingen veelkleurige medicijnbundels, elk op de plaats die de buidel de meeste Macht gaf.

IJsvuur keek met gefronst voorhoofd naar de buidel aan de zuidelijke wand, de zeebuidel. Dagenlang al verstoorde de zachte stem van de zeebuidel zijn slaap. 'Ik heb mijn oren niet dichtgestopt,' verzekerde hij terwijl hij een hand ophief om de buidel te strelen. 'Blijf maar praten. Vroeg of laat zal ik begrijpen wat je me te zeggen hebt.'

'IJsvuur?'

Hij liet zijn hand vallen en keek om naar de ingang. Het gezicht van Gebroken Schacht keek om de deurhuid. Hij gebaarde de jonge krijger binnen te komen en liep hem tegemoet om hem te omhelzen. Gebroken Schacht was twintig Lange Lichten oud en lang en krachtig gespierd. Hij had een rond gezicht met een korte, stompe neus en volle, zinnelijke lippen. Hij hield IJsvuur op armafstand en nam hem glimlachend op. 'Het Grote Mysterie zij dank dat alles goed met je is. Ik vreesde voor je leven, met al die aanvallen van de Vijand.'

IJsvuur beantwoordde de glimlach. 'Maak je niet ongerust. Ik ken het tijdstip van mijn dood, en dat ligt nog in de toekomst.'

Gebroken Schacht keek hem sceptisch aan. 'Zo nu en dan zit je er weleens naast met je voorspellingen.'

IJsvuur lachte. 'Maar alleen zo nu en dan.'

'Dat is waar, maar het baart me toch zorgen.'

IJsvuur ging op een ander onderwerp over. 'Je bent eerder

terug dan ik had verwacht. Ik neem aan dat het betekent dat de tocht rustig verlopen is, zonder moeilijkheden?'

'Alleen Rook heeft last veroorzaakt.'

IJsvuur fronste zijn wenkbrauwen. 'Wat heeft hij gedaan?'

'Hij werd verliefd op een meisje van de Clan Van De Ronde Hoef. Hij liep haar dagenlang achterna en plukte bloemen voor haar, tot ze uiteindelijk aandacht aan hem wilde besteden. Maar verder is er niet veel gebeurd.'

Er verschenen lachrimpeltjes rond IJsvuurs ogen. 'Ik neem aan dat Rook daar gebleven is?'

'Inderdaad.'

IJsvuur legde een arm om de brede schouders van Gebroken Schacht en liep met hem naar het vuur, waar ze beiden op de grond gingen zitten. Hij zei: 'Je ziet er moe uit. Wil je wat eten?'

'Heel graag. Ik kan wel een mammoet op.'

De jonge krijger bracht zijn werpspiesen naar zijn lippen, zich verontschuldigend voor het feit dat hij ze uit handen moest geven, voor hij de spiesen zorgvuldig naast zich neer legde.

IJsvuur schepte een hoorn vol met stoofpot van muskusos- vlees en overhandigde hem aan Gebroken Schacht.

'Dank je, Oudere. Ik heb je veel te vertellen.'

'IJsvuur?' Rode Vuursteen was in de ingang verschenen.

'Fijn dat je gekomen bent, oude vriend. Kom binnen.'

De man schuifelde naar het vuur en liet zich aan de andere kant moeizaam op zijn knieën zakken. Zijn gezicht had een som- bere uitdrukking – zoals het had gehad sinds de Vijand zijn dochter, Maanwater, had meegevoerd.

IJsvuurs gedachten dwaalden een ogenblik af, en voor zijn geestesoog doemde het beeld op van het mooie meisje dat huise- lijk werk moest doen in de kampen van de Vijand. Ze zouden haar tegen deze tijd wel verkracht hebben. Misschien groeide er zelfs al een kind in haar buik. De gedachte deed bittere haat in hem opwellen. Hij bad tot het Grote Mysterie dat ze haar geen kwaad zouden doen.

Hij schrok op uit zijn gedachten toen Gebroken Schacht eer- biedig zijn keel schraapte. Hij vroeg: 'Je bent dus naar de Clan

Van De Ronde Hoef geweest? En ook naar de Tijgerbuik Clan?'

Gebroken Schacht knikte en antwoordde op plechtige toon: 'Ja, Meest Geëerde Oudere. Het nieuws dat ik breng, is merendeels gunstig. In het westen is de strijd minder heftig; er is daar iets gebeurd. Het Gletsjervolk trekt zuidwaarts langs de kust. Enkele van de andere stammen trekken nog steeds naar het noorden, maar de meeste stammen blijven op dezelfde plek. Het Grote Mysterie straft degenen die ons van ons land willen verdrijven. Hun krijgers sterven aan een of andere verschrikkelijke ziekte, een ziekte van de ziel. Hun lichamen zijn bedekt met open zweren. Ze zijn minder vechtlustig en woest dan eerst.'

IJsvuur dacht een ogenblik na. 'Onze clans hebben dit jaar dus minder land moeten prijsgeven?'

'Ja. We hebben zelfs wat land heroverd.' Gebroken Schacht schudde zijn hoofd en vertrok zijn gezicht in een grimas.

'Wat is er? Wat zit je dwars?' zei IJsvuur.

De krijger trok zijn wenkbrauwen op. 'Het zoute water, Meest Geëerde Oudere.'

'Het zoute water?'

Gebroken Schacht wierp een korte blik op Rode Vuursteen. De oudere man porde afwezig met een wilgetak in het vuur. Gebroken Schacht zei: 'Rook en ik reisden door het gebied van de Bizon Clan naar de Tijgerbuik Clan. Dat was aan het begin van het Lange Licht. Toen we samen met Kariboehoef van de Bizon Clan terugreisden, niet meer dan twee manen geleden, wilden we hetzelfde pad volgen. Maar dat was onmogelijk, want het zuidelijke zoute water had het oude pad overstroomd. We moesten verscheidene dagen naar het noorden reizen voor we een doorgang vonden. Het was heel vreemd om te zien hoe het water alles had bedekt, zodat er alleen nog hier en daar wat struiken en hoge planten boven het oppervlak uitstaken. En het noordelijke zoute water dringt op naar het zuiden. De zeeën proberen elkaar te ontmoeten. Het land ertussen is veel smaller dan eerst. En Kariboehoef vertelde me dat de rivieren nog nooit zo woest en gezwollen zijn geweest. De helft van zijn clan kon dit jaar de dansfeesten niet bezoeken omdat ze de grote westelijke rivier niet

308

konden oversteken; je weet wel, de rivier die aan de andere kant van de bergen naar het westen stroomt. Zelfs de sterkste, dapperste krijger deed geen poging de gezwollen stroom over te steken.'

'Zo spoedig al...' mompelde IJsvuur peinzend. Een zacht gefluister, als van een kind, verbrak zijn concentratie. Zijn blik gleed naar de zeebuidel. 'Is dat het?' zei hij zacht. 'Gebeurt het spoediger dan ik dacht?'

Gebroken Schacht slikte iets weg. 'Waar heb je het over, Oudere?' IJsvuur bleef staren naar de groen en blauwe buidel, maar de stem zweeg. Hij keek de jonge krijger aan. 'De zeeën zullen ons afsnijden van het Gletsjervolk.'

'Hoe?'

'Door het land te overstromen.'

Gebroken Schacht zei somber: 'En als het water ons afsnijdt van de Tijgerbuik Clan? Ze verspreiden zich in de gebieden die door het Gletsjervolk worden verlaten.'

IJsvuur haalde zijn schouders op. 'Dan zullen ze in hun eentje de strijd tegen het Gletsjervolk moeten aanbinden – en tegen die verschrikkelijke ziekte.'

Gebroken Schacht wierp een benauwde blik op zijn werpspiesen. 'Als het water de wereld gaat overstromen, zijn wij dan wel veilig hier?'

'Maak je maar geen zorgen. Tegen de tijd dat het water tot hier is gekomen ben jij allang dood.' Hij wierp uit zijn ooghoeken een blik op de zeebuidel. *Zo is het toch?*

Rode Vuursteen, die tot nu toe gezwegen had, richtte zich plotseling op en zei: 'Zenden de andere clans krijgers om ons te helpen in onze strijd tegen de Vijand? We moeten onze familieleden bevrijden!' Hij gaf met zijn vuist een harde klap op de grond.

Gebroken Schacht sloeg zijn ogen neer, en IJsvuur legde troostend een hand op de schouder van zijn vriend. 'We zullen haar terughalen,' zei hij zacht.

Rode Vuursteen leek zich iets te ontspannen. 'Ik... ik weet het, Oudere.'

IJsvuur nam met tegenzin zijn hand van de schouder van Rode Vuursteen en wendde zich weer tot Gebroken Schacht. 'Hoeveel krijgers zijn er onderweg naar ons toe?'

'Veel,' zei Gebroken Schacht beslist. 'Nu het Gletsjervolk naar het zuiden trekt om het land van de zieke stammen in bezit te nemen, is er geen vijand meer waar eer aan te behalen is. Daarom komen er krijgers van alle clans hiernaar toe om samen met ons eervol strijd te leveren tegen de Vijand.'

Rode Vuursteen knikte en balde zijn vuisten. 'Dit jaar zal de Heilige Witte Huid naar onze clan gaan, dank zij de roemvolle verrichtingen van onze krijgers.'

Gebroken Schacht grijnsde. 'Ik reken er al op!'

IJsvuur glimlachte vol trots. De Huid was het heilige middelpunt van het Mammoetvolk, het hart, de hoop op overleven. Zonder de Macht die in de huid schuilde, zou het Mammoetvolk ophouden te bestaan. Aan het begin van ieder Lang Licht ging de huid naar de clan die zich het dapperst had betoond.

Hij boog zijn hoofd en knikte. 'Ik weet zeker dat jullie hem voor ons zullen terugwinnen.'

Die nacht kon IJsvuur de slaap niet vatten. Hij woelde en draaide onder zijn huiden als een stervende zalm na het kuitschieten. De zeebuidel riep hem herhaaldelijk, maar hij kon de woorden niet verstaan en dat verontrustte hem.

De deurhuiden klapperden in de wind en door de spleten zag hij de sterren glinsteren in de zwarte kom van de nacht. Hij haalde diep adem en concentreerde zijn aandacht op de aanraking van de koude wind die over zijn gezicht streek.

'Man van de Anderen,' riep een holklinkende stem.

Hij verstarde en zijn hart begon te bonzen. Ademloos wachtte hij, en langzaam werd hij zich bewust van de aanwezigheid van de Getuige.

'Ik zie je,' zei ze. 'Je kunt je niet verschuilen.' Haar krassende stem echode door de tent als het donderen van de branding.

Hij wreef met zijn handen over zijn ogen en keek bezorgd om zich heen. 'Wie ben je?' bracht hij er ten slotte uit.

'Ik ben Reiger. Ik ken je al jaren, man van de Anderen – sinds de dag dat je met geweld die vrouw nam, aan de kust van het zoute water.'

Hij kneep zijn ogen dicht toen de beelden uit zijn geheugen naar boven kwamen. Hij herinnerde zich het gevoel dat hij had gehad: alsof hij een Droom beleefde. Het gevoel was zo sterk geweest dat hij de werkelijkheid volledig uit het oog was verloren. De herinnering overspoelde hem met zoveel kracht dat ze tastbaar leek te worden, en hij ging met een ruk rechtop zitten. 'Wat een machtige Droom,' fluisterde hij vol ontzag.

'Ben je bereid met me te praten?' vroeg de stem.

'Ja.' Hij duwde de huiden van zich af en voelde hoe de aanwezigheid zich om zijn ziel wikkelde. De as in de vuurkuil verspreidde nog slechts een doffe rode gloed. Hij blies en porde tot de houtskool weer fel begon te gloeien en richtte zijn blik strak op het schijnsel.

'Ik ben hier…' riep ze, hem helpend bij zijn pogingen om te *zien*. 'Hier.'

In de gloed vormde zich het gezicht van een oude vrouw. Haar met grijs doorschoten haar viel in golven over haar schouders. Ondanks haar ouderdom was nog steeds te zien dat ze vroeger een opvallende schoonheid moest zijn geweest.

'Ik zie je,' fluisterde hij. 'Zo'n grote Macht… Ben jij het die ons weerstaat en krijgers op ons afstuurt?'

Reiger schudde haar hoofd. 'Dat doet je zoon. Je kent hem toch? Je zoon die uit bloed geboren is?'

'Nee, ik ken hem niet.'

'Jammer. Ik had gehoopt dat je hem in je visioenen had gezien. Zijn Dromen zijn gebrekkig, afschaduwingen van de oorspronkelijke grootsheid. Hij is wild en onbezonnen en doet wat hem invalt, zonder aan de gevolgen te denken, als een kariboestier die rondholt omdat hij wordt gekweld door vliegen.'

'Wat betekent hij voor ons?'

'Hij zal de dood van je Volk zijn.'

Het was alsof een koude hand zich om zijn hart legde. 'Hoe kan dat? Jouw volk is niet talrijk genoeg om ons te weerstaan. Hij kan ons nooit verslaan.'

'Niet in z'n eentje, nee. Waarom vraag je niet naar je andere zoon?'

Zweet begon zich op zijn voorhoofd te vormen. *'De jongen met de regenboog. Je... je kent hem?'*

'Wolfdromer,' fluisterde ze. In haar stem klonk ontzag door. 'Hij is machtig, man van de Anderen. Zo machtig als ik alleen maar kan hopen ooit te worden.'

'En zal hij zijn krachten bundelen met die van zijn broer om ons te vernietigen?' IJsvuur schudde zijn hoofd. 'Onmogelijk. Zelfs niet met behulp van jouw magie. We zullen jou en je volk wegvagen en vertrappen.' Maar hij wist dat de angst op zijn gezicht te lezen stond.

Ze keek hem aan met scheefgehouden hoofd. 'Wist je dat jouw volk en het mijne eens, lang geleden, één stam zijn geweest? Dat kunnen we opnieuw worden.'

'Eén stam?' Hij keek haar onderzoekend aan. 'Waarom zijn we dan uiteengegaan?'

'Jullie clans hebben ons verdreven omdat jullie bang waren van onze Dromen en onze magie. Jullie dachten dat we mensen konden beheksen en hun ziel in het verderf konden storten. Daarom ben jij de enige Dromer van het Mammoetvolk – jullie hebben in je dwaasheid het bloed gedood.'

'We hebben het niet gedood,' zei hij met bonzend hart. 'We hebben het aan jullie gegeven.'

'Een groots geschenk, maar het zal jullie vernietigen.'

Woede en angst streden in hem. Hij balde zijn vuisten en schreeuwde: 'Hoe dan? Vertel het me!'

'Je zonen komen naar je toe. Ze komen uit verschillende richtingen, maar ze komen.'

De gloeiende as rimpelde en deinde alsof ze zich onder water bevond, en de Droom loste op.

Hij bleef ineengedoken zitten, met hangend hoofd, huiverend van de kou. 'Mijn zonen...' fluisterde hij.

40

Wolfdromer stond op de kam van de rotsrichel en keek naar het Volk dat naderde, in een lange rij. Blijdschap doorstroomde hem. Ze waren veilig teruggekeerd. Zijn ogen zochten de rij af naar oude vrienden.

Hij Die Huilt leidde zijn groep tussen de grillig gevormde rotsen door, zijn ogen samengeknepen tegen de gure adem van Vrouw Wind. Het begon al avond te worden en de kou beet in hun gezicht. Toen de stoomwolken van Reigers geiser in zicht kwamen, hoorde Hij Die Huilt achter zich roepen: 'Ik dacht dat we het niet zouden halen!' Het was Zingende Wolf die naar hem toe kwam. 'Het zag er even naar uit dat we in de storm zouden omkomen.'

'Kijk, daar is Wolfdromer!' riep Hij Die Huilt, wijzend naar de gedaante op de rotsrichel. Ze versnelden hun pas. Zingende Wolf blies zijn wangen bol en zei: 'Eindelijk zijn we er dan weer. Ik kan je niet vertellen hoe vaak ik dit afgelopen jaar over deze vallei heb gedroomd.'

Zingende Wolf bereikte Wolfdromer als eerste. Hij glimlachte en zei: 'Het doet me goed je weer te zien, Wolfdromer.'

'Mij ook, neef,' zei Wolfdromer terwijl hij de schouder van de ander even aanraakte. 'Het zien van je gezicht verwarmt mijn hart. Hoe was de Hernieuwing?'

Zingende Wolf wisselde een blik met Hij Die Huilt en staarde vervolgens met gefronst voorhoofd naar de met sneeuw bedekte grond.

Wolfdromer verstrakte en liet zijn blik onderzoekend over het Volk gaan. *Wat zijn er veel nieuwe vrouwen.* Ze hadden sombere gezichten en liepen gebogen onder zware lasten, en uit hun ogen sprak haat. Toen viel het hem op dat alle honden pakken droegen, zelfs de jongen. Waarom zoveel bagage? Vervolgens zag hij

Muis, die was hertrouwd met Kleine Eland. Haar haar was afgesneden. Snel liet hij zijn blik over de andere vrouwen gaan. *Zoveel weduwen!*

'Wat is er gebeurd?' vroeg hij.

Hij Die Huilt zuchtte en antwoordde: 'Het Volk is in moeilijkheden.'

'Wat voor moeilijkheden?'

'Raafjager heeft de hele zomer lang aanvallen gedaan op de kampen van de Anderen,' zei Zingende Wolf, zonder hem aan te kijken. 'Ik ben een keer meegegaan en ik heb dingen gezien die me misselijk maakten.'

'Hebben de Anderen teruggeslagen? Is dat de reden waarom ik zo veel weduwen zie?'

'Ja, vele keren. Alle clans hebben familieleden verloren. Op dit moment zijn onze jongemannen bezig hun dorpen te verdedigen of hun doden te wreken.'

De pijn was als een mes in zijn hart. Hij fluisterde: 'Tijdens de Lange Duisternis? Dat is waanzin. Geen van hen zal het overleven.'

Hij Die Huilt zei aarzelend: 'Kraailokker heeft beloofd dat hij hen met zijn Macht zou beschermen tegen de zieleters.'

Zijn hart kromp ineen bij het horen van de naam. Hij balde zijn vuisten in een poging de opwellende emoties te onderdrukken. 'Weten ze nog steeds niet dat hij een valse Dromer is?'

'Je broer heeft de meesten van het tegendeel kunnen overtuigen.'

'Gezegend Sterrenvolk!' Hij kneep zijn ogen dicht en bleef zo even staan, zich concentrerend op de kille wind die aan de bontrand van zijn kap rukte.

Ten slotte zei hij: 'We moeten raad gaan vragen aan Reiger. Zij zal weten wat ze moet doen.'

'Weet je zeker dat ze geen bezwaar zal hebben tegen onze aanwezigheid?' zei Zingende Wolf bezorgd. 'We zouden niet graag willen dat ze kwaad op ons werd.'

'Ze heeft me erop uitgestuurd om jullie te vinden. Ze zal het niet erg vinden dat jullie er zijn – in ieder geval niet voor een tijd.'

314

Zingende Wolf en Hij Die Huilt slaakten een zucht van opluchting. Samen liepen ze verder langs het pad. Groen Water kwam naast Wolfdromer staan en zei: 'Je ziet er goed uit, Rent In... Wolfdromer.'

'Jij ook, Groen Water.' Hij wilde haar vragen waar Dansende Vos was, maar was bang voor het antwoord.

Ze keek hem met een ernstige blik in haar zachte bruine ogen aan. 'Ze is niet met ons meegekomen,' zei ze.

'Is ze bij Kraailokker gebleven?'

'Nee. Het is een lang verhaal.'

'Vertel het me.'

'Ze is gevlucht. Ze wilde je volgen.'

Zijn hart sprong op in zijn borst. *Ze heeft geprobeerd naar me toe te komen.* 'Hoe komt het dat ze me niet heeft bereikt?'

'Je broer is haar achterna gegaan en heeft haar teruggebracht naar Kraailokker.'

Haat welde in hem op. Zijn broer... die niets naliet om hem te kwellen. Hij zei hees: 'Wat gebeurde er toen?'

'Kraailokker beschuldigde haar van overspel en stootte haar uit. Raafjager heeft haar in leven gehouden in ruil voor haar... diensten.' Ze sloeg haar ogen neer.

'Wil je zeggen dat hij...' Zijn stem stierf weg.

Ze keek hem verontschuldigend aan en zei: 'Hij heeft haar met geweld gedwongen.'

Nee! Zijn eigen broer had de vrouw die hij liefhad, verkracht? Hij wreef met zijn handen over zijn gezicht om zijn schrik en afkeer te verbergen. 'Raafjager. Altijd weer Raafjager!'

'Ze komt hierheen, maar het zal nog even duren.'

'Waarom? Waar is ze nu?'

'Ze is achtergebleven bij Klauw. Nadat Kraailokker haar ziel had vervloekt, sloten zij en Klauw vriendschap, en ze verlieten samen het kamp om een tijd op zichzelf te leven. Toen we onderweg waren naar deze vallei, zonderde Klauw zich af om te sterven, maar Dansende Vos vond haar. Ze kwam naar ons toe om te zeggen dat we zonder haar verder moesten reizen omdat ze tot het einde toe bij haar vriendin zou blijven.'

'Maar binnenkort komen de stormen!' Onwillekeurig deed hij een stap in de richting waaruit Groen Water en de anderen gekomen waren.

Ze legde een hand op zijn mouw. 'Er zal haar niets overkomen. Ze is... hoe zal ik het zeggen, veranderd. Het laatste jaar heeft haar gehard, zoals het vuur de schacht van een werpspies hardt. Ze weet zich heel goed te redden. Het meisje dat je kende, bestaat niet meer... evenmin als de jongeman waar ze eens verliefd op was.'

Hij slikte en staarde onderzoekend in haar vriendelijke gezicht.

'Heus, ze zal komen,' zei ze zacht.

Hij keek naar de horizon waar wolken voorbijjoegen, donker en zwaar van sneeuw. Hoop, angst en woede woelden in zijn borst.

'Het gaat goed met haar,' zei Groen Water troostend. 'Ondanks dat ze is uitgestoten.'

'Ik zal het hem betaald zetten,' zei hij schor. 'Hij zal berouwen wat hij heeft gedaan, dat zweer ik.'

'Sssst!' zei ze, met een vinger tegen haar lippen. 'Zeg zulke dingen niet hardop, Wolfdromer. We hebben nu een sterk en wijs iemand nodig om ons te leiden. De gebeurtenissen hebben het Volk verscheurd zoals een wezel een muis.'

Hij staarde naar de mensen die voorbij strompelden, voorover leunend tegen de wind. Wat waren het er veel! Hoe moesten ze die allemaal voeden?

Groen Water deed een stap in de richting van de vallei en keek hem vragend aan. Hij knikte en voegde zich bij de stroom mensen. Hij moest met Reiger gaan praten.

Het was al donker toen ze de vallei bereikten. De mensen hadden zich verzameld rond de oevers van de warme poel. Ze tuurden vol ontzag om zich heen in de duisternis en gaven verbaasd commentaar op wat ze zagen. Wolfdromer liet zijn blik over de menigte gaan. Reiger was er niet bij. *Vreemd. Ze komt bezoekers altijd tegemoet.* Een afschuwelijk voorgevoel nam bezit van hem, alsof het eind van de wereld gekomen was. Hij holde naar de grot, bleef voor de ingang staan en riep: 'Reiger!'

Er kwam geen antwoord.

Nogmaals riep hij: 'Reiger!' Hij had een gevoel alsof zijn hart zou breken, en hij begreep niet waarom. Voorzichtig deed hij een stap naar voren in het donker.

'Wolfdromer?' riep de stem van Gebroken Tak achter hem.

Hij draaide zich om en vroeg: 'Waar is Reiger?'

De oude vrouw kwam aanschommelen uit de duisternis, haar gezicht verlicht door de brandende wilgetak in haar hand. 'Ze is in de grot. Toen jij weg was om het Volk te zoeken, heeft ze iets gedaan. Ze zei dat ik haar niet mocht storen.'

Met trillende vingers pakte hij de brandende wilgetak uit haar hand, bukte zich en dook onder de deurhuid door naar binnen. Reiger lag op de grond naast de vuurkuil, waarin het vuur was uitgegaan. Haar wijd open, starende ogen glansden vreemd in het flakkerende licht van de fakkel. Zijn blik werd getrokken naar de kleine zwarte verschrompelde voorwerpen die op de vossehuid naast Reiger lagen. *De paddestoelen!* Afgrijzen vervulde hem. 'Nee... nee,' kermde hij. 'Wat heb je gedaan?'

Haar mond ging open en ze fluisterde met bevende stem: 'Dromen... Dromen, jongen.'

Hij knielde naast haar neer en raakte teder haar arm aan. 'Wat ben je koud.' Hij pakte haastig wat takken van een stapel, legde ze in de vuurkuil en stak ze aan met de brandende wilgetak. Vlammen lekten omhoog langs het droge hout.

'Kom, ga rechtop zitten. Ik zal je –'

'Ik... k-kan het niet, jongen. Gif. Kan me niet bewegen. Voel... niets. Dromen, jongen. Geen houvast. Ben... ben niet hier.'

'Bevecht ze,' fluisterde hij terwijl de tranen over zijn wangen stroomden. 'Je kunt het. Laat je geest niet overweldigen door hen!'

Hij legde een huid over haar heen en gooide nog wat takken op het vuur.

'Ik smeek je, Reiger, kom terug. Ik heb je nodig. Ik ben nog niet klaar met leren.'

317

'Droom, jongen!' kraste ze. Speeksel droop over haar kin en haar ogen hadden een naar binnen gerichte blik. 'Zie je het? Kijk... daar!' Ze zweeg even en riep toen met krachtige stem:

'Zij bouwen een berg, een berg van stof.
Geboren uit stof verrijst hij.
Geboren uit zweet.
Geboren uit pijn.
Hoog boven de ongebroken rivier verrijst hij
En wendt zijn hoofd naar de zonsopgang.

De Vader der Wateren stroomt breed over het land.
Recht als een spies stroomt het water over het land.
Door de geulen.
Door de sleuven.
Door de voren.
Zo hoog groeien de planten!
Dik zijn de kolven!
Zo groen zijn de planten!
Wijd spreiden zich hun bladeren!
Hun zaden zijn geel als het gezicht van Vader Zon.'

Wolfdromer hoorde voetstappen achter zich en keek om. Gebroken Tak was de grot binnengekomen. 'Ze ijlt,' mompelde ze. 'Ik zou graag wat voor haar willen doen, maar ik weet niet wat.'

'Je kunt niets doen,' zei Wolfdromer met verstikte stem. 'Ze heeft me verteld dat dit kon gebeuren. Ze zal blijven leven zolang ze de Droom volgt. Als ze een ogenblik aarzelt, of de Droom kwijtraakt, sterft ze.'

'*Zonnegod!*' schreeuwde Reiger terwijl haar lichaam schokte.

'Geboren uit licht!
Vader Zon, de gouden tuinen van je haar
Zijn vlammen, en het vuur verschroeit het land.
Raak ons met je regen van pijlen!
De baarmoeder van het licht is in de nacht.

318

De zwarte broeder gaat in tot haar,
Maar verwekt geen leven!
O, broeder van de nacht, die zijn hand heft
Tegen zijn broeder.
Het bloed bevrucht de wereld.
De bessen zwellen, het gras
Voedt de vele dieren.
De regenboog wandelt langs de rand van het water.
O, licht geboren uit licht!

Wolfdromer had zijn armen om haar heen geslagen en wiegde haar zachtjes heen en weer. 'Goed zo,' zei hij zacht. 'Volg de Droom. Ga mee met de stroming.'
    'Jij, jongen,' fluisterde ze.

'Jij, geboren uit Vader Zon.
In licht gelegd, naast vleugels van het duister.
De vlam van je licht brandt in het water!
De vlam van je licht brandt in de nacht!
De vlam van je licht brandt in het ijs!
De vlam van je licht gaat naar het zuiden!
Naar het land van de zoon van de zon!

Het lange schepsel is daar.
Hij slaat toe! Hij bijt!
Zijn puntige tanden zijn hol.
Zijn poten zijn in zijn buik.
Zijn buik is glad en rond,
Zonder haren is zijn buik.
Zijn staart ratelt als kiezels in een stroom.
Hij slaat toe! Hij bijt! Ha-eeee!
Die hij bijt, valt, en staat niet meer op.'

'Waar heeft ze het toch over?' siste Gebroken Tak.
Wolfdromer schudde zijn hoofd. 'Ik weet het niet.'

'De nacht draaft over de witte vlakten.
De vijand volgt het spoor.
Bloed stroomt langs de paden
Die eerder zijn begaan.
Ze graven, als vossen,
Als wolven graven zij,
In de grond maken zij hun woonplaats,
Als ronde holen.
In het zuiden stapelen zij keien op elkaar,
Tot burchten van steen.
Zij roepen de vogel aan. Hij antwoordt!
De roep is als een bliksem uit zijn mond!
Het geluid van de donder
Is de witte vogel van het vuur.
De doden worden neergelegd in de grond.
Met veren, met gekleurde pluimen van de arend.
Het land bedekt de doden.
In manden van hout bedekt het land de doden.

'Hoe moeten we er achter komen wat dat allemaal betekent?' mompelde Gebroken Tak schor.

Reiger draaide haar hoofd. 'Wie... wie riep daar? Een stem uit het verleden... De oude pijn...'

'Ik ben het, gek mens,' riep Gebroken Tak gespannen.

'Stil!' siste Wolfdromer angstig. Gebroken Tak sloeg haar hand voor haar mond, ontzet door wat ze had gedaan. Wolfdromer trok Reiger tegen zich aan en fluisterde in haar oor: 'Hou de Droom vast. Laat hem niet los!'

'Gebroken Tak,' mompelde Reiger, heftig met haar hoofd schuddend. 'Dood in het westen! Jager Op Beren? *Jager Op Beren!* Kom terug naar... naar...'

Haar lichaam verstrakte en haar mond en ogen vlogen open. 'Terug naar... de Droom. Verdwenen... met Jager Op Beren. Verdwenen...'

Ze verstijfde, haar tong kwam uit haar mond en haar uitpuilende ogen weerspiegelden een onuitsprekelijke angst. 'Kan niet... liefhebben...'

320

Er ging een rilling door haar heen en haar lichaam verslapte in zijn armen. Als verdoofd wreef hij over haar hand, wachtend tot ze weer zou beginnen met ademen. Hij weigerde te aanvaarden wat zijn verstand hem vertelde. 'Reiger? Volg de Droom!'

Haar mond hing slap open en haar ogen begonnen al dof te worden. 'Nee...' fluisterde hij gesmoord. 'Laat me niet in de steek.'

'Ze is niet meer!' jammerde Gebroken Tak. 'Het is mijn schuld!'

Wolfdromer schudde zijn hoofd. 'Nee, grootmoeder, het is jouw schuld niet. Jager Op Beren heeft haar gedood.'

'Maar dat kan niet,' stamelde Gebroken Tak. 'Jager Op Beren is al jaren dood.'

'Ze hield van hem.' Hij vocht tegen zijn tranen. 'Haar liefde voor hem is haar dood geworden. Je kunt niet Dromen en... liefhebben.' Toen begon hij heftig te snikken.

41

Ze liep met bonzend hart weg van de rots waarop ze Klauws ont-
zielde lichaam had gelegd. De wind woei in haar gezicht en be-
stookte haar met gemeen prikkende ijsnaalden. Toen ze achterom keek, was de rots waarop het lichaam van Klauw lag al door
een witte nevel van sneeuw aan haar oog onttrokken. Ze liep verder, turend en zoekend naar de op elkaar gestapelde stenen die
Hij Die Huilt en Zingende Wolf op gezette afstanden voor haar
langs het pad hadden achtergelaten. Werktuigelijk zette ze de
ene voet voor de andere, optornend tegen de woedend gillende
Vrouw Wind. Het pak op haar rug woog zwaar en de draagband
sneed diep in haar voorhoofd.

Ze voelde zich van binnen hol en leeg. Opnieuw had ze een
deel van haar leven achter zich moeten laten. Haar leven was als
een eindeloze lijn die doelloos spiraalde, steeds maar rond, zonder zin of bestemming. Altijd kwam ze weer terug op de plaats
waar ze begonnen was, een naakte, eenzame ziel. Ze sjokte verder, haar kaken opeengeklemd, met een maag die gilde van de
honger. Ze zette haar voeten heel voorzichtig neer op de rotsen
om te voorkomen dat ze uitgleed, en op de plaatsen waar veel
sneeuw was opgewaaid, gebruikte ze een stok om de diepte van
de sneeuw te peilen.

Toen het donker begon te worden, hield ze halt bij een hoop
stenen die het pad markeerde en rolde zich in haar huiden. Ze
raakte de opeengestapelde stenen aan. 'Dit verbindt me met het
Volk,' fluisterde ze. 'Het bewijs dat er een toekomst is, als ik het
spoor maar kan blijven volgen.'

Ze wierp een laatste angstige blik op de jachtende sneeuw,
trok toen de huiden over haar hoofd en sloot haar ogen. In haar
dromen liep ze samen met Rent In Licht, en ze zag de zachtheid
in zijn ogen en voelde de tederheid van zijn strelingen. Misschien

had Klauw ongelijk gehad. Misschien zou hij haar toch willen hebben.

De volgende dag at ze het laatste stukje gedroogd mammoetvlees terwijl ze trachtte de wervelende sneeuw te doorboren met haar blik. Kwam er dan nooit een einde aan die storm? Ze zei vastberaden: 'Ik kom naar je toe, Rent In Licht.' Ze maakte haar pak dicht, hees het op haar rug en ging op weg.

Rond het midden van de dag raakte ze het spoor kwijt. Op een of andere manier moest ze ergens een steenhoop hebben gemist. Ze liep terug langs haar steeds vager wordende voetafdrukken. Toen het spoor ophield, keek ze om zich heen of ze een van de steenhopen zag. Niets. Alles zag er onbekend uit, het leek alsof ze hier nog nooit eerder was geweest.

Paniek snoerde haar keel dicht. Ze begon te rennen, glijdend en struikelend en haar schenen bezerend aan rotsen die onder de sneeuw verborgen lagen. Ze beklom een hoge richel en zocht de omgeving af, maar de wervelende sneeuw benam haar bijna alle zicht. Nergens viel ook maar iets van een spoor te ontdekken.

'Nee,' siste ze tussen opeengeklemde tanden door. 'Ik kan niet verdwaald zijn! Het mag niet!'

Het enige antwoord was het huilen van Vrouw Wind.

Zingende Wolf zat naar de weerspiegelingen van de kale wilgen in het rimpelende oppervlak van de warme poel te staren en naar de nevels die opstegen van het water. Hij werd gekweld door gevoelens die hij nog nooit eerder had gehad: een vage onrust, een gevoel alsof er iets verschrikkelijks te gebeuren stond, iets dat de wereld die hij kende, zou vernietigen. Het was alsof in de schaduwen een of ander boosaardig monster zich schuilhield, gereed om toe te slaan en alles te verzwelgen dat hem voor de muil kwam.

'Maak je je zorgen?' zei de stem van Lachend Zonlicht achter hem.

Ze liep naar hem toe en legde haar gewante handen op zijn schouders. Zingende Wolf vulde zijn longen en liet de lucht ontsnappen in een pluim van gecondenseerde adem. 'Vrouw Maan is al twee keer vol geworden en hij is nog steeds niet terug,' zei hij.

'Groen Water zegt dat hij met zichzelf in het reine moet zien te komen. Hij moet Reigers dood verwerken en vrede sluiten met zijn geweten.'

'Heb je zijn ogen gezien toen hij ons verliet?' Zingende Wolf schudde zijn hoofd. 'Diezelfde lege blik heb ik gezien in de ogen van ouderen als ze weggingen om te sterven.' Hij draaide zich half om naar haar. 'Alsof hun ziel volledig was uitgeput.'

'Dat komt wel weer goed.'

'Misschien. Als hij lang genoeg blijft leven. Alleen een dwaas zou zich in deze tijd van het jaar in het Grote IJs wagen. De dood is overal. Het ijs is scherp als vuursteen en zit vol spleten en scheuren. Niemand kan het ijs oversteken. Niemand.'

'Hij denkt dat hij het wél kan. Je hebt gehoord wat hij over die bizon en die lintworm zei.'

'Ik heb het gehoord,' zei Zingende Wolf. 'En ik geloof wat hij zei. Maar het ijs oversteken? Nee, dat is onmogelijk. De enige manier is dat gat dat Wolf hem heeft getoond.'

'En als hij het gat niet kan vinden?'

Hij fronste zijn voorhoofd. 'De kinderen zouden een tocht over het ijs niet overleven. Zelfs ík zou het niet overleven.' Hij wendde zich weer naar de poel en staarde naar de donkere weer-spiegelingen. 'Als hij het gat niet kan vinden, zullen we terug moeten naar het noorden. Misschien kunnen we langs de Anderen glippen zonder dat ze ons zien.'

Haar handen op zijn schouders verstrakten. 'Heb je het gehoord? Bizonrug en zijn mensen zijn ook onderweg hierheen.'

Hij zuchtte. 'Ja, ik heb het gehoord, en ik maak me er erg veel zorgen over. Ze vluchten naar ons toe in het midden van de Lange Duisternis. Hoe moeten we hen allemaal te eten geven? Er is niet genoeg wild in deze vallei.'

Ze mompelde beschaamd: 'Hij Die Huilt wil jacht maken op die kudde mammoeten in de heuvels. De sneeuw is er diep, dat zou voor jullie een voordeel zijn. De mammoeten ondervinden hinder van de sneeuw.'

324

'Ik wil geen jacht maken op die oude stier. Hij was van Reiger. Ik weet dat ze dood is, maar haar geest zwerft hier nog rond, dat voel ik heel duidelijk.'

Ze knikte. Ze nam haar handen van zijn schouders en trok de koorden van haar kap strakker aan. Er viel een lange stilte.

Ze staarden naar de westelijke bergen, die zachtroze werden gekleurd door de laagstaande zon in het zuiden. Uit het noorden kwamen wolken aandrijven die nog meer sneeuw beloofden. De ruwe adem van Vrouw Wind schuurde over het land en blies de sneeuw op zodat de kale bodem zichtbaar werd, behalve aan de lijzijde van de rotsen, waar de sneeuw in lange banen bleef liggen. De Lange Duisternis spreidde zich uit over de wereld, en iedere dag duurde korter dan de vorige.

'Wolfdromer zal terugkomen,' zei Lachend Zonlicht.

'Ik wou dat ik je zekerheid deelde.'

'Ik heb altijd geloofd in zijn Droom – ook toen jij er niet in geloofde.'

'Ik was toen jonger en dwazer. Gebroken Tak heeft me aan het denken gezet.'

'En toen ben je teruggegaan naar het noorden om te zien wie er gelijk had – in welke Droom je moest geloven. Nu weet je het.'

'Ja.' Zingende Wolf haalde zijn schouders op. 'Maar zolang het Volk bestaat, zijn er nooit eerder zovelen gevlucht naar zo'n kleine plaats. Wat moeten we doen als er geen uitweg is? Wat als Raafjager er niet in slaagt de Anderen te verdrijven? Wat als er geen doorgang in het ijs is?' Hij draaide zijn hoofd om en keek haar aan. 'De kans dat we hier sterven is groot. En ik wil dat jij en mijn kind blijven leven.'

42

Iedere misstap hier zou zijn dood betekenen. In de eeuwige schemering van de Lange Duisternis klom hij over het ijs, behoedzaam, stap voor stap, zich vastklampend aan ieder uitsteeksel, terwijl Vrouw Wind haar best deed hem zijn houvast te doen verliezen.

Wie ben ik? Waar ga ik heen? Reiger, waarom heb je me hier alleen achtergelaten? Wat betekende je Droom? Ik heb geprobeerd de symboliek te ontrafelen, maar het is me niet gelukt: door mensenhand gemaakte bergen? Vader der Wateren? Zonnegoden? Dondervogels? Een verschroeid land en een lang schepsel dat ratelt? Wat zijn die hoge planten met gele zaden? En wat zijn die burchten van steen? Zijn het alleen maar fantasiebeelden?

Zijn gedachten draaiden onophoudelijk in het rond, zonder doel of zin. 'Eenzaam. Ik ben zo eenzaam.' Rondom hem woedde de Lange Duisternis en kraakte het ijs van de gletsjer.

'Geesten,' fluisterde hij. 'Laat ze maar komen, de geesten en de zieleters van de Lange Duisternis.' Hij hief zijn handen naar de duistere, bewolkte hemel. 'Hier ben ik! Kom me maar halen! Ik tart jullie!'

Het enige antwoord was een donderende stilte.

Zijn voedselvoorraad was geslonken tot een klein zakje pemmican, en rondom hem loerde overal de dood. Een verkeerde beweging, een voet op de verkeerde plaats, en hij zou te pletter vallen in een spleet. Nergens was een recht oppervlak te vinden, ijsschotsen verhieven zich in scherpe hoeken naar de hemel, overal gaapten scheuren en barsten en diepe donkere kloven waarin hij voor eeuwig zou kunnen verdwijnen. Het ijs knarste en kraakte en schuurde en de kille adem van Vrouw Wind gilde in de spleten.

Gebruikmakend van een werpspies om het ijs voor hem te peilen, klauterde hij verder, langzaam, aarzelend. Het gezicht van Dansende Vos zweefde voortdurend voor zijn geestesoog en vulde zijn dromen. Ze hadden haar uitgestoten en te schande gemaakt. Waarom? Omdat ze van hem hield? Omdat ze zijn Wolfdroom had willen volgen?

Liefde heeft Reiger gedood. Ze heeft het me verteld, die dag in de poel. Voor een mens die Droomt, is het huwelijk een hinderpaal, een schadelijke afleiding. Hij mag zijn leven niet aan dat van een ander binden, want als hij dat doet, kan hij zich niet verliezen in de Ene. Dan kan hij niet vergeten wie hij is.

Het besef deed zo'n pijn dat het hem de adem benam. 'Is er voor mij dan niets meer?' kreunde hij. 'Moet ik voor altijd alleen blijven? Hoor je me, Vader Zon? *Moet ik voor altijd alleen blijven?*' Zijn roepen ging verloren in het huilen van Vrouw Wind.

Het leven is koud en zwart als de Lange Duisternis, en we schuifelen voort in het donker, voetje voor voetje, omringd door leegte en gekweld door pijn en eenzaamheid. Hij keek op naar het donkere wolkendek. 'Kan ik niet zijn zoals alle anderen? Kan ik niet... liefhebben?'

Vrouw Wind rukte aan zijn parka en gierde en jammerde rond de ruwgetande speren van ijs die zich rondom hem verhieven.

'Ik wil niet alleen zijn!' schreeuwde hij.

Vrouw Maan was geslonken en weer vol geworden en nog steeds had hij geen doorgang gevonden. Zijn herinneringen achtervolgden hem. 'Je bent gek dat je nu gaat,' had Hij Die Huilt gezegd. 'Wacht tot het lente wordt. Als je nu gaat, wordt het je dood.'

'Ik zal terugkomen. Ik heb de Droom om me te leiden. De bizon heeft bewezen dat de Droom waar is. Nu moet ik de doorgang gaan zoeken.'

Ze hadden hem begeleid tot aan het Grote IJs. Hij had twee honden meegenomen, maar ze waren in verborgen spleten gestort en omgekomen. Hij had van hun fouten geleerd. Het ijs joeg hem angst aan... meer dan de uitdrukking van verschrikking in de dode ogen van Reiger had gedaan.

Na nog eens twee dagen was de pemmican op.

327

De stilte wekte hem uit een diepe slaap. Hij stak behoedzaam zijn hoofd uit de huiden en keek om zich heen in het grauwe licht.

'Ik ben gek geworden,' fluisterde hij. 'Hoor je de stilte?' Hij begon wild te lachen. 'Eindelijk hoor ik de stilte.'

Hij stond op, zette zijn wanten aan zijn mond en schreeuwde: 'Ik ben gek! Hoor je me, Vader Zon? Hoor je me, Sterrenvolk? Zien jullie me? Ik ben gek!' Hij staarde om zich heen naar de wildernis van ijs en liet zijn stem dalen tot een gefluister. 'Gek.'

Stilte. Geen wind. Hij grinnikte en schudde zijn hoofd. Het was zo stil dat hij zijn lege maag hoorde rommelen.

Plotseling werd de kristalheldere stilte verbroken door het verre gehuil van een wolf. Het geluid zwol aan, rees en daalde en stierf weg.

'Wolf...?'

De verre roep klonk opnieuw, vreemd levend in deze doodse woestenij van sneeuw en ijs.

Hij prentte de richting in zijn geheugen en ging op weg, tastend met de schacht van een werpspies om te zien of de sneeuw hem kon dragen. Plotseling zakte de schacht weg in een verborgen spleet. Hij deinsde achteruit en zocht naar een andere route, om de spleet heen.

Ik ben nu alles kwijt. Ik heb niets meer. Reiger, je hebt je laten doden door liefde. Dansende Vos? Ik heb je nodig. Maar kan ik mezelf toestaan van je te houden?

Het ijs onder hem bewoog. Hij verstijfde en durfde nauwelijks adem te halen. Onder hem klonk een knarsend, schurend geluid. Een tijdlang bleef hij roerloos staan, zijn vingers geklemd om een stuk ijs. Het gerommel stierf weg.

'Geesten...' fluisterde hij met een zucht. De opluchting was als een warme gloed in zijn aderen. Hij stak voorzichtig een hand uit, pakte een ander houvast beet en klauterde verder. Hij zag dat zich nieuwe, donkerblauwe scheuren hadden geopend. Toen hij bezig was een helling over te steken, gleed hij uit en rolde naar een spleet toe. Hij wist zich op het laatste moment vast te klampen aan een uitsteeksel en bracht zich in veiligheid. Zijn werpspiesen vielen met een kletterend geluid in de spleet.

'Het was jullie bijna gelukt, geesten. Horen jullie me? Bijna gelukt. Kom op! Kom me halen!'

Met bonzend hart haalde hij de lijn in die hij aan de schachten van de werpspiesen had bevestigd. Hij controleerde een voor een de stenen punten om te zien of ze niet beschadigd waren. Daarna ging hij weer op weg, in de richting van het wolvegehuil.

Vader Zon legde zijn weg af langs de zuidelijke horizon en wierp lange, diepblauwe schaduwen over het ijs. Tegen de tijd dat de nacht was gevallen, was de wind weer aangewakkerd. Hij groef een holte uit in de lijzijde van een sneeuwhoop en wikkelde zich in zijn huiden. 'Ik heb Wolf gehoord,' fluisterde hij. 'Hij riep me. Ik weet het zeker.'

De Droom kwam opnieuw in zijn slaap.

Hij draafde met Wolf langs de Grote Rivier. Hij ging weer door de duisternis, beklom de rotsen en staarde uit over de groene vallei.

Dansende Vos wachtte hem daar op. Als een zeehond dook ze op uit een warme poel. Haar natte zwarte haar glansde in het heldere licht en het water liep in zilveren stromen langs haar bruine lichaam. Ze waadde hem tegemoet, met gespreide armen, en hij voelde hoe zijn begeerte naar haar werd opgewekt terwijl hij naar haar reikte. Het zonlicht streelde haar borsten, waarvan de tepels zich hadden opgericht in de koele lucht. Ze liet zich achterover in het water glijden en spreidde haar benen, gereed om hem te ontvangen.

Op het moment dat hun vingertoppen elkaar raakten, hoorde hij van ergens boven zich de krassende stem van Reiger. Dansende Vos verstijfde en haar ogen werden star van angst. Haar gezicht veranderde, schrompelde ineen, werd het gezicht van de dode Reiger – verwrongen van afschuw en ontzetting.

Hij werd met een schok wakker, bevend over heel zijn lichaam. 'Nee, nee, ik..'

In de verte klonk weer de spookachtige kreet die hij eerder had gehoord. Hij duwde de huiden van zich af en greep zijn werpspiesen. 'Ik kom, Wolf,' zei hij.

Het begon lichter te worden en zijn maag krampte van de honger. De sneeuw viel zo dicht dat hij geen armlengte ver kon zien. Hij groef weer een onderkomen uit in de sneeuw en sloot uitgeput zijn ogen. Voor zijn geestesoog zweefde het beeld van de groene vallei. De Wolfdroom lag voorbij zijn nachtmerries en lokte hem terwijl ze steeds verder terugweek, voorbij de horizon, aan het oog onttrokken door witte nevels.

Toen hij wakker werd, was de wind gaan liggen en het zicht goed. Hij ging weer op weg, moeizaam klauterend over de ijsblokken. Na wat een eeuwigheid leek, begon het weer donker te worden. De honger was als een laaiende pijn.

'Ik wil hier niet sterven,' mompelde hij, heftig met zijn hoofd schuddend. 'Ik ben een gek en een lafaard! Ik heb het Volk naar zijn dood geleid!' Zijn stem kreeg een jammerende klank. 'Niets gaat meer zoals het moet. Ik kan niet leven en liefhebben als een man. En Reiger is dood.'

Hij lachte, zacht en spottend, zwaaiend op zijn benen. 'Een Dromer? Ik?' Hij keek naar het flauwe licht langs de westelijke horizon. 'Heb je me verraden, Wolf? Vader Zon, heb je toegestaan dat hij mij en het Volk heeft verraden?'

Bijna was hij in een spleet getuimeld. Hij bleef nog net op tijd staan en staarde als verdwaasd in de donkere afgrond.

Ik zou me in de diepte kunnen werpen. Slechts één stap en het is afgelopen. Een worden met het ijs. Het is zo gemakkelijk. Geen honger meer, geen pijn.

Achter hem deed iets de sneeuw knerpen, heel zacht.

Hij draaide zich om en tuurde het donker in, maar er was niets te zien.

Opnieuw hoorde hij het geluid. Hij omklemde zijn werpspiesen en dook weg achter een ijspunt. Hij dacht dat hij iets zag bewegen en hoop sprong op in zijn borst.

'Wolf?' fluisterde hij. 'Alsjeblieft, Wolf.'

Hij wachtte, met bonzend hart. Iets zwarts bewoog zich in het donker, iets dat de neus van een dier had kunnen zijn.

Het reusachtige dier kwam achter een sneeuwhoop vandaan.

'Grootvader Witte Beer!' fluisterde hij ontzet.

43

IJsvuur stapte over het lichaam van een Vijand. Hij aarzelde en keek neer op het gezicht van de jongeman. Hij was nauwelijks meer dan een kind. De zijkant van zijn hoofd was ingeslagen.

'Zo jong nog,' mompelde hij.

'Meest Geëerde Oudere?' riep een stem achter hem.

IJsvuur draaide zich om en zag Walrus naderen, zich een weg zoekend tussen de ravage van het vernietigde kamp. Donkere, stinkende rook steeg op van de brandende tenten, en vlokken as wervelden door de lucht als zwarte sneeuw. Overal lagen verminkte lijken.

'Wat is er?' vroeg IJsvuur.

Walrus grijnsde triomfantelijk. 'We hebben ze dit keer een lesje geleerd, hè?'

IJsvuur ademde diep in en liet de lucht langzaam ontsnappen. Hij staarde naar de damp die zijn mond verliet. 'Is dat zo?' vroeg hij.

Achter hem reet een schreeuw de lucht uiteen. Hij draaide zich niet om want hij wist maar al te goed wat er gebeurde met de vrouw die had geschreeuwd.

'Als dit niet genoeg is' – Walrus wees op de smeulende tenten – 'zal dat ze wel op andere gedachten brengen.' Hij wees met een gewante hand over zijn schouder. 'Mannen verliezen snel hun vechtlust als ze weten dat hun vrouwen en moeders de zonen van hun vijanden baren.'

IJsvuur zei grimmig: 'Je schijnt te vergeten dat wij bijna net zoveel vrouwen aan hen verloren hebben als zij aan ons.'

Walrus wuifde het weg. 'Wij zijn sterker dan zij. Hun lust om te vechten zal eerder verdwenen zijn dan de onze.'

'Misschien.'

'Ha! Ze dachten dat wij niet terug zouden vechten in het midden van de Lange Duisternis. De dwazen.'

IJsvuurs mond vertrok. Zelfs zijn wijze raad kon de krijgers er niet van weerhouden te vechten. Er waren te veel wreedheden begaan. Te veel mensen waren een afschuwelijke dood gestorven onder de handen van de Vijand. Zijn eigen krijgers wilden bloed zien. De pijn moest gewroken worden.

'Wij zijn hen,' mompelde IJsvuur. De wind uit het noorden rukte aan de lange grijze vlechten die uit zijn kap hingen. 'Zij zijn ons.'

Walrus fronste en keek hem onbehaaglijk aan. 'Wat zei je?'

'We zijn neven. Althans, dat is wat die oude vrouw zei.' Hij haalde een schouder op. 'Als je erover nadenkt, klinkt het heel aannemelijk. Ze spreken onze taal. Geen enkele andere Vijand doet dat. En onze geloven verschillen ook niet veel van elkaar.'

'Dan zijn ze in het verleden iets kwijtgeraakt,' zei Walrus arrogant. 'Ze hebben geen eergevoel. Ze hebben het kind van mijn zuster gedood door het met het hoofd tegen een rots te slaan. Toen ik de lijken van haar en het kind vond, kropen de maden rond in de wonden. Is dat eer? Nee, Meest Geëerde Oudere, onze vijanden zijn minder dan beesten. Ik zal de lof van het Grote Mysterie zingen als ik de laatste gedood heb.'

IJsvuur staarde hem aan en probeerde door te dringen in de geest van de ander. Walrus beantwoordde een ogenblik zijn blik. Toen sloeg hij zijn ogen neer, knikte en liep met grote doelbewuste passen terug naar de plek waar de andere krijgers voorbereidingen troffen om een man van de Vijand levend te verbranden met gloeiende houtskool. De vrouwen en kinderen van de Vijand waren bijeengedreven en werden gedwongen toe te kijken, voor het geval ze plannen hadden om te ontsnappen.

IJsvuur beklom de helling tegenover het kamp. De bevroren sneeuw knerpte onder zijn laarzen. Plotseling klonk achter hem een huiveringwekkende kreet. Hij aarzelde en draaide zich om. Zijn krijgers bogen zich over de gevangene die naakt op de ijzige grond lag, met gespreide armen en benen, vastgebonden aan staken die in de harde bodem waren gedreven. De man kronkelde en gilde, en zijn krijgers antwoordden met oorlogskreten en geschreeuwde beledigingen. Rode Vuursteen schepte met een steen nog meer gloeiende houtskool uit de vuurkuil en strooide het over de geslachtsdelen van de man. Het gekrijs werd luider en hoger.

IJsvuur wendde zich af en keek met een gezicht dat als uit steen gehouwen leek omhoog naar het licht dat veroorzaakt werd door de strijdende Monsterkinderen. De Monsterkinderen? Niet de tranen van het Grote Mysterie? Nu al onderging de Clan Van De Witte Slagtand de invloed van het geloof dat de gevangen genomen vrouwen van de Vijand hadden meegebracht.

Een hevige windvlaag deed hem wankelen. Hij bad: 'Groot Mysterie? Hoe kan ik dit ongedaan maken? Wat heb je met dit alles voor? Kan deze haat ooit uitgewist worden?'

Het gieren van de wind tussen de rotsen leek hem te bespotten.

Groen Water merkte de vrouw het eerst op. De wind scheurde de nevels een ogenblik aan flarden en onthulde de gedaante die aan kwam strompelen over de vlakte.

'Er loopt daar iemand,' zei ze en wees.

Lachend Zonlicht en Wulp volgden haar wijzende vinger en knikten. 'Een vrouw van het Volk.'

'Dansende Vos!' zei Groen Water. 'Vlug, Zonlicht of Wulp, ga en zorg dat er een warm vuur brandt en er te eten is. Zo te zien, is ze gewond.' Groen Water maakte haar sneeuwschoenen los van haar pak en bond ze onder haar laarzen. Na de positie van de zon te hebben bepaald, daalde ze de lange glooiing af naar de vlakte. De zon op de sneeuw verblindde haar en ze moest even blijven staan om de leren band met de oogspleten om te doen. Toen liep ze verder.

Tegen de tijd dat ze de voet van de helling had bereikt, begon er weer sneeuw te vallen en werd de gedaante van Dansende Vos aan haar oog onttrokken.

'Dit is dom van me,' bromde ze terwijl ze de leren band van haar hoofd trok. 'Ik had moeten wachten tot de anderen terug waren.' Toch ploeterde ze verder, grote, wijde stappen nemend om niet over haar sneeuwschoenen te struikelen.

Hoe ver was het? Groen Water liep door, zich bewust van het kind in haar buik. Het extra gewicht vertraagde haar, maakte haar onhandig.

Na een tijd bleef ze staan en keek zoekend om zich heen. Was ze misschien in een kringetje gelopen? Ze probeerde haar positie te bepalen aan de hand van Vader Zon en de hoek waaronder de sneeuw viel. 'Het moet nog verder zijn,' verzuchtte ze, en liep door.

'Vos?' riep ze. 'Ben je daar?'

Het enige antwoord was het tinkelende geluid van de ijskristallen die door de wind over de sneeuwribbels werden geblazen.

Na een tijd bleef Groen Water weer staan om haar positie te bepalen. Het kind in haar buik bewoog zich. Haar benen begonnen zeer te doen. Ze begon te twijfelen of ze werkelijk iemand gezien had. Na een moment van aarzeling sjokte ze toch maar verder, hoewel haar angst toenam met iedere stap die haar verder van de veiligheid van het kamp bracht.

Stel dat het een van de Anderen was die ik heb gezien? Misschien is Dansende Vos allang dood en word ik straks aan de punt van een werpspies geregen. Ik had op Hij Die Huilt en de anderen moeten wachten.

Vrouw Wind begon harder te blazen en de sneeuw maakte het steeds moeilijker om te zien waar ze zich bevond.

'Dansende Vos, ben je daar?' riep ze, met haar handen aan haar mond. 'Is daar iemand?'

Groen Water keek achterom en zag dat haar voetsporen meteen door de sneeuw werden uitgewist. Ze begon honger te krijgen. Dat kwam door het kind dat in haar buik groeide. Daardoor had ze voortdurend honger en voelde ze zich zwak, hoeveel ze ook at.

Ze riep weer tegen de wind in en keek hulpeloos om zich heen. 'Het zal me nooit lukken om vóór donker het kamp te bereiken,' mompelde ze angstig.

Ze stond op het punt terug te gaan, toen ze vanuit de verte een zwak geluid opving. Ze spitste haar oren, en toen ze niets hoorde riep ze: 'Vos?'

334

Stilte.

Ze draaide zich om, liep een paar passen in de richting van het kamp, bleef toen weer staan, woedend op zichzelf omdat ze niet kon beslissen. Toch hád ze dat geluid gehoord.

'Je doodt op deze manier jezelf en je baby,' sprak ze zichzelf bestraffend toe. 'Ga naar huis.'

Maar ze begon weer te roepen. 'Vos? Dansende Vos, waar ben je?'

'Hier,' riep een stem in de verte, heel zwak.

Groen Waters hart begon te bonzen en ze schuifelde zo snel ze kon in de richting van het geluid. 'Waar ben je?'

'Hier.' De stem woei aan op de wind.

Een schimmige gedaante werd een ogenblik zichtbaar en vervaagde toen weer. Groen Water begon nog sneller te lopen, schommelend door haar gezwollen buik.

Dansende Vos lag op haar knieën in de sneeuw en keek haar aan met ogen die diep in hun kassen gezonken waren. 'Groen Water? Ben je het echt? Ben je niet iets uit een... een Droom of zoiets?'

Groen Water liet zich naast Vos op haar knieën zakken, pakte haar hand en kneep erin. 'Daar, voel je dat? Zou iets uit een Droom je zo hard kunnen knijpen?'

Een verwarde uitdrukking verscheen op Vos' gezicht. 'Ik... ik weet het niet. Alles loopt zo door elkaar. Het enige dat ik weet is dat ik naar het zuiden moet. Ik ben het spoor kwijtgeraakt.'

Groen Water klopte haar op de schouder. 'Gelukkig heb ik je gezien. Je bent er bijna. Hij Die Huilt zal iedereen erop uit hebben gestuurd om te zoeken. Hij is altijd erg bezorgd om me.'

Dansende Vos knikte, met vreemde, schommelende bewegingen van haar hoofd. 'Heb je wat te eten bij je? Ik ben zo zwak dat ik haast niet meer kan lopen.'

'Nee, ik heb niets bij me. Kom, laat me je helpen met opstaan.' Ze trok haar overeind, maar Vos gaf een kreet van pijn en liet zich weer op de grond zakken.

'Wat is er?' vroeg Groen Water bezorgd.

'Het... het is mijn enkel,' zei Vos. 'Ik heb hem een aantal

dagen geleden bezeerd toen ik uitgleed op een rots. Het doet heel veel pijn, ook als ik probeer te slapen. Als ik loop, lijkt het alsof mijn voet in brand staat.'

'Een aantal dagen geleden? En toch ben je door blijven lopen?'

Dansende Vos keek haar een ogenblik scherp aan. 'Natuurlijk. Ik had toch geen keus?' Toen werd haar blik weer wazig.

'Hoe lang geleden heb je voor het laatst iets gegeten?'

Vos staarde naar de sneeuw en in haar voorhoofd verschenen diepe denkrimpels. 'Ik weet het niet. Ik heb het skelet van een kariboe gevonden... ongeveer tien dagen geleden. Ik heb het merg gegeten. En daarna niets meer... alleen sneeuw... en wind. Je weet hoe Vrouw Wind is... altijd kwaad... ze blaast... blaast...' Haar stem stierf weg.

'Kom, leun op mij. Als je het tot hier hebt gehaald, zal het resterende stuk je geen kwaad doen.'

'Misschien kan ik beter wat uitrusten... slapen...'

Groen Water trok een want uit, stak haar hand in de voorkant van Dansende Vos' parka en betastte de huid van haar borst en stak haar vingers onder een oksel. Ze zei: 'Nee, meisje, jij gaat lopen. Als je nu gaat liggen om uit te rusten, zal je nooit meer opstaan. Je hebt te veel warmte verloren. Kom, sta op.' Ze trok Vos overeind, grommend van de inspanning. 'Waarom heb je een sneeuwschoen aan je pak gebonden? Waar is de andere?'

'Gebroken toen ik viel. Het is heel moeilijk om op één sneeuwschoen te lopen. De andere enkel deed zeer als een duim waar je met een steen op hebt geslagen.'

'Hier, hou me vast terwijl ik die sneeuwschoen onderbind. Als je op me leunt, hebben we samen drie goede voeten. Dat is beter dan één, nietwaar?'

Na de sneeuwschoen te hebben vastgemaakt, gingen ze samen op weg. In het zuidwesten was nog wat grauw daglicht zichtbaar, maar het begon snel donker te worden. 'Je haalt het vast,' zei Groen Water hijgend. 'Je kunt het.'

'Alles kwijt,' mompelde Dansende Vos. 'Alleen ik ben over.'

'Goed zo,' zei Groen Water, met haar tanden opeengeklemd. 'Blijf lopen.'

'Gezegend Sterrenvolk, wat doet die enkel pijn!' kreunde Dansende Vos. 'Waarom doen we dit toch allemaal? Waarom moeten we zo lijden? Wat heeft het voor zin? Het leven bestaat alleen maar uit pijn en ellende. Het is toch niet eerlijk dat mensen zo moeten leven, in deze... deze...'

'Stil toch,' zei Groen Water streng. 'Bewaar je adem om te lopen. Ja, goed zo, stapje voor stapje.'

Haar eigen benen brandden van vermoeidheid en haar longen zwoegden, maar ze liepen door. Groen Water bepaalde hun richting aan de hand van de sterren.

Hoe lang liepen ze al zo? Het leek een eeuwigheid. Ze hoorde iemand roepen, en uit haar geheugen dook het beeld op van Hij Die Huilt. Toen kwam hij in levende lijve uit de duisternis tevoorschijn. Hij omhelsde haar zachtjes en nam Dansende Vos van haar over. Zijn stem klonk boven het gebulder van Vrouw Wind uit, en handen pakten haar beet en ondersteunden haar en brachten haar naar de beschutte plek op de bodem van de vallei.

Terwijl zij gehuld in een huid naast het vuur zat, brachten ze Dansende Vos de tent binnen. Ze verwijderden haar parka en masseerden haar ledematen en romp. Toen sneed Zingende Wolf de laars aan haar linkerbeen open. Groen Water hapte naar adem toen ze de enkel van Dansende Vos zag, zo rood en gezwollen was hij. Het deed al pijn als je er alleen maar naar keek.

'En daar heeft ze een week op gelopen?' zei Hij Die Huilt verbijsterd.

'Ze is een sterke vrouw,' zei Groen Water. 'Ik ken niemand anders die dat gedaan zou kunnen hebben.'

Dansende Vos kreunde en opende haar ogen. 'Ik... ik had geen keus. Ik was helemaal alleen... helemaal alleen.' Toen sloot ze haar ogen weer.

44

Raafjager zag dat Kleine Eland zijn blik afwendde. De oudere jagers wendden altijd hun blik af, zelfs Kleine Eland, die zoveel familieleden had verloren. De jongere mannen echter keken gretig
naar de gevangen Ander die geboeid op de grond lag. Hij worstelde en trok aan de koorden die hem bonden. Zijn huid glinsterde van het zweet in het licht van het vuur.

Kraailokker maakte een hol zoemend geluid door een bot heen
en weer te bewegen in een gegroefde geweitak en zong een
Machtslied. De krijgers wiegden heen en weer op de maat van
Kraailokkers gezang, in vervoering door de Macht van het moment, dronken van hun eigen kracht.

Raafjager boog zich over de naakte Ander en keek hem in de
ogen.

'Dood me!' zei de Ander, met de tanden opeengeklemd. *'Dood
me!'*

'Je zult sterven, maar nu nog niet.' Raafjager wenkte een jonge
krijger die zich buitengewoon dapper had betoond in de strijd,
Kraaievoet. De jongeman stapte naar voren.

'Hij is van jou,' zei Raafjager. 'Doe met hem wat je wilt.'

Kraaievoet glimlachte, pakte een mes van obsidiaan uit zijn
buidel en boog zich over de gevangene. Hij liet het mes over de
borst van de Ander glijden, en over zijn buik, en verder omlaag.
Bloed stroomde uit de snee, en uit de mond van de Ander ontsnapte een gesmoord gekreun. Kraaievoet liet het mes een boog
beschrijven rond de geslachtsdelen van de man. De spieren van
de Ander spanden zich en rolden onder de van zweet glinsterende huid, en uit een ooghoek welde een traan op die over zijn
wang naar beneden rolde.

'Jij zal geen zonen meer krijgen die tegen ons kunnen vechten!' zei Kraaievoet heftig, en terwijl de Ander gilde en aan de koorden rukte, sneed het mes zijn mannelijkheid af. De andere krijgers lieten luidkeels van hun goedkeuring blijken. Kraaievoet hield het afgesneden lichaamsdeel trots omhoog, zonder acht te slaan op het bloed dat over zijn arm naar beneden stroomde.

Kleine Eland wendde zich vol afkeer af, werkte zich tussen de krijgers door naar de uitgang en verdween in de nacht. Raafjager dook ook onder de deurhuid door en liep naar hem toe.

'Ik haat dit!' gromde Kleine Eland tussen opeengeklemde tanden.

'Het geeft onze jonge krijgers moed,' zei Raafjager. Hij wenste dat het licht beter was zodat hij de ogen van Kleine Eland kon zien. 'Zulke rituelen binden ons beter te zamen dan als we omwonden zouden zijn met mammoetpezen. Op die manier delen de krijgers in de eer van de overwinning.'

Kleine Eland stak zijn kin naar voren en zei: 'Je bedoelt dat ze delen in de verschrikkingen.' De Ander krijste, als om de woorden te onderstrepen. Het gezicht van Kleine Eland vertrok.

'Het is niet makkelijk om een eenheid te maken van een volk dat zwak en innerlijk verdeeld is,' zei Raafjager. 'Denk eens terug aan de tijd toen de Anderen ons opjaagden als kariboes. In hun ogen waren wij geen mensen. Ik, op mijn beurt, wil dat mijn krijgers de Anderen niet als mensen zien. Dan vechten ze beter. Herinner je je nog hoe slecht we streden in de eerste gevechten? En moet je nu eens zien. We zijn in de minderheid, maar toch doden wij veel meer mensen van hen dan zij van ons. En waarom? Omdat onze krijgers meer moed en vechtlust hebben. Daarom laat ik ze zulke dingen doen. Nu ik Kraaievoet de eer heb gegund de Ander aan stukken te snijden, zal hij vechten tot hij erbij neervalt.'

Kleine Eland trok zijn schouders op. 'Ja, we vechten beter. We zijn gemeen en vals geworden, als een hond die is uitgehongerd en geslagen met de huid van een beer, zodat hij dol wordt bij de reuk ervan. Wil je dat van ons maken, Raafjager? Beerhonden? Beesten die waanzinnig worden als ze maar een glimp van een Ander opvangen?'

'Heeft een beerhond een keus?' vroeg Raafjager. 'Hebben wij een keus? Door gemener te worden, of waanzinnig, zoals jij zegt, kunnen wij onze jachtgronden behouden. En wat is beter, vraag ik je? Leven als een dolle beerhond? Of sterven door de hand van een Ander?'

'Ik... ik verkies te leven,' zei Kleine Eland. Hij draaide zich om en liep met grote passen weg.

Raafjager keek hem na, peinzend zijn kin strelend. Diep binnen in hem voelde hij een vage onrust. De bitterkoude wind rukte aan zijn parka en beet in zijn gezicht. Hij liep terug naar de tent en dook onder de deurhuid door naar binnen.

De jonge krijgers stapten lachend en joelend heen en weer voor de rij gevangen Anderen die op hun beurt wachtten om te worden gemarteld en gedood. Hun strakke gezichten waren nat van het zweet en hun ogen weerspiegelden ontzetting en doodsangst.

'Velen hebben mij verlaten en zijn naar het zuiden gevlucht, naar Rent In Licht,' fluisterde Raafjager voor zich heen. 'Maar ik heb de jongeren aan mij gebonden. En als iemand de jongeren heeft, kan hij een volk leiden naar waar hij wil.'

Hij drong zich tussen de andere krijgers door en genoot van de blikken vol trots en ontzag die ze hem toewierpen.

De Ander was een bloederige hoop vlees geworden. Kraaievoet toonde trots een lange reep vlees die hij uit het dijbeen van de man had gesneden. Hij smeet hem achteloos in de menigte, liet zich op zijn knieën zakken en sneed de buikholte van de man open. Hij stak zijn handen naar binnen en begon de ingewanden naar buiten te trekken. De andere krijgers schreeuwden en brulden opgewonden.

Raafjager keek glimlachend naar de verrukte gezichten om hem heen. Ja, dit waren krijgers – zíjn krijgers. De hoop op overleven.

De volgende ochtend was Kleine Eland verdwenen.

Ze beklommen puffend en blazend het laatste stuk naar de kam van de richel, gebogen onder de zware stukken bevroren vlees.

Hun adem condenseerde en sloeg als rijp neer op hun parka's.

'Voorzichtig,' zei Hij Die Huilt hijgend. 'Het pad is bedekt met ijs. We moeten langs de zijkant naar beneden.'

Zingende Wolf bromde instemmend, te moe om iets anders te doen. Hij volgde op trillende benen terwijl zijn vriend zich een weg zocht tussen de rotsen. Achter hem kwamen Springende Haas, Zang Van De Wulp en de anderen, allemaal wankelend onder een zware last. Ook de honden waren beladen met bevroren vlees.

Stap voor stap daalden ze af in de vallei, die vrij was van sneeuw door de warmte die uit de grond omhoogkwam.

'Geweldig, die geisers,' zei Hij Die Huilt met een zucht.

Een hond begon te blaffen, gevolgd door een tweede. Toen stormden de honden die in het kamp waren achtergebleven, keffend en grommend op hun met vlees beladen soortgenoten af. Springende Haas sloeg naar ze met zijn werpspiesen om te voorkomen dat ze zich op het vlees zouden storten.

'Hallo!' riep Zingende Wolf naar de achterblijvers in het kamp. 'We zijn terug! ' Hij liet de zware last van zijn schouders glijden, plofte neer op een rotsblok en begon met stijve vingers zijn sneeuwschoenen los te maken. Naast hem legde Hij Die Huilt met een zucht zijn last op de grond. Mensen kwamen te voorschijn uit de tenten en kwamen haastig naar hen toe geklauterd.

'Zingende Wolf?' riep Lachend Zonlicht.

'Hier ben ik.' Hij stond op en omhelsde zijn vrouw, genietend van het gevoel van haar gezwollen buik tegen de zijne. Over niet al te lange tijd zouden ze weer een gezin vormen. De gedachte gaf hem een warm gevoel.

Hij Die Huilt zei: 'We hebben een mammoetkoe gedood. We hebben vlees genoeg voor iedereen. Maar een paar mensen zullen naar boven moeten gaan om het vlees te halen dat we hebben achtergelaten. Het was te veel om te dragen. Bovendien hebben we sporen van muskusossen gezien.'

Groen Water liep naar haar echtgenoot, omhelsde hem en liet hem weer los. 'Hij is vlak voor jullie teruggekomen,' zei ze.

Hij Die Huilt fronste zijn wenkbrauwen en schopte naar een hond die aan het vlees rukte. 'Wie?'

'Wolfdromer.' Haar stem had een bezorgde klank.

'Wat is er gebeurd? Waar is hij?' vroeg Zingende Wolf.

Ze haalde op de vertrouwde manier haar schouders op. 'Daar. In Reigers grot.'

Hij Die Huilt keek naar Zingende Wolf en wachtte.

Zingende Wolf zei: 'Springende Haas, hou de honden weg van het vlees en zorg dat iedereen zijn deel krijgt.' Toen liep hij haastig over het pad langs de poel naar de grot van Reiger, gevolgd door Hij Die Huilt.

Bij de ingang aangekomen, riep hij: 'Wolfdromer? Ben je daar?'

'Kom binnen.'

Hij bevochtigde zijn lippen voor hij de deurhuid oplichtte en naar binnen ging. Hij voelde zich altijd slecht op zijn gemak in de grot van Reiger. Hij griezelde van de schedels, de ingewikkelde, kleurige tekeningen op de wanden en de vreemde voorwerpen in de nissen.

Wolfdromer zat naast een laag vuur, zijn kap naar achteren geslagen zodat zijn lange zwarte haar zichtbaar was. Zijn gezicht was zo veranderd dat Zingende Wolf verbaasd bleef staan, waardoor Hij Die Huilt bijna tegen hem opbotste.

Wie was deze man die bij het vuur zat? Zijn gezicht, eens jong en glad, had een gekwelde uitdrukking, en in zijn zwarte ogen brandde een vreemd licht. Het was het gelaat van Rent In Licht, maar het leek alsof een ander persoon er bezit van had genomen.

'Ik... We zijn...' De woorden bleven hem in de keel steken. 'Je... bent dus terug.'

Op het gezicht van Wolfdromer verscheen een melancholieke glimlach. 'Ik ben het Grote IJs overgestoken,' zei hij.

Zingende Wolf was zo verbaasd dat hij zich op zijn knieën liet zakken. Achter hem deed Hij Die Huilt hetzelfde. 'Je...'

Wolfdromer knikte, een serene uitdrukking op zijn gezicht. 'Maar het Volk zal mijn spoor niet kunnen volgen. Het is te gevaarlijk. Ik heb beide honden verloren. De oversteek is nog erger dan Kraailokker zei.'

342

Zingende Wolf voelde zich plotseling uitgeput. 'Dan ziet het er slecht voor ons uit.'

'Slecht?' zei Wolfdromer terwijl hij een wilgetak op het vuur gooide. Vonken wervelden omhoog.

'Heel slecht,' zei Hij Die Huilt. 'De maan is drie keer vol geworden sinds je vertrok, en in die tijd zijn vier clans hiernaar toe gekomen om te overwinteren. In het noorden, op de vlakte voorbij de heuvels, woedt oorlog. Onze jongemannen en de Anderen bevechten elkaar onophoudelijk en overvallen elkaars kampen. De ouderen en de kinderen kunnen niet voortdurend reizen, niet in de Lange Duisternis, daarom komen ze hierheen om rust te vinden.'

'Iedereen, behalve de jonge mannen en vrouwen?'

Zingende Wolf knikte onbehaaglijk. 'Ja. Hoe wist je dat? De jongeren vinden dit nieuwe leven opwindend.'

De ogen van Wolfdromer werden donker. 'Wie vertelt hun de winterverhalen? Hoe moeten de overleveringen worden doorgegeven als iedereen niets anders doet dan vluchten en vechten? Wie jaagt er voor de ouderen en de kinderen?'

'Enkel ons kamp,' zei Zingende Wolf zacht.

Hij Die Huilt zuchtte. 'En de Anderen trekken niet weg, zoals Raafjager had beloofd. De strijd gaat gewoon door, ook in het midden van de Lange Duisternis. Kun je je dat voorstellen? Hoe moet dat met de zieleters?'

'En onze voorraden worden snel kleiner,' voegde Zingende Wolf eraan toe.

'En de voorraden van de Anderen? Lijden zij geen honger?'

Zingende Wolf antwoordde: 'Ze worden door verschillende clans in het noorden en westen, langs het zoute water, van voedsel en huiden voorzien. Ze brengen hun zieken en ouderen over naar kampen in het achterland waar bevroren vlees ligt begraven, en sturen hun jonge mannen langs de Grote Rivier naar het zuiden om tegen ons te vechten.'

Wolfdromers kaakspieren verstrakten onder zijn huid. Hij zei: 'En mijn broer?'

Zingende Wolf hief zijn handen. 'Hij zegt dat hij de Anderen op een afstand houdt. Maar wij hier twijfelen daaraan. Wij zien alleen maar de ene ramp na de andere.'

Wolfdromer knikte.

Hij Die Huilt zei schuchter: 'We hadden gehoopt dat de Wolf-droom… We hoopten dat we het Grote IJs konden oversteken.'

De ogen van Wolfdromer kregen een vreemde glans. 'Het Grote IJs oversteken? Nee, onmogelijk. Een groot gedeelte van de mensen zou het niet overleven. Ze zouden uitglijden en in spleten vallen. En er is daar geen voedsel. Enkel sneeuw en ijs en grint. Het kostte me een maand om het Grote IJs over te steken, en gedurende meer dan de helft van die tijd had ik niets te eten.'

Hij Die Huilt keek zenuwachtig naar Zingende Wolf. 'Het ziet er dus naar uit dat we het voorbeeld van Raafjager moeten volgen: vechten tot het einde.'

'Nee,' zei Wolfdromer, met een vreemde klank in zijn stem. 'Mijn Droom is juist.'

'Juist?'

Wolfdromer knikte. 'Ik ben het ijs overgestoken. Ik heb daar Grootvader Witte Beer moeten doden en heb geleefd van zijn vlees.' Hij overhandigde Hij Die Huilt een buidel.

Hij Die Huilt maakte met trillende vingers het sluitkoord los en keerde de buidel om. Een groot aantal klauwen viel kletterend op de grond. Zingende Wolf slikte en keek naar Wolfdromer. 'Grootvader Witte Beer? Zo ver naar het zuiden? Dat kan toch niet?'

'Ik weet niet hoe hij daar gekomen is,' zei Wolfdromer, 'maar hij was er en volgde mijn spoor. Eerst probeerde ik te vluchten, maar toen heb ik hem geroepen, zoals ik met de kariboes heb gedaan. Weten jullie nog?'

Ze knikten gespannen.

'Ik Droomde hem over de ijsschotsen en verschool me op een stuk ijs dat boven de rest uitstak. Hij kwam onder me langs, zijn neus op de sneeuw, geleid door mijn Droom. Ik richtte me op en dreef met alle kracht een werpspies in de plek achter de schouderbladen.'

'Ha-eeee!' fluisterde Hij Die Huilt. Zijn ogen fonkelden.

344

'De pijlpunt die je hebt gemaakt' – Wolfdromer raakte de mouw van Hij Die Huilt aan – 'sneed diep in zijn vlees. Grootvader Witte Beer draaide zich om en beet naar de schacht. De schacht brak af, maar door de beweging drong de punt zijn hart binnen.'

'Heb je dit alleen gedaan?' vroeg Zingende Wolf met droge mond.

'Alleen.' Hij knikte. 'En het bloed, het hart en de lever van Grootvader Witte Beer gaven me kracht. Zijn vlees maakte me sterk en zijn huid gaf me warmte. Daarom ben ik in leven gebleven.'

Hij Die Huilt schudde zijn hoofd.

'Toen ik de reusachtige vlakten aan de andere kant van het Grote IJs had bereikt, doodde ik een aantal van de langhoornige bizons die daar in overvloed voorkomen. Het wild daar is niet schuw, ik kon zo naar de dieren toe lopen. Ze vluchtten niet, maar keken naar me, liepen langzaam weg of kwamen naar me toe om me te besnuffelen. Er is nog nooit door mensen op ze gejaagd.'

Zingende Wolf keek hem ongelovig aan. 'Werkelijk? Heb je nergens een teken van mensen gezien?'

'Geen enkel teken.'

'En alleen het Grote IJs ligt tussen ons en dit – dit wonderbaarlijke land?'

Wolfdromer knikte.

'En je bent het ijs twee keer overgestoken!' riep Zingende Wolf uit. 'Misschien kunnen een paar van de sterkste jagers een spoor uitzetten dat de ouderen en kinderen zouden kunnen volgen!'

'Onmogelijk,' zei Wolfdromer. Zijn ogen kregen een verre blik. 'Het ijs is voortdurend in beweging, scheuren ontstaan, brokken raken los en vallen naar beneden. Een spoor zou na een dag al weer verdwenen zijn. Wat de eerste keer veilig is, zou de tweede keer de dood betekenen. Iedere stap moet overwogen worden. Het is een wonder dat ik het heb overleefd. En ik ben het ijs niet twee keer overgestoken, maar slechts één keer.'

Zingende Wolf schudde zijn hoofd. 'Je bent het ijs twee keer overgestoken, Wolfdromer, dat kan niet anders. Of ben je een geest?' Hij had de woorden nog niet uitgesproken of hij had er al spijt van. De grot van Reiger joeg hem normaal al angst aan. En als Wolfdromer een verschijning was, betekende dat dat zijn ziel al zo goed als verloren was.

Wolfdromer lachte zachtjes. 'Nee, ik ben geen geest, oude vrienden. Ik ben het ijs maar één keer overgestoken. De weg terug' – hij zweeg even – 'is veel angstaanjagender.'

Zingende Wolf voelde dat het haar in zijn nek rechtop ging staan. Hij keek opzij naar Hij Die Huilt, die terugkeek, met open mond en een aarzelende blik in zijn bruine ogen.

'De doorgang is nu open,' zei Wolfdromer, 'maar naarmate het Lange Licht vordert, sluit hij zich weer. Alleen in de Lange Duisternis kunnen we het ijs oversteken.'

'Oversteken? Maar je zei –'

Wolfdromer hief een hand. 'Ik gebruikte het verkeerde woord. Ik had moeten zeggen *door het ijs heen.*'

'Erdoorheen?' zei Hij Die Huilt, met een blik vol verbijstering.

'Er onderdoor, feitelijk.' De ogen van Wolfdromer lichtten weer op. 'De weg is donker.'

'De weg?' zei Zingende Wolf met ingehouden adem.

Wolfdromer knikte. 'De weg loopt langs de Grote Rivier.'

'Zoals Wolf je heeft getoond.'

'Ja. Naast de Grote Rivier bevindt zich een tweede bedding onder het ijs die alleen in de zomer, als het ijs smelt, water bevat. Dat is de weg, de doorgang. Twee dagen heb ik gelopen in totale duisternis, me op de tast een weg zoekend.'

'Het gat,' fluisterde Zingende Wolf.

Hij Die Huilt zei heftig: 'Ben je onder het ijs doorgegaan? Je bent *gek!*'

Wolfdromer spreidde zijn handen. 'De duisternis is nog niet eens het ergste. Het ijs zit vol geesten die je volgen en beloeren.'

'Je bent dus onder het Grote IJs door gegaan,' zei Hij Die Huilt, 'ondanks alle waarschuwingen van Kraailokker? En wil je nu dat wij de geesten trotseren en ook onder het ijs doorgaan?'

Zingende Wolf keek zijn neef met gefronste wenkbrauwen aan. 'Wat heb je liever, de geesten of de Anderen?'

'De Anderen!' zei Hij Die Huilt beslist.

Zingende Wolf maakte een geërgerd gebaar en verzonk toen in gedachten. Na een tijdje zei hij: 'Als we genoeg vet maken, zouden we vuur met ons mee kunnen dragen. En als we pezen of repen huid aan elkaar knopen, kunnen we de mensen misschien met elkaar verbinden zodat ze niet verdwalen in het donker.'

Hij Die Huilt schudde zijn hoofd. 'Maar als we wel verdwalen, zullen onze zielen daar voor altijd gevangen zitten in de duisternis!'

De ogen van Wolfdromer kregen een starende uitdrukking en zijn mond zakte open, alsof hij op de rand van een Droom verkeerde. Zijn neven zwegen en keken naar de verre blik in zijn ogen.

'Het ijs is aan het smelten,' fluisterde de Dromer schor. 'Op een dag zal alles gesmolten zijn en zullen mensen oversteken in het licht van Vader Zon.'

'Kunnen we niet wachten tot het zo ver is?'

'Nee.' Wolfdromer glimlachte. 'Het zal niet gebeuren tijdens ons leven. Wij moeten nu gaan, door het gat, voor het te laat is.'

'Te laat?'

'Ja, vóór het zoute water vanuit het noorden komt en het land overstroomt en het gat onbruikbaar maakt.'

45

Het gezicht van Dansende Vos vertrok van pijn terwijl ze langs de warme poel strompelde. De enkel deed nog steeds zeer, hoewel niet meer zo erg als eerst. Het gebroken bot begon te genezen, daarom had ze de tent van Groen Water verlaten. Ze vond dat ze nu wel lang genoeg op haar rug had gelegen. Bovendien werd het tijd dat ze met Rent In Licht sprak. Ze had de confrontatie al enkele malen uitgesteld, in de hoop dat hij naar haar toe zou komen. Maar sinds hij was teruggekeerd, nu al vele lange dagen geleden, was hij haar niet komen opzoeken in de tent waar ze lag.

Groen Water kreeg haar in het oog en kwam op haar af. 'Ga je naar hem toe?' vroeg ze.

Dansende Vos bevochtigde haar lippen en knikte, misschien iets te kortaf. Ze zei: 'Wat moet ik tegen hem zeggen? Moet ik beginnen met: "Het maakt mijn hart blij je weer te zien"? Of wat dacht je van: "Die vervloekte Wolfdroom van je heeft mijn leven kapot gemaakt. Wat ben je van plan daaraan te doen?"'

Groen Water keek haar berispend aan. 'Dat laatste zal de situatie er niet beter op maken.'

'Ik weet het,' zei Vos. 'Het is allemaal zo verwarrend. Ik leef voortdurend in angst sinds hij terug is. Het ene moment hoop ik dat hij naar me toe komt en onder mijn huiden kruipt, en het volgende moment gruw ik bij de gedachte dat hij me zou willen aanraken.' Ze trok een gezicht terwijl ze haar gewicht overbracht naar haar gezonde voet. 'Iedereen is zo vol ontzag en eerbied voor hem, het is om bang van te worden. Ik vraag me af of hij en ik nog wel iets gemeen hebben.'

Groen Water sloeg haar armen over elkaar en staarde naar de grond. 'Daar kan ik niets over zeggen, maar ik weet wel dat jij net zo sterk veranderd bent als hij. Mensen die jullie vroeger hebben gekend, zien vreemden als ze jullie nu ontmoeten. Misschien hebben jullie beiden de verantwoording van het leiderschap op je genomen.'

'Het Volk zou nooit een vrouw volgen die vervloekt is,' zei ze spottend.

'Een heleboel mensen hebben respect voor wat je voor Klauw hebt gedaan en voor de manier waarop je Raafjager hebt aangepakt. Ze vinden dat je moed hebt betoond door bij Klauw te blijven en door zo ver te reizen met een gebroken enkel. Er wordt zelfs gefluisterd dat je Macht hebt. Dat je in je eentje kan jagen, en misschien zelfs de dieren naar je toe kunt Dromen zoals Reiger deed.'

'Dat komt omdat ze niet hebben gezien hoe ik ranzig beenmerg at, en zat te bibberen in mijn parka, doordrenkt van het zweet omdat ik bang was dat Grootvader Bruine Beer me zou vinden.'

Groen Water keek haar in de ogen, vriendelijk maar vast. Ze vroeg: 'Was je bang toen je Klauw gezelschap hield?'

Dansende Vos wendde haar blik af. De herinneringen aan de dood van de oude vrouw waren nog te vers. Ze zei: 'Ik was doodsbang. Ze was mijn vriendin – mijn lerares. De gedachte dat ik voortaan zonder haar door het leven zal moeten, maakt me angstig.'

'Maar dat zal je er niet van weerhouden door te gaan met leven.'

'Natuurlijk niet.' Ze wierp een angstige blik op Reigers grot.

'Je hebt genoeg van mij gehoord. Ga met Wolfdromer praten. Hij zal je helpen er achter te komen wat je met je leven wilt.' Groen Water knikte haar bemoedigend toe en liep weg, zacht neuriënd.

Dansende Vos haalde diep adem en liep toen naar de opening van de grot. Ze schraapte haar keel en riep: 'Rent In Licht? Ben je daar?'

'Ik heb je komst verwacht.'

Zijn stem klonk vertrouwd, maar iets in de toon deed haar op haar hoede zijn. Ze dook onder de deurhuid door naar binnen en zag hem zitten op een stapel wolfshuiden. Achter hem lag de huid van een witte beer.

Hun ogen ontmoetten elkaar. Alle zorgvuldig voorbereide woorden verdwenen als ochtendnevel in de zon. Haar hart begon te bonzen en haar lichaam tintelde.

'Ik heb gehoord dat je getracht hebt mij te volgen.' Hij sprak zacht, alsof hij een groot verdriet verborg.

Ze glimlachte verlegen en keek de grot rond. Ze zag de schedels, de tekeningen, de nissen in de wanden waarin bundels bijeengebonden gras en opgerolde vossehuiden lagen. De woonstee van een Dromer. Een plek die hij nooit met haar zou kunnen delen.

'Wolf heeft niet zo erg goed voor me gezorgd,' zei ze met een onzekere glimlach. 'Ik heb een moeilijke tijd gehad.'

Hij knikte en gebaarde naar de stapel huiden naast hem. Ze aarzelde even en ging toen met gekruiste benen op de zachte kariboehuiden zitten.

'Je bent veranderd,' zei hij. 'Je bent sterker geworden.'

'Daar is je broer verantwoordelijk voor. Maar jij bent ook veranderd. Je bent zelfverzekerder. Het leven van een Dromer past kennelijk bij je.'

Hij verbleekte en wendde zijn blik af. 'De prijs is hoog.'

'Dat is met de meeste waardevolle dingen zo.'

Er viel een stilte. Ze voelde zich innerlijk verscheurd. Ze wilde haar armen om hem heen slaan en hem vertellen hoeveel ze van hem hield – maar angst weerhield haar.

'Waarom moet dit zo moeilijk zijn?' zei ze ten slotte. 'Ik ben naar je toe gekomen, Rent In Licht. Ik ben je gevolgd. Waarom was je niet aanwezig bij de Hernieuwing? Ik heb daar op je gewacht en het gezelschap van andere mannen gemeden. Het enige dat me in dit ellendige jaar op de been heeft gehouden, was de herinnering aan wat je had gezegd over huwelijk en liefde en al die dingen.'

Hij slikte moeizaam en zijn ogen kregen een gekwelde uitdrukking.

Ze voelde dat er iets mis was. 'Wil je me niet vertellen wat er aan de hand is?' zei ze smekend.

350

Hij sloot zijn ogen, en zijn hele lichaam trilde.

Ze pakte zijn parka vast en trok eraan, eerst zachtjes maar allengs harder, tot hij zijn ogen opende en haar aankeek.

'Vertel me wat er mis is,' zei ze.

'Ik hou van je.' Zijn stem brak.

Opluchting en vreugde doorstroomden haar. 'Ik hou ook van jou,' zei ze, dichter naar hem toe schuivend, zo dicht dat ze zijn mannelijke geur kon ruiken. 'Is dat verkeerd?'

Zijn kaakspieren rolden als koorden onder de huid. 'Jij bent het enige obstakel tussen mij en de Droom.'

Ze knipperde verbaasd met haar ogen. 'Obstakel?'

'Toen in het Mammoetkamp, wist ik nog niet hoe belangrijk de Wolfdroom was en hoezeer hij mijn leven en dat van het Volk zou veranderen. Nu weet ik dat wel. Ik heb geleerd te Dromen.'

Ze streelde zijn gladde wang. Zijn gezicht vertrok alsof ze hem pijn deed. 'Je zult het Volk redden,' zei ze.

'Misschien.'

'Waarom misschien? Je hebt het gat in het ijs toch gevonden?'

'Dat is niet genoeg. Ik moet het Volk ook in veiligheid brengen, en... en persoonlijke verlangens mogen daarbij geen beletsel vormen. Ik moet het Volk naar het zuiden Dromen.' Zijn donkere ogen begonnen te glanzen. 'Een prachtig land ligt daar!'

'Ik begrijp niet wat je bedoelt.'

'Je kunt alleen maar Dromen – werkelijk Dromen – als je jezelf verliest in de Ene. Je moet voorbij de bewegingen van de Dans gaan.'

'Je praat onzin. Wat heeft dit alles te maken met onze liefde voor elkaar?'

Hij zuchtte. 'Onzin? Dat is precies wat ik ooit tegen Reiger zei. Ik begreep niet wat ze bedoelde. Hoe kan ik verwachten dat jij het wél begrijpt?'

'Zeg me, is er voor ons een toekomst?' zei ze met bevende stem. 'Of heb je je hart aan een andere vrouw gegeven?'

'Jij bent de enige aan wie ik mijn hart gegeven heb.'

'Maar dan –'

'Ik *moest* kiezen!' riep hij vertwijfeld. Toen daalde zijn stem tot een droevig gefluister. 'Ik heb de ondergang van het Volk gezien. Zonder een Dromer om het te leiden, heeft het geen kans om te overleven. Raafjager heeft het Volk in een bepaalde richting geleid. Ik moet het van dat pad afbrengen en in een andere richting leiden.'

Ze voelde een heftig verlangen om hem vast te houden, te troosten, zijn bezorgdheid weg te nemen. 'Ik zal je helpen,' zei ze.

'Nee.'

'Maar er rust toch geen vloek op Dromen? Ik begrijp dat je je gaven gebruikt om het Volk te redden, maar –'

'Er rust wél een vloek op. Het is alsof... alsof je wordt geboren met een horrelvoet of een mismaakt gezicht. Zo heeft Vader Zon het nu eenmaal gewild. En daarom kan ik niet liefhebben.'

'Waarom niet? Reiger heeft toch ook liefgehad? Ik ken de verhalen over haar en Jager Op Beren.'

'Ze...' Hij sloot zijn ogen.

Als verlamd bleef ze zitten, verscheurd door tegenstrijdige emoties.

Hij opende zijn ogen weer en zei: 'Haar liefde voor die man heeft haar gedood. Vraag het maar aan Gebroken Tak, zij was erbij. Een moment lang gaf Reiger toe aan haar liefde voor hem. Daardoor verloor ze de Ene, en de paddestoelen doodden haar.'

Dansende Vos keek hem verbijsterd aan. 'Je gelooft dat mijn liefde je zal vernietigen?'

'Ja.' Hij schudde zijn hoofd alsof hij de nevels uit zijn gedachten wilde verjagen. 'Ik heb gezien hoe het een vrouw overkwam die veel meer Macht heeft dan ik. Ik heb gekozen om... Nee, ik ben uitverkoren door de weg. Het Volk moet een Dromer hebben.'

Langzaam begon het tot haar door te dringen, en met het begrip kwam een gapende leegte in haar hart. 'Het is dus voorbij? Al het lijden, al die pijn is dus voor niets geweest? Je wilt me niet meer hebben?'

'Het spijt me,' fluisterde hij dof.

Ze knikte en stond op. Uiterlijk was ze kalm, maar van binnen was het alsof ze verscheurd werd.

'Rent In Licht?'

Hij keek op.

'Raak me nog een keer aan. Voor de laatste maal.' Ze stak een hand naar hem uit.

Hij reikte naar haar, maar toen hun vingertoppen elkaar raakten, gleed er een uitdrukking van ontzetting over zijn gezicht, alsof een afschuwelijke herinnering zich plotseling aan hem opdrong. Hij verstijfde en staarde haar vol afgrijzen aan.

'Wat is er?' vroeg ze terwijl ze haar hand terugtrok. 'Wat heb je?'

Hij wendde zich af en verborg zijn gezicht in de huid van de witte beer. Zijn gesnik sneed haar door de ziel.

'Ga weg!' schreeuwde hij. 'Laat me alleen!'

Ze draaide zich om en strompelde haastig weg, zonder te letten op de pijn in haar enkel. Ze dook onder de deurhuid door en rende weg, zonder te kijken waar ze liep, vluchtend voor de herinnering aan die laatste blik van afschuw in zijn ogen.

Maanwater richtte zich op van haar taak – het villen van een kariboe – en strekte haar pijnlijke rugspieren. Tussen haar loshangende haar door keek ze naar de clanleden die zich rond de jonge Dromer hadden verzameld. Voor zo'n jong iemand had hij veel macht. De aanblik van de kariboes die naar hem toe kwamen, gehoorzamend aan zijn roep, had haar met ontzag vervuld. Iedere keer als ze eraan terugdacht liep er een rilling over haar rug.

Misschien is hij wel net zo machtig als IJsvuur. Net zo machtig als onze grootste sjamaan! Haar lippen plooiden zich in een spottend lachje. Ondenkbaar! Het was ondenkbaar dat een armzalig Volk als dit zo'n machtig Dromer kon hebben.

Ze zag dat Springende Haas in haar richting keek en boog zich snel weer over haar taak. Het was onverdraaglijk dat zij, Maanwater, de oudste dochter van de Zanger van de Clan Van De Witte Slagtand, gedwongen was kadavers te villen en uit te benen, als een oud wijf! Woedend klemde ze haar vingers om het vuurstenen mes dat ze gebruikte om de huid los te snijden.

Deze Dromer zou hen dus voorgaan op een tocht onder het

Grote IJs door? Waanzin was het. Mensen konden niet onder ijs door lopen!

Maar hij had de kariboes naar zich toe Gedroomd. Dat had ze met eigen ogen gezien. En ze had ook gezien hoe hij het kind genas waaraan die vrouw Groen Water geboorte had gegeven. Hij had het vocht uit het neusje van het te vroeg geboren kind gezogen en het de levensadem ingeblazen. Ja, hij was machtig, heel machtig. 'Maar niet zo machtig als IJsvuur,' fluisterde ze zelfverzekerd.

Ze voelde dat het mes bot begon te worden. Met een geweipunt drukte ze behendig enkele scherven van het mes, zodat de snijrand weer scherp was. Toen ging ze verder met het villen van de kariboe.

'Ze kunnen me hier niet vasthouden,' mompelde ze terwijl ze vanachter haar weelderige zwarte haar een blik vol haat op Springende Haas wierp. 'Je zal de genietingen van mijn lichaam niet lang meer smaken, jij made van een steekvlieg! Je zal genoegen moeten nemen met je knokige vrouw van het Volk. De dochter van de Clan Van De Witte Slagtand is te goed voor jou!'

Ze duwde hard op haar buik, alsof ze zijn zaad uit haar wilde persen. Ze wachtte vol ongeduld op het wassen van de maan, want haar laatste stonde was uitgebleven.

De Lange Duisternis begon te wijken. Spoedig zou ze vluchten, weg van hier. Misschien zelfs vóór het Volk onder het ijs door liep? Ze beet op haar lip en in haar mooie voorhoofdje verschenen denkrimpels. Er werd gezegd dat Wolfdromer aan de andere kant reusachtige kudden wild had aangetroffen. Stel dat een vrouw van het Mammoetvolk te weten kwam waar dat magische gat was, zou IJsvuur, met zijn grotere Macht, dan niet alle clans van het Mammoetvolk door het gat naar de andere kant kunnen leiden?

'Ik zal wachten.' Ze glimlachte wrang. 'Dan zullen we zien hoe veilig dat gat in het ijs is!'

46

'Ik vraag me toch af of het wel veilig is,' zei Hij Die Huilt hoofd-schuddend tegen Zingende Wolf terwijl hij zich bukte om in de inktzwarte duisternis te staren. Een kille wind kwam hen te-gemoet uit de kloof in het vuile, pokdalige ijs dat voor hen oprees. Het massief van het Grote IJs verhief zich als een immen-se grauwe muur, doorsneden met barsten en spleten, uitgehold door wind en regen, geboetseerd tot een vale woestenij van ruw-getande pieken en geribbelde vlakken waartegen hier en daar een plek sneeuw felwit afstak.

Een spoor van rotsblokken en grint – meegevoerd door de ri-vier en hier afgezet – voerde naar de opening in het ijs. Hij Die Huilt had het gevoel alsof zijn keel werd dichtgeknepen als hij er naar keek. Hij verlegde zijn blik naar het grauwe wolkendek boven hem.

Grijs. De wereld heeft alle kleur verloren. Ons rest alleen nog wan-hoop. Het ijs is overal om ons heen. Terug kunnen we niet, want daar wacht ons een pijnlijke dood als we in handen vallen van de Anderen. Is dit de weg die we moeten gaan? Is er geen leven en geluk en vreugde meer? Ik wil dat gat niet in. Hoor de geesten kermen en schreeuwen in de duisternis.

Wolfdromer liep iets terzijde, met een sombere uitdrukking op zijn gezicht. Om zijn schouders hing de huid van Grootvader Witte Beer, zachtjes bewegend in de kille luchtstroom die uit de gapende kloof kwam.

Hij Die Huilt keek achterom en zag het strakke gezicht van Dansende Vos. Zij en Wolfdromer ontliepen elkaar angstvallig. Wat was er die dag in Reigers grot gebeurd dat ze zo van elkaar waren vervreemd? En zou het gevolgen hebben voor de rest van het Volk? Hij Die Huilt huiverde, en dat kwam niet alleen door de koude wind.

Wolfdromer leidde hen langs de drooggevallen rivierbedding naar de kloof toe. Hij wees op de rotsblokken en zei: 'Die zijn de afgelopen zomer meegevoerd door het smeltwater. De rivier is dan een woeste stroom.'

Achter hen kwam het Volk, gebukt onder zware pakken. De mannen en vrouwen en kinderen waren onderling verbonden door koorden die van lange ineengevlochten repen kariboe- en mammoethuid waren gemaakt. De honden draafden heen en weer, met hun neus op de grond.

Groen Water bleef een ogenblik staan om uit te rusten, met haar handen op haar heupen. Haar kind keek onder haar kap uit, zodat het leek alsof haar lichaam twee hoofden had. Hij Die Huilt ving de blik van zijn vrouw op en glimlachte haar bemoedigend toe, hoewel hij waarschijnlijk banger was dan zij. Hij keek opzij naar Zingende Wolf en zei boos: 'Ik begrijp niet dat ik me iedere keer door jou laat overhalen om de gekste dingen te doen. Ik lijk wel niet goed wijs! Het is jouw schuld dat jij en ik straks als eersten dat gat in moeten. Jij vond dat wij zo nodig voorop moesten lopen om de anderen het voorbeeld te geven.'

'Dan had je maar niet ja moeten zeggen,' zei Zingende Wolf. 'Bovendien was jij het die maar bleef jammeren over wat de Anderen met ons zouden doen als ze ons te pakken kregen, en hoe het met het Volk zou aflopen als het aan deze kant van het Grote IJs bleef.'

'Dat is zo, maar dat betekent nog niet dat ik zou moeten luisteren naar jouw –'

'Stil toch!' zei Groen Water, met haar blik op het gat gericht. 'Wolfdromer zal ons leiden.'

'We zijn nog niet dood,' zei Zingende Wolf. Ze liepen weer verder. Hij Die Huilt keek voortdurend schichtig om zich heen, alsof hij in iedere donkere scheur in de ijswanden aan weerskanten van hen een gevaar vermoedde. De wanden van de kloof die naar het gat leidde, waren elkaar nu zo dicht genaderd dat er boven hen nog slechts een smalle strook van de bewolkte hemel zichtbaar was. Uit het ijs kwamen zwakke knersende geluiden.

'Ik ben nog niet dood, ik ben nog niet dood,' mompelde Hij

Die Huilt onder het lopen onophoudelijk voor zich heen. De druk op zijn borst was nu zo groot dat hij nauwelijks adem kon halen.

'Kom je nog? Of moet ik je dragen?' riep Zingende Wolf, die hem al een eind vooruit was.

De woorden prikkelden Hij Die Huilt genoeg om hem aan te zetten tot een drafje, hoewel zijn benen merkwaardig slap aanvoelden. Zijn huid prikte zoals ze deed als hij op de open toendra door een storm werd overvallen en overal om hem heen de bliksem insloeg. Naarmate het donkerder werd om hem heen, nam het prikken toe, tot hij het gevoel had dat vingers hem aanraakten, hoewel hij nog genoeg kon zien om te weten dat er niemand in zijn buurt was. Het waren de vingers van de geesten die naar hem reikten! Hun kille aanraking was een voorbode van de dood!

Ik ben bang! Banger dan ik ooit in mijn leven ben geweest! Het is niet de dood zelf die ik vrees. Het is de duisternis... de geesten. Het is niet goed om te sterven in het donker, want dan kan de ziel niet opstijgen naar het Sterrenvolk. Dan moet ze voor altijd in het donker rondwaren, gevangen onder het ijs, in eeuwige duisternis!

Hij bleef staan, met bonzend hart, ten prooi aan een panische angst. Hij stond op het punt zich om te draaien en weg te rennen, toen hij achter zich het grint van de rivierbedding onder de voeten van Groen Water hoorde knarsen. En achter haar volgden de anderen, zwijgend, sprakeloos van angst en verbazing dat ze aan zo'n krankzinnige onderneming waren begonnen.

Hij Die Huilt vermande zich. De anderen mochten niet zien hoe laf hij was! Hij liep door, zijn tanden op elkaar geklemd en bevend over zijn hele lijf. Even later voegde hij zich bij Wolfdromer en Zingende Wolf, die vlak voor de ingang van het gat waren blijven staan. Wolfdromer pakte de uitgeholde komvormige steen die hij bij zich had gedragen en blies op de houtskool die de kom bevatte. Toen de houtskool gloeide, duwde hij een van de kooltjes tegen de in vet gedoopte lont van mos. Een klein vlammetje kwam tot leven.

Wolfdromer keek of zijn koord van gevlochten huid goed vast

zat en stapte vervolgens het donkere gat in, een hand beschermd voor het vlammetje houdend. Zingende Wolf volgde hem, het koord achter zich aan slepend.

Hij Die Huilt verzamelde al zijn moed, greep het koord en stapte de duisternis in. Hij hoorde hoe Groen Water achter hem het koord pakte en hem volgde.

'Blijf zoveel mogelijk aan de zijkant,' zei Wolfdromer. Zijn stem klonk hol en de echo's kwamen van alle kanten, vermengd met de krakende, piepende stemmen van de geesten. 'In het midden van de bedding zitten gaten, uitgeschuurd door het water, dus kijk uit waar je loopt.'

Ergens uit het donker voor hen kwam een krakend, schurend geluid.

'Geesten,' fluisterde iemand.

'Wees niet bang,' zei Wolfdromer. 'Ik heb ze al eerder uit-gedaagd. De vorige keer had ik geen licht, maar toch hebben ze me doorgelaten. Gedraag je waardig, toon hun je trots en moed, dan zullen ze je geen kwaad doen.'

'Geen wonder dat ze zo tekeergingen tegen Kraailokkers grootvader,' bromde Hij Die Huilt in een poging zichzelf moed in te spreken.

Zingende Wolf lachte hoog en scherp, een broos geluid dat aan scherven spatte in het donker.

Het koord in de hand van Hij Die Huilt bewoog. Met droge mond en bonzend hart liep hij naar voren, de vingers van de geesten tegemoet. *Ik loop in een val, een zwarte val voor de ziel.* Zijn zenuwen waren tot het uiterste gespannen.

De galmende stem van Wolfdromer riep: 'Als jullie gaten te-genkomen, of plaatsen waar je zou kunnen struikelen, zeg dat dan aan degene die achter je loopt.'

Een geroezemoes van stemmen verbrak de stilte. De honden blaften en jankten.

'Gedraag je waardig, toon hun je moed,' fluisterde Hij Die Huilt voor zich heen. Hij huiverde toen er boven zijn hoofd een afschuwelijk gekraak klonk. *Ik heb geen trots... of moed... of waar-digheid! Ik verlang alleen maar naar het licht!*

358

Stap voor stap, de bodem aftastend met hun voeten, bewogen ze zich door het duister, bijeengehouden door de kalme stem van Wolfdromer. Zijn Macht leek hen te omhullen als een beschermend kleed.

Hij Die Huilt hield zijn werpspiesen in zijn linkerhand gekneld terwijl hij met zijn rechterhand de lijn van mammoethuid vasthield. Hij had het gevoel alsof er allemaal kleine dieren over zijn huid krioelden. Na een tijdje begonnen zijn ogen aan het donker te wennen en zag hij de bewegende schaduwen die door de lamp in Wolfdromers handen op de bobbelige ijswanden werden geworpen. De geluiden van menselijke stemmen weefden een broos schild tegen het verschrikkelijke kreunen en kraken van de geesten die als vleermuizen in het donker boven hen hingen. Ergens achter hem hoorde hij de krassende stem van Gebroken Tak onophoudelijk herhalen: 'Wolfdroom... Wolfdroom.'

De tijd leek zich uit te strekken tot in de eeuwigheid. Hij Die Huilt dwong zich, ondanks de angst die zijn hart verteerde, de ene voet voor de andere te blijven zetten. Het dak van ijs werd lager en soms moest hij zich bukken om zijn hoofd niet te stoten. Hij struikelde over ronde, door het water gepolijste keien en gleed uit op glibberige oppervlakken. Groen Water, die achter hem aan liep, neuriede een machtslied om zichzelf moed te geven. Ze droeg haar kind nu in haar parka zodat ze het onder het lopen de borst kon geven.

Van tijd tot tijd hielden ze halt om te rusten en te eten. Dan schuifelde iedereen zo veel mogelijk naar voren en verzamelden ze zich rond de sputterende lamp van Wolfdromer. De rust en het voedsel gaven hun kracht, en het bijeenzijn bracht een krachtig gevoel van saamhorigheid, zodat ze weer beter opgewassen waren tegen de verschrikkingen van de kille duisternis en het afschuwelijke kreunen van de doden.

Na de vijfde rustperiode begon er een zekere gewenning op te treden. Ze praatten en lachten zenuwachtig, en Hij Die Huilt waagde het zelfs omhoog te kijken naar het dak van ijs waarover het zwakke schijnsel van Wolfdromers lamp speelde. Tot zijn opluchting zag hij geen schedels die met holle oogkassen naar hem staarden.

De herinnering aan zonlicht vervaagde tot een droom. Op moeilijk begaanbare plekken hielp Hij Die Huilt om stenen weg te rollen en gaten op te vullen zodat de ouderen en de kinderen de plek makkelijker konden passeren.

Op een gegeven moment werden ze opgeschrikt door een afgrijselijk gekrijs vóór hen. Het geluid zwol aan tot een donderend gebrul dat zich met de snelheid van een bliksemschicht door het ijs verplaatste. De grond beefde zo erg dat mensen struikelden en vielen. De honden jankten en piepten.

'Grootmoeder?' riep Rode Ster met een bevend stemmetje.

'Hier ben ik, kind,' antwoordde de stem van Gebroken Tak.

'Wil je mijn hand vastpakken? Ik ben bang.'

'Je hoeft niet bang te zijn van de geesten, kind. De Macht van Wolfdromer houdt ze op een afstand. We zijn veilig, er zal ons niets gebeuren.'

Het gekrijs stierf weg en het beven hield op.

Hij Die Huilt knikte onzeker. Hij wilde Gebroken Tak geloven, maar om het zekere voor het onzekere te nemen, lette hij erop dat hij door zijn neus ademhaalde, zodat er niet een geest zijn mond binnen kon vliegen om zijn ziel uit zijn lichaam te rukken.

Een poos later hielden ze weer halt om te rusten en dromden ze bijeen. Hij Die Huilt staarde naar de jongeman die eens Rent In Licht was geweest. Was het werkelijk waar wat er gebeurde? Wandelden ze onder het Grote IJs? Liepen ze van de ene wereld naar de andere?

Wolfdromer voedde de lamp met een brokje bevroren vet, zodat het vlammetje hoger oplaaide. In het zwakke, flakkerende schijnsel ving Hij Die Huilt een glimp op van Dansende Vos. Haar gezicht leek als uit steen gehouwen, maar in haar donkere ogen die op Wolfdromer waren gericht, zag hij verlangen en pijn. Hij sloeg een arm om Groen Water en trok haar dicht tegen zich aan, dankbaar voor haar liefde.

Stap voor stap gingen ze verder. Ze klommen over hoekige rotsblokken, doorkruisten grotten, trokken langs gaten, en vorder-
den gestaag. Het grint knarste hol onder hun in huiden gewikkelde voeten en de echo's versmolten met het gejammer van de
geesten en de korte, heldere klanken van wegrollend gesteente.
En tussendoor klonken de stemmen: 'Bukken.' 'Pas hier op.'
Voorzichtig, een gat.' Hij Die Huilt verloor alle besef van ruimte
en tijd, en zijn geest klampte zich vast aan het onophoudelijke
gemompel van Gebroken Tak: 'Wolfdroom... Wolfdroom.' Het
gemurmel sleet zich een bedding uit in zijn gedachten, steeds
dieper, onophoudelijk stromend, een bron van kracht en vertrouwen.

Ze sliepen, ontwaakten en trokken verder, klauterend, krui-
pend, glijdend. Na wat een oneindig lange tijd leek, merkte Hij
Die Huilt dat de duisternis minder ondoordringbaar was dan te-
voren. Na nog een tijdje te hebben gelopen, was het onmisken-
baar lichter geworden. Stemmen weerklonken, en mensen
bleven staan. 'Licht!' riep Zingende Wolf opgewonden. 'Ik zie
licht!'
   Hij Die Huilt keek om zich heen, en omhoog, en zag sterren
glinsteren. 'Het Gezegende Sterrenvolk!' riep hij, wijzend naar
een smalle reep hemel die iets lichter afstak tegen de donkere ijswanden aan weerszijden.
   'Het begint ochtend te worden,' zei Wolfdromer. Toen, met
een stem die niet helemaal vast was, fluisterde hij: 'We zijn erdoor.'
   Het gevoel van opluchting dat Hij Die Huilt doorstroomde,
was zo hevig dat zijn benen helemaal slap werden. Hij zakte op
zijn knieën en tranen stroomden over zijn wangen. Groen Water
knielde naast hem neer en ze omhelsden elkaar innig. 'We zijn
erdoor,' fluisterde hij.
   'Natuurlijk, echtgenoot van me,' zei ze op mild berispende
toon. 'Ik heb toch voortdurend gezegd dat de Wolfdroom waar
was.'
   Rondom hen stegen kreten van blijdschap en opluchting naar

de hemel, en mensen omhelsden elkaar en klopten elkaar uit-gelaten op de schouders. Het licht groeide, en in de reep van de hemel begonnen wolken zichtbaar te worden. Wolfdromer blies zachtjes het vlammetje uit dat voor hen zoveel had betekend.

'*Oooh*,' kreunde Lachend Zonlicht.

Zingende Wolf pakte haar snel beet en ondersteunde haar. 'Wat is er?'

'Het is mijn tijd, het kind komt!' zei ze.

Gebroken Tak lachte schel en riep: 'Ha-eeee! De Wolfdroom! Haar baby komt en wordt geboren in een nieuwe wereld, net als het Volk! De Wolfdroom heeft het voorspeld! Dit is de dag van nieuw leven!'

Hij Die Huilt glimlachte en liet zijn blik over de stralende ge-zichten van de mensen gaan. Toen ontwaarde hij Dansende Vos, en de glimlach op zijn gezicht bevroor toen hij in haar ogen keek en de kilte en de leegte daar zag.

47

'Het is niet te geloven!' zei Zingende Wolf hoofdschuddend, starend naar de kudden dieren op de besneeuwde vlakte. Op niet meer dan een spiesworp afstand stond een groepje langhoornige bizons, met flappende oren en zwaaiende staarten en een nieuwsgierige blik in hun donkere ogen.

De lage heuvelrug waarop ze hun kamp hadden opgeslagen, strekte zich naar het zuiden uit en verloor zich in een doolhof van richels en door water uitgesleten geulen. De hoogten waren dicht begroeid met donkere sparren die ruisend heen en weer wiegden in de wind. Achter het kamp boog de Grote Rivier af naar het westen, waar de met sneeuw bedekte bergen zich dreigend verhieven, als de tanden van Grootvader Witte Beer. In het oosten, op verscheidene dagreizen afstand, strekte het Grote IJs zich langs de horizon uit.

Het groepje kariboes dat was gestopt om hen te bekijken, begon weer te grazen. Op hun kop begonnen de eerste geweistompjes zich te vormen.

'En ik heb ook verse mammoetsporen gezien,' zei Hij Die Huilt met een blije glimlach.

'De Wolfdroom is waar. Er zijn hier geen Anderen.' Zingende Wolf zuchtte. 'Het zal me moeilijk vallen om terug te gaan.'

Hij Die Huilt verstijfde. 'Hoorde ik dat goed? Zei je dat je terugging?'

Zingende Wolf keek zijn neef ernstig aan. 'Wolfdromer gaat terug om nog meer mensen onder het ijs door te leiden, waarschijnlijk Bizonrug en zijn volk. Ik ga met hem mee.'

'Je meent het echt? Terug naar waar we vandaan kwamen?'

'Ja. Maar ik laat Lachend Zonlicht en mijn kind hier achter. Bizonrug en zijn mensen, en de rest van het Volk, worden bedreigd door de Anderen. Als wij hen niet helpen ontsnappen, worden ze afgeslacht.'

'Maar Wolfdromer kan toch alleen gaan? Je bent gek dat je je weer in dat gevaar wilt begeven.'

'Wolfdromer heeft iemand nodig die zijn verhaal kan bevestigen. Een heleboel mensen zouden hem anders niet geloven, na alles wat er is gebeurd.'

'Dat is waar,' zei een stem achter hen. 'En ik heb jullie beiden nodig.'

Hij die Huilt draaide zich verbaasd om. Daar stond Wolfdromer, met een verre blik in zijn ogen. Hij was gehuld in de witte berehuid, het teken van zijn Macht. De vacht was zo wit dat hij van binnenuit licht leek uit te stralen.

'Wij beiden?' stamelde Hij Die Huilt.

'Raafjager,' fluisterde Wolfdromer afwezig. Zijn ogen staarden in de verte en zijn mond zakte half open. 'Ik... ik voel komend gevaar. De Hernieuwing... Ik zal moeten Dromen. Ik weet niet wat Raafjager gaat doen, maar ik voel dat er... moeilijkheden op komst zijn. Er zal bloed worden vergoten.'

'Ik ga met je mee,' zei Zingende Wolf.

'Ik had niet anders van je verwacht,' zei Wolfdromer glimlachend. Hij keek naar Hij Die Huilt, die ineen leek te schrompelen onder de kracht die uit die serene ogen sprak. Hij onderdrukte de kreet die opwelde in zijn keel en staarde uit over de vlakte voor hem. Het land riep hem met een zoet, opwindend lied, als een jonge vrouw die zingt voor haar minnaar. In de verte zag hij een groepje mammoeten die hun lange gebogen slagtanden gebruikten om de bodem vrij van sneeuw te maken, zodat ze het gras en de planten eronder konden bereiken.

Hij wendde zich weer tot Wolfdromer en zei aarzelend: 'Wanneer vertrek je?'

'Hoe eerder hoe beter,' antwoordde Wolfdromer. 'Het Lange Licht wordt sterker en we weten niet wanneer het water weer begint te stromen.'

'Je bedoelt –'

'Ik bedoel dat de route misschien morgen al niet meer bruikbaar is.'

Er viel een stilte, en de drie mannen keken elkaar aan. 'Groen

Water zal willen dat je gaat,' mompelde Zingende Wolf, met een zijdelingse blik op zijn neef.

'Natuurlijk zal ze willen dat ik ga,' zei Hij Die Huilt op klagende toon. 'Waarom ben ik niet getrouwd met een van die bangelijke vrouwen die er een hekel aan hebben alleen achtergelaten te worden? Zo'n vrouw zou willen dat ik bleef en voor haar en de kinderen zorgde. Maar ik moest zo nodig trouwen met Groen Water, die het nieuws onbewogen in ontvangst zal nemen, me zal omhelzen en me vervolgens in de muil van het monster zal duwen.' Maar toen hij dacht aan de wijze, liefhebbende blik die ze hem zou toewerpen als hij dapper op weg ging naar dat verschrikkelijke gat in het ijs, voelde hij zich helemaal warm worden van binnen. Hij scheurde zich los van de aanblik van de reusachtige, wildrijke vlakte en zei: 'Goed. Laten we dan maar zo snel mogelijk gaan.'

Maanwater wachtte gespannen, maar niets bewoog. Ze wierp een angstige blik op de machtige Dromer; hij had misschien in een visioen gezien wat haar plannen waren. Maar hij sliep zo diep dat hij op een dode leek. Met bonzend hart liep ze naar hem toe, haar voeten zorgvuldig zo plaatsend dat ze geen geluid maakten. Ze bukte zich, lichtte behoedzaam de huiden op en pakte de uitgeholde steen die als lamp dienstdeed, en de huid waarin het vet gewikkeld was. Met ingehouden adem liep ze met haar schatten achteruit. Toen ze ver genoeg van hem verwijderd was, draaide ze zich om en sloop het kamp uit, de duisternis in. Ze liep naar het lege vossehol dat ze enige tijd geleden had gevonden en tilde de platte steen van de opening. Na de lamp en het vet te hebben verborgen, plaatste ze de steen weer zorgvuldig terug.

Geluidloos keerde ze terug naar haar slaaphuiden naast de vrouw van Springende Haas. Wolfdromer zou spoedig teruggaan naar zijn volk aan de andere kant van het Grote IJs, en dan zou zij kunnen ontsnappen. Ze zouden natuurlijk naar de lamp zoeken – maar bij wie zou de gedachte opkomen dat zij hem gestolen had? Ze zouden alle buidels en alle bezittingen doorzoeken, maar Maanwater was slim, zoals het de dochter van de grote

Zanger betaamde. Niemand zou weten dat zij het geheim van de doorgang naar dit prachtige land met zich mee zou nemen. Niemand zou weten dat zij redding bracht naar het Mammoetvolk.

48

Dansende Vos pakte de stenen schraper stevig beet en verwijderde de laatste resten weefsel van de binnenkant van de kariboehuid. Het bleekgele zonlicht streelde haar gezicht en deed haar loshangende haar glanzen. Boven haar dreven donzige wolkjes lui door de azuren hemel. Hun schaduwen gleden als levende wezen over de golvende heuvels.

'Maanwater is verdwenen.'

Ze keek op en zag Zang Van De Wulp. De jonge vrouw keek geërgerd.

Dansende Vos haalde haar schouders op. 'Ze wachtte al een tijd op haar kans. Ik heb haar heel wat keren 's nachts rond zien sluipen.'

'Was ze op terwijl wij lagen te slapen?'

'Heel vaak.'

'Waarom heb je niets gezegd?'

'Ik dacht dat iedereen het wist. En wat had je willen doen om te voorkomen dat ze zou ontsnappen? Haar vastbinden aan een boom? Dat zou haar verlangen om te ontsnappen alleen nog maar groter hebben gemaakt. Ze hoorde hier niet thuis.'

Zang Van De Wulp zond haar een afkeurende blik. 'Nieuwe vrouwen maken het Volk sterker. Ze brengen nieuw bloed.'

'Alleen als ze leren om zich in hun lot te schikken. Sommigen leren dat nooit – zoals Maanwater.'

Zang Van De Wulp zuchtte. 'Misschien zou ze het mettertijd wel geleerd hebben.'

'Wanneer is ze ontsnapt? Ik heb haar niet gezien.'

'Springende Haas is afgelopen nacht opgebleven om zijn strikken te bewaken. Het was al een paar keer gebeurd dat de dieren die hij had gevangen waren aangevreten, waarschijnlijk door een wolf. Toen ik gisteravond ging slapen was ze er nog, maar vanochtend waren haar huiden verdwenen, en haar pak ook. Ik heb de omgeving van het kamp afgezocht omdat ik dacht dat ze misschien ergens zat te mokken.'

Dansende Vos stond op en masseerde haar vingers, die waren verkrampt door het vasthouden van de schraper. 'Wel, we weten nu in ieder geval waar die lamp gebleven is.'

Wulp keek haar met grote ogen aan. 'Denk je dat zij –'

'Natuurlijk. Ze is op weg terug naar huis, en daarbij heeft ze die lamp nodig.'

'Zou ze door het gat in het ijs gaan? Helemaal in haar eentje?' Wulp schudde ongelovig haar hoofd. 'Nee. Zo dapper is ze niet.'

Vos lachte droog. 'Dat is ze wel. Ik weet hoe ze zich voelde. Ik weet wat het is om een slavin te zijn. Ze haatte ons en voelde zich ver boven ons verheven. Als je wilt weten hoe zij over ons dacht, moet je je maar eens voorstellen hoe jij het zou vinden als een of andere stinkende Ander op je kroop en je benen uit elkaar duwde.'

'Springende Haas is geen stinkende Ander! Hij is mijn echtgenoot – en die van haar!'

Dansende Vos grinnikte. 'Ja, maar jij houdt van hem. Het maakt een heel verschil als je wordt besprongen door de man van wie je houdt.'

'Zij had ook van hem kunnen gaan houden, als zij zichzelf de kans had gegeven.'

Maar Dansende Vos luisterde niet langer, want plotseling besefte ze welke afschuwelijke gevolgen de verdwijning van Maanwater kon hebben. Ze begon haastig haar schraper schoon te maken.

'Wat is er?' vroeg Wulp.

'Als Maanwater erin slaagt de andere kant te bereiken, zal ze de Anderen over de doorgang in het ijs vertellen. En dan komen ze hierheen.'

'Gezegend Sterrenvolk!' Wulps hand vloog naar haar mond. 'Als de Anderen van de doorgang weten, zullen we nooit meer veilig zijn. Ze zullen ons volgen tot aan het eind van de wereld.'

'Juist.' Vos opende haar pak en stopte er de schraper, een paar half afgewerkte vuurstenen en een buidel met gedroogd vlees in.

'Wat ben je van plan?' zei Wulp, die met gefronst voorhoofd de handelingen van Vos volgde.

'Ik ga haar achterna.'

'Maar je kunt toch niet in je eentje door het gat gaan! Zonder licht!'

Vos haalde haar schouders op. 'Wolfdromer heeft het ook gedaan, de eerste keer. En Maanwater is ook alleen. Ik heb vuurstokken en mos bij me, en ik neem genoeg hout mee om een vuur te kunnen maken. Bovendien heb ik op de heenweg bijna voortdurend in het donker gelopen. Ik bevond me aan het eind van de rij.' Snel en behendig bond ze haar pak dicht.

'Vos,' zei Wulp onbehaaglijk, 'doe het niet. Als je daar sterft, zit je ziel voor eeuwig gevangen onder het ijs. Zonder Wolfdromer om je te beschermen zal –'

'Kraailokker heeft me vervloekt en gezegd dat ik begraven zou worden,' zei Vos scherp. 'Misschien is het tijd dat zijn voorspelling in vervulling gaat.' Ze keek verlangend naar de witte streep van het Grote IJs die fonkelde onder de aanraking van Vader Zon. *Rent in… Wolfdromer is aan de andere kant. Misschien verandert er iets als ik nog een keer met hem kan praten.*

'Kraailokker is een idioot,' zei Wulp voorzichtig terwijl ze een blik over haar schouder wierp om er zeker van te zijn dat zijn lelijke geest niet ergens achter haar zweefde. 'Het gevaar is te groot! Doe het niet!'

Dansende Vos hees het pak op haar rug en trok aan de draagband om haar voorhoofd tot hij goed zat. Ze gaf Wulp een speels klapje op haar schouder en zei: 'Laat de moed niet zakken.' Toen liep ze weg, langzaam haar pas versnellend tot een tempo dat ze uren kon volhouden. Haar enkel was nog steeds een beetje gevoelig. 'Dus je wilde het Mammoetvolk gaan vertellen van ons gat, hé?' gromde ze. 'Nou, dat zullen we nog weleens zien.'

En misschien zou ze ook Wolfdromer kunnen helpen. Hij stond zo goed als alleen in zijn komende strijd tegen Kraailokker en Raafjager. Dat zat haar al dwars vanaf het moment dat hij samen met Zingende Wolf en Hij Die Huilt was vertrokken.

Toen ze de volgende ochtend bij het gat aankwam, zag ze dat er een dun stroompje water door de rivierbedding kronkelde.

'Het ijs begint te smelten.' Ze haalde diep adem. 'Hoeveel dagen zou ik hebben voor het wassende water het gat afsluit?'

Ze klemde haar tanden op elkaar en daalde af in de bedding. In het vochtige zand stonden de voetafdrukken van een vrouw. Geen twijfel mogelijk, Maanwater was hier langsgekomen. Met bonzend hart ging Vos het donkere gat binnen.

De geesten krijsten dat ze op haar schreden moest terugkeren.

Het ene seizoen maakte plaats voor het andere, het Lange Licht groeide vanuit het zuiden terwijl de stralen van Vader Zon de geesten van de Lange Duisternis verjoeg naar het noorden, voorbij het noordelijke zoute water met zijn drijvende bergen van ijs.

Met het smelten van het ijs begonnen geruchten de ronde te doen, verspreid door de jagers die van kamp tot kamp trokken. Geruchten over een Dromer – een machtige Dromer. De jongeling Rent In Licht – eens het onderwerp van spot – had een weg naar het zuiden Gedroomd.

En niet alleen dat, hij was ook door de buik van de wereld gegaan, hij was onder het Grote IJs door gelopen, en het Volk was aan de andere kant herboren! Herboren in een land waar geen Anderen waren! Een land waar de dieren waarlijk broeders waren, zonder angst voor mensen. Deze Wolfdromer, zo werd gezegd, stamde af van Vader Zon zelf, en hij was gezonden om het Volk naar een nieuw land te leiden.

Raafjager zat en tuurde naar de opkomende zon. Hij negeerde de mannen die met een onbehaaglijke uitdrukking op hun gezicht rondom hem zaten. Zijn knappe gezicht had het laatste jaar hardere trekken gekregen door het voortdurende reizen en de eindeloze overvallen en gevechten. Zijn spieren waren taaier geworden, zijn schouders breder, zijn buik platter, ondanks het betere eten. Hij zag er nu uit als een wolf in de kracht van zijn leven, lang, sterk – een man zonder zijns gelijke.

Hij dacht na over de gevechten die ze gedurende de Lange Duisternis hadden geleverd. Ze hadden de Anderen in bedwang gehouden, maar niet verdreven. En nu werd het tijd voor de Hernieuwing. De lentejachten waren begonnen, en ze hielden een oog op de trekroutes van het wild om te zien welke dieren er zuidwaarts naar de weidegronden van het Lange Licht trokken. Maar dit jaar lagen zoveel trekroutes in gebied dat door de Anderen werd beheerst, dat ze misschien niets zouden vangen. Zouden genoeg bizons en kariboes aan de spiesen van de Anderen kunnen ontsnappen om ook het Volk te voeden? Of zou het Volk gedwongen zijn de heuvels in te gaan om op schapen te jagen, biddend dat ze er genoeg konden doden? Hoe zou het wild reageren op de toenemende druk van de Anderen? En wat waren de Anderen van plan? Stel dat ze zich niet tijdelijk terugtrokken voor de lentejachten, wat dan? Wat had een Hernieuwing voor zin als het Volk was verzwakt door honger?

En het ergste van alles was dat de ouderen dit jaar hadden besloten met de traditie te breken en de Hernieuwing ver naar het zuiden te houden – in Reigers vallei. Op de plaats waar zijn gekke broer zijn kamp had opgeslagen! Hoe moest hij de gebieden die ze nu bezaten, verdedigen als zijn krijgers helemaal naar het zuiden moesten om te Dansen? De Anderen zouden meteen toestromen om de verlaten gebieden in bezit te nemen.

Hij was woedend geweest toen hij het nieuws vernam. 'Denken die oude dwazen dat de Anderen zo vriendelijk zullen zijn ons met rust te laten zodat wij onze Hernieuwing kunnen vieren?' had hij geschreeuwd. 'Het is vele dagen lopen naar de vallei van Reiger. Denken ze dat de Anderen in hun kampen zullen blijven wachten tot wij terug zijn?'

Arendschreeuw had zijn schouders opgehaald. 'We moeten Dansen. Herinner je je wat er twee Lange Duisternissen geleden is gebeurd toen we niet hebben Gedanst? De winter die volgde, was de strengste die we ooit hebben meegemaakt. Bovendien, vergeet niet dat de Anderen ook hun bijeenkomsten hebben. Zij moeten ook Dansen en ruilen en nieuwe vrouwen zoeken.'

'Het meest geschikte moment om toe te slaan!' Raafjager liet zijn gebalde vuist neerkomen in de palm van zijn andere hand. 'Als ze Dansen, zijn ze kwetsbaar – net als wij tijdens onze eigen

Dansen. Het is de juiste tijd om hen te overvallen en uit onze gebieden te verdrijven.'

'Maar de Hernieuwing is –'

'Ik heb genoeg gehoord!' Raafjager keek dreigend om zich heen naar de andere krijgers. 'Wie blijft hier? Wie is bereid onze grond te verdedigen?'

Een paar handen schoten de lucht in, en enkele andere kwamen wat aarzelend omhoog. De meerderheid werd niet opgestoken.

Een koude woede nam bezit van hem. *Voorzichtig. Met dwang bereik ik niets. Ze zijn bereid me te volgen, maar niet ten koste van hun geliefde Hernieuwing. Wie weet, misschien kan ik er zelfs voordeel uit halen. Maar dan moet ik een manier zien te vinden om de ouderen gezicht te laten verliezen omdat ze zo dom zijn geweest de Hernieuwing zo ver naar het zuiden te laten houden.*

Hij hief zijn handen op en zei met een vermoeide zucht: 'Ik weet het, ik weet het. Als we niet Dansen zullen de zielen van de dieren ons misschien in de steek laten.' Hij produceerde een ironisch lachje. 'Een netelige situatie waarin we ons bevinden, niet? Als we niet bidden en de Hernieuwing dansen, laten de dieren zich niet door ons doden. Maar als we ons gebied verlaten en naar het zuiden gaan, zullen we geen dieren meer hebben om op te jagen omdat de Anderen de jachtgronden in handen hebben.'

Hij zweeg en keek om zich heen naar de strakke gezichten, de fonkelende ogen, de grimmige monden. Ja, dit waren krijgers! *Zijn* krijgers! 'Goed dan. We zullen naar het zuiden gaan.' Hij schudde droevig zijn hoofd. 'En als de herfst weer zijn intrede doet, onthoud dan wie de Hernieuwing zo ver naar het zuiden hebben laten houden. Sommigen van jullie zullen sterven in de strijd om de gebieden te heroveren die wij morgen zullen verlaten. Ik hoop dat die oude mannen jullie zielen goed naar het Sterrenvolk zullen zingen, mijn broeders en zusters, want zij dragen de verantwoordelijkheid.'

En bovendien kan ik er op deze manier achterkomen wat er waar is van de verhalen die over mijn idiote broer de ronde doen.

Met de moed en het uithoudingsvermogen haar volk eigen draafde Maanwater de vlakte in, weg van de verschrikkingen van het gat onder het ijs. Ze zou die tocht nooit meer vergeten. De eerste keer, toen er nog een lichtje was om haar te leiden, was al erg genoeg geweest. De terugweg echter, alleen met het gekerm en gejammer van de geesten, in de eindeloze duisternis die alleen werd doorbroken door het vlammetje in de steen die ze tegen haar borst gedrukt hield, was een verschrikking geweest. Niets had haar ellende verzacht, geen woord, geen gebaar. Haar slaap was onrustig en vol angst geweest, want het leek alsof het gekreun van de geesten luider werd zodra ze zich oprolde in haar huiden.

Nu liep ze echter weer in het licht van de zon, en ze was er zeker van dat ze het Mammoetvolk kon bereiken vóór het seizoen van de vliegen en het ontdooien van de bodem begon.

Misschien zou de Clan Van De Witte Slagtand dit jaar de eer te beurt vallen de Witte Huid te mogen bewaken. Door de oorlog met de Vijand zou hun aanzien bij de andere clans zeker zijn toegenomen. Als ze de kostbare huid in bezit hadden, zouden de clanleiders uit het noorden en westen in drommen naar het kamp van IJsvuur komen. Ze werd opgewonden bij het vooruitzicht. De leiders zouden te horen krijgen wat zij de Meest Geëerde Oudere over het gat in het ijs had verteld, en over de Dromer, en over de doorgang naar het zuiden, waar prachtige valleien waren die wemelden van het wild. Iedereen zou haar eren en bewonderen.

Het enige dat ze nu hoefde te doen, was een kamp van het Mammoetvolk vinden. Ze liep op een drafje, versnelde haar pas tot ze rende, en begon dan weer langzamer te lopen tot ze weer op een drafje liep, waarna ze het proces herhaalde, steeds opnieuw. Onderweg at ze van het resterende vet in de buidel die ze van Wolfdromer had gestolen. De lamp had ze zorgvuldig verborgen op een plek waar ze hem weer zou kunnen vinden. Een wrange glimlach plooide haar lippen. O, ze hadden er vast heel lang naar gezocht. Maar ze was hen allemaal te slim af geweest.

49

Dansende Vos zocht zich op de tast een weg door het donker. Het geluid van haar ademhaling weerkaatste van de ijswanden, en rond haar voeten klotste het water. Ze zette haar voet op een schuine steen en bracht haar gewicht over. Haar voet gleed weg en ze viel voorover op de grond. De pijn in haar enkel deed haar kreunen, maar het bot was niet gebroken. Zou ze dan altijd last blijven houden van die vervloekte enkel?

De gaten in de bedding stonden nu vol water en het gekerm van de geesten vermengde zich met het geluid van vallende waterdruppels. Haar voeten in haar doorweekte laarzen waren zo koud dat ze er totaal geen gevoel meer in had. De enige droge plaatsen waar ze kon gaan zitten om uit te rusten waren de bovenkanten van de grote rotsblokken waar ze in het donker onophoudelijk tegenop botste. Het mos en de vuurstokken waren uiteraard ook doorweekt, en er was geen mogelijkheid om ze te drogen.

'Je zult je volk nooit bereiken, Maanwater,' mompelde ze van tijd tot tijd. 'Ik zal je weten te vinden.' En dan plaste ze verder door het ijskoude water, haar tanden op elkaar geklemd.

De tocht leek eeuwig te duren. Meer dan eens dacht ze dat haar einde gekomen was, dat het kanaal zich had gesplitst en zij de verkeerde aftakking had genomen en nu op weg was naar de ingewanden van de aarde zelf, zo diep dat ze nooit meer de weg terug zou kunnen vinden.

Maar langzamerhand begon het lichter te worden om haar heen, en toen ze rond een bocht kwam, stroomde het daglicht haar tegemoet. Ze strompelde naar de opening en stond even later buiten, onder een bedekte hemel, met haar ogen knipperend tegen het schelle daglicht, druipend van het water.

'Dus het is toch waar!' riep een stem vanaf de rotsen boven haar.

Dansende Vos greep haar werpspiesen beet met vingers die stijf waren van de kou en draaide zich om in de richting van het geluid. Opgelucht zag ze dat het Kleine Eland was, die hoofdschuddend naar haar keek. Hij was gekleed in een rafelige, versleten parka, en zijn gerimpelde gezicht was gelooid door vele lange dagen in de zon.

'Dansende Vos? Wat doe jij hier? Kom je van de andere kant? Als er een andere kant is, zoals in de verhalen wordt beweerd.'

'Ja, ik kom van de andere kant, en ik jaag op een vijand,' antwoordde ze huiverend. De gure wind zoog de laatste warmte uit haar lichaam.

'Een vijand?'

'Ja,' zei ze. 'Maar eerst moet ik warm zien te worden.'

'Is dat een voorstel?' zei Kleine Eland met een opgetrokken wenkbrauw. Hij glimlachte toen hij de uitdrukking op haar gezicht zag. 'Ik heb wat gedroogde mest en een bundel wilgetakken. Daarmee zal ik vuur maken.' Hij klom naar beneden en leidde haar naar een droge beschutte plaats tussen enkele rotsblokken. Ze liet haar pak van haar rug glijden en begon haar doorweekte kleding uit te trekken, terwijl Kleine Eland behendig de vuurstokken tussen zijn handen heen en weer rolde. Het mos begon te smeulen en Kleine Eland blies er zachtjes op en voegde er langzaam schilfers hout en stukjes mest aan toe, steeds meer, tot de vlammen omhooglekten. Hij deed een pas achteruit en gebaarde Dansende Vos dat ze bij het vuur moest gaan zitten, wat ze dankbaar deed.

Kleine Eland zuchtte en liet zijn blik over haar naakte lichaam dwalen. 'Het zou leuker zijn geweest als we het op de andere manier hadden gedaan,' zei hij.

Dansende Vos keek naar hem op. 'Nee, bedankt. Ik heb je weleens naakt gezien en je bent iets te grof geschapen naar mijn zin. Ik blijf van binnen graag heel.' Ze begon haar haar uit te wringen, hield toen op en keek hem met gefronst voorhoofd aan. 'Bovendien, ik dacht dat jij een van de bewonderaars van Raafjager was. Ik weet zeker dat hij bezwaar zou hebben tegen onze omgang.'

'Nee,' bromde Kleine Eland terwijl hij haar kleding zo goed mogelijk uitspreidde om te drogen. 'Zijn weg is niet de mijne.'

'O nee?'

Hij keek haar peinzend aan. 'Ik heb geen bezwaar tegen het doden van Anderen. Ik ben bereid te vechten voor onze jachtgronden. Maar hij heeft dingen gedaan waartegen mijn ziel in opstand komt. Hij heeft de jonge mannen geleerd de Anderen te martelen, hen aan stukken te snijden en hun hart op te eten. Dat is verkeerd. Hij is... ik weet het niet. Gek, misschien. Je kunt nooit voorspellen wat hij gaat doen.'

'Ik weet het.' Ze steunde op haar armen en hield haar linkervoet vlak bij de vlammen, genietend van de strelende warmte. Ze vroeg: 'Hoe lang heb je hier de wacht gehouden?'

Hij blies zijn wangen bol. 'Ik hou niet echt de wacht.'

'Wat doe je hier dan?'

'Ik heb horen praten over Reigers vallei en kwam hierheen om het met eigen ogen te zien. Ik heb Raafjagers kamp in het midden van de Lange Duisternis verlaten.' Hij staarde naar de grond. 'Ik heb zo'n beetje rondgezworven en gejaagd, terwijl ik nadacht over wat me te doen stond.'

'Heb je hem in de steek gelaten?'

Hij keek haar doordringend aan. 'Ik geloofde de verhalen over Rent In Lichts gat in het ijs. Ik ben gekomen om me bij hem te voegen.'

Ze was verbaasd en ook een beetje trots. Was het geloof van het Volk in de Droom sterker geworden? Misschien zou alles dan toch nog goed komen. Ze zei: 'Heb je Maanwater, de tweede vrouw van Springende Haas, uit het gat zien komen? Ze is ontsnapt en ik maak jacht op haar.'

'Ik heb haar niet gezien, maar ik ben hier pas sinds gisteren.'

'Misschien kunnen we haar samen achterna.'

'Laat haar gaan,' zei Kleine Eland zacht, starend in de verte. 'Ik heb al genoeg dode vrouwen gezien.'

'Ze kent het pad onder het ijs. Ze heeft de andere kant gezien.'

Kleine Eland keek haar aan. 'Hoe ziet het er daar uit?'

Ze wees naar het gat. 'Ga zelf maar kijken.'

Hij bewoog ongemakkelijk. 'Is het daar net als hier? Overal rotsen, en armetierige alsemstruiken, en zegge, en wolken vliegen en muggen? Is de honger daar ook een voortdurende metgezel?'

Ze glimlachte en schudde haar hoofd. 'De bomen zijn daar zo hoog dat je je klein voelt als een muis. De dieren zijn niet bang en blijven staan als je ze nadert. De vlakten wemelen van het wild, en nergens zijn tekenen van mensen te zien.'

'Ik ga er meteen heen!' riep Kleine Eland uit.

'Nee, je gaat niet.'

'Maar je zei zojuist dat –'

'Ik ben van gedachten veranderd. Je moet me eerst helpen om Maanwater te vangen. Als zij de Anderen vertelt van het gat, zullen ze ons ook uit het nieuwe gebied verdrijven.'

'Ik zal je helpen, maar ik weiger haar te doden.'

'Ik denk dat Springende Haas, haar echtgenoot, je daar dankbaar voor zal zijn.'

Hij keek haar sceptisch aan en zei: 'Dus we doden haar niet?'

Ze knikte onwillig. 'Ik wil haar alleen tegenhouden voor ze het geheim van het pad aan de Anderen verraadt.'

'Laten we dan gaan.'

'Kan ik eerst mijn kleren drogen? Ik heb het voor het eerst sinds dagen weer een beetje warm.'

'Natuurlijk.' Hij sloeg zijn armen over elkaar en zuchtte. 'Ik vind het prettig om naar je lichaam te kijken. Het doet me aan bepaalde dingen denken.'

'Kijk dan een andere kant op. Mijn lichaam denkt niet aan het jouwe.'

'Helaas.'

'Jammer voor je dat je een man met een vriendelijke inborst bent. Alleen een vieze made als Raafjager zou een vrouw dwingen gemeenschap met hem te hebben.'

'Dat zijn wel erg harde woorden.'

'In dit geval zijn ze noodzakelijk.'

'Het zal een lange jacht worden op Maanwater.'

'Daarom juist.'

Het vuur had de berke- en wilgetakken verteerd en er waren alleen nog maar wat gloeiende kooltjes over in de vuurkuil. Zingende Wolf leunde voorover, vol ontzag voor deze mannen die het Volk zo lang hadden aangevoerd. Naast hem zat Hij Die Huilt, met een ongewoon ernstige uitdrukking op zijn vriendelijke gezicht.

Bizonrug, met zijn witte haar, dat in twee lange vlechten aan weerszijden van zijn krachtige, gerimpelde gelaat hing, straalde waardigheid en macht uit. Hij luisterde zonder verbazing te tonen naar wat Zingende Wolf te vertellen had en knikte af en toe. Vier Tanden had een breed, diep gegroefd gezicht dat bezaaid was met levervlekken. Hij had grote, donkere wallen onder zijn ogen en de enige tanden die hij nog in zijn mond had, waren zijn vier snijtanden. Hij zoog voortdurend afwezig op zijn tandvlees en pulkte met stompe, brede vingers aan de rafelige randen van zijn parka.

'Het wemelt er van dieren,' zei Zingende Wolf. 'Bizons, mammoeten, kariboes. En ze kennen geen angst voor mensen.'

Bizonrug schudde zijn hoofd. 'Het lijkt bijna niet mogelijk.'

'Maar toch is het zo,' hield Zingende Wolf vol. Hij spreidde zijn handen, met de palmen naar boven. 'Ik zou het zelf ook niet geloofd hebben. Maar het is waar.'

'Ik weet het niet,' zei Vier Tanden weifelend. '*Onder* het ijs door? In het donker? Stel dat je iets overkomt, wat dan? Je ziel zou voor eeuwig begraven zijn.'

'En hoe weten we dat er genoeg wild is om ons tot in lengte van jaren van vlees te voorzien? Wat moeten we doen als blijkt dat er niet genoeg wild is? Moeten we dan weer onder het ijs door, terug naar hier?'

Hij Die Huilt sloeg zijn armen over elkaar en zei: 'Wolfdromer zal het antwoord geven op alle vragen.'

'Dat wordt beweerd,' bromde Vier Tanden. 'En waar is hij, hm? Hij komt hier en verdwijnt meteen in dat gat in de rotsen. Weet je hoe het Volk denkt over gaten in de rotsen? Mensen horen niet onder de grond.'

Zingende Wolf dacht aan Reigers grot, aan de grijnzende

378

schedels en de vreemde tekeningen, en hij huiverde licht. 'Ik weet niet wat hij daar doet. Misschien wil ik het ook wel niet weten. Dromen, échte Dromen, zijn angstaanjagend.'

'Is hij een echte Dromer?' zei Vier Tanden, met iets van twijfel in zijn stem.

Hij Die Huilt knikte ernstig. 'Reiger zei tegen Gebroken Tak dat hij beter zou worden dan zij ooit was geweest.'

'We zullen het zien zodra Kraailokker hier komt.' Vier Tanden hield zijn hoofd scheef en staarde in de verte. 'Die Kraailokker, dát is nog eens een man met Macht.'

Zingende Wolf wendde zijn blik af om te voorkomen dat hij een oudere beledigde. 'Ik wil niet oneerbiedig zijn, grootvaders, maar velen zijn doodgehongerd omdat ze Kraailokkers – "dromen" hebben gevolgd. Gebroken Tak zegt dat hij een valse Dromer is.'

'Ze is oud.'

'Ze heeft echte Dromers gezien,' wierp Zingende Wolf zachtjes tegen. Hij wist dat dit gesprek van cruciaal belang was. Als hij de ouderen in hun waardigheid aantastte, zouden de clans hen nooit volgen door het gat in het ijs. 'Ze zag de Droom in Wolfdromers ogen.'

Vier Tanden keek hem kwaad aan. 'Denk jij dat je meer weet dan ik? Hm? Ik ben twee keer zo oud als jij.'

Zingende Wolf klemde zijn tanden op elkaar en zei toen zachtjes: 'Nee, grootvader.'

'Kraailokker zal ons vertellen wat er waar is van die verhalen over de jonge Rent In Licht,' zei Vier Tanden koppig.

Zingende Wolf koos zijn woorden zorgvuldig. 'Ik twijfel niet aan de oprechtheid van jullie geloof, grootvaders. Maar ik heb gezien hoe Wolfdromer de Macht van Kraailokker weerstond in een rechtstreeks duel. Hij Die Huilt was erbij, en ik was erbij. Anderen kunnen onze woorden bevestigen. Kraailokker vervloekte Wolfdromer en zei dat hij spoedig zou sterven, en hij voorspelde het einde van iedereen die naar het zuiden ging. Maar we hebben het allemaal overleefd, op een klein meisje na. Hij zei ook dat het Grote IJs de dood betekende voor iedereen die er in de buurt kwam, maar we leven nog steeds, en onze gezinnen wonen aan de andere kant in een prachtig land vol overvloed.'

Hij Die Huilt zei met afgewende blik: 'Ik behoorde tot de groep van Kraailokker, maar ik had nog nooit een echte Dromer gezien tot ik Wolfdromer zag, en daarna Reiger. Ik heb gezien hoe deze Dromers het wild naar zich toe riepen. Ik heb de Macht gezien in de dode ogen van Reiger. Kraailokker had niets dat daarop leek.'

'Ik heb altijd gedacht dat Reiger een legende was,' mompelde Vier Tanden. 'Jullie weten dat er slechte dingen van haar worden verteld. Ze zeggen dat ze de ziel uit iemands lichaam kon zuigen en haar uitspuwen in de Lange Duisternis.'

'Ze heeft ons te eten gegeven en gezorgd dat we niet omkwamen van de kou,' zei Hij Die Huilt onbehaaglijk. 'Ik heb van haar nooit iets anders dan vriendelijkheid ondervonden. Ik was bang van haar, maar iedereen met gezond verstand is bang van iemand met zoveel Macht. Ze was niet slecht, zoals in de verhalen wordt beweerd.'

'Waarom zonderde ze zich dan af en leefde ze hier helemaal alleen?' vroeg Vier Tanden. 'Leg me dat eens uit, hm? Alleen leven is verkeerd! Goede mensen onttrekken zich niet aan hun verantwoordelijkheden.'

'Ze kon beter Dromen als ze alleen was,' antwoordde Zingende Wolf. 'Als er geen mensen in de buurt waren, was het makkelijker om... eh, haar geest leeg te maken, zoals ze zelf zei.' Hij wierp een snelle blik op Hij Die Huilt. Het gesprek verliep niet zoals hij had gehoopt.

'Mijn moeder kende haar,' zei Bizonrug. 'Ik zal wachten en zien wat er tijdens de Hernieuwing gebeurt. Misschien heeft Reiger slechte krachten aan Rent in Licht gegeven.' Zijn stem daalde tot een hees gefluister. 'Om ons kwaad te doen.'

'Waarom zou ze zoiets doen?'

'Om wraak te nemen. Je kent de verhalen over hoe het Volk haar Dromen met hoongelach ontving. De mensen vreesden haar en haar vreemde visioenen.'

'Laten we wachten tot Kraailokker hier is,' zei Vier Tanden. 'Laten we zien wat hij Droomt.'

Er viel een ongemakkelijke stilte en Zingende Wolf staarde naar de grond. Zouden ze dan nooit willen luisteren?

Na een tijdje zei Vier Tanden: 'Bovendien kan ik niet geloven dat het goed is om de jachtgronden die Vader Zon ons gegeven heeft, te verlaten om in een gat in het ijs te kruipen. De vader van mijn vader heeft hier geleefd. Hier heb ik de ziel van mijn vrouw naar het Gezegende Sterrenvolk gezongen. Ik ken dit land, het leeft in mijn hart, ik ben er deel van.' Hij zweeg even om de woorden te laten bezinken. 'Raafjager heeft gelijk. We moeten onze jachtgronden verdedigen.'

'De Anderen naderen,' zei Zingende Wolf. 'We zullen ons tijdens deze Hernieuwing goed moeten bezinnen op de komende tijd. Alles is aan het veranderen. Ik hoop dat je wat ik ga zeggen niet opvat als een gebrek aan eerbied, grootvader, maar dit land hier is niet echt van ons. We zijn hier op vijf dagen lopen van het Grote IJs. Dat is zuidelijker dan we ooit in het verleden geweest zijn.'

'Dat valt wel mee.'

'Vijf Lange Lichten geleden werd de Hernieuwing gehouden op de vlakte waar de Grote Rivier uitmondt in het zoute water. De Anderen slaan daar nu hun kampen op. We kunnen door hen niet meer naar oesters zoeken of op zeehonden jagen langs het zoute water. We moeten het onder ogen zien: we kunnen de Anderen niet tegenhouden. We zijn niet sterk genoeg!'

Vier Tanden schudde zijn hoofd. 'We zullen hen verdrijven. We hebben dit land gekregen van Vader Zon. Hij zal zorgen dat we hier veilig zijn. Je zult het zien.'

'Misschien heb ik al te veel gezien,' zei Zingende Wolf, met neergeslagen blik om niet de ergernis van de ouderen te wekken. 'Gedurende het vorige Lange Licht ben ik op krijgstocht geweest met Raafjager, en ik heb gezien hoe hij denkt de Anderen te kunnen tegenhouden. Ik heb een handvol Anderen gedood in eerlijke gevechten. Ik heb me eervol gedragen. Maar ik zag hoe onze jonge mannen vrouwen verkrachtten als dieren in de paartijd. Ik ben er getuige van geweest dat kleine kinderen met hun hoofdje te pletter werden geslagen tegen stenen, dat Anderen werden doodgetrapt, of opengesneden zodat hun darmen naar buiten gleden. Ik heb gezien hoe gewonde mannen werden achtergelaten om een langzame, pijnlijke dood te sterven. Ik heb gevochten voor het Volk, en ik heb gezien dat we niet tegen de Anderen zijn opgewassen.'

'Je hebt het geloof in onze kracht verloren! Het komende Lange Licht zullen we winnen!'

'Daar wil ik niet op wachten. Ik heb mijn gezin onder het Grote IJs door gebracht omdat ik niet wil toezien hoe mijn familieleden een voor een hun einde vinden in een hopeloze strijd. Het is voor een man niet oneervol om aan de veiligheid van zijn gezin te denken.'

Vier Tanden slaakte een vermoeide zucht. 'Ik weet dat je een eervol man bent, Zingende Wolf.'

'Hij is nog iets meer,' zei Hij Die Huilt plotseling. 'Hij is de enige die beide kanten heeft gezien en ervaren.'

Vier Tanden keek hem fronsend aan, zijn kin dreigend geheven. 'Met welk recht spreek jij? Jij hebt niet gevochten.'

'Nee, ik... ik...' Zijn wangen brandden van schaamte. 'Ik haat oorlog.'

'Dat hebben we gehoord, ja,' zei Bizonrug grimmig.

'Lafaard!' riep Vier Tanden.

'Ik ben geen lafaard!' zei Hij Die Huilt dapper terwijl hij de ouderen in de ogen keek. De gloed van het stervende vuur wierp onheilspellende schaduwen op de gezichten van de oude mannen, en hun scherpe blikken en strakke monden joegen hem angst aan, maar toch ging hij verder. 'Er is maar één ding dat ik wil in dit leven, en dat is jagen. Verder niets. En ik ben er goed in; niemand kan zo goed mammoeten opjagen als ik.' Hij sloeg zijn ogen weer neer en frummelde aan de zoom van zijn leren hemd. 'Ik wil niet dat Groen Water wordt verkracht door een Ander terwijl ik dood lig te gaan met een spies in mijn buik. Zingende Wolf heeft gekeken en geluisterd, en mij alles verteld. Ik heb naar hem geluisterd en vele lange nachten in gedachten doorgebracht, proberend het antwoord te vinden op de vraag wat ik moest doen en wie ik moest volgen.'

382

De woorden hadden Vier Tanden milder gestemd. Hij maakte een smakkend geluid en zei: 'Een man moet doen wat hij denkt dat het beste is.'

'Zo heb ik het geleerd, en zo doen wij mensen van het Volk dat. En het beste dat ik kon doen, zo dacht ik, was mijn vrouw en mijn kind in veiligheid brengen aan de andere kant van het Grote IJs. Ik heb het land daar gezien en het is net zo mooi en wonderbaarlijk als Zingende Wolf zegt. Ik ben alleen teruggekomen om dat aan het Volk te vertellen.'

Bizonrug ging ongemakkelijk verzitten. 'Ik ben hier omdat de Anderen mijn kamp hebben overvallen en mij hebben verdreven. Vele van mijn jonge mannen zijn dood.'

Hij Die Huilt boog zich voorover en zei smekend: 'Aan de andere kant van het ijs is geen oorlog. Kom met ons mee.'

'Ik wil niet onder het ijs door gaan,' zei Bizonrug. 'Als je sterft, blijft je ziel voor eeuwig in het donker gevangen. Ik ben hier omdat ik wil dat mijn volk veilig is terwijl Raafjager de Anderen verjaagt.'

Een vermoeide zucht ontsnapte Zingende Wolf. 'Hoeveel land moeten de Anderen ons nog ontnemen en hoeveel doden moeten er nog vallen voor het jullie duidelijk wordt dat we hier in de val zitten, dat we nergens meer heen kunnen, behalve door het gat in het ijs?'

'Wij hebben dit land gekregen van Vader Zon! Hij heeft het ons gegeven!' riep Vier Tanden.

Bizonrug gromde: 'Waarom zouden we de Anderen toestaan ons land in bezit te nemen?'

'Omdat we hen toch niet kunnen tegenhouden,' zei Zingende Wolf kalm. 'Heb je de verhalen van Blauwe Bes gehoord? En die van de vrouwen die we gevangen hebben genomen? Het gebied van de Anderen is zo groot dat ze een heel Lang Licht kunnen lopen zonder het gebied te verlaten. Het Mammoetvolk is talrijker dan de kariboes tijdens de trektijd. Hoe zouden wij, die maar met zo weinigen zijn, hen kunnen tegenhouden?'

'Het Volk zal niet vluchten door een donker gat in het Grote IJs!' zei Vier Tanden op besliste toon terwijl hij met een vuist op een benige knie sloeg.

383

Bizonrug knikte en zei: 'Laten we wachten en horen wat Kraailokker en Raafjager te zeggen hebben. Misschien hebben ze de Anderen al verdreven en kunnen we teruggaan naar onze oude jachtgronden.'

'Grootvaders,' zei Zingende Wolf zacht, 'ik ken jullie achting voor Kraailokker, maar het Volk heeft een nieuwe Dromer voortgebracht. Laat zijn jeugd jullie er niet toe verleiden te denken dat hij geen Macht heeft. Het voortbestaan van het Volk staat op het spel. Wij moeten kiezen tussen wedergeboorte en de dood.'

'Een nieuwe Dromer?' zei Vier Tanden spottend. Hij spuwde naast zich op de grond. 'Rent In Licht durft niet eens de confrontatie met zijn eigen volk aan. Hij verbergt zich in het hol van een heks omdat hij bang is voor de schande die hij over zijn eigen hoofd heeft afgeroepen.'

Zingende Wolf sloot vertwijfeld zijn ogen. *Moet het dan zo eindigen? Wat kan ik doen om ervoor te zorgen dat ze beseffen wat er gaande is? Wat?*

50

Raafjager keek achterom naar het rotsachtige heuvellandschap waar ze doorheen waren getrokken. Had de Droom Rent In Licht hiernaar toe gelokt? De alsemstruiken en de pollen zegge waren laag en zagen eruit alsof ze de strijd om het bestaan maar nauwelijks volhielden. Maar de gedroogde mesthopen die ze hier en daar waren tegengekomen, bewezen dat er hier wild was, en langs de oevers van de Grote Rivier groeiden wilgen en dwergberken en namen de struiken in aantal en grootte toe, en het gras in het stroomdal was welig en groen. In het westen rezen prachtige bergen op die met hun witte pieken de buik van Blauwe Hemel Man doorboorden. In de verte strekte de witte lijn van het Grote IJs zich uit langs de horizon, als een onneembare hindernis. En zijn dwaze broer zou die hindernis genomen hebben?

'Onmogelijk!' mompelde hij.

'Heb je het over Rent In Licht?' vroeg Kraailokker.

'Is het zo duidelijk wat ik denk, Dromer?'

'Niemand met gezond verstand kan geloven dat hij die ijsvlakte is overgestoken.'

'Maar de geruchten gaan rond als een lopend vuurtje.' De denkrimpels in Raafjagers voorhoofd werden nog dieper. Zouden de geruchten op waarheid berusten?

'Kom, laten we verder gaan,' zei Kraailokker. 'Als we in Reigers vallei zijn, kunnen we misschien voorgoed een eind aan die onzin over die Wolfdroom maken. Wat jij?'

Raafjager knikte ernstig. 'Dat heb ik me vast voorgenomen. En het kan me niet schelen op welke manier.'

'Te laat! Ze is ons ontsnapt!' gromde Kleine Eland.

'Vervloekt!' zei Dansende Vos, die op haar buik naast hem lag. Ze staarden naar de mannen die Maanwater tegemoetliepen.

Er was geen twijfel mogelijk, dit kamp behoorde tot de Anderen.

'Het heeft niet veel gescheeld. We zijn op zijn minst drie dagen op haar ingelopen.' Hij wreef over zijn neus en maakte een klakkend geluid met zijn tong.

'Als we nog een halve dag hadden gehad, zouden we haar zeker te pakken hebben gekregen.' Dansende Vos liet zich met een zucht op haar rug rollen en begon haar kloppende enkel te masseren.

'Je hebt er al die tijd al last van, hè?'

Ze knikte. 'Ik ben nog geen dag zonder pijn geweest. Op een dag kost het me misschien mijn leven, omdat ik niet snel genoeg weg kan komen.'

Hij kroop weg van de heuvelkam waar ze gelegen hadden en keek toe hoe ze hem volgde, met haar buik over de grond. 'Jij bent niet als andere vrouwen, hè?'

Ze streek met magere vingers haar lange zwarte haar uit haar gezicht en keek hem ernstig aan. 'Als je vrouwen bedoelt zoals je echtgenote Muis, dan luidt het antwoord: nee.'

Hij knikte. 'Ik denk dat ik je heel aardig zou kunnen gaan vinden. Je zou een goede echtgenote zijn en sterke zonen baren.'

Ze glimlachte. 'Ik ben niet geïnteresseerd.'

'Ben ik zo'n slechte partij?'

Ze ging rechtop zitten en steunde haar kin op haar handen. 'Nee. Je bent een goede man. Ik heb je niet hoeven te doorboren met een spies omdat je me midden in de nacht wilde bespringen.'

'In het midden van de nacht waren we meestal nog op pad. Het is erg moeilijk om iemand te bespringen als je aan het spoorzoeken bent.'

'Ik raad je aan het niet te proberen. Mannen vallen vaak in slaap na de daad, en het zou weleens kunnen dat je nooit meer wakker werd.'

Kleine Eland grinnikte. 'Mijn slaap is me te dierbaar. Kom, laten we Wolfdromer gaan vertellen dat de vijand nu ook weet van zijn Droom.'

Ze stonden op, en Dansende Vos zei zachtjes: 'De strijd is nog niet voorbij. Het is zij of wij.'

'Als we snel zijn en met het Volk onder het ijs door gaan, kunnen we misschien het gat vanaf de andere kant dichtmaken.'

'Hoe?'

'Ik weet het niet. Misschien zou iemand' – hij slikte – 'achter kunnen blijven en stenen voor de ingang rollen?'

Ze keek hem spottend aan. 'Je hebt toch gezien hoe groot het gat is? En ieder Lang Licht wordt het verder uitgesleten door het woest stromende water. Denk je werkelijk dat we dat gat zouden kunnen dichten?'

Hij sloeg zijn ogen neer en maakte een gebaar van machteloosheid. 'Nee.'

Raafjager beklom de kam van de richel en keek uit over het kamp in de vallei. De jonge krijgers van zijn groep daalden al af naar de tenten van hun familieleden en vrouwen, herkenbaar aan de totems die naast de tenten waren opgesteld. Kraailokker legde hijgend het laatste stuk naar boven af en ging naast Raafjager staan.

'Vier Tanden is er ook,' zei Raafjager. 'En daar zie ik de totem van Bizonrug. De Zeemeeuw Clan is ook gekomen. Ik vraag me af wie nu de leider is.' Hij liet zijn blik gaan over de weelderige vallei, over de stomende geiser en het merkwaardige blauwgroene water van de poel met zijn gele oevers. In de poel dreven mensen. Ze lachten en spetterden elkaar nat, en het zonlicht glansde op hun naakte bruine lichamen.

'Onderweg hebben we niet veel wild gezien,' zei hij, 'en te oordelen naar de begroeiing van de toendra betwijfel ik of er hier veel wild is. Dit zuidelijke land bevalt me niet. Het is hier te droog. Grazende dieren vinden hier te weinig voedsel.'

'Misschien,' bromde Kraailokker, nog steeds hijgend. 'Maar de beste gronden zijn nu in handen van de Anderen, nietwaar?'

'Voor het moment wel, Dromer. Voor het moment. Maar ze hebben niet zoveel als ze zouden hebben gehad als wij ons niet hadden verzet.'

'Nee...' Kraailokker zweeg even en zei toen: 'Ruik je die stank? Ik begrijp niet hoe de mensen het hier uithouden! Het

387

lijkt op vet dat ligt te rotten in zout water.'

Raafjager snoof de lucht op en grinnikte zachtjes. 'Het ruikt inderdaad niet prettig, maar heb je ook gemerkt dat er hier geen vliegen en muggen zijn? Waarschijnlijk verdrijft de stank de insekten.'

Kraailokker maakte een snuivend geluid.

Ze liepen verder naar beneden. Vier Tanden, die voor zijn tent stond, wuifde en liep hen tegemoet, zijn lippen geplooid in een bijna tandeloze grijns. Hij omhelsde Kraailokker.

Raafjager begroette de oude man eerbiedig en vroeg toen: 'En waar is mijn fantasierijke broer?'

Het gezicht van Vier Tanden betrok. 'Daar. Zie je die kloof in de rotsen, waar het water naar beneden stroomt? Hij brengt daar al zijn tijd door, maar niemand weet wat hij daar uitvoert. Zingende Wolf en Hij Die Huilt brengen hem af en toe eten. Ze zeggen dat hij voorbereidselen treft voor een Droom.'

Raafjager lachte en sloeg op zijn knie. 'Mijn broer? Een Droom?' Hij knipoogde naar Kraailokker en liep naar de ingang van de grot. Hij tilde de deurhuid op en keek naar binnen, maar het was er zo donker dat hij niets zag. 'Rent In Licht?'

'Kom binnen en laat de huid vallen, Raafjager.'

Hij deed wat hem gevraagd werd. Het enige dat hij zag, was het doffe rode oog van een vuurtje.

'Na verloop van tijd wennen je ogen aan het donker. Kom, doe twee stappen naar voren en ga dan zitten.'

Behoedzaam nam Raafjager twee stappen en tastte in het rond voor hij zich op de zachte pelzen liet zakken. Hij begon vage omtrekken te ontwaren. 'Heel slim,' zei hij. 'Is dit je manier om mensen onder de indruk te laten komen van je zogenaamde Macht?'

'Nee, broer. Ik zoek de afzondering omdat ik rust nodig heb. Rust om mijn geest leeg te maken en te leren wat nodig is.'

'En wat mag dat dan wel zijn? Leren hoe je mammoeten uit wolken moet maken? Of hoe je weelderig gras kan laten groeien in deze kale woestenij waarheen je het Volk hebt weten te lokken? Kom nu toch, Rent In Licht, hou op met die onzin.'

'Rent In Licht bestaat niet meer.'

'Goed dan, *Wolfdromer*. Een erg indrukwekkende naam. Weet je, Kraailokker is met mij meegekomen. Hij verheugt zich erop je Macht aan een... zullen we zeggen, beproeving te onderwerpen? Wat zeg je daarvan? Dit zou weleens een heel interessante Hernieuwing kunnen worden.'

'En waarom ben jij hier?'

'Jij bent mijn broer! Wat zou het Volk zeggen als ik je maar verder liet gaan met dit dwaze gedoe?'

'Ik vind het ontroerend dat je je verantwoordelijkheid tegenover je familieleden zo ernstig opvat.'

Raafjager lachte. 'O, wees maar niet bang, broer. Het kan me werkelijk niets schelen wat je doet. Maar ik moet in ieder geval de schijn wekken dat ik heb geprobeerd je tegen te houden, begrijp je? Een broer moet medeleven tonen en trachten zijn bloedverwant weer op het juiste pad te brengen. Ik geniet een zeker aanzien, en dat wil ik graag zo houden. Het maakt een gunstige indruk als ik kan vertellen dat ik heb geprobeerd je de dwaasheid van je handelen te laten inzien.'

'Weerstreef me niet, Raafjager. Ik zie meer en verder dan jij.'

Raafjager lachte zacht. 'En anders Droom je me zeker weg?'

Zijn broer legde wat wilgetakken op het vuur. In het schijnsel van de oplaaiende vlammen zag hij Rent In Lichts ogen, en een lichte angst beving hem. De ogen straalden kracht uit.

'Ik ben geen bedreiging voor je, Raafjager. Maar als je mij dwarsboomt, *moet* ik je onteren en verdrijven. Je toekomst staat in het teken van pijn en dood.'

Een huivering liep over Raafjagers rug. Wat sprak Rent In Licht ernstig! En hij scheen het werkelijk te geloven. Even kreeg hij een onheilspellend voorgevoel, maar hij drukte het onmiddellijk weg. Hij moest het initiatief heroveren en het gesprek in de richting dwingen die hij wilde. Een gedachte kwam bij hem op.

Hij zei: 'Ben je jaloers op me vanwege Dansende Vos?'

Het gezicht van zijn broer vertrok, alsof hij pijn had. Hij had een kwetsbare plek geraakt! Zacht lachend zei hij: 'Ik zie dat ik gelijk heb.'

'Nee. Zij is niet belangrijk.'

'Maar je weet toch wel hoeveel ze van je houdt?' zei Raafjager, de wond verder openrijtend. 'Ze denkt de hele dag alleen aan jou, broer. Na wat ze ter wille van jou allemaal heeft doorgemaakt, moet je toch –'

'Nee!' Hij sloot zijn ogen en balde een vuist.

'Nee? Na al haar opofferingen?'

'Ik... Onmogelijk, Raafjager. Voor mij is dat pad afgesloten.' Hij schudde verdrietig zijn hoofd.

'Je gelooft echt in al die waanzin over Dromen en Macht, niet-waar?'

Een flauwe glimlach gleed over het magere gezicht van zijn broer. 'Ja.'

'Ik kan je dus niet van je waandenkbeelden afbrengen? Jammer. Samen zouden we heel wat tot stand kunnen brengen.'

'Jouw weg is die van de duisternis, broer.'

'Een vreemde uitlating voor iemand die al zijn tijd in een hol als dit doorbrengt.' Hij maakte een gebaar dat de hele ruimte omvatte. Terwijl hij dat deed, zag hij voor het eerst de vreemde tekeningen op de wanden en de bundels in de nissen. De vage witte plekken bleken schedels te zijn. 'Je wordt helemaal in beslag genomen door al die onzin. Als ik erin geloofde, zou ik me ernstig zorgen over je maken.'

'Ben je van plan mij in de weg te staan, Raafjager?'

Hij keek hem aan met schuingehouden hoofd. Die stem klonk zo afgemeten, zo... vol overtuiging. 'Ik moet, dwaze broer. Dit keer vormen je waanvoorstellingen een gevaar voor het voortbestaan van het Volk.'

'Wist jij dat onze vader een Ander was?'

Raafjager verstijfde. 'Een Ander?'

Rent In Licht knikte. 'Onze moeder werd verkracht bij het zoute water. Ze stierf toen ze ons baarde.'

Raafjager schudde zijn hoofd en lachte. 'Wat heb je toch een rijke fantasie, broer. Maar je vertelsels zijn aan mij niet besteed. Bewaar ze maar voor Zingende Wolf en die goedgelovige Hij Die Huilt, die vinden ze vast wel mooi.'

'Vraag het Kraailokker. Vraag het Bizonrug. Vraag het Vier Tanden. Zij kennen de verhalen.'

Raafjager vermande zich. Het kón niet waar zijn. Nee, dit was weer een van die idiote ideeën van Rent In Licht.

'Vraag het hun!' zei Rent In Licht op bevelende toon. 'Het is ons beider noodlot, broer.'

'Ik zal je verpletteren.'

'Luister goed. Het is niet mijn wens je te doden – maar in de Droom is sprake van de mogelijkheid. *Weerstreef me niet!*'

Raafjager streek bedachtzaam over zijn kin. 'Ik blijf me over je verbazen. Je hebt gelijk, de toekomst van het Volk staat op het spel. En ik ben niet van plan werkloos toe te zien hoe het de woestenij intrekt op jacht naar de vervulling van jouw vreemde denkbeelden.'

Rent In Licht haalde diep adem. 'Zo zij het. Het spijt me voor je.'

'Wat aandoenlijk. Maar je kunt nog van je dwalingen terugkeren. Ik kan Kraailokker vragen een genezingsceremonie voor je te houden.'

'Zodat je aanzien bij het Volk nog groter wordt? Zodat je kunt tonen hoe begaan je bent met je arme gekke broer?' Hij schudde zijn hoofd. 'Nee, Raafjager. Ik betwijfel zelfs of je Kraailokker zover zou kunnen krijgen het te doen.'

'Als ik het hem vraag, doet hij het. Hij doet alles wat ik zeg. Hij is geen dwaas en weet heel goed waar zijn belangen liggen.'

'Geen wonder dat je denkt dat Dromen bedrog zijn.'

'Natuurlijk zijn Dromen bedrog, net als al die andere zogenaamde magie en tovenarij en genezingen. Allemaal veinzerij, bedoeld om de mensen hoop en een beter gevoel te geven. Het verdooft hun geest, net als ijs op een brandwond. De rest is eenvoudig. Je laat etter weglopen, zet gebroken beenderen, laat de mensen bepaalde dingen eten of drinken zodat hun bloed krachtig wordt. Ja, ik heb heel wat geleerd sinds ik ben begonnen met het verzorgen van gewonde krijgers.'

En dan zijn er ook nog de visioenen die me achtervolgen. Daar geloof ik wél in, malle broer. Ik heb Dansende Vos gezien – en haar kind. Maar in mijn *visioenen gloort nergens een lichtende toekomst.*

'Reiger zei dat je ongeschoold was. Maar het is nog niet te laat. Laat me je helpen. Ik zal je alles leren wat ik weet.'

'Doe niet zo belachelijk.' Raafjager stond op en keek om zich heen. Zoveel fascinerende dingen. Hij moest hier nog eens terugkomen. Misschien kon hij bepaalde dingen gebruiken om het moreel van zijn krijgers hoog te houden. 'Ja, ongeschoold. Wel, ik zal je nu alleen laten, dan kun je nadenken over hoe je je moet verdedigen als Kraailokker je spel ontmaskert.'

'Zeg hem...' fluisterde Rent In Licht, 'zeg hem dat ik geen verlangen heb hem te vernietigen.'

'Ik weet zeker dat hij je waarschuwing heel amusant zal vinden.'

Hij liep naar de uitgang maar draaide zich bij de deurhuid om. 'Weet je zeker dat je geen belangstelling hebt voor Dansende Vos? Een enkel woord van mij en ze zou zich in je armen werpen. En ze is heel vurig, dat weet ik uit eigen ervaring. Ze kronkelt op je staf als een –'

Rent In Licht balde zijn vuisten en schreeuwde: '*Ga weg!*'

Raafjager glimlachte en bleef staan waar hij stond.

'Ga weg voor je me dwingt iets te doen dat ik niet wil!'

'Werkelijk? Laat zien!'

Rent In Licht klemde krampachtig zijn handen om zijn bovenarmen. Hij mompelde nauwelijks verstaanbaar: 'Alsjeblieft, broer, dwing me niet. Ik wil je geen kwaad doen.'

De totem van de Clan Van De Witte Slagtand – een reusachtige rechte stoottand – verhief zich als een speer van ivoor naar de blauwe hemel. Aan de punt bungelden vier mammoetstaarten, een voor iedere windrichting. De staarten waren versierd met felgekleurde veren die zachtjes bewogen in de wind.

Grote tenten van gelooid mammoetleer stonden verspreid over de met gras begroeide vlakte. Door lang, moeizaam schrapen waren de huiden zo dun geworden dat ze licht doorlieten, waardoor het binnenste van de tenten in een geel schijnsel was gehuld als de zon scheen, wat bijna voortdurend het geval was. De huiden werden overeind gehouden door gespleten mammoetbeenderen en in de grond gestoken slagtanden. Voor de ingang van iedere tent danste altijd een wolk insekten. Het gezoem van de ontelbare vleugels was zo luid dat het mens en dier razend kon maken. De bijeenkomst van de clans scheen alle insekten uit de omgeving aan te trekken: steekvliegen, muggen en af en toe een van die afschuwelijke, opzichtig geel-en-zwart gekleurde dazen.

'We moeten meer rook maken,' mompelde IJsvuur tegen Rode Vuursteen, die naast hem liep.

'Hoe verder we naar het zuiden gaan, hoe erger de vliegen lijken te worden,' zei Rode Vuursteen terwijl hij met zijn handen afwerende gebaren maakte. 'We hadden bij het Grote Water moeten blijven, daar zijn de vliegen minder erg. Ze houden zeker niet van de geur van zout water.'

IJsvuur wreef over zijn gezicht en verjoeg de zwerm voor de ingang van de kooktent voor hij door de opening naar binnen dook. Binnen liepen oude vrouwen bedrijvig heen en weer rond de langgerekte vuurkuilen die ze moeizaam hadden uitgegraven met hun graafstokken.

'Eindelijk veilig,' verzuchtte IJsvuur terwijl hij een boze blik wierp op de gonzende insekten die op afstand werden gehouden door de rook. De hitte van de vuren was groot. IJsvuur mopperde: 'Buiten worden we levend opgegeten en binnen levend geroosterd.'

'Je kunt dus kiezen,' zei Rode Vuursteen lachend. Hij ging zo zitten dat hij de hitte van het vuur zoveel mogelijk vermeed en toch in de bescherming van de rook bleef. IJsvuur volgde zijn voorbeeld, met krakende gewrichten. Het ergerde hem dat hij zo stijf begon te worden.

'Je hebt een goed jaar gehad, oude vriend,' zei Rode Vuursteen. 'Je hebt ervoor gezorgd dat de Clan Van De Witte Slagtand weer in bezit is gekomen van de Witte Huid. Hoe lang is het geleden sinds we hem voor de laatste keer hadden?'

IJsvuur schudde zijn hoofd, zodat zijn lange, met grijs doorschoten haar over zijn schouders golfde. 'Meer jaren dan ik vingers aan mijn twee handen heb. We hadden geen tegenstanders tegen wie we eervol strijd konden leveren. Pas dit jaar heeft de Vijand een leider voortgebracht die het tegen ons kon opnemen.' Hij kauwde op zijn gebarsten lippen. 'Maar ik heb bijna medelijden met hen. Hun aantal is zo gering dat we hen spoedig zullen wegvagen.' Hij gebaarde met een eeltige, ruwe hand. 'Kijk, daar in het zuiden. Zie je die rotsachtige heuvels? Daarheen zijn ze uitgeweken. Ik ben er geweest, ik weet hoe het land eruitziet. Het stijgt voortdurend, al maar hoger, en die rivier daar, zo groot en vol water, komt uit het ijs dat de vallei blokkeert. Ze zitten daar in de val.'

'Ik heb geen medelijden met hen,' zei Rode Vuursteen grimmig. 'Ze hebben mijn dochter gestolen! En je hebt gezien wat ze doen met hun gevangenen! Het zijn beesten!'

'Het zijn geen beesten,' zei IJsvuur. 'Ze zijn wanhopig, daarom doen ze die dingen. Die vallei daar is het laatste stuk grond waar ze kunnen jagen, en spoedig zullen ze ook dat verliezen. Ze strijden dapper, maar uiteindelijk zullen ze verliezen.'

'Misschien. Maar zo is de loop der dingen nu eenmaal. Onze neven in het westen vergaat het net eender.' Hij beet op zijn lip. 'Denk je dat wij op een dag ook zo in de val zullen zitten, net als de Vijand nu?'

IJsvuur spreidde zijn handen. 'Vroeger zou ik gezegd hebben dat niets ons kon vernietigen. Maar nu weet ik het niet.'

Rode Vuursteen wreef zenuwachtig over zijn wang. 'Heb je in je visioenen gezien wat ons lot zal zijn? Zal het Gletsjervolk onze ondergang worden?'

'Ik heb visioenen gehad, ja. En het Gletsjervolk wordt niet onze ondergang. Ook zij zijn op de vlucht, voor de ziekte die uit het westen komt. Ze trekken naar het zuidwesten langs het zuidelijke zoute water. Uiteindelijk zullen ze weggaan in hun drijvende boomstammen en een land vinden dat uit het zoute water oprijst.'

'Maar hoe zal het ons vergaan?'

IJsvuur haalde zijn schouders op. 'Ik weet het niet, er kunnen te veel dingen gebeuren. De ziekte is ontstaan in het westen. Wat er gebeurt als we teruggaan, kan ik niet zeggen. Mijn visioenen zijn onvolledig. De Getuige zei dat de wereld aan het veranderen was, maar dat we onszelf konden redden.'

'Hoe, Oudere?'

'Mijn zonen zijn erbij betrokken.'

'Je zonen? Maar je hebt geen –'

'Twee. Een tweeling. Ze zijn voortdurend in strijd gewikkeld, zoals de Monsterkinderen in het verhaal van de Vijand. Maar spoedig zal een van hen de ander verslaan.'

'Welke? En wat betekent dat voor ons?'

Hij wuifde het weg. 'Ik weet het niet. In mijn hoofd is het nog veel onduidelijker dan zoals ik het vertel.'

'Vertel me wat je hebt gezien. Misschien kan ik je helpen de beelden uit te leggen,' zei Rode Vuursteen, zich vooroverbuigend.

Aarzelend zei IJsvuur: 'Ik zie een jongeman, lang, recht, met een hart vol boosheid. Hij leidt onze clan naar het eind van de wereld, en we gaan door rotsen en sneeuw en ijs heen naar een andere wereld, waar we een grote Dromer en genezer ontmoeten. Dat ben ikzelf. Ik zie mezelf, de boze jongeman, en... een kind... en allen zijn met elkaar verbonden door rode lijnen – als een web. En... en erboven, in de hemel, houdt een spin gemaakt van sterren de draden van het web bijeen. We worden naar het zuiden getrokken door de hemelspin, en er is geen mogelijkheid om aan het web te ontsnappen.' Hij schudde zijn hoofd. 'De betekenis ontgaat me. Het klinkt allemaal zo vreemd. En de visioenen veranderen voortdurend, ze schuiven in elkaar en nemen telkens andere vormen aan.'

Rode Vuursteen plukte aan het gras voor zijn voeten. 'Volgt ons volk de Vijand naar die andere wereld?'

'Dat vertellen mijn visioenen me niet.'

'Het is een angstaanjagende gedachte.'

'Visioenen zijn altijd angstaanjagend,' zei IJsvuur ernstig. Er waren zoveel dingen die hij nooit aan iemand kon vertellen. Zelfs zijn beste vrienden zouden denken dat hij gek was geworden. 'Ik wou dat ik nooit die ellendige tocht had gemaakt, twintig jaar geleden. Het lijkt alsof ik, op het moment dat ik die vrouw bij het zoute water... verkrachtte, de wortels van onze wereld heb doorgesneden, zodat ze loskwam en wegdreef, als ijs dat afkalft van een gletsjer.'

Er viel een stilte die alleen doorbroken werd door het sissen en knetteren van de kookvuren.

Na enige tijd werden ze zich bewust van een opschudding in het kamp. In de verte klonken kreten van opwinding en lachende vrouwenstemmen, en Rode Vuursteen dacht dat hij zijn naam hoorde roepen. Hij stak zijn hoofd uit de kooktent, wuivend met een hand om de vliegen op een afstand te houden, en zag Schapestaart haastig aan komen lopen. 'Wat is er aan de hand?' vroeg hij.

Schapestaart bukte zich voor de ingang van de tent en zei opgewonden: 'Je dochter Maanwater is veilig terug, Rode Vuursteen. Ze brengen haar op dit moment naar je tent. Ze is uit het kamp van de Vijand ontsnapt en ze brengt vreemde verhalen mee terug. De Vijand heeft een machtige nieuwe Dromer. Hij heeft hen meegenomen door een geestgat, onder de wereld door, naar een land van onvoorstelbare rijkdommen!'

Rode Vuursteen stond haastig op en holde weg, gevolgd door Schapestaart. IJsvuur staarde strak voor zich uit. Flarden van de visioenen waarover hij met Rode Vuursteen had gesproken, doemden weer op voor zijn geestesoog. 'Onder de wereld door...' mompelde hij. 'Ik moest maar eens gaan luisteren naar dat verhaal van Maanwater.'

Hij verliet de kooktent en liep door het kamp naar de tent van Rode Vuursteen. Voor de tent stonden groepjes mensen opgewonden te praten. Hij werkte zich door de menigte en dook onder de deurhuid door, de schemerige tent binnen. Maanwater zat naast haar vader. Ze was erg mager, maar haar gezicht gloeide van trots. IJsvuur liep tussen de andere familieleden door, hurkte voor het meisje en legde een hand op haar schouder. 'Ik heet je welkom. Je hebt een moed en een dapperheid betoond die het waard zijn in onze liederen bezongen te worden.' Hij trok een grijze wenkbrauw op. 'En ik heb gehoord dat je een verhaal hebt meegebracht over een – een geestgat?'

Ze keek hem met fonkelende ogen aan en ging rechtop zitten, zich ervan bewust dat alle blikken op haar waren gericht. 'Ik heb het met eigen ogen gezien, Meest Geëerde Oudere, en ik ben door het gat gegaan, eerst samen met de Vijand, en daarna alleen.'

'Door het gat?' zei hij terwijl hij zich op een opgerolde kariboehuid liet zakken.

Ze knikte ernstig. 'Het is een verschrikkelijke plek, Meest Geëerde Oudere. Dingen... geesten, huilen in het ijs.' Ze huiverde bij de herinnering. 'De reis is lang, dagen en dagen, en koud, en in het donker loeren verschrikkingen en gevaren.'

'En toch is je niets kwaads overkomen, ook niet toen je alleen was?'

'Ik... misschien hield mijn moed de geesten op een afstand. Ze waarderen dingen als moed en trots en eer.'

'Dat doen ze zeker, Maanwater. Het was ook niet mijn bedoeling je moed in twijfel te trekken. Je bent heel dapper en verdient onze grootste eerbied. Maar vertel me eens, hoe is het aan de andere kant van deze nare plek waar de geesten rondwaren?'

Haar gezicht lichtte op. 'Een vallei, zo prachtig dat het wel een droom lijkt! De dieren staan stil terwijl de jager naar ze toe loopt om ze te doden met zijn spies. Er zijn bizons, kariboes, mammoeten, en muskusossen, te veel om te tellen.'

'En ze staan stil, zeg je?' riep Rode Vuursteen ongelovig.

Ze knikte. 'De Dromer van de Vijand zei dat er op die plek nog nooit eerder een mens was geweest.'

'Geen enkel mens?' Rode Vuursteen schudde zijn hoofd. 'De Vijand is listig. Misschien was het hun bedoeling dat je –'

'Nee,' zei IJsvuur beslist terwijl hij een hand ophief. Flarden van visioenen schoten weer door zijn geest. Hij zag hoe Maanwater een triomfantelijke blik op haar vader wierp. *Dit is een sterke vrouw. Waarom was er niet iemand zoals zij, twintig jaar geleden, nadat mijn geliefde... Nee, laat dat rusten. De doden zijn dood.*

Maanwater schuifelde langzaam op haar knieën naar IJsvuur. 'Meest Geëerde Oudere, ons volk moet zo snel mogelijk door het gat gaan, voor het water het gat afsluit.'

'Ja, je hebt gelijk.'

Ze keek hem aan, verbaasd en blij tegelijk. Ze zei: 'Eerst moet de Vijand uit de weg geruimd worden. Pas dan kunnen we door het gat.'

'Vertel eens hoe de Dromer van de Vijand eruitziet.'

'Hij is heel jong. Misschien negentien Lange Duisternissen. Hij heeft lang zwart haar en een ovaal gezicht, en zijn ogen zijn groot en gevuld met... met een vreemd licht.' Ze aarzelde even en zei toen: 'Zoals die van jou, Oudere.'

IJsvuur haalde diep adem en knikte. In gedachten zag hij de jongen voor zich, met een regenboog in zijn hand. Een huivering ging door IJsvuur heen. Hij mompelde zacht voor zich heen: 'Kom naar me toe. Laten wij beslissen over de toekomst van onze volken. Kom naar me toe, Dromer... Zoon.'

51

Wolfdromer leunde achterover tegen het met gele korsten bedekte rotsblok, zijn lichaam half onder het dampende oppervlak van de warme poel. Hij had een kleinere poel uitgezocht, verborgen tussen de rotsen boven de waterval, diep in de schaduw. Boven zijn hoofd was slechts een klein stukje van Blauwe Hemel Man zichtbaar. 'Reiger,' mompelde hij moeizaam, 'leid me. Ik moet te weten zien te komen wat me te doen staat.'

Flarden van zijn gesprek met Raafjager echoden door zijn geest. Hij zag het gezicht van zijn broer voor zich – zag de onderdrukte woede, de duisternis van zijn ziel. Waar Raafjager zijn voet had gezet, was de aarde bedekt met bloed en waarden zielen jammerend rond – voor altijd verloren omdat ze niet naar het Gezegende Sterrenvolk waren gezongen. Pijn volgde Raafjager als zijn schaduw.

Het web van Wolfdromers concentratie was verstoord, de draden ruw uiteengerukt en gebroken. De stilte en de vrede waren verdwenen, en de stem van de Ene ging teloor in het geraas van de herinneringen die door Raafjager uit hun sluimering waren gewekt. Hij was verward en moe en eenzaam en werd gekweld door het hopeloze gevoel te hebben gefaald.

Waarom had Raafjager Dansende Vos ter sprake gebracht? *'Weet je zeker dat je geen belangstelling hebt voor Dansende Vos? Een enkel woord van mij en ze zou zich in je armen werpen. En ze is heel vurig, dat weet ik uit eigen ervaring. Ze kronkelt op je staf als een –'*

Hij drukte zijn handen tegen zijn oren en kneep zijn ogen stijf dicht, maar niets kon de stem in zijn innerlijk tot zwijgen brengen. Plotseling, als een bliksemflits, schoot de gedachte door hem heen hoe het zou zijn om met Dansende Vos de liefde te bedrijven. Hij voelde hoe zijn lichaam begon te reageren en hij slaakte een kreet van afschuw.

Ik heb gezien hoe het Volk ten onder zal gaan…

'Reiger, help me!'

Ze dook op in zijn gedachten, haar gezicht stijf, koud en blauw in het licht van de fakkel. Opnieuw staarde hij in haar brekende ogen en zag hij het licht van haar ziel haar lichaam ontvluchten, terwijl haar laatste woorden nog leken na te trillen. *'Jager Op Beren?'*

Het beeld van Dansende Vos was nu volledig verdrongen door de starende ogen van Reiger. 'Je kunt niet Dromen en liefhebben. Iemand die beide wil doen, wacht de dood,' fluisterde Wolfdromer. 'Maar… maar al het bestaande vindt haar einde in de dood. Ik zal eens sterven, wat ik ook doe.'

Hij vocht tegen de opkomende angst en concentreerde zich op het begrip dood. Hij hief het lied aan dat ze hem had geleerd, en de geluiden verdreven de verwarde gedachten uit zijn geest en lieten hem leeg en helder achter. In de verte, aan de voet van de rotsen, klonk het zwakke geluid van pratende, lachende mensen. Zij die in hem geloofden vertrouwden erop dat hij hen zou redden. Maar hij had het vertrouwen in zichzelf verloren. Zou hij de clans ooit kunnen overhalen hem te volgen? Of zou hij hen moeten overlaten aan de dood die in zijn Dromen was voorspeld?

Een heldere lach klonk op van beneden, gevolgd door een vrouwenstem die foeterde op een kind.

Hij dwong zich de geluiden buiten te sluiten. 'Dans,' hield hij zichzelf voor. 'Ga voorbij de grenzen van jezelf. Maak je geest leeg. Word alles – en niets.' Hij zong, uren scheen het. Hij ging zo volledig op in het lied dat hij zich niet langer bewust was van zijn eigen stem. De geluiden vervloeiden en werden een Droom. De Ene wenkte hem. Hij merkte dat hij het lied niet langer nodig had. De bewegingen van de dans in zijn geest hadden een eigen leven gekregen, hij kon er niet meer mee stoppen, ze voerden hem mee op hun ritme, en de verrukking ervan was als een balsem op zijn gewonde ziel. De bewegingen vielen samen met de streling van het water rondom hem, en hij versmolt ermee, tot hij zich plotseling omhooggetild voelde worden, hoger, steeds hoger, boven de wereld.

Hij danste gewichtloos in een zee van licht. De tijd verdween en maakte plaats voor een eeuwig nu waarin nooit een Wolfdroom of een Dansende Vos had bestaan. Er was slechts een enkel moment van altijddurend bewustzijn, een zich onophoudelijk vernieuwend lichtend punt van tegenwoordigheid.

De Dans stopte.

Hij verloor zich in het licht zoals een waterdruppel opgaat in de blauwe deining van de zee. Buiten het licht bestond er niets. Toen bloeide het licht open in een stille explosie, en de straling verspreidde zich als een reusachtige vloedgolf door het heelal en verdreef de duisternis.

En op dat moment werd hem eindelijk de betekenis van de geheimzinnige woorden van Reiger geopenbaard. 'Je moet ophouden met Dansen zodat je een blik kunt werpen op de Danser.'

Voorbij de passen van de Dans bevond zich de Danser. En voorbij de Danser bevond zich de essentie van al het bestaande, datgene wat alle planten, dieren en menselijke wezens gemeen hadden: de Ene Stem, de Ene.

Er was geen Danser. Er was nooit een Danser geweest.

Na wat een eeuwigheid leek, keerde hij terug in zijn lichaam. Hij opende zijn ogen. Het licht was schel en deed pijn aan zijn ogen. Geluiden van beneden drongen tot hem door. Met de terugkeer van zijn lichamelijke gewaarwordingen overviel hem ook een gevoel van somberheid. Hij had opnieuw een stap voorwaarts gedaan, maar waarom was hij weer teruggevallen in zijn gewone bestaan? Als hij niet in verbinding met het licht kon blijven, zou hij nooit in staat zijn de wereld om hem heen waar te nemen als de illusie die ze in diepste wezen was. Het Dansen met vuur en met gif zou voor hem dan onbereikbaar blijven.

De gedachte aan de paddestoelen in Reigers grot schoot hem te binnen, en tegelijkertijd meende hij hun stemmen te horen, die zijn naam riepen. Zijn maag kromp ineen van angst. De stemmen werden luider, hij hoorde ze nu duidelijk, en in gedachten zag hij hun zwarte, verschrompelde gezichten. Hij drukte zijn handen tegen zijn oren en liet zich zo diep mogelijk wegzinken in het water van de poel. Hun stemmen zwollen aan tot een hartstochtelijk, spookachtig gejammer dat op hem neerdaalde als een regen van vuistslagen.

52

Zijn mond was droog van angst. Hij vreesde dat hij niet sterk genoeg zou zijn, dat zijn onderdrukte gevoelens voor Dansende
Vos hem de binding met de Ene zouden doen verliezen, zodat hij
een even verschrikkelijke dood zou sterven als Reiger.

Hij keek Zingende Wolf en Hij Die Huilt aan en zei: 'Ga nu.
Laat me alleen.'

Ze bleven zwijgend zitten, slecht op hun gemak, onwillig om
hem op dit kritieke moment in de steek te laten. Hun trouw en
bezorgdheid gaven hem een warm gevoel.

'Het moment is gekomen dat ik moet Dromen voor heel het
Volk. Dat begrijpen jullie toch?'

Zingende Wolf beet met zijn stompe tanden op zijn onderlip.
'Het heeft Reiger gedood, en zij had ervaring met de paddestoelen. Jij niet.'

Hij hief een hand op. 'Het is tijd voor de Droom, Zingende
Wolf.' Hij ademde diep en bracht zijn bonzende hart tot bedaren. 'Ga nu, alsjeblieft. Ik moet me voorbereiden. Zie erop toe
dat niemand mijn afzondering verstoort. Niemand! Om wat
voor reden dan ook.'

Hij sloot zijn ogen en ving aan met het leegmaken van zijn
geest, als voorbereiding op wat komen ging. Hij hoorde vaag het
ruisen van hun kleding toen ze opstonden en weggingen. Hun
gevoel van onbehagen bleef nog een tijd in de lucht hangen.

Zijn waarneming breidde zich uit tot voorbij de wanden van
Reigers grot en drong binnen in de lichamen van de mensen van
het Volk. Hij voelde hun bloed door hun aderen stromen, en hun
emoties waren voor hem als een warme, krachtige wind. Hij
hoorde hun stemmen zich verheffen om dank te zeggen aan
vader Zon en aan de geesten van de dieren die hun dit jaar hun
leven hadden geschonken opdat het Volk kon blijven voortbestaan.

Met afgemeten gebaren pakte hij de wilgetakken, doopte ze in het water en legde ze op het vuur. Daarna boog hij zich voorover en hield zijn hoofd en schouders in de reinigende stoom.

Hij voelde hoe buiten de eerste passen werden gezet van de Dans van de Hernieuwing. De zangerige melodieën van de oude liederen drongen diep door tot in zijn ziel en schonken hem troost.

Hij nam de bundel van vossehuid en maakte hem open. Bij de aanblik van de harde, dunne reepjes paddestoel nam zijn angst zo toe dat hij een ogenblik overweldigd dreigde te worden. Met een geweldige krachtsinspanning verdreef hij het gevoel en bande iedere gedachte aan de verschrikkelijke blik in de ogen van de stervende Reiger uit zijn geest.

Vier keer, zoals Reiger hem had geleerd, doopte hij de takken in het water en legde hij ze op de gloeiende as, waarna hij zijn hoofd in de reinigende stoom hield. Toen haalde hij de repen paddestoel een voor een door de stoom en legde ze op zijn tong.

En de bitterheid nam bezit van hem.

Dansende Vos strompelde over het rotsachtige pad naar beneden. Onder haar danste het Volk de laatste dans van de Hernieuwing, handenklappend en deinend op het ritme van de zangen die de zielen van de dieren riepen.

'Nog maar een klein stukje,' bracht Dansende Vos er hijgend uit. Haar adem brandde in haar longen.

'Klein stukje...' fluisterde Kleine Eland als verdoofd, vechtend tegen de uitputting en de pijn. 'Nog maar... klein...'

'Inderdaad. We zijn gered. We hebben het gehaald.' Dansende Vos zette haar handen aan haar mond en schreeuwde: 'Hee!' Het klonk als een hees gekras.

Jong Mos, een jonge krijger, hoorde het en draaide zich om. Hij stootte Kraaievoet aan en gezamenlijk renden ze het pad op. Dansende Vos probeerde te glimlachen toen ze Kleine Eland van haar overnamen, maar ze kwam niet verder dan een pijnlijke grimas. De jonge krijgers staarden naar de bloederige lappen rond de dij van Kleine Eland.

'Anderen,' fluisterde ze nors.

'Hoe dichtbij zijn ze?' vroeg Jong Mos terwijl hij de arm van Kleine Eland over zijn schouder legde en hem ondersteunde.

Dansende Vos blies haar adem uit. 'Twee dagen naar het noorden.'

Kraaievoet gromde. 'We moeten snel een aantal krijgers bijeenbrengen.'

'Niet voor de Anderen die we ontmoet hebben,' zei Dansende Vos schor. Ze hoestte. 'Allemaal gedood. Maar er zullen er meer komen. Er zullen er altijd meer komen.'

Mos keek opzij naar Kleine Eland. 'Mooi werk, krijger. Ik heb spijt van de dingen die ik over je moed heb gezegd.'

Kleine Eland keek hem met glazige ogen aan. 'Heb ik... niet gedaan.' Hij glimlachte flauwtjes. 'Eerste spies... in mijn been. Vos... Vos heeft alle vijf gedood. Namen haar niet serieus. Grote... vergissing.'

Kraaievoet keek achterom naar Dansende Vos, die hen volgde. 'Jij? *Heb jij er vijf gedood?*'

Ze kneep haar ogen tot spleetjes. 'Hou op met dat domme gestaar en ondersteun Kleine Eland. Waar is Wolfdromer?'

Mos zei op verachtelijke toon: 'In het gat van de heks.'

'Hé,' zei Kraaievoet, 'zo te zien, ben jij ook gewond. Je hinkt.'

Ze keek hem woedend aan. 'Als Kleine Eland sterft, ben jij de volgende.'

Iets in de manier waarop ze het zei, deed zijn wrevelige antwoord op zijn lippen besterven. Ze knikten en droegen Kleine Eland weg.

Dansende Vos liep naar de warme poel, zich nauwelijks bewust van de nieuwsgierige blikken die op haar werden geworpen. Ze hoorde Kraailokker met hoge stem de geesten van de dieren aanroepen.

Valse Dromen. Ze glimlachte wrang.

Ze boog zich over het warme water en waste het vuil en het zweet van haar gezicht. Toen, zonder zich iets aan te trekken van het gefluister achter haar, trok ze haar parka uit en waste haar bovenlichaam. Daarna wierp ze haar parka los over haar schouders en liep naar de grot van Reiger. De wind op haar natte huid bezorgde haar kippevel, maar ze genoot ervan. Het leek haar energie te geven.

Voor de ingang stonden Hij Die Huilt en Zingende Wolf, in druk gesprek gewikkeld. Toen Hij Die Huilt haar in het oog kreeg, viel zijn mond open van verbazing.

Ze vermoedden natuurlijk dat ik nog aan de andere kant van het Grote IJs was, dacht Dansende Vos.

Ze renden beiden op haar af. 'Wat doe jij hier?' siste Zingende Wolf.

Ze keek hem met toegeknepen ogen aan en gromde: 'Ik probeer het Volk te redden. Is daar iets mis mee?'

'Breng haar weg,' zei Zingende Wolf tegen Hij Die Huilt. 'Vooruit, nu meteen, het is misschien al te laat!'

Hij Die Huilt greep haar bij een arm en draaide haar zo snel om dat ze bijna viel. Ze begon te protesteren, maar Hij Die Huilt zei smekend: 'Stil toch! Hij Droomt! Begrijp je dat dan niet? Weet je wat dat betekent?'

Ze rukte haar arm los en snauwde: 'Nee, dat weet ik niet.'

'Als hij je ziet, gaat hij dood, net als Reiger,' siste hij tussen opeengeklemde tanden door. 'Als hij en het Volk iets voor je betekenen, moet je weggaan. Het geeft niet waar naar toe, als hij je maar niet te zien krijgt. Het zou zijn dood betekenen!'

Eindelijk begon het tot haar door te dringen. 'Waar wil je dat ik naar toe ga?' vroeg ze lusteloos.

'Deze kant op. Vlug.' Hij Die Huilt pakte haar weer bij de arm en loodste haar door de zingende, dansende menigte.

'Ik had gedacht dat mijn broer tegen deze tijd dat gat wel verlaten zou hebben,' zei Raafjager tegen Zingende Wolf. De man bewaakte de ingang alsof zijn leven ervan afhing.

Vier Tanden zei: 'De Hernieuwing is bijna voorbij. Wil Rent in Licht de duisternis niet verlaten? Wil hij zich niet vertonen aan Vader Zon? Er wordt gefluisterd dat hij een heks is. Wanneer komt hij naar buiten zodat wij hem kunnen zien en spreken?'

Zingende Wolf kneep zijn ogen samen en bestudeerde Raafjager. 'Als hij klaar is met Dromen.'

Raafjager grinnikte en keek achterom naar de rij dansers die zich rond het grote vuur bewoog. 'Is Hij Die Huilt weggegaan met Dansende Vos om zijn staf in haar te steken? Heb ik er een tweede rivaal bijgekregen?'

'Hou je mond!' snauwde Zingende Wolf.

Het gezicht van Raafjager betrok. De tijd dat een man op die manier tegen hem kon praten, was allang voorbij. Hij glimlachte dreigend. 'Ik hoorde dat ze op weg hiernaar toe vijf Anderen heeft gedood. En daarna redde ze Kleine Eland het leven. Ze heeft hem praktisch gedrágen. Wat een vrouw. En jullie weten niet hoe snel jullie haar uit de buurt van mijn broer moeten krijgen? Bang dat hij zijn kracht kwijtraakt als zijn zaad vloeit?'

'Je begrijpt het niet,' zei Zingende Wolf tussen opeengeklemde tanden. 'Ik heb met hem gesproken. Ik weet ongeveer wat hij aan het doen is. Er is een –'

'Hou op met die uitvluchten,' zei Raafjager. 'Je hebt de geruchten toch ook gehoord? Het Volk denkt dat hij bang is – bevreesd voor een directe confrontatie met Kraailokker. Daarom sta je hier en bewaak je de toegang tot dat gat in de grond waarin hij zich schuilhoudt.'

Zingende Wolf schudde langzaam zijn hoofd. 'Je beseft niet welk gevaar hij loopt daarbinnen. Jij, jij bent zijn broer! Begrijp je niet wat hij aan het doen is? Hij Droomt, nu, terwijl wij hier staan te praten.'

'Hij verbergt zich,' gromde Vier Tanden. 'Hij heeft zijn geloofwaardigheid verloren, Zingende Wolf. Drie dagen geleden vertelde je ons dat hij was begonnen met Dromen. Drie dagen! En waar is hij nu, hm? Waar? Ik vertrouwde je op je woord.'

'Jullie begrijpen niet hoeveel Macht de –'

'Bah!' Vier Tanden onderstreepte zijn woorden door op de grond te spuwen. 'Hij heeft zich daar begraven onder die rotsen. Onder de grond. Zijn ziel zit gevangen. Hij zit daar in de val en kan er niet meer uit.'

Het gezicht van Zingende Wolf verstrakte en in zijn ogen stond pijn te lezen.

Raafjager maakte gebruik van de gelegenheid en zei tegen Vier Tanden: 'Grootvader, val deze jager en krijger niet zo hard. Het zou niet juist zijn als hij moest boeten voor de waanvoorstellingen van mijn broer. Rent In Licht is sluw, hij weet hoe hij waarheden moet verdraaien en mensen aan zich binden. Zingende Wolf is niet...'

De deurhuid werd opzij geschoven en daar stond hij, zijn armen geheven naar de zon, de ogen gesloten. Zijn lippen bewogen in een woordloos lied.

Na enkele tellen opende hij zijn ogen, en toen Raafjager die ogen zag, liep er een rilling over zijn rug en deed hij onwillekeurig een stap achteruit. Zijn broer leek compleet iemand anders. Wolfdromer kwam in beweging en liep hem voorbij alsof hij niet bestond. Raafjager wierp een snelle blik op Zingende Wolf en zag een uitdrukking van aanbidding en toewijding op diens gezicht.

De mensen die naar het dansen stonden te kijken, draaiden zich om en begonnen onderling te fluisteren en op Wolfdromer te wijzen. Ze weken uiteen en maakten een pad voor hem vrij. Degenen die zijn ogen zagen, verstomden, vol ontzag.

'Wolfdromer,' fluisterde Zingende Wolf. Raafjager ergerde zich aan de verering in zijn stem. Hij balde zijn vuisten en mompelde binnensmonds: 'Kraailokker is er ook nog. En als Kraailokker faalt – zal ikzelf maatregelen nemen.'

53

Dansende Vos zat in de tent van Zingende Wolf en zag hoe Wolfdromer naar buiten kwam en langs Vier Tanden en Raafjager
liep alsof ze er niet stonden. Vader Zon, die op het hoogste punt
van het Lange Licht stond, wierp een schacht okerkleurig licht
op het gezicht van Wolfdromer. Ondanks de afstand die hen
scheidde, kon ze de kracht van zijn aanwezigheid voelen. De
mensen stapten achteruit, bevreesd en vol ontzag.

Het hart van Dansende Vos bonsde terwijl ze hem volgde met
haar blik. Hij had een wolf op zijn voorhoofd getekend, precies
zoals hij lang geleden in het Mammoetkamp had gedaan. Op die
dag was zij hem kwijtgeraakt. Ze zag zijn ogen en de Droom
waarvan zijn ogen waren vervuld. De verrukking die uit zijn
ogen sprak, was zo groot dat ze leken te gloeien.

Een doffe pijn nam bezit van haar, een gevoel van eenzaamheid en hopeloosheid. Deze man, deze Dromer, kende ze niet.

'Ik leef!'

Als mist verhief hij zich in de duisternis, vervuld van de kloppende ziel van het gesteente om hem heen. De trillingen die door
de geiser werden veroorzaakt, golfden door hem heen en het
stromende water was als bloed in zijn aderen. Alles wat bestond,
maakte deel uit van dezelfde werkelijkheid. Alles was Eenheid.

Hij liep in de Droom naar de uitgang van de grot en schoof de
deurhuid opzij. Vader Zon verblindde hem, ondanks zijn gesloten ogen. Hij hief zijn armen en voelde de warmte – leefde in het
licht. 'Ik ben uit jou geboren,' fluisterde hij.

Voor hem glansden en gloeiden de zielen van het Volk. Hun
aura's fonkelden en lichtten op als brekende golven in het maanlicht. Zijn ziel was een met hen.

Alles was doordrongen van het Licht.

Hij zweefde naar hen toe alsof hijzelf een onbelichaamde geest was, en hun eerbiedige gemompel klonk als een onsamenhangend gespetter in zijn bewustzijn. Hij herkende Raafjager en verwonderde zich over de Macht van zijn broeders ziel. Raafjager was geschrokken van zijn uitstraling, maar hij had zich al hersteld en was nu sterker dan eerst.

Wolfdromer begaf zich tussen het Volk. 'De aarde is hernieuwd,' zei hij, 'jullie hebben je dankbaarheid getoond aan Vader Zon. De zielen van de dieren hebben zich rond jullie verzameld, en ze voelen zich blij en gelukkig terwijl ze opstijgen naar het Gezegende Sterrenvolk.'

Een zwartheid, iets vuils en corrupts, bewoog zich door de zwijgende menigte. Wolfdromer bereidde zich voor op de strijd. 'Treed naar voren, duisternis!' riep hij zwijgend. 'Onze tijd is nu, onze plaats is hier. Dat wat je gezocht hebt, staat voor je.'

Het Volk week terug en maakte plaats voor de flakkerende zwarte gedaante, die vastere vorm aannam en zich verdichtte tot de persoon van Kraailokker. Wolfdromer verstrakte en was zich bewust van die ogen, het ene zwart, het andere wit. Licht en duisternis, het samengaan van tegendelen, elk een leugen.

'Je hebt hier niets te zoeken, tovenaar,' zei de stem van Kraailokker in Wolfdromers geest, rollend als een verre donderslag. 'Ga weg, jongen. Verlaat ons. Je verstoort de Hernieuwing. We zijn je spelletjes en beweringen beu.'

Wolfdromer stak zijn handen uit en greep de duisternis beet. Afschuw voor de verdorvenheid van de ziel vervulde hem. De zwartheid reikte naar hem, als de zuigende monden van de zieleters van de Lange Duisternis. De duisternis probeerde zijn ziel te omcirkelen, haar te verstikken en te doen verdrinken in de diepten van de verdorvenheid. Wolfdromer doorboorde de zwartheid met lansen van Licht. De zwarte vuilheid wankelde achteruit en trachtte te vluchten, maar hij omringde de vormloze massa met Licht en stelde hem bloot aan Vader Zon. De schaduwen huiverden en kronkelden in het schitterende schijnsel.

'Open je ogen voor wat je bent geworden, Kraailokker!' beval hij met donderende stem. 'Ga heen en reinig jezelf van het vuil en het bederf dat je aankleeft. Het is nog niet te laat om je ziel te redden. Zuiver haar voor Vader Zon.' En met deze woorden duwde hij de zwartheid van zich af. De zwartheid huiverde en begon symbolen in de lucht te tekenen die Kraailokkers begrip te boven gingen. 'Ik vervloek je,' krijste Kraailokker. 'Ik veroordeel je ziel om begraven te worden!' Golven haat spoelden over Wolfdromers geest heen en een misselijk makende stank drong zijn neusgaten binnen. Het Volk deinsde achteruit alsof het ook werd aangeraakt door de haat.

'Je bent van binnen leeg,' zei Wolfdromer. 'Je hebt niets, je ziel bezit geen Macht. Het enige dat je woorden kracht geeft, is zwartheid en bederf.' En terwijl hij deze woorden sprak, spleet de ziel van Kraailokker voor zijn ogen open. 'Kijk in jezelf, Kraailokker. Zie je de leugens? Zie je de angst? Kijk naar wat je van jezelf hebt gemaakt. Kijk naar wat je met anderen wilde doen! *Kijk naar binnen!*'

'Nee!' riep Kraailokker. Zijn stem klonk geforceerd. 'Ik vervloek je! Hoor je me? Je zal begraven worden – je ziel verloren in de duisternis. Gevangen in de aarde en... en...'

De Droom toonde Wolfdromer wat hij moest doen, en hij deed een stap naar voren. Kraailokker deinsde achteruit, bang om aan de kaak gesteld te worden.

'Kijk naar binnen,' herhaalde Wolfdromer. 'Je bent alleen bang voor jezelf, Kraailokker. Je vreest de hoon en de spot van de mensen. Maar zie je niet dat je jezelf tot het voorwerp van spot hebt gemaakt? Wees niet bang voor mij, Kraailokker. Wees bang voor jezelf. Wees bang voor wat je van je ziel hebt gemaakt. Je hebt jezelf veranderd in een lafaard – een man die zijn zwakheden nooit onder ogen heeft willen zien!'

'Nee!' kraste Kraailokker. Zijn ziel klauwde en kronkelde. 'Ik vervloek je, Rent In Licht! *Ik vervloek je!*'

Wolfdromer richtte zich in zijn volle lengte op. 'Rent In Licht is niet meer.'

Kraailokker haalde een wit bot te voorschijn, schijnbaar uit het niets. De adem van het Volk stokte.

'Hiermee vervloek ik je, Rent In Licht!' Kraailokkers stem

brak en de volgende woorden klonken bevend. 'Ik blaas je ziel naar de Lange Duisternis!'

Kraailokker boog zich voorover en blies hard in het holle bot. Wolfdromer deed een stap achteruit voor de stinkende uitwaseming en hij hoorde een kreet van afschuw opklinken onder de mensen. Hij wuifde met zijn handen en onderdrukte de aanvechting om te braken. Uit zijn buidel haalde hij een handvol van het gele aangroeisel dat de rotsen rond de warme poel bedekte en hield het op naar de vier windrichtingen, zoals Reiger hem had geleerd. Toen riep hij, zo luid als hij kon: 'Ik zuiver de lucht van het bederf!'

Hij wierp het poeder de lucht in, waar het zich verspreidde als een wolk van geelgroene, stinkende rook. De mensen deinsden achteruit.

'En ik blaas het weg!' riep Wolfdromer terwijl hij de witte kristallen, die hij met veel moeite vanonder hoopjes mammoetmest had weggeschraapt, in het vuur gooide. De kristallen vonkten en sisten en knetterden hevig, alsof hij olie op de gloeiende as had gegooid.

'Jij bent de duisternis!' krijste Kraailokker. 'Je bent donker en slecht. Jij bent de dood voor het Volk! Ga terug naar de duisternis, *heks!*'

'Duisternis?' zei Wolfdromer glimlachend. 'Ik ben Licht. Ik ben een met het vuur. Jij bent een illusie.' En hij bukte zich, schepte gloeiende kooltjes in zijn handen en hief ze boven zijn hoofd. Kreten vervulden de lucht.

'Ik reinig mezelf van je bederf, Kraailokker.' Hij schrobde zijn armen en gezicht met de gloeiende houtskool en verwijderde de zwartheid die Kraailokker naar hem had geblazen. De zielen van de mensen rondom hem rimpelden in een regenboog van kleuren die uiting gaven aan hun afschuw en twijfel en ontzag.

'Reinig jezelf,' zei hij terwijl hij Kraailokker de gloeiende kooltjes voorhield. 'Droom jezelf schoon, man van het Volk! Verjaag het bederf uit je binnenste. Hier is Licht.' Hij spreidde zijn handen en toonde de kooltjes. 'Ik toon je een nieuwe weg. Bewandel hem!'

Kraailokker liep achteruit, zijn handen afwerend uitgestoken, en riep op meelijwekkende toon: 'Nee! *Nee!*'

'Doe het!'

'N-nee!' jammerde hij. De zwartheid verbrokkelde en stortte ineen, vernietigd door het Licht van de rokende kooltjes en de zuiverende geur.

Wolfdromer schudde zijn hoofd. 'Je bent niet meer dan een lege huls, Kraailokker. Het leven is al uit je weg.'

'Nee!'

Wolfdromer beroerde de kooltjes eerbiedig met zijn lippen voor hij ze terug in het vuur gooide. Daarna wendde hij zich tot het Volk. 'Heb medelijden met dit schepsel. Vergeef het voor wat het zichzelf en jullie heeft aangedaan.'

Kraailokker keek op van waar hij op de grond lag. Hij knipperde met zijn goede oog. 'Doe... doe me dit niet... niet...' Zijn mond ging wijd open en zijn roze tong schoot naar buiten terwijl zijn handen naar zijn borst klauwden.

Wolfdromer reikte naar hem en de Droom toonde hem waar hij moest kijken. 'Het is zijn hart,' riep hij. 'Zijn hart beeft en springt rond in zijn borst. Zijn ziel heeft zich tegen hem gekeerd. Hij sterft – nog altijd een lafaard.'

Kraailokker schreeuwde en kromp ineen van de pijn. Wolfdromer voelde hoe de zwarte ziel worstelde en vocht. Hij richtte zich op en zei: 'Hij Die Huilt.' Hij herkende de ziel die zich losmaakte uit de menigte. 'Neem hem mee, hij zal spoedig dood zijn. Maak het hem gemakkelijk. Hij moet nu met zijn ziel in het reine zien te komen. Later zullen allen hem naar het Gezegende Sterrenvolk zingen.'

De glinsterende veelkleurige ziel van Hij Die Huilt tilde de oude man van de grond alsof hij niets woog en droeg hem weg door de menigte.

Wolfdromer hief zijn handen op en wees naar het noorden. De zielen rondom hem rimpelden en veranderden bezorgd van kleur. Hij liet zijn stem dalen tot een sussend gemurmel. 'Zie daar, de Anderen naderen. Jullie moeten allen een keus maken. Onze jongemannen kunnen sterven in een poging hun jon-

413

gemannen te doden. Hun bloed zal de sneeuw bevlekken, de rotsen rood kleuren, over het grint stromen. Maar niets zal de Anderen kunnen tegenhouden. Zien jullie hen? Kijk daar! Achter de heuvels! Horen jullie het kloppen van de talloze harten? Ze sluiten ons in om ons te verdelgen. Kijk goed, mijn volk.'

En hij richtte zijn blik op de naderende vijand. Een kreet van angst welde op in zijn keel toen hij de – zwartheid zag die op hem toe kwam rollen als golven van een duistere zee. 'Zien jullie het?' riep hij luid. 'De zwartheid, daar achter de horizon? Wie kan daartegen standhouden? Voelen jullie het naderen van die Macht? Met iedere stap wordt een deel van de wereld zoals wij die kennen vermorzeld.'

Een smartelijke kreet weerklonk, gevolgd door de angstige geroezemoes van vele stemmen.

'Maar we kunnen het leven behouden!' zei Wolfdromer.

'Hoe?' riep iemand smekend. 'Vertel het ons!'

Hij wees naar het Grote IJs en zei: 'Reiger zei dat we hier niets dan pijn en dood zouden vinden. Ze zag hoe we van binnen verrotten en wegkwijnden terwijl we martelden en doodden, tot er niets meer van ons restte dan wat flarden die door de wind werden weggeblazen, of diep begraven onder lagen steen en zand. Zien jullie hoe we worden weggeblazen? Zien jullie hoe we worden begraven?'

Een huivering van ontzetting ging door het Volk.

'Ja, begraven! Vermorzeld en onder de voet gelopen door de Anderen! Onze gewoonten en verhalen verdwenen – voorgoed!'

'Vertel ons hoe we dit kunnen voorkomen,' riep iemand.

'Door de Wolfdroom te volgen!' brulde Zingende Wolf van ergens ver weg. 'Wolf zal het Volk redden.'

Hij Die Huilt moest zijn best doen om niet te huiveren terwijl hij de stervende sjamaan zijn tent binnendroeg en neerlegde op zijn slaaphuiden.

'Zo, hier kun je rusten,' zei hij.

'Eens was ik... machtig,' fluisterde Kraailokker. 'Ik heb het Volk geleid – en goed geleid. Gepoogd mijn best te doen. Gepoogd, hoor je?'

414

Hij Die Huilt knikte somber. 'We herinneren het ons.'

'Mijn best gedaan.' Kraailokker slikte moeizaam. 'Maar het Volk eist altijd zoveel... zoveel. Ze verslinden je ziel, verslinden je... zoals de Lange Duisternis het licht verslindt. Ze zijn... zo veeleisend. Willen altijd meer, steeds meer... mag niets verkeerd doen. Moet altijd volmaakt zijn. Voortdurend. Moest... doen alsof. Liegen.' Hij sloot zijn ogen. 'Ik heb getracht... best te doen...'

'We weten het,' zei Hij Die Huilt sussend. 'Rust nu, grootvader.'

'Pijn,' kreunde Kraailokker. 'D-diep van binnen. Arm... borst... Het doet zo'n...'

'Maak je niet ongerust, het zal...' Hij Die Huilts stem stierf weg toen hij een lege plek zag waar hij eerder zijn werpspiesen en atlatl had achtergelaten. En afschuwelijk vermoeden kwam bij hem op. Hij sprong overeind.

'Ik... ga dood,' fluisterde Kraailokker schor. 'Dood... van binnen...'

Maar Hij Die Huilt hoorde het al niet meer. Hij stond buiten en zocht met zijn blik wanhopig de menigte af die zich rond Wolfdromer had verzameld.

Nee, dacht hij, ik moet hoog zoeken! Hij heeft zich natuurlijk tussen de rotsen verscholen! Hij rende naar de rotsrichel en begon te klimmen, springend van rotsblok naar rotsblok. Niemand lette op hem, iedereen had alleen aandacht voor de woorden van Wolfdromer.

Toen Hij Die Huilt om een groot rotsblok klauterde, zag hij hem staan, klaar om de spies te werpen.

'Nee!' schreeuwde Hij Die Huilt, op hem af rennend. 'Hij is je broer!'

Raafjager spande zijn spieren en begon aan de worp. Hij Die Huilt nam een wanhopige sprong en wierp zich met zijn volle gewicht tegen de benen van Raafjager, waardoor deze omviel. De werpspies week af van zijn pad en raakte een kind dat vlak voor Wolfdromer stond. Het jongetje gilde van pijn.

Raafjager haalde uit met de atlatl en scheurde Hij Die Huilts wang open. 'Laat me los! Ik doe dit om het Volk te redden!' riep hij.

'Je *vermoord* ons!' brulde Hij Die Huilt, erop los slaand met al zijn kracht. Maar Raafjager was sterker en had bovendien de at-latl; het regende slagen op zijn hoofd en gezicht. Hij Die Huilt kreeg een been van Raafjager te pakken en bij gebrek aan beter zette hij zijn tanden in het vlees en beet zo hard mogelijk. Raaf-jager brulde het uit, rukte zich los en liet de atlatl met volle kracht op het hoofd van Hij Die Huilt neerkomen. Een geluid-loze explosie van licht bloeide op achter Hij Die Huilts ogen en hij tuimelde een diep zwart gat in.

54

Zingende Wolf trok behoedzaam het bebloede hoofd van Hij Die Huilt op zijn schoot en zei zachtjes: 'Neef?'

Het Volk verdrong zich rondom hen. Zingende Wolf zat voor de ingang van Reigers grot, en voor hem stond Raafjager, recht-op, de armen over elkaar, hooghartig om zich heen blikkend als een in het nauw gedreven adelaar. Bloed lekte uit de wond in Hij Die Huilts hoofd en kleefde aan Zingende Wolfs vingers.

'Hij blijft heus wel leven. Hij heeft een harde kop,' zei Vier Tanden.

De menigte week uiteen om Wolfdromer door te laten. 'Kromme Wortel is dood,' zei de sjamaan op zangerige toon. 'Ik heb gezien hoe de ziel van het kind zijn lichaam verliet. Een geel-rode ziel, maar door de wond was ze blauw en groen geworden. De koude, begrijpen jullie? Vannacht zal ik Kromme Wortel naar de hemel zingen. Het Sterrenvolk zal hem accepteren.'

Raafjager stak zijn kin vooruit en zocht oogcontact met de jonge krijgers. 'Wat nu?' vroeg hij arrogant.

Wolfdromer zei langzaam, sprekend vanuit de diepten van zijn ziel: 'Je hebt iemand van het Volk gedood, broeder. Een jongen van zes jaar oud. Je hebt de vrede verbroken. Het Licht vloeit weg uit je ziel. Je geeft jezelf gewonnen aan de Macht.'

'De straf voor het doden van iemand van het Volk is de dood,' zei Zingende Wolf terwijl hij Hij Die Huilt voorzichtig met zijn hoofd op een opgevouwen huid legde.

'Hij is de beste krijger die we hebben!' protesteerde Arend-schreeuw. Hij werkte zich met zijn ellebogen door de menigte naar voren. 'Hij heeft zich eervol gedragen in de strijd tegen de Anderen.'

Zingende Wolf stond op en keek Arendschreeuw woedend aan. 'Hij wilde onze Dromer vermoorden!'

'Rent In Licht heeft Kraailokker gedood!' snauwde Raafjager. 'Door middel van tovenarij! Hij heeft hem behekst!'

'Leugenaar!' schreeuwde Zingende Wolf. Hij balde zijn vuisten. 'Nog één woord en ik zal je –'

'Wacht.' Wolfdromer legde een hand op de schouder van Zingende Wolf en trok hem achteruit. 'Ik zie je ziel, oude vriend. Als je je tijdens de Hernieuwing door je woede liet meeslepen, zou je jezelf er later om haten.'

Zingende Wolf vocht om zijn woede de baas te worden, en het lukte hem maar net, ondanks de woorden van de Dromer. Hij zei: 'Hij heeft gelogen, verkracht en gemoord. Maar wat kun je anders verwachten van een lafaard die zijn eigen volk verraadt?'

Er ging een geschokt gemompel op en Raafjager wilde een stap naar voren doen, maar hij werd tegengehouden door Vier Tanden.

'Je zal spijt krijgen van die woorden,' zei Raafjager.

'Hoe is het mogelijk dat het met ons zo ver heeft kunnen komen!' riep Vier Tanden heftig.

'Hekserij!' zei Raafjager. 'Ik weiger werkloos toe te zien hoe mijn broer het Volk vernietigt. Toen hij mijn vriend Kraailokker doodde met zijn duistere tovenarij, greep ik mijn spiesen en –'

'De tweede leugen,' riep een zwakke stem.

Alle ogen richtten zich op Hij Die Huilt, die zwakjes overeind probeerde te komen op zijn ellebogen. Straaltjes bloed liepen over zijn gebruinde wangen.

'Wat weet jij daarvan, Hij Die Huilt? Misschien is het wel zoals Raafjager zegt,' zei Vier Tanden, met een zijdelingse blik op Wolfdromer.

Hij Die Huilt knipperde met zijn ogen en schudde met zijn hoofd voor hij zich weer op de grond liet zakken. 'Ik... ik...' stamelde hij verward.

'Het is zoals ik zeg,' grauwde Raafjager. 'Het Volk tolereert geen duistere tovenarij. Mijn broer is een heks! Hij heeft het Volk betoverd door zijn woorden en de manier waarop hij Kraailokkers hart heeft stilgezet. Ik wilde het Volk van hem bevrijden en handelde toen de gelegenheid zich voordeed, dat is alles.'

418

'Hartstocht kan een man ertoe brengen dergelijke dingen te doen,' beaamde Bizonrug. 'Maar de spies heeft Kromme Wortel gedood, en dat moet gestraft worden.'

'Het was een ongeluk!' protesteerde Raafjager. 'Wat is er met jullie aan de hand? Straf liever die heks daar. Toen ik zag hoe hij het Volk zijn wil oplegde, greep ik mijn werpspiesen om daar een eind aan te maken.'

'Leugenaar,' zei Hij Die Huilt met zwakke stem. 'Terwijl Wolfdromer met Kraailokker streed, ben jij naar de dichtstbijzijnde tent geslopen en heb je de werpspiesen die daar lagen, gestolen. Je dacht dat op die manier niemand ooit te weten zou komen wie het gedaan had. Maar bij toeval was het *mijn* tent die je uitkoos en *mijn* werpspiesen die je stal, Raafjager.'

Raafjager begon te lachen. 'Jouw werpspiesen? Je ijlt. Dat zie je wel vaker bij mensen die een klap op hun hoofd hebben gehad.'

'Wie heeft de spiesen?' vroeg Zingende Wolf scherp terwijl hij om zich heen keek. 'Waar is de spies die de jongen heeft gedood?'

De vader van Kromme Wortel stapte met roodbehuilde ogen naar voren. Hij toonde een met bloed bevlekte spies. 'Wolfdromer heeft hem uit de rug van mijn jongen getrokken. Deze spies is niet door iemand van het Volk gemaakt. Hij is te kort.'

Zingende Wolf nam het wapen van hem over en hield het omhoog. 'Deze spies is van Hij Die Huilt. Alleen híj maakt ze zo. Ga kijken op de plaats waar de jongen is getroffen, dan zullen jullie de andere helft van de schacht vinden. Alleen Hij Die Huilt maakt spiesen met een afneembare schacht.'

Verscheidene mensen holden naar de plek des onheils die werd aangegeven door het bloed van Kromme Wortel. Een vrouw slaakte een kreet en kwam haastig terug met het afneembare deel van de schacht.

Zingende Wolf wendde zich tot Raafjager en zei met een stem die beefde van ingehouden woede: 'De straf voor het verstoren van de vrede – het vermoorden van iemand van het Volk – is de dood.'

Vier Tanden verstijfde en staarde met een bekommerde uitdrukking op zijn gezicht naar de grond.

Wolfdromer stapte naar voren en keek zijn broer in de ogen. Hij zei: 'Ik heb je gewaarschuwd me niet te weerstreven. Ik zie vele gebeurtenissen in de toekomst – maar niet het hele pad dat je zal afleggen. Ga nu! Alleen! Vind je bestemming.'

Raafjager gromde: 'Veroordeel je me tot het bestaan van een uitgestotene?'

'Hij verdient de dood!' zei Zingende Wolf scherp.

'Ga!' zei Wolfdromer tegen Raafjager. 'Het web van je noodlot wordt gesponnen terwijl wij hier praten, broeder. Zoek je bestemming, en keer terug. En dan' – hij aarzelde even en haalde diep adem – 'is het moment gekomen voor onze laatste confrontatie. De ontmoeting der tegengestelden, die tot de uiteindelijke oplossing zal leiden.'

'Je verbergt de betekenis van je woorden, zoals een daas die zijn eitjes onder de huid legt,' zei Raafjager minachtend.

'Om de betekenis te kennen moet je jezelf verliezen, broeder. Als je dat niet doet, zul je onwetend blijven. Wat kies je?'

Raafjager wendde zich tot de rest van het Volk. 'Ik zeg jullie dat mijn broer een heks is! Ik beschuldig hem van tovenarij. Ik, Raafjager, ben niet van plan een heks te volgen naar een donker gat in de aarde! Ik, en ik alleen, zal standhouden tegen de Anderen en jullie tonen wat eer is!' Hij keek elk van zijn krijger aan met zijn priemende zwarte ogen. 'Wie gaat er met mij mee?'

Niemand sprak, en niemand bewoog zich.

Na enkele hartekloppen zei Vier Tanden: 'Niemand gaat met je mee, Raafjager. Ik verklaar je tot uitgestotene.'

'Maar hij heeft een onschuldig kind vermoord!' zei Zingende Wolf heftig. 'De straf voor moord is de dood!'

'Nee.' Wolfdromer schudde zijn hoofd. 'Raafjager zal niet sterven voor het doden van Kromme Wortel. En hij is ook geen uitgestotene.'

Vier Tanden werd rood van woede. 'Hoe *durf* je in te gaan tegen het oordeel van een oudere die...' begon hij, maar hield op toen hij de Droom in de ogen van Wolfdromer zag. Hij slikte en sloeg zijn blik neer. 'Nee. Raafjager is geen uitgestotene.'

'Raafjager moet de toekomst alleen onder ogen zien,' zei Wolfdromer.

'Lafaards!' schreeuwde Raafjager. 'De Anderen zullen ons tot
stof verpulveren als we ons niet verzetten! Die strijd is eervol en
ik ga mijn deel van die eer opeisen!' En met die woorden beende
hij naar zijn tent. De mensen stapten opzij om hem door te laten
en keken zwijgend toe hoe hij zijn wapens, huiden en buidel
pakte en langs het pad naar boven liep. Boven aan het pad bleef
hij staan en draaide zich om. Hij maakte een woedend, machte-
loos gebaar, en toen was hij verdwenen.

Zingende Wolf zuchtte en draaide zich om, net op tijd om te
zien dat Wolfdromer doodsbleek was geworden. 'Wat is er?'
vroeg hij angstig.

'Help me,' zei Wolfdromer zacht.

Zingende Wolf pakte hem haastig bij een arm en leidde hem
terug naar de grot van Reiger.

'Het einde is nabij,' prevelde Wolfdromer. 'Zie je het spinnen
van het web? De draden wikkelen zich rond de duisternis. Het
zal... zal...' Hij begon onbeheerst te rillen.

Het hart van Zingende Wolf kromp ineen van angst.

Dansende Vos trok haar kap die was gemaakt van de vacht van
een poolvos strak om haar hoofd om de ijzige wind die door de
spleten van de tent naar binnen blies buiten te sluiten. *Waarom
heeft Zingende Wolf me gevraagd deze vergadering bij te wonen? De
ouderen moeten het Volk leiden. Ik ben daar niet geschikt voor.*

Zingende Wolf staarde met gefronst voorhoofd in het vuur.
Regendruppels tikten op de huiden boven hun hoofden, en de
vochtige lucht in de tent rook naar zweet en ranzig vet en natte
pelzen, vermengd met de zwavelgeur van de warme poel.

'Ik denk dat we iedereen moeten bevelen door het gat in het ijs
te gaan,' zei Zingende Wolf, om de lange stilte te doorbreken.

'Er zit niet veel anders op,' zei Dansende Vos, starend naar de
regen die door de opening van de tent zichtbaar was. 'De Anderen kennen nu ook de route naar het zuiden. Maanwater heeft
hun alles verteld.'

Vier Tanden hoorde het zwijgend aan. Hij zag eruit alsof hij zich diep ellendig voelde. Zijn ogen waren gericht op de gloeiende as in de vuurkuil en zijn lippen bewogen zonder geluid te maken. Ze voelden zich allemaal uitgeput, diep onder de indruk van het gebeurde.

Zingende Wolf wierp voor de zoveelste keer een bezorgde blik op de grot van Reiger, waar Wolfdromer lag te ijlen. Het lijk van Kraailokker was naar een rotspunt boven de vallei gebracht en Bizonrug en een groep vrouwen waren daar nu bezig de ziel van de sjamaan naar het Gezegende Sterrenvolk te zingen, zoals Wolfdromer had bevolen. Het Volk was geschokt en over het kamp hing een diepe stilte, die nog werd versterkt door de gestaag vallende regen.

'De Anderen zullen ons niet laten gaan,' zei Zingende Wolf hoofdschuddend. 'Er is te veel bloed vergoten, en te veel krijgers zijn doodgemarteld en verminkt. De Anderen geloven dat de zielen van de krijgers die op die manier gestorven zijn nooit de plaats van de doden op de bodem van de zee zullen bereiken. De familie van die krijgers zal niet eerder rusten tot alle doden gewroken zijn.'

'Is dat waar?' vroeg Vier Tanden.

'Blauwe Bes en ik hebben er vaak over gesproken.'

'Het beste is om deze plek zo snel mogelijk te verlaten, door het gat in het ijs,' zei Dansende Vos. Ze ging verzitten en trok een pijnlijk gezicht toen ze gewicht op haar gevoelige enkel plaatste.

Zingende Wolf wreef met een duim in zijn bloeddoorlopen ogen. 'De doorgang is nu afgesloten door het water. We moeten wachten tot de Lange Duisternis is ingevallen. Tot zo lang zullen we het hier moeten zien uit te houden. De Anderen zijn nog niet tot hier doorgedrongen – maar dat zal misschien niet lang meer duren.'

Dansende Vos keek naar Blauwe Bes. 'Hoeveel tijd denk je dat we nog hebben?'

'Wie zal het zeggen? Dat is afhankelijk van hoeveel tijd ze nodig hebben voor hun ceremoniën, en van wat IJsvuur van plan is.'

422

'IJsvuur?' zei Dansende Vos. 'Is dat hun Dromer?'

'Wat bij hen voor een Dromer moet doorgaan, denk ik,' zei Zingende Wolf. 'Er is niet veel over hem bekend. Hij is...' Zingende Wolf zocht naar woorden en maakte een hulpeloos gebaar. 'Nou ja, ik heb gehoord dat het een vreemde man is.'

'Mensen met Macht zijn altijd vreemd,' mompelde Vier Tanden.

'Tot het zover is zullen we ons tegen de Anderen moeten beschermen,' zei Dansende Vos terwijl ze Zingende Wolf strak aankeek. 'We kennen het gebied hier beter dan zij. Als we krijgers posteren bij de paden die naar het noorden leiden, kunnen we hen misschien lang genoeg tegenhouden om onze mensen gelegenheid te geven door het gat in het ijs te ontsnappen.'

Er viel een drukkende stilte. Vier Tanden ging ongemakkelijk verzitten. Zijn maag rommelde luid in de stille tent.

'Hoe is het met Wolfdromer?' vroeg Dansende Vos na een tijdje. Ze klonk bezorgd.

'Slecht,' zei Zingende Wolf, haar blik vermijdend. 'Hij is half in de Droom, en half erbuiten. Hij kan niets binnenhouden; als ik hem water te drinken geef, spuwt hij het onmiddellijk weer uit. Hij ligt daar maar, en zingt en mompelt. De blik in zijn ogen maakt me iedere keer als ik er ben doodsbang.'

Er viel weer een stilte.

'Verdere overvallen op de Anderen zijn dus uitgesloten,' zei Dansende Vos op besliste toon. Ze bande de gedachten aan Wolfdromer uit en onderdrukte het verlangen om naar hem toe te rennen en hem te troosten en te verzorgen. 'Dat zou de woede van de Anderen alleen maar groter maken.'

Vier Tanden maakte een smakkend geluid met zijn lippen. 'Ik betwijfel of de jonge krijgers zich daar bij zullen neerleggen.'

'Er zijn er nu al die boos zijn over wat er met Raafjager is gebeurd,' zei Zingende Wolf. 'Toen het gebeurde, waren ze te geschokt om iets te doen, maar nu hebben ze tijd gehad om na te denken. Sommigen vragen zich af of het niet beter zou zijn geweest om met Raafjager mee te gaan.'

'En toch zal de Dromer zeggen dat het zo moet en niet anders,' zei Dansende Vos ferm. 'Geen overvallen meer.'

Vier Tanden keek haar verbaasd aan, alsof hij haar voor het eerst werkelijk zag. 'Denk je?' zei hij.

Ze knikte. 'Ja, dat zal hij zeggen. En als hij het niet zegt, zal buiten ons niemand dat te weten komen – als wij dat niet willen.'

Ze gingen verzitten en keken haar ongemakkelijk aan. Vier Tanden deed zijn mond open om iets te zeggen, sloot hem toen weer en keek een andere kant op.

Zingende Wolf trok een gezicht en zei: 'Gaat dat niet wat...'

'Het is noodzakelijk,' zei Dansende Vos. 'Althans, als Wolf-dromer niet uit de Droom komt en het zelf doet.'

'Dit zou wel eens heel gevaarlijk kunnen zijn,' zei Vier Tan-den zacht. 'We hebben allemaal gezien wat er met Kraailokker is gebeurd.'

De stilte werd weer drukkend.

Ze willen niet de eersten zijn die deze stap doen. Maar hij moet ge-daan worden, een andere keus is er niet. We moeten gebruikmaken van de Macht van Wolfdromers naam. Als we het niet doen, zal het Volk uiteenvallen en een makkelijke prooi voor de Anderen worden. Zien ze dat niet? Het is nu of nooit! Iemand moet een begin maken met het herstel van wat Raafjager heeft vernield. De jonge krijgers moeten tegengehouden worden – nu!

Dansende Vos koos haar woorden zorgvuldig. 'Ik ben niet van plan de verantwoordelijkheden van Wolfdromer op me te nemen. Ik wil het Volk niet leiden. Maar we weten niet hoe lang Wolfdromer opgesloten zal blijven in zijn Droom, en in de tus-sentijd moet er iemand voor het Volk zorgen. Iemand die de steun heeft van alle anderen. Het mag niet meer voorkomen dat één iemand alle anderen zijn wil oplegt, zoals Raafjager heeft ge-daan. En de last mag ook niet op de schouders van de ouderen af-gewenteld worden. Het is noodzakelijk dat iedereen het erover eens is wat er gedaan moet worden. Anders zal het Volk versplin-teren als een oud kariboebot dat te lang in de zon heeft gelegen. We mogen niet toestaan dat de mensen allemaal hun eigen weg volgen. Alleen als we een eenheid vormen hebben we een kans tegen de Anderen. Zijn jullie het met mij eens?' Ze keek hen om beurten doordringend aan.

424

Ze knikten, Zingende Wolf als eerste en daarna Vier Tanden. 'En hoe had je gedacht dat voor elkaar te krijgen, vrouw?' vroeg Vier Tanden. Uit zijn toon viel duidelijk op te maken dat hij er moeite mee had op voet van gelijkheid met een vrouw te praten.

Dansende Vos dacht even na. 'Zingende Wolf hier en Arend-schreeuw zijn de aangewezen personen om de krijgers aan te voeren. Samen kunnen ze de jongemannen in een nieuwe richting leiden.'

'Maar Arendschreeuw aanbidt Raafjager! Hij –'

'Alle jonge krijgers respecteren hem. We moeten de verschillende delen van het Volk bijeenbrengen en samenbinden, als een pijlpunt aan een schacht. Alleen als we dat doen, zijn we sterk, als een goedgemaakte werpspies.'

'Je hebt gelijk,' zei Zingende Wolf met een zucht. 'Ik zal met hem praten. O, wat verlang ik soms naar de tijd dat ik nog heerlijk kon klagen en mopperen zonder met anderen rekening te houden. Het is allemaal de schuld van Gebroken Tak.'

'Ook ik verlang naar de tijd toen we allemaal nog jong waren en geen zorgen hadden,' zei Dansende Vos zacht. Toen zei ze tegen Vier Tanden: 'Grootvader, we hebben de ouderen nodig om het Volk te kalmeren en het eraan te herinneren dat het voedsel schaars zal zijn tot we door het gat in het ijs zijn gegaan. Allen vereren jou en Bizonrug en de anderen. Jullie moeten het Volk geruststellen en inspireren, het moed inspreken en het ervan doordringen dat het een eenheid vormt.'

Vier Tanden knikte met zijn gerimpelde hoofd. 'Die taak zullen wij op ons nemen. Het doet me plezier een jonge vrouw zo verstandig te horen praten. De meeste jongeren lijken hun verstand te hebben verloren – alsof het is weggeblazen door Vrouw Wind.'

'We zullen ons moeten voorbereiden op de tocht door het ijs,' zei Dansende Vos. 'Om de duisternis te verdrijven kunnen we gebruik maken van in de zon gedroogde wilgewortels. Ze zijn zwaar en branden snel op, maar ze geven in ieder geval licht. Het wild is schaars, dus we moeten zuinig zijn op het vet. Alleen in het uiterste geval mogen we het gebruiken om licht mee te maken. We moeten zoveel mogelijk bessen verzamelen, en de kinderen kunnen jagen op muizen en grondeekhoorns, en forellen en vlagzalmen vangen in de ondiepten van de Grote Rivier.'

'Dat is minderwaardig voedsel, alleen geschikt voor mensen die aan de rand van de hongersdood verkeren,' zei Zingende Wolf zuur. Toen hij zag hoe Dansende Vos naar hem keek, richtte hij zich op en zei: 'Maar ik heb al een hele tijd geleden afstand gedaan van mijn trots.'

Vier Tanden grinnikte zachtjes. Hij zei: 'Denk je werkelijk dat de Anderen ons zullen volgen in dat gat onder het ijs? Je moet toch gek zijn om daar vrijwillig in te gaan. Gek! Mensen horen niet onder de grond. Als je sterft kan je ziel de weg naar het Gezegende Sterrenvolk niet vinden. Dan zit je voor eeuwig in het donker gevangen.'

Dansende Vos huiverde. 'Je hebt er geen idee van hoe angstaanjagend het in werkelijkheid is. Wacht maar tot je er bent.'

Vier Tanden rochelde en spuwde in het vuur. 'Ik ben op een heleboel plaatsen geweest en heb een heleboel dingen gezien. Maar ik kan niet zeggen dat ik me erop verheug onder het ijs door te lopen. Het is te hopen dat dat nieuwe land werkelijk zo geweldig is als jullie zeggen.'

'Dat is het,' verzekerde Zingende Wolf. 'En wie weet wat we zullen vinden als we verder naar het zuiden trekken?'

'Misschien een land waar we nooit honger zullen hoeven te lijden,' zei de oude man. Zijn ogen begonnen te glanzen.

'Een land dat wemelt van het wild en waar we onze kinderen kunnen grootbrengen in overvloed,' fluisterde Zingende Wolf. 'Wolfdromer sprak over een nieuwe plant die het Volk daar zou eten. Ik zie al voor me hoe ik in dat nieuwe land dik en rond zal worden. In mijn verbeelding is het al dichtbij.'

'Wat hebben we hier, een tweede Dromer?' zei Vier Tanden spottend.

'Nee, ik ben niet dapper genoeg,' zei Zingende Wolf ernstig. 'Maar we móeten wat doen, voor het te laat is. Kijk om je heen. Het Volk valt uiteen als een oude parka wanneer de darmen waarmee de delen aaneen zijn genaaid, gaan rotten. En denk niet dat ik het een prettig vooruitzicht vind onder het ijs door te moeten gaan. Ik begrijp niet hoe Wolfdromer ooit de moed heeft kunnen vinden on zich voor de eerste maal alleen in dat gat te wagen.'

'Hij kon het omdat hij gek is!' zei Vier Tanden terwijl hij met een vuist op zijn knie sloeg. 'Mensen met Macht zijn allemaal gek.'

'Gek of niet, hij heeft het gedaan, en hij vond het pad dat Wolf hem had beloofd. Alles wat hij in het Mammoetkamp tegen ons heeft gezegd, is uitgekomen.'

Een windvlaag deed de natte huiden boven hun hoofden klapperen. Vier Tanden pakte wat wilgetakken van de stapel achter zich en gooide ze op het vuur. De oplaaiende vlammen verdreven de kou en de somberheid.

'We kunnen kiezen uit drie dingen,' zei Dansende Vos. 'Hier blijven en omkomen van de honger; naar het noorden gaan en met de Anderen vechten; of door het ijs gaan. Mijn keus is al gemaakt; ik volg Wolfdromer.'

'Iedereen zal hem volgen,' zei Zingende Wolf. 'Het is de enige manier om te overleven.'

Dansende Vos keek hen onderzoekend aan. 'Hier in de vallei is bijna geen wild meer te vinden. Alle dieren zijn gedood om de vele monden te voeden. Om de komende Lange Duisternis te kunnen doorstaan, is het noodzakelijk dat we alle beschikbare krijgers erop uitsturen om jacht te maken op de weinige dieren die er nog zijn.'

'Niet de oude mammoetstier!' zei Zingende Wolf heftig. 'Hij behoort Reiger toe. En dood of niet, ik wil me niet haar woede op de hals halen.'

Het gezicht van Dansende Vos bewolkte. 'Als we het niet doen hebben we geen vleesvoorraad voor de Lange Duisternis.'

'Reiger beschermde die oude stier. Ik wil niet dat hem iets overkomt. En ik ben ervan overtuigd dat Wolfdromer hetzelfde zou zeggen.'

Dansende Vos hief haar handen op. 'Goed dan! We laten de

oude stier met rust! Hij betekent leven voor het Volk, maar ik leg me bij jouw beslissing neer – wat betekent dat het "minderwaardige voedsel" des te belangrijker zal zijn. We mogen geen tijd meer verliezen. Misschien zal het wild aan de andere kant net zo talrijk zijn als het dit jaar was, maar misschien ook niet. We weten allemaal dat dieren uit een bepaald gebied weg kunnen trekken. Hoe dan ook, we zullen het moeilijk krijgen. Onze kleding is versleten, de huiden verliezen hun haar en beschermen ons niet langer tegen de kou, de naden beginnen los te laten. En we weten niet hoe het komende jaar zal worden, misschien wel net zo verschrikkelijk als de afgelopen Lange Duisternis.'

'Het gat in het ijs is onze laatste kans,' fluisterde Zingende Wolf. 'Ben je het daarmee eens, grootvader?'

Vier Tanden knikte en slaakte een raspende zucht. 'Ik heb Dansende Vos gehoord. Als het de redding van het Volk betekent, zal ik het doen. Laten we hopen dat de Anderen ons genoeg tijd zullen geven – en dat het wild ons gunstig gezind is ten zuiden van het ijs, in dat nieuwe land.'

55

Het golvende heuvellandschap droeg een geelgroen plantendek waardoorheen hier en daar het grijs van het gesteente schemerde. Overal groeiden planten die kleine gele of blauwe bloemen droegen, en de bessestruiken waaraan de eerste bessen al verschenen, droegen nog hun laatste bloesems. Maar nergens waren grazende dieren te zien.

IJsvuur zat met gekruiste benen voor zijn tent, diep in gedachten verzonken. Af en toe trokken zijn kaakspieren onder de bruine huid.

Achter hem ruisten voetstappen in het gras. Hij keek om en zag dat het Rode Vuursteen was. Rode Vuursteen ging naast hem zitten, gebaarde naar het door de laagstaande zon beschenen landschap en zei: 'Hoe verder we naar het zuiden gaan, hoe droger en kaler het wordt.' Hij schudde zijn hoofd. 'Het bevalt me helemaal niet. En ik ben niet de enige. Verscheidene jagers klagen dat er hier niet genoeg wild is. De ouderen verlangen ernaar terug te keren naar het noorden, waar de dieren overwinteren.'

'Maar de Vijand heeft een weg door het ijs gevonden.'

'Ik heb geen zin om dagenlang in het donker te reizen door een gat in de grond!' zei Rode Vuursteen heftig. 'Zie ik er soms uit als een grondeekhoorn?'

IJsvuur steunde zijn kin in zijn handen en keek uit over de heuvels. Een wulp op een rotsblok vlak bij hen stak zijn snavel de lucht in en liet zijn lied horen.

'Heb je gehoord wat Rook vertelde toen hij terugkwam?' zei IJsvuur. 'Steeds meer vijandelijke volken duiken op in het gebied dat door het Gletsjervolk is verlaten. Ze zijn op de vlucht voor die verschrikkelijke ziekte die in het verre westen is uitgebroken. Ik vraag me af hoeveel tijd we nog hebben voor ze hier komen om ons te doden. Dat gat in het ijs zou weleens onze enige kans kunnen zijn om te overleven.'

Rode Vuursteen kneep zijn ogen tot spleetjes. 'Ik denk dat er meer achter zit, oude vriend. Ik denk dat je geobsedeerd bent door dat visioen van je, en door die heks, de Getuige. O ja, ik heb je gisteren wel gezien. Je ogen begonnen te glanzen en je hoorde niet wat er tegen je werd gezegd. "Mijn zoon komt," mompelde je. Welke zoon? Je hebt helemaal geen zoon.'

IJsvuur wendde zijn blik af en bevochtigde zijn lippen met zijn tong. 'Ik wist niet dat ik had gesproken.'

'Je hebt gesproken, en velen hebben gehoord wat je zei.'

'Mijn zoon... doet er niet toe. Onze hoop is gelegen in het zuiden.'

'Geloof je dat verhaal over dat geestgat?'

'Noem jij je eigen dochter een leugenaar?'

Rode Vuursteen sloeg zijn ogen neer. 'Nee... Maar ik denk dat ze zich heeft laten bedriegen door die Dromer en zijn waandenkbeelden over een land van overvloed.'

'Maar ze heeft het wild met eigen ogen gezien.'

'Dat kan wel zijn, maar als de mensen daar twee jaar lang gejaagd hebben, is het wild verdwenen, net als hier. Ik ben ervoor naar het noorden te gaan, naar het zoute water, waar we kunnen vissen en op zeehonden jagen en oesters en mossels verzamelen.'

'De Bizon Clan woont daar nu. En verder naar het westen jagen de Tijgerbuik Clan en de Clan Van de Ronde Hoef, daartoe gedwongen door het stijgende zoute water. Het water maakt het hen weliswaar makkelijker om hun gebied tegen de vijandelijke volken uit het westen en hun ziekte te verdedigen, maar ze maken zich grote zorgen.'

'Laten ze zich maar zorgen maken. Wij weten dat er langs de kust meer dan genoeg voedsel te vinden is. Laten wij in de tussentijd de Vijand hier vernietigen. We kunnen ze in één klap wegvagen als we onze krachten bundelen.'

'Misschien. Maar hoe lang zal het duren voor wij op onze beurt in het nauw worden gedreven door de vijanden uit het westen?'

'Luister, oude vriend. Ik heb de laatste tijd mijn ogen en oren goed opengehouden en ik heb geluisterd naar de vertegenwoordigers die de verschillende clans hebben gestuurd. IJsjager en de anderen zeggen dat de Clan Van De Witte Slagtand blij is met wat wij hebben gedaan. Dank zij ons zijn ze weer in het bezit van de Witte Huid. De oude mannen zijn daarmee tevreden, maar de jagers klagen dat het wild hier zo schaars is, en de jonge vrouwen zijn bang dat ze door een Vijand gevangen zullen worden genomen. Ik zie de wil van onze mensen verslappen. Hun vastbeslotenheid om de Vijand te vernietigen wordt met de dag minder. Je moet iets doen om dat tegen te gaan! Wakker hun haat aan! Herinner hen aan de verkrachtingen, de verminkte baby's, de krijgers die aan stukken zijn gesneden en achtergelaten als prooi voor de kraaien. Jij hebt de macht om dat te doen! Zorg dat ze de Vijand blijven haten! Anders zullen we volgend jaar de Witte Huid weer kwijtraken.'

IJsvuur keek hem aan, een flauwe glimlach rond de lippen. 'En wat zeggen de vertegenwoordigers van de andere clans? Zijn die ook uit op vernietiging van de Vijand?'

Rode Vuursteen sloeg zijn ogen neer. 'Sinds ze hier zijn, zijn ze gaan twijfelen aan de eer die we hebben behaald in de strijd met een zwak volk als de Vijand. Ze beginnen zich af te vragen of we wel werkelijk moed hebben.' Hij staarde in de verte en wreef met een eeltige hand over zijn neus. 'En de roep om vrede wordt steeds sterker.'

'Zijn de mensen de strijd beu?'

'Ja, maar ze begrijpen niet dat we –'

'Wat zeggen ze?'

'Laat de Vijand gaan, zeggen ze!' riep Rode Vuursteen kwaad. 'Volgens hen hebben we er genoeg gedood om onze eigen doden te wreken.' Hij balde een vuist. 'Genoeg? *Genoeg?* En onze eer dan? Te veel van onze jonge vrouwen dragen al hun smerige zaad!'

'Is dit een persoonlijke wraakoefening? Kan het je niet meer schelen wat de rest van het volk wil?'

De mond van Rode Vuursteen vertrok in een krampachtige

grimas. 'Maanwater heeft me vele malen verteld hoe de Vijand haar heeft behandeld. Ik wil dat ze worden uitgeroeid. Tot de laatste man. Als straf voor de verminkingen van onze jonge krijgers. Als de laatste gedood en begraven is, kunnen we teruggaan naar het zoute water om daar te wonen en te jagen.'

IJsvuur haalde zijn schouders op en volgde met zijn blik een arend die met gespreide vleugels omhoogspiraalde op een opwaartse luchtstroming, een zwart stipje in het eindeloze blauwe uitspansel.

Na enige tijd zei hij: 'Als ik door het kamp loop, hoor ik de kinderen praten over het Gezegende Sterrenvolk. Dat doet me plezier. Ik hoor ze ook praten over de Monsterkinderen, en ook dat verhaal bevalt me. Misschien wordt het tijd dat we ophouden elkaar te bestrijden. Vroeger vormden we één volk.'

'Onmogelijk! Bloedverwant van een Vijand die mijn neef aan stukken sneed nadat hij gevangen was genomen? *Aan stukken sneed!* Zijn ziel zwerft nu ergens rond, roepend om gerechtigheid. En jij wil vriendschap sluiten met die mensen, wier ziel stinkt als een stuk rottend vlees? Weg ermee, zeg ik! Allemaal de hersens inslaan! Mannen, vrouwen, en kinderen! Tot ze spoorloos van de aarde zijn verdwenen.'

'Zo? Dus je wilt ook het kind van je dochter doden als het geboren wordt?'

Rode Vuursteen fronste dreigend zijn wenkbrauwen. 'Natuurlijk niet! Wat is dat nou voor een vraag!'

'Het kind van je dochter is in haar buik geplant door iemand van de Vijand, aan de andere kant van het ijs. Maar als je je eigen kleinkind doodt, zul je ook de hand aan Wesp daar moeten slaan. Kijk.' Hij wees op de jongen die zich samen met een groepje andere jongens, oefende in het werpen van spiesen in een hoop aarde. Het gooien ging gepaard met veel gelach en gestoei.

'Wat bedoel je daarmee?' zei Rode Vuursteen.

'Hij denkt dat hij later een groot krijger zal worden. Eidereend en Wit Zand zijn dol op hem. Ze konden zelf geen kinderen krijgen, weet je nog? Verre Wolk heeft hem jaren geleden uit een kamp van de Vijand gestolen, in het holst van de nacht. In zijn aderen vloeit geen druppel van ons bloed, hij behoort geheel en al tot de Vijand. Toch zul je het hart van Eidereend en Wit Zand breken als je hem doodt.'

'Je verdraait mijn woorden,' gromde Rode Vuursteen boos.

'O ja? Ik vind van niet.'

'Ik hou er ook niet van andere mensen te doden,' mompelde Rode Vuursteen. 'Maar we moeten op een of andere manier eer zien te behalen, anders raken we de Huid weer kwijt. En deze Vijand met zijn walgelijke gewoonten is de beste...' Zijn stem stierf weg en hij hield een hand boven zijn ogen om beter in de verte te kunnen turen.

Een gesmoorde strijdkreet weerklonk. De krijgers in het kamp sprongen overeind en grepen hun werpspiesen.

'Niet te geloven,' mompelde Rode Vuursteen. 'Kijk!'

IJsvuur draaide zich om en zag een man in de richting van het kamp rennen. Hij was nog een eind van hen verwijderd, maar aan de parka die hij droeg, was duidelijk te zien dat de man tot de Vijand hoorde. Het hele kamp was nu in rep en roer, overal klonk geschreeuw, krijgers stormden hun tenten uit en maakten hun wapens gereed.

'Voorzichtig!' riep IJsvuur terwijl hij haastig opstond. 'Hou de andere kant van het kamp goed in het oog, dit kan bedoeld zijn om onze aandacht af te leiden.'

Op twee spiesworpen afstand bleef de Vijand staan. Hij liet zijn pak vallen en trok zijn parka en laarzen uit. Toen hij helemaal naakt was, pakte hij zijn werpspiesen op en begon weer in de richting van het kamp te lopen. De jonge krijgers van het Mammoetvolk grijnsden bloeddorstig en wilden hem tegemoetgaan, hun spiesen gereed om te werpen.

'Wacht!' beval IJsvuur.

De jonge krijgers gehoorzaamden verbaasd en onzeker. Waarom liet hun Meest Geëerde Oudere hen niet begaan, nu de prooi zich zo makkelijk liet vangen?

IJsvuur liep naar voren. Flarden van visioenen schoten aan zijn geestesoog voorbij. *Een jongeman, lang, recht, met een hart vol boosheid. Hij zal je tarten.* Zijn hart begon te bonzen.

433

'Geëerde Oudere?' zei Walrus toen IJsvuur de voorste van de krijgers passeerde. 'Ga niet verder. Hij kan je van die afstand af raken.'

IJsvuur schudde zijn hoofd, zich bewust van de ogen die op hem gericht waren. Zijn eigen ogen lieten die van de vijandelijke krijger geen moment los. Zo dichtbij, en toch ook zo ver weg. Alsof ze zowel door tijd als door ruimte van elkaar gescheiden waren. De randen van zijn blikveld werden donker tot de krijger nog het enige was dat hij zag. Hij begon als in een droom naar voren te lopen, tot hij voor de naakte man stond, oog in oog. Hij was er zich vaag van bewust dat zijn krijgers zich rond hen groepeerden, nerveus, onzeker, bezorgd om zijn veiligheid – maar op afstand gehouden door zijn Macht.

De Vijand was groot en recht en zeer krachtig gespierd. Hij had mooie, fijnbesneden trekken, een krachtige kin, een lange, brede neus. Hoge jukbeenderen wierpen schaduwen aan weerszijden van zijn goedgevormde mond, en zijn voorhoofd rees hoog en glad op boven de fonkelende zwarte ogen. Zijn brede borst rees en daalde, zijn buik was vlak en hij stond licht voorovergebogen, zijn gewicht verdeeld over beide voeten, klaar om in actie te komen. Zijn blik liet die van IJsvuur geen moment los.

'Wie ben je?' vroeg IJsvuur.

'Raafjager,' zei de man. 'Ik ben gekomen om je te doden.'

Het gezicht van IJsvuur vertrok. 'Waarom?'

Raafjager stak zijn kin vooruit en zijn krachtige stem klonk luid in de stilte. 'Ik ben gekomen om de Anderen hun hart en ziel te ontnemen. Door dat te doen, vernietig ik jullie en red ik mijn Volk.'

De krijgers rondom hen bewogen onrustig en hieven hun wapens.

IJsvuur knikte. 'Wolfdromer heeft je verdreven.'

Raafjager schrok. Zijn kaakspieren sprongen onder de huid als muizen die in gloeiende as worden geworpen.

IJsvuur stak zijn hand op en keek zijn krijgers aan. 'Er zal vandaag niet gedood worden.' Hij richtte zijn blik weer op Raafjager. 'Kom naar mijn tent. We moeten praten, jij en ik.'

'Waarom? Wat hebben we elkaar te zeggen? Ik ben hier om je te doden en gedood te worden! Mijn visioenen hebben me bedrogen! Mijn Volk heeft me verraden! Wat rest er nog voor mij?'

'Ik,' zei IJsvuur zacht.

'Sterf dan!' Raafjager bracht met een bliksemsnelle beweging zijn arm met de atlatl naar achteren.

Met een ongehoorde snelheid voor iemand van zijn leeftijd sprong IJsvuur naar voren en greep de stenen pijlpunt op hetzelfde moment dat Raafjager zijn volle gewicht achter de worp zette. De spieren in IJsvuurs arm balden samen en tekenden zich als koorden af onder de huid. Ze bleven een tel zo staan, oog in oog, hun spieren tot het uiterste gespannen. Toen boog de schacht van de werpspies door en versplinterde met een luid gekraak. Meteen sloeg Walrus zijn pezige armen om Raafjagers borstkas heen, en ook de andere krijgers stortten zich op hem en smeten hem tegen de grond, waar ze hem begonnen te bewerken met vuisten en ellebogen.

'Ik wil hem levend!' beval IJsvuur. Hij klemde de pijlpunt die voor zijn hart was bestemd in zijn gebalde vuist. De scherpe rand had een snee in zijn palm gemaakt waaruit bloed druppelde.

'Waarom?' schreeuwde Raafjager, rukkend en schoppend in een vergeefse poging los te komen.

IJsvuurs hart werd zwaar in zijn borst. 'Dat ben ik je broer verschuldigd.'

56

De tent van mammoethuiden was veertien stappen lang en tien breed. In het midden brandde een vuurtje, knetterend in de stilte. De mensen kwamen binnen, elkaar verdringend in hun nieuwsgierigheid om te zien wat er met de krankzinnige gevangene zou gaan gebeuren.

Geel Blad, een vrouw, krom van ouderdom, met lange grijze vlechten, drong zich naar voren en tuurde met samengeknepen ogen naar de gevangene. 'Laten we hem aan stukken snijden, zoals hij met onze zonen heeft gedaan!' riep ze, woest om zich heen blikkend en smakkend met haar tandeloze mond. 'Laat zijn rottende ziel uit zijn lichaam zodat ze voor eeuwig moet rondzwerven, zoals de ziel van mijn kleinzoon. Oog om oog, en tand om tand. Dat is eervol, dat is rechtvaardig!'

Een goedkeurend gemompel steeg op uit de menigte die in de tent verzameld was. Monden verstrakten, kinnen werden naar voren gestoken, hoofden knikten.

IJsvuur boog zijn hoofd en klemde zijn handen om zijn bovenarm. Rode Vuursteen wilde de Vijand uitroeien, en de meerderheid van de krijgers stond achter hem. Ze waren gereed om de Vijand te verpletteren voor hij door het gat in het ijs kon ontsnappen. De rest van de Clan Van De Witte Slagtand kon het niet schelen wat er gebeurde. Voor hen was het genoeg dat ze de Vijand van de goede jachtgronden hadden verdreven. Ze wilden nu profiteren van wat ze veroverd hadden voor de Bizon Clan hier kwam en een gedeelte van het gebied opeiste.

'Je beseft toch wel wie dit is, nietwaar?' zei Maanwater terwijl ze zich met haar ellebogen naar voren werkte. 'Dit is hun oorlogsleider, Raafjager. Hij is degene die zijn krijgers ertoe heeft aangezet de hoofdjes van onze kinderen tegen stenen te verpletteren en oude vrouwen dood te martelen. Willen jullie wraak nemen? Dan is dit de aangewezen persoon.' Ze hief haar kin en keek de krijgers om haar heen uitdagend aan. Haar gezwollen buik herinnerden hen eraan wat de Vijand met gevangengenomen vrouwen deed. 'Als jullie hem doden, doe het dan zo langzaam mogelijk. Laat hem gruwelijk lijden. En als hij bijna dood is, begraaf hem dan in de grond.'

Raafjager begon te rukken aan de koorden die hem bonden. 'Nee! Begraaf me niet! Laat mijn ziel niet eeuwig in –'

Walrus schopte hem hard in zijn zij. Raafjager gromde krampachtig en begon te kokhalzen.

IJsvuur bestudeerde hem. *Waarom is er zoveel haat tussen onze volken? Heeft hij ons zo ver uiteen gedreven dat ik de scheuring nooit meer ongedaan kan maken?*

Walrus dacht een ogenblik na en zei toen: 'Ik heb gehoord dat mijn neef, Jonge Vogel, drie dagen heeft gegild terwijl ze gloeiende houtskool over zijn lichaam strooiden. Ik heb gehoord dat deze Raafjager zijn benen van zijn lijf heeft gekookt. Hij heeft de mannelijkheid van Jonge Vogel gekookt en hem toen gedwongen deze op te eten. Daarom stel ik voor deze Raafjager heel langzaam en heel pijnlijk dood te maken. Ikzelf ben van plan zijn ogen uit te rukken en in de lege oogkassen te pissen. Daarna zullen we hem begraven. Misschien wel terwijl er nog een sprankje leven in hem zit, zodat we zeker weten dat zijn ziel voor altijd onder de grond moet blijven.'

Doodsangst sprak uit Raafjagers ogen, en op zijn naakte lichaam begonnen zich zweetdruppels te vormen.

Het hart van IJsvuur kromp ineen van afschuw. *Het is mijn schuld dat je hier bent – mijn schuld dat je bestaat.* Hij haalde diep adem en zei: 'Morgen. We zullen beginnen als de zon opkomt. Vier dagen zullen we hem martelen. Een heilig getal, vier dagen.' Hij keek de gezichten langs. 'Ga nu naar jullie tenten en zorg dat je goed slaapt, want als we eenmaal begonnen zijn, zal het gillen van de Vijand slapen onmogelijk maken.'

'Zelfs de geesten van de doden zullen bevreesd hun hoofd afwenden,' siste Geel Blad, en ze spuwde op Raafjager. Zijn lichaam schokte alsof hij gestoken was.

'Ik blijf hier om hem in het oog te houden,' zei Walrus. 'Ik wil er zeker van zijn dat hij zich niet kan bevrijden.'

IJsvuur knikte en gebaarde de anderen weg te gaan. Toen de laatste verdwenen was, knielde hij neer naast Raafjager, die hem met van haat brandende ogen aankeek. 'Nu zul je zelf ervaren hoe je slachtoffers hebben moeten lijden. Hoe voelt dat?'

Raafjagers mond werd een dunne streep. Hij wendde zijn blik af zonder iets te zeggen.

IJsvuur knikte ernstig. 'Het is moeilijk te geloven dat een dergelijke wreedheid uit mijn zaad is voortgekomen,' fluisterde hij.

Raafjager keek hem geschokt aan, alsof hij besefte dat het waar was maar het niet wilde geloven.

'Ja, je weet het,' fluisterde IJsvuur. 'Heeft je broeder, Wolfdromer, het je verteld? Of misschien die heks, Reiger?'

De ogen van Raafjager vernauwden zich.

IJsvuur haalde een hand over zijn kin en staarde hem peinzend aan. Toen stond hij op, liep naar Walrus en gaf hem een klap op zijn schouder. 'Je hebt je dapper gedragen. Een mooie vangst. Als je zo doorgaat, zullen zelfs de witte beren op de loop gaan als ze je lucht ruiken.'

Walrus grinnikte en streelde zijn werpspiesen.

'Het wordt een lange nacht. Ik zal iets te drinken maken voor ons.' IJsvuur ging bij het vuur zitten, haalde kruiden uit zijn buidel en begon ze te mengen in een hoornen kom. Vanuit een ooghoek bestudeerde hij zijn zoon. Hij wist wat er gedaan moest worden, en hij was zich bewust van het verschrikkelijke gevaar dat hij liep.

57

'Halt! Wie zijn jullie?' vroeg Dansende Vos op bevelende toon, haar spiesen losjes in haar hand.

De drie jonge krijgers van het Volk bleven staan op het rotsachtige pad, starend naar het silhouet van Dansende Vos, dat zwart afstak tegen de avondschemering. Hun handen omklemden hun wapens.

Dansende Vos liep naar de langste van de drie, Rode Maan. 'Jullie zijn van plan de Anderen te gaan overvallen, nietwaar?'

Rode Maan klemde zijn kaken op elkaar en zei niets.

'Jullie weten dat de Dromer bevolen heeft hen niet meer aan te vallen. Leggen jullie zijn woorden naast je neer?'

Rode Maan stak zijn kin naar voren. 'Wat heb jij daarmee te maken, vrouw?'

'Door de Anderen aan te vallen, drijf je een wig in het Volk. Wil je dat?'

'Misschien kan ik beter eerst iets in jou drijven, hè?' Hij legde veelbetekenend een hand op zijn kruis. De twee andere jonge krijgers lachten luid, en hun ogen kregen een begerige glans.

Dansende Vos trok een wenkbrauw op. 'Dat hebben jullie zeker ook van Raafjager geleerd?'

Rode Maan deed een stap in haar richting en keek haar aan met een vuile grijns. 'Hij heeft ons alles over je verteld. De manier waarop je je –'

'Nog een stap dichterbij en ik dood je,' zei ze kalm.

Rode Maan grinnikte. 'Mij doden, vrouw? Ik heb horen vertellen dat je vijf Anderen hebt gedood. Maar liefst *vijf*? Niet alle leugenaars zijn heengegaan met Kraailokker.'

'Vijf, ja,' zei een kalme stem achter hen. De drie jonge krijgers draaiden zich geschrokken om. Kleine Eland kwam aanlopen, trekkend met zijn been. 'Ik ben erbij geweest. Ze heeft meer moed dan drie kinderen die een vrouw zouden willen verkrachten. Alsof *jij* ertoe in staat zou zijn *haar* te verkrachten!' De verachting in zijn stem was zo groot dat ze ineenkrompen. Rode Maan slikte luid en zijn ogen schoten onzeker heen en weer. De twee andere jongemannen begonnen achteruit te schuifelen.

'Heb je al besloten, Rode Maan?' zei Dansende Vos terwijl ze de werpspies in haar hand streelde. 'Ben je van plan het Volk te verraden? Wil je de Dromer ongehoorzaam zijn, die Kraailokker en Raafjager heeft bedwongen met geen ander middel dan woorden? Wil je de Anderen aanleiding geven ons aan te vallen terwijl wij te moe en te zwak zijn om terug te vechten? Wil je je hun woede op de hals halen terwijl we nog maar een maan nodig hebben voor wij deze plek voor altijd kunnen verlaten? Is dat jouw opvatting van eer?'

Rode Maan staarde naar de grond. De twee andere jongemannen liepen weg, steeds harder, tot ze renden. Rode Maan slikte en keek om zich heen. Toen smeet hij zijn spiesen met een heftig gebaar op de grond en rende de andere twee achterna.

Dansende Vos zuchtte en liet zich op een steen zakken. 'Het scheelde dit keer niet veel.'

Kleine Eland gromde. 'Rode Maan was de ergste. Nu we hem hebben afgeschrikt, zullen de anderen zich wel rustig houden. Misschien geeft dat ons de tijd die we nodig hebben.'

Ze haalde haar schouders op. 'Misschien. De jongemannen worden met de dag onrustiger.' Ze schudde haar hoofd. 'Hoe is het Raafjager toch gelukt ze allemaal zo wild en bloeddorstig te maken?'

'Hij heeft ze laten proeven wat Macht is. Hij heeft ze laten zien dat angst als wapen kan worden aangewend.' Kleine Eland zweeg even. 'Raafjager heeft zelfs jou gedwongen te worden wat je nu bent.'

Ze verstijfde, maar toen ze in zijn ogen keek, zag ze daar enkel vriendelijkheid. 'Kalm maar, hij is weg,' zei hij.

Ze schudde haar hoofd. 'Voor mij zal hij er altijd zijn.' *En ik zal ook nooit kunnen vergeten welke toekomst hij mij heeft voorspeld.*

Bij de gedachte dat hij begraven zou worden in een gat in de grond, schreeuwde de ziel van Raafjager in de kooi van zijn uitgeputte lichaam. Zijn haren gingen rechtop staan als hij zich verbeeldde hoe de kluiten aarde op zijn lichaam werden gegooid. Hij kon de aarde ruiken, vochtig, muf, verstikkend. Hij voelde de vochtige kou, voelde het grint tussen zijn kiezen knarsen, voelde hoe de stenen zijn huid openscheurden. Het was koud onder de grond en er heerste eeuwige duisternis. Rotting en bederf zouden hem omringen, en zijn longen zouden branden terwijl ze snakten naar lucht. De aarde zou zijn mond en keel binnendringen en zijn levensvonk zou uitdoven, zijn ziel achterlatend in die kille, duistere val – voor eeuwig gevangen.

Met een enorme krachtsinspanning wist Raafjager het beeld uit zijn gedachten te verdrijven. Hij opende zijn ogen en haalde diep adem, genietend van de lucht die hij in zijn longen zoog. Hij liet zijn blik rondgaan. De gloeiende as van het vuur wierp een doffe rode gloed op de wanden van de tent. De plek was hem al vertrouwd geworden. Hij kende de beenderen en slagtanden die het dak ophielden, de buidels van huid waarin vlees werd bewaard, de stapels opgevouwen pelzen, de merkwaardige fetisjen die aan de wanden hingen. De stille, warme tent zou getuige zijn van het afschuwelijke lijden dat hem te wachten stond. Nu was het er rustig en vreedzaam, maar die stilte zou spoedig uiteengereten worden door zijn kreten van pijn.

Hoe lang zou het nog duren voor het ochtend werd en ze kwamen om hem te martelen? Zijn mond werd droog. Zou hij net zo hard gillen als de Anderen die hij had verbrand en in stukken had gesneden? Zou hij ook zo schreeuwen als ze zijn botten braken? Zou hij ook zo uitzinnig krijsen als ze zijn penis en teelballen afsneden? Wat voor geluid zou hij maken als ze met een mes van obsidiaan zijn trillende buikwand opensneden? Wat zou hij voelen als ze met hun handen in zijn lichaam graaiden en zijn ingewanden eruit rukten? Zou hij bij zinnen kunnen blijven als ze met hun ruwe, eeltige vingers zijn oogballen uit hun kassen pulkten?

'Het leven kan heel kostbaar zijn, vind je niet? Vooral als je einde nabij is.'

Raafjager draaide met een ruk zijn hoofd om en zag de lange gestalte van de Dromer die IJsvuur werd genoemd. Was dit zijn vader? Nee! Onmogelijk!

'Walrus slaapt. Die drank die ik voor hem heb gemaakt, bevatte een wortel van onschatbare waarde, afkomstig uit het verre westen. Er is bijna niet meer aan te komen, met alle gevechten die plaatsvinden.'

'Waarom?' vroeg Raafjager. Zijn stem was een hees gekras.

'Om ons de gelegenheid te geven met elkaar te praten.' IJsvuur ging naast hem op zijn hurken zitten. 'Ik wilde erachter komen wie je bent, en waarom je doet wat je doet.' Hij hield zijn hoofd schuin. 'Reiger vertelde me dat je in bloed was geboren.'

Raafjager bewoog zijn kaken een paar maal heen en weer. 'Rent In Licht heeft je zeker verteld dat ik kwam?'

'Je broer?'

'Ja.'

IJsvuur schudde zijn hoofd. 'Nee.'

'Maar hoe –'

'Waarom ben je hiernaar toe gekomen? Alleen om mij te doden?'

Raafjagers ogen vernauwden zich. 'Ze zouden me uitgelachen hebben – me achter mijn rug hebben bespot. Ik… ik moest ze laten zien dat Raafjager kon sterven zoals hij geleefd had: ongebroken, een leider die het waard was geëerd te worden.'

'Het ziet ernaar uit dat je een heel ander einde te wachten staat.' IJsvuur zweeg even en zei toen: 'Waarom heb je het Volk er eigenlijk toe aangezet de strijd met ons aan te gaan? Wat won je ermee?'

Het gezicht van Raafjager vertrok tot een krampachtige grijns. 'Ik heb krijgers van ze gemaakt. Ik was de man die hen leidde, tot Rent In Licht hen van mij afpakte met zijn duistere tovenarij. Ik was de leider van het Volk, hoor je? *De leider!* En ik zou het sterk en machtig hebben gemaakt, en daarna zouden we jullie van onze jachtgronden hebben verdreven. Al mijn krachten en visioenen heb ik in dienst gesteld van dat doel.'

IJsvuur knikte. 'Het ging je om de Macht.'

'Natuurlijk,' kraste Raafjager. 'Waar zou een man anders naar streven? Respect? Een ander woord voor Macht. Vrouwen? Een machtig man kan zoveel vrouwen krijgen als hij wil, en zijn kinderen ontbreekt het aan niets. Macht is leven! Macht is de beheersing van de wereld om je heen. En ik had visioenen! Begrijp je? Mijn dwaze broer Droomde over gaten in het ijs, maar *ik*, ik zag hoe het Volk moest worden gered! *Gered!*'

'Waarom sneden jullie onze krijgers in stukken als ze jullie in handen vielen?'

Raafjager rukte aan zijn koorden. 'Omdat ik jullie angst wilde inboezemen! Jullie moesten mij vrezen! Daarom ben ik hierheen gekomen. Ik kwam om jou, hun grootste Dromer, het hart en de ziel van dit volk, te doden. Dan zouden ze werkelijk bang voor me zijn, ook al werd ik op mijn beurt gedood! Ik zou hen in mijn macht hebben gehad!'

IJsvuur fronste zijn voorhoofd. 'Besef je hoe de komende vier dagen zullen zijn? Moet ik het je vertellen?'

Raafjager haalde diep adem, vechtend tegen de angst die hem dreigde te overspoelen toen beelden van de door hem gemartelde krijgers door zijn geest schoten. 'Ik... ik denk dat jullie op het gebied van martelen nog wel iets van mij zouden kunnen leren. Ja, ik weet wat me te wachten staat.'

IJsvuur knikte ernstig. 'Als er een het kan weten, dan ben jij het wel.' Hij zweeg even. 'En als ik je nu eens een kans op ontsnapping bood?'

Raafjager verstijfde terwijl een felle vlam van hoop oplaaide in zijn borst.

IJsvuur boog zich naar voren. 'Wat zou het je waard zijn als ik je het hart en de ziel van het Mammoetvolk gaf?'

Raafjager vermoedde een valstrik. 'Ik... Waarom? Waarom zou je zoiets doen?'

IJsvuur glimlachte. 'Je bent heel sluw. Iemand anders zou deze kans onmiddellijk gegrepen hebben.'

Raafjager beet bijna zijn lippen kapot terwijl hij koortsachtig nadacht. Wat was de bedoeling van die IJsvuur? En hoeveel tijd zou hij nog hebben voor de zon opkwam? Hij zei: 'Zou je je door mij laten doden?'

IJsvuur spreidde zijn handen. '*Ik* ben niet het hart en de ziel van het Mammoetvolk. Ik ben slechts de heler van de Clan Van De Witte Slagtand. Nee, het hart en de ziel is de Witte Huid, afkomstig van een mammoetkalf dat naar ons toe kwam en ons Macht gaf. Ieder jaar gaat de Huid naar de clan die de meeste eer heeft verworven. Dit jaar zijn wij dat. Zonder die Huid zou het Mammoetvolk minder dan niets zijn, zelfs geen schaduw van haar huidige grootsheid. Het zou in de steek worden gelaten door het Grote Mysterie.'

Raafjager schudde langzaam zijn hoofd. 'Nee, dit is een val. Een manier om me te vernederen of te onteren. Dit zou je je eigen volk nooit aandoen.'

'O nee? En als het verlies van de Witte Huid nu eens tot gevolg zou hebben dat *mijn* Macht toenam? Hmm? Stel dat ik de opengevallen plaats kon innemen?'

Een sluwe glimlach verscheen op Raafjagers gezicht toen hij begreep wat de bedoeling van de ander was. 'En niemand zou weten dat jij het had gedaan.' Hij knikte.

'En jouw macht zou ook toenemen,' zei IJsvuur. 'Stel dat jij je volk de Witte Huid kon tonen, zou dat je aanzien niet enorm verhogen? Alle jonge krijgers zouden tegen je opzien. Niemand zou meer naar de woorden van die Wolfdromer luisteren. Wat is een Droom vergeleken met grootse daden als deze? Wat is een Droom vergeleken met een krijger die aan de Anderen heeft weten te ontsnappen – met medeneming van hun Heilige Witte Huid?'

'En wat win jij ermee?'

'Ik word de machtigste man van het Mammoetvolk. Maar dan moet jij wel eerst de Witte Huid meenemen naar de andere kant van het Grote IJs. Nee, je hoeft me niet zo verbaasd aan te kijken. Ik weet dat Wolfdromer een doorgang heeft gevonden. Maar denk je dat *mijn* volk ooit door zo'n gat zou kruipen?' Hij glimlachte grimmig en schudde zijn hoofd. 'Zoals onze Zanger zei, we zijn geen grondeekhoorns. Nee, ik wil dat die Witte Huid voorgoed verdwijnt. Het zou... wel, pijnlijk voor mij zijn als onze krijgers erin slaagden hem terug te stelen.'

444

'Je hebt er goed over nagedacht, niet?'

IJsvuur knikte. 'Het is voor iedereen het beste. Jouw volk is veilig aan de andere kant van het ijs en mijn krijgers hoeven niet meer hun leven te wagen in de strijd tegen jullie. Ik word de machtigste man van de vier clans, en jij verwerft aanzien als de grootste krijger van je volk, die de geest van het Mammoetvolk heeft gebroken door hun totem te stelen.' Hij spreidde zijn handen. 'We worden er dus allebei beter van.'

Flarden van visioenen flitsten voorbij in Raafjagers geest: Wolfdromer dood of onteerd; Dansende Vos de zijne voor altijd. Haar Macht zou nu groter zijn dan ooit – een passende levensgezellin voor hem. Een koortsige vlaag van opwinding ging door zijn lichaam. *Misschien waren zijn visioenen dan toch waar!*

'Ze zal me een machtige zoon baren,' mompelde hij.

'Wie?' vroeg IJsvuur. 'Heb je een vrouw?'

Raafjager grinnikte. 'Nee, maar dat zal binnenkort veranderen.'

'Je klinkt opgewonden bij het vooruitzicht.'

Raafjager keek hem met een berekenende blik aan. 'Ik heb haar pad gezien, Ander. Niet alles is me duidelijk, maar ik weet dat het kind van Dansende Vos het Volk naar een nieuwe toekomst zal leiden. In haar liggen de kiemen van toekomstige grootheid verborgen, en ik heb besloten dat zij de mijne zal worden! Ik zal haar met niemand delen!'

'En kan je deze machtige vrouw naar je hand zetten?'

'In het verleden heb ik dat gedaan, en ook in de toekomst zal ik een manier vinden om haar mijn wil op te leggen. Het deed me pijn haar te moeten achterlaten. Heel veel pijn. Maar ik wist dat het noodzakelijk was. Ze moest beproevingen ondergaan, het lijden moest haar harden, zoals het vuur de schacht van een werpspies hardt. Nu is ze sterk genoeg om me te helpen het lot van het Volk een andere wending te geven.'

'Zij is dus niet voor Wolfdromer bestemd?'

Een korte schelle lach ontsnapte Raafjager. 'Hij denkt aan niets anders dan zijn Dromen. Hij heeft haar afgewezen. *Afgewezen!* De dwaas beseft niet hoe belangrijk ze is voor de toekomst!'

IJsvuur knikte zwijgend.

'Snij mijn boeien door!' zei Raafjager, met bonzend hart. 'Ik zal die Witte Huid meenemen, en ikzelf zal het Volk door het gat in het ijs leiden. Een goede ruil, IJsvuur. Jouw volk voor het mijne.'

IJsvuur keek hem strak aan. 'Ik moet je waarschuwen dat het niet makkelijk zal zijn. De Huid bevindt zich in de kleine tent in het midden van het kamp en wordt daar bewaakt door vier jonge krijgers, een van iedere clan. Iedere nacht leggen zij zich te slapen op de vier windrichtingen, rond de Huid. Ben je behendig genoeg om naar binnen te sluipen en de Huid te stelen zonder de krijgers te wekken? Nee, je mag ze niet doden. Als je dat doet, vernietig je de Macht van de Witte Huid, en dan zullen mijn krijgers je volgen en doden – waarheen je ook vlucht.'

De zwarte ogen van Raafjager schoten vuur. 'Ik ben de beste jager van het Volk! Ik ben tot alles in staat!'

De lippen van IJsvuur plooiden zich langzaam tot een glimlach. 'Ik moet je ook waarschuwen dat de Huid zwaar is. Eén man kan hem slechts met moeite dragen. En als je hem laat vallen, of hem ruw of oneerbiedig behandelt, zal hij je ziel uit je lichaam zuigen, beetje bij beetje, tot je hulpeloos bent, als een gestrande walvis. Alleen de beste en sterkste krijgers van mijn volk wordt de eer gegund de Witte Huid te mogen dragen. Ben jij sterk genoeg om hem te dragen? De Macht in de Huid vernietigt degenen die zich niet waardig betonen.'

Een uitdrukking van diepe minachting gleed over het gezicht van Raafjager. Wie dacht die IJsvuur wel dat hij was? 'Ik ben sterk genoeg om de Huid te dragen. Ik ben de grootste van mijn Volk. Ik vrees geen enkele beproeving. Ik zal bewijzen dat ik de Huid meer dan waardig ben.'

IJsvuur knikte. 'Ja, je bent alles wat ik vreesde dat je zou zijn.' Hij nam een scherp stuk vuursteen en sneed Raafjagers boeien door.

446

58

Dansende Vos stond aan de rand van de warme poel en staarde naar het heldere, kolkende water. Het grauwe wolkendek boven haar beloofde opnieuw regen. De kille wind blies de witte stoomwolken van de geiser in de richting van het Grote IJs. Het sombere weer weerspiegelde haar eigen emoties: vreugdeloos en donker, zonder warmte.

Het kamp achter haar zag er sjofel uit. Mensen in versleten parka's waren bezig om bessen in zakken te persen vóór het vocht in de lucht ze deed schimmelen. De droogrekken waren bijna leeg, want de jagers kwamen steeds vaker met lege handen thuis. Er waren nog slechts enkele kariboes, en de oude mammoetstier zwierf nu alleen rond in de heuvels, met schril getrompetter uiting gevend aan zijn eenzaamheid. De laatste muskusossen waren al lang geleden gedood.

'Het is het ijs – of niets,' mompelde ze in zichzelf, geïrriteerd door het rommelen van haar maag. Ze had het Volk het voorbeeld gegeven door heel weinig te eten, opdat ze zo lang mogelijk met hun voorraden konden doen. De mensen hadden gezien wat ze deed en haar voorbeeld gevolgd.

Haar gepeins werd verstoord door Hij Die Huilt, die naar haar toe kwam. 'Wolfdromer wil je spreken,' zei hij terwijl hij op de grot wees.

Onmiddellijk had ze het gevoel alsof haar keel werd dichtgesnoerd. 'Ik had gehoopt dat ik weer kon verdwijnen voor hij merkte dat ik in de vallei was.'

Hij Die Huilt lachte zacht. 'Daar ben je te belangrijk voor geworden.'

Samen liepen ze tussen de tenten door naar de grot. Honden blaften naar hen en kinderen speelden krijgertje om hen heen. Om het onrustige gevoel in haar te sussen, vroeg ze: 'Ik neem aan dat hij zich beter voelt?'

'Hij is zo gezond als een bronstige muskusos. Ik...' Zijn stem stierf weg toen hij haar gezicht zag verstrakken. 'Dat had ik niet moeten zeggen.'

Ze wuifde het weg.

'Hij voelt zich weer helemaal de oude,' vervolgde Hij Die Huilt, iets té opgewekt. 'Hij werd gewoon wakker en keek om zich heen en zei dat hij honger had. Hij at als een mammoet in de lente. Toen stond hij op en ging naar buiten. Hij klom naar een rotspiek en bleef daar een dag. Om te Dromen, neem ik aan. Maar hij zei dat hij Een was.'

'Dromen,' gromde ze, om haar verwarring en toenemende angst te verbergen.

Bij de ingang van de grot aarzelde ze. Al haar zelfvertrouwen verdween terwijl ze naar de vlekkerige, gerafelde deurhuid staarde. Daar bevond hij zich, achter dat stuk leer. Zo dichtbij, en toch zo oneindig ver weg.

Ze sloot haar ogen, niet in staat te besluiten. *Ik hoef niet met hem te spreken als ik dat niet wil. Ik kan gewoon nee zeggen en weglopen.*

'Vooruit, ga naar binnen,' drong Hij Die Huilt zachtjes aan.

Ze moest al haar moed verzamelen om de deurhuid op te tillen en naar binnen te stappen. De binnenkant van de grot werd helder verlicht door het fel brandende vuur in de vuurkuil. Hij keek op en zijn ogen ontmoetten de hare. Ze voelde zich week worden van binnen. Het schijnsel van de vlammen speelde over zijn knappe gezicht en deed de warme tinten van zijn leren hemd gloeien. Zijn lange haar hing los over zijn brede schouders en raakte de grond.

Hij keek haar vriendelijk en bezorgd aan. 'Ik heb gehoord dat jij zolang de leiding over het Volk op je hebt genomen.'

Ze haalde haar schouders op, opgelucht dat ze over de minder belangrijke problemen kon praten, in plaats van over de verhouding tussen hen. 'Het moeilijkste was om Raafjagers krijgers in de hand te houden. De jongere krijgers probeerden voortdurend weg te glippen om kampen van de Anderen te overvallen.'

'En wat doen de Anderen?'

448

'Voor zover we weten, jagen ze om voorraden te maken voor de winter.'

'Wil je niet gaan zitten?' vroeg hij.

Ze nam aarzelend plaats op een opgevouwen kariboehuid en nam hem aandachtig op. Zijn lichaam was de laatste maanden wat krachtiger en gespierder geworden, en zijn bewegingen waren zeker en vol gratie. En zijn ogen... Zelfs als hij haar aankeek, leek zijn blik naar binnen gericht, alsof wat hij in de geest zag belangrijker was dan wat zijn zintuigen hem vertelden.

'Ik ben het eens met alle beslissingen die je hebt genomen,' zei Wolfdromer. 'Ik weet dat Vier Tanden jou alleen maar napraat, maar Zingende Wolf en Hij Die Huilt staan achter je.' Hij glimlachte. 'Ik wist niet dat het Dromen met behulp van de paddestoelen iemand zo kon doen veranderen. Het beïnvloedt je hele wezen. Anders zou ik zeker hier zijn geweest om je te helpen.'

'Dat weet ik,' zei ze zacht, met bonzend hart. *Kon ik hem maar aanraken...* Ze wachtte tot ze haar zelfbeheersing terug had en vroeg toen: 'Wat moet er nu gebeuren?'

'Zodra het kan, gaan we naar het zuiden. Een groot onheil nadert. Ik kan niet precies zien wat het is, maar het zal een omwenteling teweegbrengen.'

'Een omwenteling?' zei ze onzeker.

'Ja. De tegendelen ontmoeten elkaar, alle draden van het web komen samen in één punt, alles leidt tot een conjunctie.'

'Ik begrijp niets van wat je zegt.'

Hij spreidde zijn handen. 'Woorden zijn ontoereikend om Dromen weer te geven.'

Ze knikte, hoewel ze geen idee had wat hij bedoelde. 'Moet je de paddestoelen nog vaker gebruiken?'

Zijn ogen kregen een vreemde uitdrukking. 'Nog één keer. Aan de andere kant, op het moment van de conjunctie. Daarna zal ik ze niet meer nodig hebben.'

'En dan?'

Hij keek haar kalm aan. 'Wat bedoel je?'

'Kan je ooit...' Ze zweeg even en gooide er toen uit: 'Zal je ooit weer een normale man worden?'

Hij hield zijn hoofd schuin. Om zijn lippen speelde een glimlach. 'Normaal?'

'Z-zal je ooit weer in staat zijn om lief te hebben?' zei ze hak-
kelend.

De glimlach verspreidde zich over zijn gezicht, tot het leek te
stralen. 'Ik heb iedereen lief, Dansende Vos. In de Eenheid bestaat er geen onderscheid tussen de verschillende wezens.' Hij
zag dat zijn woorden haar pijn deden en zei vriendelijk: 'Maar
dat is niet de liefde die jij bedoelt, niet? Je vraagt je af of ik ooit
nog een *bijzondere* liefde kan voelen – zoals eens het geval is geweest.' Hij schudde zijn hoofd. 'Nee, Dansende Vos. Die gevoelens zijn denkbeeldig. Reiger is gestorven omdat ze vasthield aan
iets dat in werkelijkheid niet bestaat. Haar ziel is nooit doorgedrongen tot de essentie van al het bestaande, is nooit niets geworden.'

'Het klinkt allemaal zo onzinnig.'

'Onzinnig? Een goed woord voor wat ik bedoel. Het is een
plaats waar de zinnen hebben opgehouden te bestaan. Er zijn
daar geen afscheidingen, geen ik of jij, geen dag of nacht. Er is
daar enkel de polsslag van de Ene – en Geen.' Hij bezag haar met
een tedere blik. 'Begrijp je het?'

'Ja,' zei ze met moeite. Maar ze begreep het niet.

'Ik hou nu meer van je dan eerst,' zei hij zacht terwijl hij met
zijn vingertoppen even haar arm aanraakte. 'Omdat ik je nu niet
wil hebben. Ik ken de ware aard van je ziel. Ik weet dat ze puur
en mooi is en in niets verschilt van de mijne.' Hij spreidde zijn
armen. 'Alles is doordrongen van die ene ziel. De begeerte van
mensen gaat alleen uit naar dingen die ze menen niet te bezitten.
Ik weet dat jij en ik één zijn, dat ik jou *ben*.'

Verslagenheid en verwarring heersten in haar geest. Ze stond
op en zei met een zucht: 'Ik neem aan dat je instemt met de manier waarop ik het Volk leid?'

Hij knikte. 'Niemand zou het beter kunnen dan jij.'

Ze liep naar de deurhuid, bleef staan en keek achterom. 'Het
heeft afgelopen nacht licht gesneeuwd. Het water in de kookzakken dat gisteren is bevroren is vandaag niet ontdooid. Ik ben van

450

plan de ouderen alvast op weg te sturen naar het gat. Wil jij het Volk naar de andere kant leiden?'

'Ik zal alles doen wat je me vraagt.'

Haar mond vertrok in een grimmige lach. 'Was dat maar waar,' mompelde ze voor zich heen terwijl ze onder de deurhuid door naar buiten stapte.

'Ik begrijp niet hoe het heeft kunnen gebeuren!' zei Walrus op verdedigende toon. Hij liet zijn blik gaan over de mensen die zich in de tent hadden verzameld. Hij ontmoette enkel vijandige, gekwetste blikken. 'Het ene moment voelde ik me nog heel goed, en –'

'En het volgende viel je in slaap en liet je een Vijand ervandoor gaan met de Huid!' schreeuwde Rode Vuursteen woedend.

'Toen ik je verliet, was alles nog in orde,' zei IJsvuur grimmig, zijn wenkbrauwen dreigend gefronst. 'Ik vroeg je zelfs nog of je hulp nodig had, maar je verzekerde me dat de gevangene je geen last zou bezorgen.'

Walrus keek zo bedrukt dat het hart van IJsvuur ineenkromp. Het speet hem dat hij de man dit moest aandoen, hij had beter verdiend.

'Walrus is niet de enige die verzaakt heeft,' zei Geel Kalf terwijl hij een woedende blik wierp op de vier jongemannen die achter in de tent zaten. Het viertal staarde strak naar de grond, vervuld van schaamte. De arm van Geel Kalf schoot uit. 'Zijn dat onze beste krijgers? Die... die...' Hij was zo woedend dat woorden hem te kort schoten. Hij haalde diep adem en wendde het viertal de rug toe.

IJsvuur beende heen en weer voor het vuur. 'Wat er is gebeurd, is niet meer van belang.'

'Niet meer van belang?' zei Paard Dat Rent Als De Wind hevig verontwaardigd. 'De Witte Huid is gestolen door een Vijand. Als dat niet van belang is, wat is dan wél van belang?'

'*Dat we de huid terugkrijgen!*' bulderde IJsvuur. Hij keek om zich heen in de plotselinge stilte. Hij schreeuwde zo zelden dat de mensen nu verdoofd waren van schrik. Iedereen staarde hem met open mond aan. Het deed IJsvuur pijn hen dit te moeten aandoen, want het verlies van de Witte Huid was voor hen een tragedie. Maar er was geen andere manier om hen te dwingen naar het zuiden te gaan.

Paard Dat Rent Als De Wind hief zijn handen op. 'We zullen hem terughalen.'

'Uiteraard!' zei IJsvuur. Hij wendde zich tot Geel Kalf. 'Jij vertegenwoordigt de Bizon Clan. Paard Dat Rent Als De Wind spreekt voor de Clan Van De Ronde Hoef, en Wezel voor de Tijgerbuik Clan. Is iedereen het ermee eens dat ik voor de Clan Van De Witte Slagtand zal spreken?'

Alle mensen knikten. 'Goed, dan zeg ik dit: stuur de snelste lopers die we hebben naar de Bizon Clan en de Clan Van De Ronde Hoef en vraag of ze hun beste krijgers sturen.' Hij hief een hand op. 'Let wel, alleen de beste, de dapperste!'

Paard Dat Rent Als De Wind zette een hoge borst op en zei afgemeten: 'Al onze krijgers zijn dapper.'

'Maar zijn ze ook bereid onder het ijs door te lopen als de jacht op de Vijand dat vraagt? Zijn ze moedig genoeg om te vechten en te sterven onder het ijs, in de duisternis?'

'Je hebt de Tijgerbuik Clan niet genoemd,' zei Wezel tegen IJsvuur. Zijn magere gezicht stond grimmig.

IJsvuur knikte. 'Ik denk dat het niet goed zou zijn de Tijgerbuik Clan te verzwakken. Ze hebben al hun krijgers nodig in de strijd tegen de zieke volken uit het westen. Misschien zal op een dag het zoute water de landengte overstromen die jullie nu verdedigen. Willen jullie dat het water zich sluit vóór onze vijanden, of achter hen?'

Wezel dacht een ogenblik na en zei toen: 'We zullen de westelijke grenzen van ons land verdedigen.' Hij wees met een vinger op IJsvuur. 'Maar zorg ervoor dat we de Witte Huid terugkrijgen!'

IJsvuur hield de blik van Wezel vast tot de man zenuwachtig zijn ogen afwendde. IJsvuur zei: 'Ik begrijp de bezorgdheid van de Tijgerbuik Clan. Jullie hebben vele jaren de eer gehad de Huid te mogen bewaken. Maar dat betekent niet dat de andere clans minder waarde hechten aan de Huid.'

'Zorg dat je hem terugkrijgt,' zei Wezel schor. Hij draaide zich met een ruk om en beende de tent uit.

IJsvuur keek de andere twee kalm aan. 'Geel Kalf? Paard Dat Rent Als De Wind? Zijn jullie bereid?'

'Stuur de lopers weg,' zei Paard Dat Rent Als De Wind. 'We zullen naar het zuiden gaan, onder het ijs door, en onze Heilige Huid terughalen.'

Geel Kalf knikte. 'Mijn clan doet ook mee. En die Vijand zal boeten voor zijn daad.'

59

De wind blies sneeuw in Raafjagers gezicht terwijl hij voort-strompelde in de richting van de hoog oprijzende bergen. Boven hem joegen lage grijze wolken door het zwerk. *Er komt storm.*

De Huid die hij opgerold over zijn schouder droeg, was zo zwaar dat hij af en toe wankelde onder het gewicht. Stap voor stap beklom hij moeizaam de rotsachtige helling, turend in de in-vallende schemering.

Hij had de makkelijke paden gemeden en zijn uitgeputte li-chaam gesleept over het meest onbegaanbare terrein dat hij kon vinden. Ze zouden hem hier nooit kunnen volgen. Nooit! De ge-welddadige adem van Vrouw Wind rukte aan hem en wierp hem bijna omver. Hijgend bevocht hij zijn evenwicht. Met een laatste krachtsinspanning bereikte hij de top van de richel, en verstijf-de. Er stond daar een vrouw. Ze hield haar blik gericht op het pad in het westen dat hij gemeden had.

'Dansende Vos,' bracht hij er naar adem snakkend uit. Hij begon te grinniken. *'Dansende Vos!'*

Ze draaide zich om met de snelheid en soepelheid van een roofdier. Ze had haar spiesen in haar handen, gereed om te wer-pen.

Hij kromde zijn rug om het gewicht van de Huid beter te ver-delen en wankelde naar voren.

'Raafjager?'

'Ik... ben het,' hijgde hij. Hij liet zich op de grond zakken en de Huid rolde van zijn schouder. In zijn geest klonk zwak de waarschuwing van IJsvuur dat de Huid zijn ziel uit zijn lichaam zou zuigen als hij hem niet goed behandelde, maar hij kon het ge-wicht eenvoudig niet langer dragen.

Dansende Vos keek hem aan met een kille, hooghartige blik. Ze liet haar spiesen niet zakken.

Hij haalde diep adem en gebaarde naar de opgerolde Huid. 'Kijk, daar! De ziel van het Mammoetvolk is in mijn bezit!'

Ze wierp een onverschillige blik op de opgerolde vacht en keek hem toen weer aan, met harde ogen.

Hij veegde het zweet van zijn voorhoofd. 'Het is hun totem, begrijp je? Ik ben naar hun kamp gegaan om die Dromer van hen, die IJsvuur, te doden. Ik wilde iedereen tonen dat ik nog steeds de grootste krijger van het Volk ben, ondanks het bedrog van Rent In Licht. Maar toen ik er was, heb ik hun heiligste totem gestolen, de Witte Huid, het hart en de ziel van hun volk. En nu neem ik hem mee naar het zuiden, door het gat in het ijs. Dank zij deze Huid zal ik opnieuw mijn plaats als leider van het Volk kunnen innemen!' Hij liet een verachtelijk gesnuif horen. 'De heerschappij van mijn broer is voorbij.'

Dansende Vos schudde haar hoofd en keek hem onzeker aan. 'Je hebt een mammoethuid van de Anderen gestolen?'

'Hun *Heilige* Huid,' zei hij nadrukkelijk. 'Begrijp je het niet? Ze zijn nu krachteloos, ze zijn niet meer tegen ons opgewassen. Ik heb hun geestkracht gestolen, hun wil om zich te verzetten.' Hij grijnsde. 'En nu heb ik ook nog jou gevonden. Mijn visioenen komen uit! Met deze Huid vernietig ik Rent In Licht en versla ik het Mammoetvolk. Ik word weer leider van het Volk en zal het naar de andere kant van het ijs brengen. En dan zal je de mijne zijn. Niemand zal zich tegen mij durven verzetten.'

Ze schudde haar hoofd. 'Nooit.'

'Voor altijd,' zei hij met een triomfantelijke glimlach. 'En ik zal Rent In Licht breken. Te schande maken.'

'Waarom? Het is toch niet nodig om –'

'Ja, dat is wél nodig. Het is onderdeel van de Droom. We moeten elkaar bevechten en ik moet winnen. Ik kreeg het visioen in de nacht nadat ik de Huid van IJsvuur had gestolen. Opeens werd alles heel duidelijk.' Hij lachte zacht. 'Ja, heel duidelijk.'

De woorden van Wolfdromer flitsten door haar geest. *Het naderend onheil. De omwenteling…*

Hij begon opgewonden te lachen. 'Herinner je je nog de nachten dat ik je huiden deelde?' Hij ontrolde voorzichtig de Witte

Huid. De sneeuwwitte vacht glansde in de schemering. De gedachte aan haar warme lichaam tegen het zijne deed zijn bloed sneller stromen. 'Kom, Dansende Vos,' zei hij hees. 'Ik heb je gemist. Het is lang geleden sinds ik je benen heb gespreid. De visioenen worden allemaal bewaarheid. Kom, heb gemeenschap met mij. Mijn lichaam verlangt naar het jouwe, en van geen enkele vrouw hou ik zoveel als van jou. Jij en ik vormen de toekomst van het Volk. Hier, op de Witte Huid, zullen wij ons kind verwekken.'

'Nooit!' siste ze terwijl ze een stap achteruit deed.

Hij streelde liefkozend de lange witte haren van de vacht. 'Jawel, het zal gebeuren. Ik heb het gezien. Kom, laten we ons haasten.'

Ze draaide zich om en rende langs de helling omlaag, met soepele sprongen.

'Nee!' schreeuwde hij. De woede gaf zijn vermoeide lichaam nieuwe kracht. Hij sprong op en rende haar achterna. Ze liep heel snel, ondanks dat ze licht hinkte, en het duurde even voor hij haar begon in te halen. Zijn hart bonsde wild en zijn longen leken in brand te staan. Hij was eigenlijk nog maar nauwelijks bekomen van de zware beklimming van de richel. Toch slaagde hij er met inspanning van al zijn krachten in het gat tussen hen te dichten. Toen hij vlak bij haar was, bleef ze abrupt staan en draaide zich om, haar spiesen gereed om te werpen.

Hij kwam glijdend tot stilstand en keek haar aan, zwaar hijgend.

'Ik zal je doden, Raafjager!' grauwde ze.

Hij zag dat ze het meende en spreidde zijn armen. 'Uiteindelijk word je toch de mijne; dat zeggen de visioenen. Denk je dat je mij kunt ontlopen? Ik ben de beste spoorzoeker van het Volk.'

Ze schudde haar bezwete haar uit haar ogen. 'Ik heb Anderen gedood, Raafjager, en ik zal ook jou doden. Je hebt me gezien, je weet dat ik mijn doel altijd raak. Kom niet dichterbij.'

Hij glimlachte, nog steeds hijgend. 'Dood me dan. Kom op. Werp je spies! Doe het nu, want als je me in leven laat, zal ik je weten te vinden. Je moet toch eens gaan slapen, nietwaar? Je

456

bent niet sneller dan ik, je kunt me niet afschudden. Ik zal je te pakken krijgen, en daarmee ook de toekomst. Je zal *mijn* kind dragen.'

Ze liep langzaam achteruit, stap voor stap, een vastberaden uitdrukking op haar gezicht. 'Als je me volgt, zal ik je doden.'

'Je begrijpt het niet. Nu ik de Witte Huid heb, kan niemand het tegen mij opnemen. Het is het bewijs dat ik tot grootse dingen ben voorbestemd.'

'O ja?' zei ze terwijl ze achteruit bleef lopen. 'En waar is die Huid dan nu?'

Hij verstijfde van angst. Stel dat er iemand langskwam en... Nee, dat was ondenkbaar!

Toen ze zijn besluiteloosheid zag, voegde ze er zacht aan toe: 'Ja, je kunt me inderdaad opsporen en in het nauw drijven. Maar niet zolang je die Huid met je mee moet dragen.'

Hij besefte dat ze gelijk had, en de woorden van IJsvuur klonken in zijn geest en leken hem te bespotten: *'Ben je sterk genoeg om de Huid te dragen? De Macht in de Huid vernietigt degenen die zich niet waardig betonen.'* Hij voelde hoe de ergernis zijn vastberadenheid ondermijnde en kwam tot een besluit. 'Op dit moment is de Huid genoeg. Nu ik hem heb, zal alles mij toevallen – ook jij.'

'Om je zaad in mijn buik te planten, zul je me moeten vastbinden als een hond. Maar onthoud dat jij ook eens moet gaan slapen, en dat er tijden zijn dat je waakzaamheid verslapt. En dan zal ik je vervloekte lichaam doorboren met een spies. Dat zweer ik bij de zieleters van de Lange Duisternis. Hoor je?'

Hij knikte en draaide zich om. Wat waren de zieleters van de Lange Duisternis vergeleken met de Macht van de Witte Huid? 'Je zal de mijne worden,' riep hij over zijn schouder terwijl hij met grote passen terugliep naar de plek waar hij de Huid had achtergelaten. *'Ik heb het gezien!'*

60

De bergketens hier, aan de andere kant van het ijs, zagen er onbekend uit, afgezien van enkele bergtoppen helemaal in het
noorden. Het Volk hield zich nu op in de heuvels aan de voet van
het gebergte, waar de sparrenbossen werden afgewisseld door
welig begroeide weiden, gehuld in najaarstinten. De ganzen
trokken over op hun weg naar het zuiden, en hun kreten riepen
het hart op hen te volgen.

Dit was een rijk land. Een gevoel van bevrijding en vreugde
verspreidde zich onder de mensen terwijl ze nieuwe tenten en
parka's maakten en voorraden aanlegden. Vol vertrouwen
wachtten ze de komst van de Lange Duisternis af. In de verte
lokten de reusachtige, met gras begroeide valleien die naar het
zuiden leidden, vol beloften. Vanaf de hoogten waren vele dieren
zichtbaar, als zwervende stipjes.

Gebroken Tak en Groen Water hadden langs een wildspoor
een valkuil gegraven, verborgen in de schaduwen van de bomen.
Gebroken Tak had de plaats uitgekozen, porrend in de grond
met haar graafstok terwijl ze de plek bestudeerde. Ze had ge-
grijnsd, zeker van de buit.

Groen Water klom uit de kuil, steunend onder het gewicht van
de achterpoot van een wapiti. Het bot sneed diep in haar schouder. Bovengekomen liet ze de achterpoot op een bed van spar-
renaalden vallen en plofte neer om uit te rusten. Een vreemd
dier, dit. Het gewei leek veel op dat van een kariboe, maar de
hoeven waren veel kleiner, het dier was egaal bruin en het had
geen witte baard onder zijn nek. Ze hadden nog meer vreemde
dieren in hun valkuilen gevangen. Een ervan, ook een hert, maar
veel kleiner, met gevorkte horens, kwam heel veel voor. Paarden
hadden ze nog nergens gezien. Het wemelde echter van muskusossen, mammoeten en langhoornige bizons – en van dit

merkwaardige bruine hert, waarvan het vlees bijzonder lekker smaakte.

Gebroken Tak, op de bodem van de kuil, richtte zich op en zei: 'Ik zou bijna wensen dat dit dier erin was geslaagd te ontsnappen, zo dapper heeft het voor zijn leven gestreden.'

'Het heeft niet veel gescheeld,' zei Groen Water. Ze had zich verbaasd over de ongelooflijke kracht en behendigheid van het dier. Nadat het in de zorgvuldig gegraven valkuil was gevallen, was Groen Water naderbij gekomen om het te doden met een stoot van haar werpspies. Maar het dier had zich razendsnel omgedraaid, ondanks een gebroken voorpoot, en was uit de kuil gesprongen. Het was echter op de gebroken voorpoot terechtgekomen en weer in de kuil getuimeld. Meteen sprong het opnieuw omhoog en haakte zijn goede voorpoot en een van zijn achterpoten over de rand terwijl het wild trappende bewegingen met de andere achterpoot maakte. Groen Water dreef haar spies diep in de flank van het dier en het verloor zijn houvast en stortte in de kuil, waarbij het zijn nek brak.

'Veel groter dan een kariboe!' zei Gebroken Tak grijnzend. 'Het vlees is rijk aan vet en smaakt heerlijk! Ha-eeee! Het is maar goed dat we de Wolfdroom hebben gevolgd!'

Het kind van Groen Water, dat in een leren buidel aan de tak van een spar bungelde, maakte kirrende geluidjes, alsof het instemde met de woorden van Gebroken Tak.

Groen Water glimlachte en pakte een handvol sneeuw om het bloed van haar vingers te verwijderen.

Het gerimpelde gezicht Van Gebroken Tak spleet in een brede, tandeloze grijns. 'De rest van het Volk zal spoedig het pad door het ijs volgen en zich bij ons voegen.'

Groen Water knikte. 'Het water in de Grote Rivier daalt. Zang Van De Wulp is er gisteren naar toe gegaan om te kijken.'

Gebroken Tak klemde haar knokige vingers rond een zware steen en begon behendig de ribben los te slaan van de ruggegraat. Met een scherpe scherf uit haar buidel sneed ze de vliezen door en tilde de zware ribben vervolgens een voor een omhoog naar Groen Water, grommend van inspanning.

'Er zit veel vlees aan dit beest. Natuurlijk niet zoveel als aan een mammoet – maar genoeg om een gezin een maan lang te voeden. Ik vraag me af wie er met Wolfdromer mee zullen komen. Iedereen misschien?' Ze schudde haar oude hoofd. 'Het moet nu wel heel zwaar zijn aan de andere kant. En dan te bedenken dat wij het hier zo goed hebben.' Ze sneed de vliezen rond het hart door en haalde het orgaan eruit. Ze sloot haar lippen rond de grote lichaamsslagader en spoot het warme bloed haar mond in door in het hart te knijpen. Daarna overhandigde ze het aan Groen Water, smakkend en haar lippen aflikkend, waarna ze zich bukte om de lever en de longen uit het karkas te snijden.

'Mijn Hij Die Huilt komt weer naar huis,' zei Groen Water met een zucht van verlangen, zich bukkend om de lever aan te pakken. Ze nam er een hap uit en kauwde er genietend op.

Gebroken Tak draaide de maag binnenstebuiten en inspecteerde het ruwe oppervlak. 'Dit kan dienen als kookzak.'

'Wanneer denk je dat ze door het gat in het ijs zullen gaan?' vroeg Groen Water, haar mond nog vol lever.

Gebroken Tak wiste zich met een bloederige hand het zweet van het voorhoofd en tuurde met samengeknepen ogen omhoog naar de schuin invallende stralen zonlicht. 'Misschien over een week. We moeten zoveel mogelijk eten in voorraad hebben – voor het geval dat alle clans tegelijk hiernaar toe komen.'

Groen Water slikte het vlees door en vroeg bezorgd: 'Denk je dat ze allemaal tegelijk zullen komen?' Ze hadden flink wat voorraden aangelegd, maar zóveel was het nou ook weer niet.

Gebroken Tak keek haar aan. 'Dat hangt af van hoe groot de druk van de Anderen is. En hoevelen er in de Wolfdroom geloven.'

Het Volk had zich verzameld op de richel boven Reigers warme poel. Hun lichamen staken donker af tegen het rimpelende licht aan de hemel dat werd veroorzaakt door de strijd van de Monsterkinderen. Boven de zuidelijke horizon waren enkele sterren zichtbaar door een gat in het wolkendek, helder fonkelend in de vrieslucht.

Wolfdromer hief zijn handen op. 'Ik weet dat velen van jullie het ijs vrezen. Maak je geen zorgen. Ik heb de geesten verdreven in een Droom. Het zal morgen volkomen stil zijn onder het ijs.'

Wie denkt hij in de maling te kunnen nemen? vroeg Hij Die Huilt zich af. Hij bestudeerde Wolfdromer en voelde zich onbehaaglijk toen hij de afwezige glans in diens ogen zag. Hij was magerder geworden en op zijn gezicht zaten meer zwarte vegen dan gewoonlijk. Hij Droomde de laatste tijd voortdurend en verliet alleen zijn grot als hij voelde dat het noodzakelijk was om het Volk moed in te spreken. *Waarom zijn Zingende Wolf en Dansende Vos ervandoor gegaan en hebben ze de leiding aan* mij *overgedragen? Waarom moet ik toch altijd de vervelende karweitjes opknappen? Ik gruw van al dat gedoe met geesten!*

'Zullen er echt geen geesten zijn?' vroeg Vier Tanden.

'Het Grote IJs is slechts een illusie,' zei Wolfdromer met een serene glimlach.

Vier Tanden fronste zijn voorhoofd en keek onzeker om zich heen. 'Een illusie? Wat bedoelt hij daarmee?'

Wolfdromer hoorde de vraag niet, of negeerde haar. 'Ik heb van Hij Die Huilt gehoord dat er geen water meer in de bedding van de Grote Rivier stroomt. Verzamel jullie bezittingen.'

'Zal je ons beschermen?' vroeg Bizonrug.

'Mijn ziel is gelijk aan die van jullie. We wandelen samen in de Ene.' Wolfdromer schonk hem een stralende glimlach en daalde de helling af. Hij verdween in Reigers grot.

'We wandelen samen in de Ene?' zei Bizonrug verbijsterd. 'Waar heeft hij het over?'

De mensen keken elkaar aan met een blik die Hij Die Huilt al eerder had gezien – in de ogen van een kudde kariboes die de lucht van de jager had geroken en op het punt stond op hol te slaan.

Zonder erbij na te denken riep Hij Die Huilt: 'Gebruik toch je verstand. Hij is een Dromer, nietwaar? Hij bedoelt dat we samen door het *ene gat* wandelen.' *Althans, ik hoop dat hij dat bedoelt.* 'Ik ben al een keer eerder door het gat gegaan, en Dansende Vos is helemaal alleen onder het ijs door gegaan – zonder licht. Wolf-

461

dromer weet wat hij doet. Hij heeft een deel van het Volk al veilig naar de andere kant Gedroomd.'

'Wat gaat hij nu doen?' riep iemand.

Hij Die Huilt haalde wrevelig zijn schouders op. 'Misschien gaat hij tegen de geesten zeggen dat we eraan komen en dat ze ons met rust moeten laten.'

Hij keek om zich heen en besefte plotseling dat alle ogen op hem waren gericht. Een ogenblik voelde hij zich angstig worden onder al die starende blikken. Hij zag de angst die verborgen lag achter de grimmige monden, voelde de zorg die aan hen knaagde. Ze verlangden er wanhopig naar gerustgesteld te worden.

Hij Die Huilt dwong zichzelf de anderen recht in de ogen te kijken en zei het eerste dat in hem opkwam. 'Ik ben in het nieuwe land geweest. De dieren daar zijn weldoorvoed en niet bang! Bovendien hebben we een Dromer om ze naar ons toe te roepen. Er zijn daar geen Anderen, en die zullen er ook niet komen. We kunnen daar in vrede leven.'

'Maar we moeten wel eerst twee dagen onder het ijs door lopen!' riep Zwarte Hoef, een jonge krijger.

'Zo erg is dat niet! We weten allemaal hoe het is om in het midden van de Lange Duisternis te moeten reizen. Er is niet veel verschil. Mijn vrouw Groen Water droeg mijn pasgeboren zoon bij zich toen ze onder het ijs doorging, en Zang Van De Wulp vergezelde Springende Haas. Zelfs de oude Gebroken Tak is door het gat gegaan.' Hij zweeg even en fronste nadenkend zijn voorhoofd. Toen voegde hij er op droge toon aan toe: 'Tja, geen wonder dat de geesten niets met ons te maken wilden hebben.'

Een gegrinnik ging door de rijen, en Hij Die Huilt voelde zich van binnen warm worden terwijl hij naar de mensen keek. De mensen keken terug, met iets van de vroegere humor in hun ogen. 'Zeker,' beaamde hij, 'de doorgang onder het ijs is angstaanjagend. Maar er kan ons niets overkomen. Ik heb gezien dat de Wolfdroom waar is.' Hij hief een hand op. 'O ja, ik ken de verhalen die rond de vuren worden verteld. Wat als er dit gebeurd? Wat als er dat gebeurd? Maar er zal niets gebeuren. Het moment van vertrek is aangebroken, het is tijd om te gaan. We hebben hier niets meer te zoeken.'

462

Verscheidene mensen keken naar hem op met stralende, hoopvolle gezichten. Hij slikte en besefte plotseling wat hij had gedaan, wat hij hun van zichzelf had gegeven.

'De Ene,' fluisterde hij voor zich heen, een beetje uit het veld geslagen. *Ik heb hun een stukje van mijn ziel gegeven, zoals Wolf- dromer het noemt.* Hij probeerde zijn ziel af te tasten om te zien of er iets ontbrak. Maar hij miste niets, integendeel, hij voelde zich merkwaardig tevreden – ook al voelde hij zich verlegen onder al die blikken die op hem waren gericht.

Vier Tanden liep naar Hij Die Huilt toe en ging naast hem staan. 'Ik heb de Dromer horen spreken. Ik heb de woorden van Hij Die Huilt, Zingende Wolf en Dansende Vos gehoord. Als we ook maar een beetje moed en eer tonen, zal ons geen kwaad over- komen.'

Hij Die Huilt grijnsde schaapachtig. 'Als een lafaard zoals ik veilig aan de andere kant kan komen, dan kunnen jullie het zeker!'

De volgende ochtend verliet het Volk in een lange rij Reigers val- lei. Ze lieten het vuil en het afval van een jaar achter zich, en zwartgeblakerde vuurkuilen – en de beenderen van de doden. Hij Die Huilt bleef op de rand van de vallei staan en keek achter- om. De stinkende geiser blies stoomwolken omhoog naar de loodgrijze hemel. Rond de plekken waar de tenten hadden ge- staan, was de bodem verkleurd door het vele afval en de etensres- ten die daar waren neergegooid. Alle wilgen in de vallei waren gekapt, hun wortels gedroogd om als brandstof te dienen, hun bast gebruikt om er koorden van te maken, de zoete binnenkant van de bast afgeschraapt en gegeten. Het Volk liet niets van de wilg onbenut.

Wat zijn we met weinigen. Vroeger maakte het Volk een geruis als van een wilde bergstroom als het voorbijtrok, zo talrijk was het. En nu? Nu maken we nauwelijks gerucht, en de weinige stemmen die je hoort, klinken dof en vermoeid. Onze kleding is versleten, gescheurd, dun door het vele dragen. De beentjes en armpjes van de kinderen zijn dun als de poten van een eenjarig kariboekalf. Alle gezichten dragen de sporen van pijn en verlies. Wat is er van ons geworden?

Het Volk trok aan hem voorbij in een sombere stoet die zich in de richting van de Grote Rivier bewoog. De mensen volgden de Droom. Maar hoe verging het de Dromer zelf? Hij Die Huilt maakte zich zorgen over hem. Steeds als hij dacht dat hij de persoon die Rent In Licht was geworden, had leren kennen, veranderde hij in iets anders, werd hij weer een ander persoon. En iedere keer dat het gebeurde, nam zijn bezorgdheid toe. *Ik heb het gevoel dat de afstand tussen mij en mijn oude vriend met de dag groeit. Ik raak hem kwijt, en ik kan er niets tegen doen.*

Hij keek naar de magere gestalte van Wolfdromer, die voorop liep, met rechte rug en opgeheven hoofd. Hoewel hij de ogen van Wolfdromer vanaf deze plaats niet kon zien, wist hij welke uitdrukking ze hadden: sereen, in zichzelf gekeerd, glanzend met een vreemd licht.

Hij Die Huilt zuchtte. 'Wel, hij heeft ons al die tijd veilig geleid. Het eind is nabij.' Toen het eind van de stoet was gepasseerd, wierp hij een laatste blik op Reigers vallei. Toen draaide hij zich om en volgde in de voetsporen van zijn gehavende, uitgeputte volk.

De ouderen van het Mammoetvolk hielden krijgsraad, en rond de kring verdrongen de mensen elkaar om maar niets te missen. IJsvuur zag het geduw en getrek enigszins geamuseerd aan. Voorbij de knikkende hoofden en gebarende handen zag hij het bevroren meer waarlangs ze zojuist waren getrokken. Het had nog niet lang genoeg gevroren om het ijs te kunnen vertrouwen, daarom waren ze gedwongen geweest de oever te volgen – een lange, moeizame tocht over rotsachtig terrein. In het zuiden verhieven zich de heuvels waar de Vijand zich schuilhield. Daar, in de laatste wijkplaats van de Vijand, kwamen de draden van het web bijeen.

Hij probeerde zijn aandacht weer te richten op wat er in de krijgsraad werd besproken. Een drietal van zijn krijgers was teruggekomen met een vreemd verhaal. Op de gezichten van Gebroken Schacht, Rook en Zwarte Klauw stond nog duidelijk de verbazing en verwarring te lezen.

464

'Ze hadden ons volledig in hun macht, we werden volkomen verrast,' zei Gebroken Schacht. 'Ik liep voorop. Het pad voerde rond een groot rotsblok en daar stonden ze, hoog boven ons, met spiesen en grote stenen in hun handen, klaar om ons te verpletteren. Ik voelde me als een mammoet in een valkuil, we konden niets doen.'

'Ik was bereid om te sterven,' zei Rook. 'Ik plaatste een spies in mijn atlatl en keek omhoog om de afstand te schatten, toen ik plotseling iemand hoorde roepen: "Stop!" '

'Het was een vrouw,' ging Gebroken Schacht verder. Hij wierp een nerveuze blik op de mannen in de kring, die hem met harde gezichten aanstaarden. 'Een mooie vrouw. Ze hief haar handen en sprak ons toe. Als een man zoiets had gedaan, zou ik hem waarschijnlijk meteen met een spies hebben doorboord. Maar een vrouw? Je verwacht nu eenmaal niet dat een vrouw genoeg gezag heeft om een gevecht te voorkomen, en zeker niet als de tegenpartij in zo'n nadelige positie verkeert.'

'En wat zei ze?' vroeg IJsvuur, die de lokroep van het zuiden hoorde.

Rook keek de kring rond. 'Ze zei dat we terug moesten gaan. Ze zei dat het Volk de strijd moe was, dat er al te veel doden waren gevallen. We moesten al onze wapens op de grond leggen en achterlaten, op één spies voor iedere man na, opdat we ons tegen beren konden beschermen. Ze zei dat we terug moesten gaan en de ouderen vertellen dat ons leven werd gespaard ter vereffening van enkele van de levens die in de oorlog waren genomen.'

Zijn woorden werden begroet met opgewonden gefluister. In het hart van IJsvuur gloorde iets van hoop.

Gebroken Schacht schudde onzeker zijn hoofd. 'Het is allemaal heel vreemd. De Vijand die ons niet doodt terwijl hij de kans heeft? Ik begrijp het niet.'

'Ze willen vrede' zei IJsvuur.

'*Vrede!*' bulderde Rode Vuursteen. 'Ze hebben de Witte Huid gestolen en nu willen ze vrede? Ze hebben onze jongemannen in stukken gesneden en onze jonge vrouwen verkracht en weg-

465

gevoerd, en jij zegt dat ze *vrede* willen?'

'De Witte Huid is gestolen door die krijger, Raafjager,' bracht IJsvuur hem in herinnering. Hij wendde zich tot Rook. 'Zei ze iets over de Witte Huid?'

Rook schudde zijn hoofd en keek zenuwachtig in het rond.

'Lafaards!' gromde Rode Vuursteen. Hij spoog in het vuur. 'Jullie hadden hen kunnen doden.'

'Ze zouden ons hebben afgemaakt als een haas in een strik!' protesteerde Gebroken Schacht, trachtend het dreigende gemompel dat uit de rijen van de toekijkende krijgers opsteeg te overstemmen. 'Als we dood zijn, kunnen we het volk niet meer van nut zijn.'

'Lafaards brengen schande over de clan!' zei Rode Vuursteen met diepe minachting. Zijn woorden vonden bijval onder de andere krijgers.

'Genoeg!' IJsvuur keek de kring rond. 'Ik kan me niet herinneren ooit wijsheid voor lafheid te hebben aangezien.'

Zwarte Klauw gromde instemmend, wat hem een woedende blik van Rode Vuursteen opleverde. Het deed IJsvuur pijn zijn oude vriend zo boos te zien. De andere krijgers wierpen beurtelings onzekere blikken op Rode Vuursteen en IJsvuur.

'Dit is het gevolg van de diefstal van de Witte Huid,' zei IJsvuur, luid genoeg om door iedereen te worden gehoord. 'We laten ons meeslepen door onze gevoelens en denken niet na.' Hij legde een hand op de schouder van Gebroken Schacht. 'Je hebt er verstandig aan gedaan weg te gaan toen de vrouw van de Vijand je leven spaarde. Het is juist dat jullie levend meer waard zijn voor de clan dan dood.'

'Ja, Oudere,' mompelde de krijger.

'Ik wil niets met de Vijand te maken hebben,' hield Rode Vuursteen vol. 'Ik schaam me iets van hen aan te nemen – zelfs een leven!'

'Bedenk dat we hen jarenlang hebben opgejaagd en van hun jachtgronden hebben verdreven, tot ze niets meer over hadden. Denk je eens in wat dat voor hen moet hebben betekend. Zou jij de levens van Rook, Gebroken Schacht en Zwarte Klauw hebben gespaard?'

466

'Maar het zijn geen mensen!' riep Rode Vuursteen uit. 'Ze geloven niet in het Grote Mysterie! Ze zijn niet onderverdeeld in clans! Hun doden gaan niet naar het Kamp der Zielen onder de zee! Ze zijn niet als wij! Het zijn dieren, minder dan dieren zelfs!' IJsvuur liep langzaam heen en weer in de stilte die op de woorden van Rode Vuursteen was gevolgd. 'Schapestaart, Blauwe Bes was een van je vrouwen. Was ze een dier?'

De krijger zag alle blikken op zich gericht en slikte nerveus. 'Als echtgenote had ik niet veel aan haar. Ik moest haar voortdurend slaan om te zorgen dat ze zich gedroeg.'

'Maar ze heeft je een sterke zoon gebaard,' zei IJsvuur, met zijn blik op Rode Vuursteen gericht.

De Zanger liep naar hem toe en bleef voor hem staan, met een harde uitdrukking op zijn gezicht. 'Ik duld geen verdere vermenging met de Vijand! Onze gewoonten worden aangetast, we raken onszelf kwijt!'

'Verlang je naar de mantel van Meest Geëerde Oudere?' vroeg IJsvuur zacht terwijl hij de witte vossehuid van zijn schouders nam en hem zijn oude vriend voorhield. Op het gezicht van Rode Vuursteen maakte boosheid plaats voor onzekerheid. 'Ik wacht, Zanger. Als je de mantel wilt hebben, zal ik hem je graag geven.'

Het werd doodstil. Rode Vuursteen sloeg zijn ogen neer en bevochtigde zijn lippen. 'Ik heb moeite met al die veranderingen,' zei hij zwakjes.

IJsvuur knikte begrijpend en sloeg de witte pels weer om zijn schouders. 'De hele wereld is aan het veranderen, en wij veranderen mee. Oude dingen maken plaats voor nieuwe. Daarom moeten we zorgvuldig nadenken in plaats van impulsief te handelen.'

'Maar wat ben je van plan te gaan doen om de Witte Huid terug te krijgen?' vroeg Rode Vuursteen.

IJsvuur wendde zich tot Gebroken Schacht. 'Weet je misschien hoe die vrouw heette?'

'Ze werd aangesproken met Dansende Vos.'

IJsvuur knikte. Hij herinnerde zich dat Raafjager over haar had gesproken. 'Dansende Vos. Een zeer machtige vrouw.'

'Ken je haar dan?' vroeg Rode Vuursteen ietwat ongelovig,

nog steeds niet hersteld van zijn confrontatie met IJsvuur.

'Ik heb over haar horen spreken. Zij kan ons misschien helpen de Witte Huid terug te krijgen.'

'Wat? Wil je hulp van de Vijand?' zei Rode Vuursteen heftig. 'Van een... een *vrouw?*' Zijn stem droop van minachting.

'Ze heeft ons in de val gelokt,' zei Zwarte Klauw kalm. 'En zij voerde de mannen aan. Zij gaf bevelen en de krijgers gehoorzaamden haar.'

'Ze heeft dus de leiding over een paar dwaze jonge krijgers met wie ze onder de huiden kruipt. Dat betekent nog niet dat –'

'Een van die zogenaamde dwaze jonge krijgers was Arendschreeuw. Herinner je je nog wie dat is? Ik wel. Nog niet zo lang geleden leidde hij overvallen op onze kampen, aan de zijde van Raafjager. Hij is bepaald geen dwaze jonge krijger.' Gebroken Schacht wachtte om te zien of iemand hem wilde tegenspreken, maar de anderen zwegen.

Walrus schraapte onzeker zijn keel. Hij ging nog steeds gebukt onder het feit dat hij werd gezien als de man die verantwoordelijk was voor het verlies van de Witte Huid. 'Wat moeten we doen? Al dat gepraat brengt ons geen stap dichter bij de Witte Huid.'

IJsvuur keek Gebroken Schacht aan. 'Kan je die plek waar jullie in de hinderlaag liepen, terugvinden?'

'Natuurlijk.'

'Ik heb geprobeerd de plek te vergeten,' gromde Rook.

IJsvuur glimlachte flauwtjes. 'Ik wil er met het hele kamp heen.'

'Het hele kamp! riep Rode Vuursteen geschokt. 'Ben je gek geworden?'

'Nee, en ik weet zeker dat Dansende Vos ook niet gek is. Daarom sturen we onze vrouwen en kinderen vooruit.'

Rode Vuursteen hapte naar adem. 'Je bent je verstand kwijt! Ze zullen ons –'

'Vertrouw me, Zanger,' zei IJsvuur zacht terwijl hij Rode Vuursteen doordringend aankeek, 'of neem anders mijn mantel en verstoot me uit de clan.'

Rode Vuursteens kaak trilde en hij wendde zijn blik af.

468

61

Raafjager sleepte zich met zijn last de helling op, bereikte de top en keek naar beneden. Geschokt zag hij dat de vallei verlaten was. Hij kon de ringen zien waar de tenten van het Volk hadden gestaan. Met een diepe zucht liet hij de Huid van zijn schouders zakken en legde hem op de grond. Uit zijn pak haalde hij de laatste bessen die hij een tijd terug van een ondergesneeuwde struik had geplukt en at ze een voor een op, langzaam kauwend. Zijn benen trilden van vermoeidheid.

Uit de lage, grijze hemel viel sneeuw, voortjagend op de kille adem van Vrouw Wind. Een dunne bruine lijn in het oosten markeerde de bedding van de Grote Rivier. Het Volk was op weg gegaan naar het zuiden, naar het land aan de andere kant van het ijs. Rent In Licht zou dus de eer hebben het Volk door het gat in het ijs te leiden. Dat zou zijn aanzien verhogen.

Raafjager tuurde in de richting van het Grote IJs, maar de massieve witte muur werd aan het oog onttrokken door nevels en laaghangende bewolking. Het besef dat hij de kans om het Volk met behulp van de Witte Huid door het ijs te leiden, had gemist, deed pijn – maar niet heel erg. De Macht van de Huid zou hem veilig naar de andere kant brengen, en daar zou hij Rent In Licht het leiderschap afhandig maken.

Hij knielde naast de Huid en staarde ernaar, overweldigd door de beloften voor de toekomst die het bezit ervan inhield. Hij liet zijn hand liefkozend over het zorgvuldig gelooide leer gaan. Zo zacht. Wie deze vacht had bewerkt, was een meester in de kunst van het looien. Hij kon de Macht voelen, ondanks zijn half bevroren vingers. De huid prikkelde, net als de pels van een vos waarover stevig was gewreven.

'Dank zij jou zal ik de machtigste man van het Volk worden. Niemand zal meer vrouwen hebben dan Raafjager. Niemand zal sterker zijn, en niemand zal me tegenspreken. Dit alles zul je me geven – en nog veel meer.'

Het begon harder te waaien. Hij hees zich moeizaam overeind. Zijn maag maakte rommelende geluiden en zijn tong kleefde aan zijn gehemelte. Hij pakte een handvol sneeuw en nam er happen van en rilde toen de kille gesmolten sneeuw zijn maag bereikte.

Kreunend hees hij de zware Huid weer op een schouder en liep verder langs de rand van de vallei, in de richting van de rivier. Had dat viermaal vervloekte Mammoetvolk geen lichtere totem kunnen vinden?

Hij passeerde de beenderen van Kraailokker. Ze lagen verspreid over de rotsen, half begraven onder de sneeuw. De schedel lag op zijn zijkant en de lege oogkassen werden vreemd verlicht door het daglicht dat weerkaatste op de sneeuw die de oogkassen was binnengeblazen. Muizen hadden aan de jukbeenderen geknaagd en vliegen hadden hun eitjes in de neusholte gelegd. Aan de schedel kleefde nog een klein stukje hoofdhuid, begroeid met grijze haren die wapperden in de wind.

Raafjager huiverde en scheurde zijn blik los van de starende oogkassen. Het was alsof hij Kraailokker scherp en spottend hoorde lachen.

Hij strompelde verder.

De sporen van het Volk waren gedeeltelijk ondergesneeuwd, maar een zo groot aantal mensen liet een spoor achter dat zelfs een blinde kon volgen, en Raafjager had er dan ook geen enkele moeite mee. Dat kon niet gezegd worden van de Huid. Verbeeldde hij het zich, of werd hij steeds zwaarder? Vlak na zijn ontsnapping uit IJsvuurs kamp had hij slechts drie- of viermaal per dag gerust, maar nu liet hij zich wel tien-, twaalfmaal per dag op de grond zakken, hijgend en trillend van moeheid, en met een maag die pijn deed van de honger.

'Maar de Macht behoort mij toe,' hield hij zichzelf voortdurend voor, en terwijl hij de Witte Huid streelde, voelde hij weer kracht door zijn leden stromen. 'Mijn Macht!' En hij lachte als hij dacht aan de ontzetting op Rent In Lichts gezicht als hij het kamp binnen zou komen met deze prachtige buit op zijn schouder.

Toen hij voor de zoveelste maal was gestopt, nam hij een vuurstenen scherf uit zijn buidel en sneed een reep leer van de buidel af. Hij stopte de reep in zijn mond en begon op het taaie leer te kauwen. Het smaakte slecht, maar het was voedsel en het zou hem kracht geven om verder te gaan. Het enige dat hij hoefde te doen, was het kamp van het Volk bereiken. Dan zouden al zijn zorgen voorbij zijn. Ze zouden hem rijk onthalen met de sappigste stukken vlees en hem alles geven wat hij verlangde. Ze zouden hem warme lever brengen, en met vet verwreven bessen, en hoorns vol sterke, zwarte mosthee.

Hij hees zijn last weer op zijn schouder en liep verder langs het spoor dat het Volk had achtergelaten. Plotseling woei een geur aan op de adem van Vrouw Wind. Hij bleef staan en snoof de lucht op. Een kariboe! Hij legde de Huid voorzichtig neer, op een plek waar de sneeuw onbetreden was. Zijn maag ging tekeer bij de gedachte aan vers vlees en het water liep hem in de mond.

Aangezien hij geen wapens uit IJsvuurs kamp mee had kunnen nemen, zou hij heel voorzichtig te werk moeten gaan. Hij sloop geruisloos naar een groot rotsblok en keek eroverheen. Onder hem, op de vlakte die zacht glooiend afliep naar de Grote Rivier, stond een oude kariboestier. De kop van het dier hing omlaag en het was blind aan één oog, want dat oog was wit.

Raafjagers maag krampte van de honger.

Het oude mannetje, verstoten door jongere stieren, was aan de jagers van het Volk ontsnapt. Nu zou het een prooi worden voor de wolven – of voor Raafjager.

Hij gleed om het rotsblok heen, zijn blik op het dier gericht. Behoedzaamheid was geboden. Een trap van een kariboe, zelfs een oude als deze, kon de ribbenkast van een mens versplinteren. Hij maakte gebruik van de natuurlijke dekking van het terrein om het dier te naderen, ervoor zorgend dat hij tegen de wind in ging.

De kariboe maakte een zacht brommend geluid en keerde zijn rug naar de opstekende wind, om zich heen kijkend met zijn goede oog. Raafjager zag tot zijn schrik dat de kariboe blind was aan zijn línkeroog, net als Kraailokker. Hij maakte een onverhoedse beweging waardoor een steen losschoot en kletterend naar beneden rolde.

De kop van de oude stier kwam met een ruk omhoog en de oren draaiden alle kanten op. Het dier draafde weg, de neus in de wind. Raafjager zag dat het gewond was aan een van de voorpoten, want het hinkte.

Zijn eigen bijgelovigheid vervloekend volgde Raafjager het dier. De kariboe strompelde verder, steeds net buiten zijn bereik. Het terrein werd echter steeds ruwer en bood een man uitstekende kansen om het dier van bovenaf te verpletteren met een zware steen.

De opwinding van de jacht deed Raafjagers bloed sneller stromen. Met een volle buik zou de Witte Huid niet zo – *De Witte Huid!* Hij wierp een snelle blik over zijn schouder.

De oude kariboe hobbelde verder op zijn lamme poot en bleef af en toe staan om de lucht op te snuiven en om zich heen te kijken met zijn goede oog. Ondanks het feit dat het dier zo mager was dat de ribben door de huid zichtbaar waren, betekende het voedsel. Voedsel dat betrekkelijk makkelijk te bemachtigen zou zijn, voedsel waarop een man zonder wapens niet had mogen hopen.

Maar Raafjager bleef zich zorgen maken over de Witte Huid die hij had achtergelaten. *Stel dat blijkt dat ik de Huid niet waardig ben? Wat zou er gebeuren als een wolf langskomt en er een stuk van afscheurt? Of als een muis er haren uittrekt om een nest van te maken? Wat als de Huid denkt dat ik hem in de steek heb gelaten?*

Hij zag dat het oude mannetje een diepe geul met steile wanden inliep. Een uitgelezen plaats voor een hinderlaag. Hij hoefde alleen maar een zware steen naar beneden te laten rollen, zodanig dat de terugweg voor het dier was afgesneden. Dit soort geulen liep meestal dood, de weg versperd door grote rotsblokken.

Maar stel dat de Witte Huid werd beschadigd als gevolg van zijn nalatigheid? De Macht ervan zou verloren gaan. En dat betekende dat Dansende Vos nooit de zijne zou worden, dat hij nooit de leiding over het Volk zou krijgen. Ze zouden hem uitlachen als ze hoorden dat hij zijn lege maag belangrijker had gevonden dan het leiderschap!

Ten prooi aan heftige tegenstrijdige gevoelens keek hij hoe de kariboe dieper de geul instrompelde. Hij zag het rode, bloederige vlees al voor zich, proefde de warme lever, rook het bloed.

Maar de gedachte aan de Huid liet hem niet los. Stel dat een wolf op dit moment, terwijl hij hier aan eten stond te denken, zijn tanden in het zachte leer van de Witte Huid zette? Stel dat een beer de Huid vond en aan stukken rukte? Het zweet brak hem uit en met een zwaar hart wendde hij zich af van de geul waarin de kariboe was verdwenen. 'De Huid zal me in leven houden,' fluisterde hij. 'De Witte Huid is mijn Macht. Hij zal ervoor zorgen dat me niets overkomt. Hij betekent Macht, hij is mijn bestemming!'

Hij rende zo snel als zijn door honger verzwakte benen hem dragen konden in de richting van de plek waar hij de Huid had achtergelaten. In zijn bezorgdheid lette hij niet goed op en gleed uit. Hij viel met een smak op de grond en een withete pijn schoot door zijn arm. Hij bleef een ogenblik als verdoofd liggen.

'De Witte Huid…' gromde hij. Hij klemde zijn kaken op elkaar en klauterde overeind, ondanks de heftige, kloppende pijn in zijn arm. Op wankele benen draafde hij terug langs zijn eigen voetsporen, en een kreet ontsnapte hem toen hij de Huid ongeschonden terugvond. Hij streelde de rol leer. De opluchting die hem doorstroomde, was zo groot dat het leek op de extase die hij beleefde als hij met een vrouw samenlag.

'Je bent veilig,' mompelde hij. 'Veilig. Zie je wel? Ik ben je waardig.'

Toen hij de Huid wilde optillen, vlamde de pijn weer door zijn arm. Zijn lege maag kwam in opstand en hij begon heftig te kokhalzen. Hij haalde diep adem, schoof zijn goede arm onder de rol leer en slaagde erin hem op zijn schouder te rollen. Steunend kwam hij overeind, bijna vallend onder het gewicht.

'Macht,' fluisterde hij, zijn wang tegen het zachte leer wrijvend. 'Het hart en de ziel van het Mammoetvolk. Mijn bestemming. De grootste krijger van het Volk. De leider. Niemand is sterker dan Raafjager – de bastaard! Niemand!'

De volgende ochtend vond hij de ingang van het pad onder het

Grote IJs. Zijn gewonde arm was opgezwollen en klopte hevig. Om het grommen van zijn maag tegen te gaan, kauwde hij op een reep leer die hij van zijn rafelige parka had gesneden.

'Ben nu dichtbij,' fluisterde hij schor tegen de Huid. 'Heel dichtbij. Alleen nog maar door het ijs... door het ijs...'

Wankel liep hij met zijn last het donkere gat in.

Hij Die Huilt maakte grapjes in het donker, sloeg mensen bemoedigend op de schouder en schoot te hulp als een van de gedroogde wilgewortels uitdoofde en de omgeving in het duister hulde totdat de wortel weer was aangestoken. De tocht onder het ijs leek eeuwig te duren, want veel mensen kwamen maar heel langzaam vooruit.

'Ik dacht dat je had gezegd dat het *twee* dagen zou duren?' mompelde Vier Tanden zenuwachtig.

Hij Die Huilt haalde zijn schouders op. 'Met een kleine groep is dat haalbaar. Maar nu we met zovelen zijn? Gelukkig gaat alles goed. We hebben nog maar de helft van de brandstof verbruikt. De mensen beginnen aan het donker te wennen. Nu de eerste angst voorbij is, vinden ze het niet zo erg meer.'

Bovendien hadden de geesten nog niets van zich laten horen – precies zoals Wolfdromer had beloofd.

'Voor jou is het misschien niet zo erg. Jij bent hier al eerder geweest. Maar voor ons is het nog altijd angstaanjagend genoeg.'

'Maak je geen zorgen. We worden beschermd,' zei Hij Die Huilt.

Ze liepen verder. Hij Die Huilt merkte dat de mensen vóór hem opzij stapten om een obstakel te ontwijken. Hij drong zich naar voren en zag dat het obstakel Wolfdromer was. Hij zat zwijgend voor een uitgeholde steen waarin een sputterend vlammetje brandde, gevoed door een brokje kostbaar vet. Hij staarde in het niets, onbewust van de mensen die hem links en rechts passeerden. Hij Die Huilt gebaarde Vier Tanden alleen verder te gaan en liet zich op zijn hurken naast Wolfdromer zakken.

'Wolfdromer? Kun je terugkomen uit de Ene en met mij praten?'

De sjamaan knipperde met zijn ogen en zijn blik werd langzaam helder. 'Wat is er?'

'Het gaat niet slecht, en de mensen vinden het minder eng dan ze dachten. Maar het gaat langzaam. Het zou weleens vier dagen kunnen duren.'

'Het maakt niet uit,' zei Wolfdromer glimlachend. 'Kijk, je kunt zien dat hun zielen gezond zijn. Dat geldt helaas niet voor Vier Tanden. Hij is stervende.'

'Stervende? Ik heb niets aan hem gezien.'

'Zijn ziel vertoont een zwarte plek.'

'Een zwarte plek?' Hij Die Huilt voelde zich onbehaaglijk worden.

Wolfdromer keek hem vriendelijk aan. 'De ziel weerspiegelt het lichaam waarin ze woont. De zwarte plek is een teken dat zijn lichaam het begint op te geven. Het leven zal langzaam uit hem wegvloeien en hij zal niet veel pijn hebben.'

Hij Die Huilt krabde onder zijn kin. Misschien was het toch niet zo'n goed idee geweest om met Wolfdromer te praten. Aarzelend vroeg hij: 'Eh, ziet mijn ziel er goed uit?'

Wolfdromer lachte zacht. 'Ja, Hij Die Huilt, je ziel ziet er uitstekend uit. Zorg dat het zo blijft.'

'Eh… ja, ik-ik zal ervoor zorgen.' Hij ging verzitten. Het grint knarste onder de zolen van zijn laarzen. 'Weet je ook hoe het ervoor staat aan de andere kant van het ijs? Eh, met Groen Water en de baby, bedoel ik. Ik heb hen al een half jaar niet gezien en ik maak me soms zorgen.'

'Waarom heb je me dat niet eerder gevraagd? Ik had het je zo kunnen vertellen.'

'Werkelijk? Maar ja, iedereen had het ook zó druk met zijn eigen problemen…' Hij zweeg even en vroeg toen ietwat angstig: 'Hoe is het met ze? Zijn ze gezond?'

Wolfdromer glimlachte stralend. 'Heel gezond. Groen Water mist je en de baby groeit voorspoedig en wordt met de dag sterker.'

Hij Die Huilt moest moeite doen om het niet uit te schreeuwen van blijdschap. Toen beet hij op zijn lip en vroeg: 'Eh, hoe komt het dat we de geesten niet horen kreunen?'

Wolfdromer hield zijn hoofd schuin alsof hij luisterde, en spreidde toen zijn handen. 'Ik heb Gedanst met het ijs en het gezegd dat het stil moest zijn. En de geesten hebben mijn Droom gehoorzaamd.'

'O...' Hij Die Huilt knikte aarzelend.

Wolfdromer trok met zijn vinger een spiraal in het grint, vlak bij de lamp, zodat hij goed zichtbaar was. 'Kijk, Hij Die Huilt, zie je deze spiraal? Zie je dat hij een cirkel boven op een cirkel is, en dat hij steeds maar rond gaat? Zo is het ook met het leven. Het ijs smelt en de wereld verandert. De spiraal draait. Het is als de Dans van de seizoenen, de jaren, de levens van een mens, een berg, een wereld. Alles is Een. Het gaat steeds maar rond en rond, in een eeuwige Dans.'

Hij Die Huilt bestudeerde de tekening en besefte wat een Macht ze vertegenwoordigde.

'Gebruik haar,' zei Wolfdromer 'Het is het teken voor de Ene. Een ander teken voor de Ene is het kruis, de ontmoeting der tegengestelden, zoals de vier windrichtingen. Ieder symbool laat iets zien van de krachten die het leven beheersen. Het is een tekening van wat niet in woorden kan worden uitgedrukt.'

'Zingende Wolf zou hier eigenlijk bij moeten zijn.'

'Vertel jij het hem maar wanneer ik er niet meer ben.'

Hij Die Huilt had het gevoel alsof zijn hart ophield met slaan. Hij staarde ontzet in de serene ogen van Wolfdromer. 'Wanneer... wanneer je er niet meer bent?'

'Leven en dood, het is allemaal hetzelfde.'

Terwijl Hij Die Huilt zocht naar de juiste woorden, zag hij de starende uitdrukking terugkomen in de ogen van Wolfdromer. De sjamaan richtte zijn blik weer naar binnen.

'Wolfdromer?' zei hij zachtjes. 'Wolfdromer? Waar ga je naar toe? Laat ons niet hier achter.'

62

Arendschreeuw staarde verbijsterd naar de naderende groep mensen, donker afstekend tegen de vallende sneeuw. Hij draaide zich om naar Zingende Wolf die naast hem op de rotsen lag. 'Hun vrouwen lopen voorop.'

Zingende Wolf knikte. 'Zo te zien is het een volledige clan die daar op ons afkomt. Maar ik heb nog nooit gehoord dat de Anderen hun vrouwen voorop laten lopen. Kijk, er zijn ook kinderen bij.'

'Dit wordt een slachting,' zei Arendschreeuw grijnzend. 'Als we al hun vrouwen doden, zullen ze zich hier nooit meer laten zien, in ieder geval niet op deze arrogante manier.'

Het gezicht van Zingende Wolf verstrakte terwijl hij bedacht hoe het zou zijn als het zijn eigen vrouw en kinderen waren die op het punt stonden met spiesen te worden doorboord.

Grote Mond, die iets verderop lag, riep zachtjes: 'Er loopt een man een eind voor de vrouwen uit. Kijk, die daar met de witte pels om zijn schouders. Dat is een man. Ik vraag me af waarom het er maar één is.'

Dansende Vos ging rechtop zitten. 'Dat moet hun Dromer zijn, IJsvuur. Ik denk niet dat ze oorlogszuchtige bedoelingen hebben, anders zouden ze hun krijgers wel vooruit hebben gestuurd.'

'Je bent toch niet van plan Anderen te vertrouwen?' vroeg Arendschreeuw.

Aan de andere kant van de kloof spraken Kraaievoet en Volle Maan met elkaar op een toon die niets goeds voorspelde. Dansende Vos keek hen strak aan en zei: 'Arendschreeuw, als een van de jonge krijgers iets probeert te ondernemen, slinger je hem meteen een spies in zijn lijf.'

De mond van Arendschreeuw viel open. 'Onze eigen...'

Dansende Vos, die wist dat alle ogen op haar gericht waren, knikte.

'Je hebt gehoord wat ze gezegd heeft,' zei Zingende Wolf. 'En jullie weten dat Wolfdromer haar de leiding over de krijgers heeft gegeven. Dus als jullie de bevelen van Dansende Vos negeren, handelen jullie in strijd met wat de Dromer en het Volk hebben bevolen.'

Arendschreeuw sloeg zijn ogen neer en staarde nors naar de grond.

'Je kunt altijd nog het voorbeeld van Kraailokker volgen,' zei Dansende Vos achteloos. 'Niemand dwingt je de Dromer te gehoorzamen.'

De krijgers wierpen elkaar onzekere blikken toe toen Dansende Vos langs de rotsen naar beneden begon te klauteren. 'Wat ben je van plan?' riep Zingende Wolf, zo zachtjes mogelijk.

'Ik ga kijken wat die IJsvuur wil. Ik ben nieuwsgierig waarom hij op deze manier naar ons toe komt, met de vrouwen en kinderen voorop.'

'Het is een val,' zei Arendschreeuw boos. 'Dit zijn *Anderen*, vrouw. Dit zijn de mensen die ons van onze jachtgronden hebben verdreven. Ben je van plan met dergelijk ongedierte te gaan praten?'

Ze schonk hem een koele blik. 'Het wordt tijd dat we zoeken naar wegen om aan die strijd een eind te maken. De Anderen weten van het gat in het Grote IJs. Wat moeten we doen? Proberen hen tegen te houden? Met het handjevol krijgers dat aan deze kant is achtergebleven? Als we proberen ons tegen hen te verzetten, zullen we sterven. Jij, ik en onze gezinnen. Maanwater kent het pad door het ijs. Onze oude mensen zijn niet snel genoeg om hun jonge krijgers te ontlopen. En het gat door het ijs kunnen we niet dichten. Wat blijft ons dan nog over? Nu hebben we in ieder geval een mogelijkheid om te praten.'

'Ga,' zei Zingende Wolf, met zijn blik op Arendschreeuw. 'Het wordt tijd dat we ons zinnig gaan gedragen in plaats van elkaar in blinde woede te lijf te gaan. Misschien kunnen we met woorden bereiken wat we met spiesen niet konden.'

'Let goed op. Als ze niet zijn gekomen om te praten, zal ik proberen IJsvuur te doden en de kloof in te rennen. Onze positie hier is sterk genoeg om ons in staat te stellen een mogelijke aanval af te slaan.' Ze aarzelde even. 'Aangenomen dat ik niet eerst word doorboord door een spies van bovenaf.'

De kaakspieren van Arendschreeuw verstrakten. 'Je zal van bovenaf niets te vrezen hebben. Dat zweer ik bij de geesten van de Lange Duisternis.' Hij wierp een betekenisvolle blik op de rest van de krijgers, die zich tussen de rotsen verscholen hielden.

Dansende Vos knikte kort en begon af te dalen naar de bodem van de kloof. Ze had last van haar enkel, maar daar was ze inmiddels aan gewend. Hij deed altijd zeer als er een storm op komst was, zoals nu. Ze liep naar de plek waar de drie krijgers van de Anderen in de val waren gelopen. Die gebeurtenis had ook het uiterste van haar leiderschap gevergd. Maar misschien wierpen haar inspanningen nu vrucht af. Misschien was IJsvuur hiernaar toe gekomen omdat ze het leven van die drie krijgers had gespaard.

Ze stapte rond een bocht in de kloof en zag, een eind onder zich, de Anderen naderen. Grote donzige sneeuwvlokken zweefden naar beneden, landden op haar schouders, hechtten zich aan de bontrand van haar kap en smolten op haar blote hand waarin ze de spiesen geklemd hield.

De man die in zijn eentje voorop liep, bleef staan en keek omhoog. Een jongen rende naar hem toe, wees naar waar ze stond te wachten, sprak opgewonden enkele woorden tegen de leider en holde toen terug naar de rest van de Anderen, die ook waren gestopt en nu met de handen boven de ogen naar boven stonden te staren.

Ze deed een stap naar voren en bleef staan, haar voeten wijd uiteen geplant. De man kwam weer in beweging en liep langs het pad naar boven. Hij was lang en mager en zijn tred was zeker en licht. De kap van zijn parka was teruggeslagen zodat zijn lange grijzende haar zichtbaar was. Rond zijn schouders lag de pels van een witte poolvos.

Toen hij zo dichtbij was gekomen dat ze zijn ogen kon zien,

begon haar hart te bonzen. Die ogen straalden Macht uit, een Macht die ze eerder alleen in de ogen van Rent In Licht had gezien. Ze had het gevoel alsof haar keel werd dichtgesnoerd. Ze had gehouden van de man die haar eens had aangekeken met dezelfde uitdrukking die ze nu in de ogen van die Ander zag.

'IJsvuur?' vroeg ze toen hij voor haar bleef staan, niet meer dan een lichaamslengte van haar verwijderd.

Hij knikte en bestudeerde haar. Zijn knappe gezicht verstrakte. 'Jij moet Dansende Vos zijn.'

Haar ogen tastten langzaam zijn gezicht af. *Wat lijkt hij veel op Rent In Licht!*

'Wat zie je?' vroeg hij zacht.

Niets... Ik... Je lijkt op iemand die ik ken.'

'En jij lijkt op iemand die ik eens heb gekend. Ik heb haar ontmoet in een Droom. Als de Geestmachten en Reiger die dag op het strand niet tussenbeide waren gekomen, en als ik niet buiten zinnen was geweest, zou alles misschien heel anders zijn gelopen.'

Zijn stem raakte iets diep binnen in haar. Ze huiverde. 'De Geestmacht maakt dat mensen vreemde dingen doen.'

Hij knikte en keek haar een ogenblik zwijgend aan, zonder zich iets aan te trekken van de wind, die sneeuw in zijn gezicht blies. Toen zei hij: 'Je hebt het leven van drie van mijn krijgers gespaard.'

'De tijd van doden is voorbij,' antwoordde Dansende Vos. 'Jullie zijn hiernaar toe gekomen met vrouwen en kinderen voorop. Wat hebben jullie hier te zoeken? Dit is onze laatste wijkplaats, en er is bijna geen wild meer te vinden. We bezitten niet veel meer dan ons leven en onze eer, maar we zullen onze best doen die te verdedigen als jullie zijn gekomen om ons ook dat laatste te ontnemen.'

Een sprankje humor deed zijn ogen oplichten, en om zijn mond zweefde een vreemde glimlach. 'Misschien is de tijd om elkaar dingen te ontnemen ook voorbij.'

Instinctief voelde ze dat deze man te vertrouwen was, maar ze gaf zich nog niet gewonnen. 'Denk je?' zei ze.

'Wij hebben jullie je jachtgronden ontnomen, en jullie hebben ons onze ziel ontnomen. Vind je niet dat we elkaar nu wel genoeg leed hebben toegebracht?'

'We hebben gehoord dat jouw volk leeft om te doden, en dat het er eer in stelt andere volken met geweld aan zich te onderwerpen. Zijn jullie zo veranderd sinds ik die krijgers heb teruggestuurd?'

'Misschien gaat het niet zozeer om een verandering, als wel om een terugkeer naar de oude waarden.'

'Ik begrijp niet wat je daarmee bedoeld.'

Hij keek haar recht in de ogen. 'Vroeger vormden we één volk. Heeft Reiger je dat nooit verteld? Als onze grootvaders niet zo'n angst voor elkaar hadden gehad, zouden onze kinderen nu uit hetzelfde zaad ontspruiten en zou het bloed in onze aderen niet verschillen van dat in jullie aderen. Dan zouden onze clans nu vlees met elkaar delen rond een warm vuur.' Hij zweeg even en zijn blik werd zachter. 'Als de Geestmacht niet had ingegrepen, zouden deze jaren van oorlog en verkrachting misschien niet hebben plaatsgevonden.'

Ze keek hem onderzoekend aan. 'Je schijnt vertrouwd te zijn met Geestmacht.'

Zijn mond verstrakte. 'Geestmacht is precies wat het woord zegt. Macht. Wat ermee wordt gedaan, is afhankelijk van de mensen die de Macht aanwenden. Sommigen zullen haar voor goede doeleinden gebruiken, en anderen voor slechte. Ik heb beide gedaan. Het slechte gebruik betreur ik, en het goede geeft me hoop voor de toekomst.'

Ze knikte, getroffen door zijn openhartigheid. 'Zijn jij en je volk helemaal hiernaar toe gekomen om ons dat te vertellen?'

Hij schudde zijn hoofd. 'We zijn hier gekomen om iets terug te halen dat van ons is.'

'De Witte Huid?'

'Ja.'

Dansende Vos verstrakte. 'Iemand van ons Volk heeft die Huid. Zijn naam is Raafjager. Hij is onteerd en uitgestoten door onze Dromer.'

481

'We kennen hem. We waren van plan hem dood te martelen als vergelding voor de gruwelijke manier waarop hij onze bloedverwanten heeft behandeld. Maar hij ontsnapte en verdween met onze heilige Witte Huid. Wij willen de Huid terug hebben. Zullen we de wapens laten rusten, zodat we kunnen praten? Wellicht kunnen we komen tot een overeenkomst die ons beiden voordeel oplevert.'

Ze keek hem onderzoekend aan, zich afvragend of dit een valstrik was. 'Er is veel bloed vergoten. Velen van het Volk roepen om wraak.'

Vanaf de rotsen boven hen kwam een instemmend gegrom. IJsvuur moest het gehoord hebben, maar zijn ogen weken niet van de hare. 'Het zal niet gemakkelijk zijn,' gaf hij toe. 'Velen van de Clan Van De Witte Slagtand hebben door jullie toedoen geleden of verwanten verloren, en ook zij roepen om wraak. Mijn Zanger zou jullie zelfs het liefst allemaal dood zien.' Hij glimlachte wrang. 'Zo te zien, kampen we dus met dezelfde problemen.'

Ondank zichzelf moest ze lachen.

Er verschenen weer lichtjes in zijn ogen. 'Leiders met een gevoel voor humor moeten in staat zijn elkaar te begrijpen.'

Ze knikte. 'Misschien. Waar zullen we praten?'

Hij gebaarde over zijn schouder. 'Er komt storm. Ik zie aan je kleding dat jullie het de laatste tijd moeilijk hebben gehad. Als jullie ons toestaan ons kamp hier, op jullie gebied, op te slaan, zullen we jullie voorzien van tenten en voedsel. Onze jagers hebben een goed jaar gehad. Misschien kunnen we op deze manier een begin maken met het dichten van de kloof tussen onze volken, en kunnen we al deze moeilijkheden ten goede keren. Denk je dat Vader Zon bezwaar zou maken als we jullie een wapenstilstand aanbieden in zijn naam?'

Haar ogen vernauwden zich. Wilde hij offeren aan de goden van het Volk? Wat zat hier achter? Kon ze deze man vertrouwen? Haar gevoel zei van wel. En bovendien bood hij hun voedsel en tenten aan. Vele nachten al waren ze gedwongen geweest dicht bijeen te kruipen om te kunnen profiteren van elkaars lichaamswarmte, wat echter niet kon voorkomen dat ze half dood-vroren in hun versleten parka's.

'Ik moet eerst met mijn krijgers praten.'

Hij knikte. 'Misschien is het verstandig dat met enige haast te doen; het ziet ernaar uit dat het een zware storm wordt. Als jullie snel klaar zijn, kunnen we de tenten opgezet en het eten klaar-gemaakt hebben vóór de storm echt losbarst.'

Ze glimlachte en keek in zijn vriendelijke ogen. 'Ik zal me haasten, IJsvuur.' Ze draaide zich om en liep het pad op.

Arendschreeuw en de rest zaten een eindje buiten het kamp in de schemering, dicht bijeen, met hun spiesen in hun verkleumde handen, en staarden naar de Anderen verderop, die terugstaar-den, eveneens met hun spiesen in hun handen, gereed om te wer-pen voor het geval iemand vijandige bedoelingen toonde.

De leiders van beide volken zaten in een tent rond een groot vuur, hun vermoeide gezichten verlicht door het schijnsel van de dansende vlammen. De lucht in de tent was vervuld van de geur van geroosterd kariboevlees en gekookte zoete wortelen.

Zingende Wolf boog zich voorover en keek door de spleet in de deurhuid naar buiten. 'Ze zullen daar bevriezen.'

Dansende Vos kauwde nadenkend op een stukje kariboevlees. 'Misschien doet het hun woede wat bekoelen.'

'Daar is tijd voor nodig,' zei IJsvuur, een snelle blik werpend op Rode Vuursteen, die al die tijd nors voor zich uit had zitten kijken.

De oude Zanger gromde en keek Zingende Wolf met dreigend gefronste wenkbrauwen aan. 'Sommigen van ons dragen te veel littekens.'

'Littekens hebben we allemaal,' zei Zingende Wolf zachtmoe-dig. 'Sommige herinneringen laten zich moeilijk uitwissen. Het staat me bijvoorbeeld nog heel levendig voor de geest hoe ik het hart uit een krijger van jouw volk heb gehaald en het aan de Grote Rivier heb toevertrouwd, zodat het naar het Kamp der Zielen op de bodem van de zee kon gaan.'

'Heb jij...' Rode Vuursteen kon geen woorden vinden. Hij

stond op, liep naar de deurhuid en kroop naar buiten, de sneeuw in.

Zingende Wolf zuchtte. 'Ik vrees dat we nog een lange weg te gaan hebben voor het vrede is.' Hij zweeg even en zei toen: 'Het is lang geleden sinds ik het voor het laatst echt warm heb gehad. Als jullie het niet erg vinden, maak ik van deze gelegenheid gebruik om te kunnen slapen zonder dat mijn tanden klapperen als de snavel van een zeemeeuw.'

'Slaap zonder angst, vriend,' zei IJsvuur.

Zingende Wolf rolde zich in zijn huiden, en een tijdje was het stil in de tent. Dansende Vos staarde in het vuur, zich bewust van de aanwezigheid van de Meest Geëerde Oudere van de Anderen.

'Ik verbaas me over je,' zei hij ten slotte.

Ze keek hem aan, en opnieuw ervoer ze hetzelfde tintelende gevoel dat ze had gehad toen hun ogen elkaar voor de eerste keer ontmoetten. Ze vroeg: 'Waarom?'

'Bij een vrouw die zo jong is als jij verwacht je niet zoveel zelfvertrouwen en intelligentie.'

'Zo jong ben ik anders niet meer.' Ze wreef in haar ogen en voelde hoe de verantwoordelijkheid van het leiderschap als een zware last op haar schouders drukte. 'Ik ben eens jong geweest, drie jaar geleden – een eeuwigheid, lijkt het.'

'Het verbaast me dat er nog geen man is geweest die je tot vrouw heeft genomen. Je bent adembenemend mooi, en als ik in je ogen kijk, zie ik kracht en bezieling.' Hij zweeg even, en voor de eerste keer sinds ze hem had ontmoet, was hij onzeker. 'Heb je een minnaar?'

Merkwaardig genoeg bracht zijn onbeschaamde vraag haar niet in verwarring. 'Ik heb één keer iemand liefgehad.' Ze glimlachte wrang. 'Een Droom bleek uiteindelijk aantrekkelijker dan ik.'

IJsvuur knikte. 'Wolfdromer. Reiger moet zijn voeten op dat pad hebben gezet.'

'Wat weet jij eigenlijk van Reiger en Wolfdromer?'

Zijn gezicht werd ernstig. 'Ik... heb hem ontmoet in een Droom. Hij is mijn... zoon.'

484

Ze ging rechtop zitten. 'Jij bent zijn vader?'

Zijn mond vertrok. 'Ja, en ook van Raafjager. Daarom kon ik niet werkloos toezien hoe hij zou worden doodgemarteld – ondanks de gruwelen die hij had begaan.' Hij keek haar recht in de ogen. 'Was dat zwak van me? Dat ik mijn zoon niet kon doden?'

Ze voelde zich vreemd ontroerd dat hij haar in vertrouwen nam. Ze dacht even na en zei toen: 'Nee, ik geloof het niet. Het is belangrijk dat ouders hun kinderen koesteren. Zij zijn de toekomst.'

'De toekomst,' herhaalde hij. 'Ja. Daarom kon ik het niet verdragen Raafjager te zien sterven – ook al had hij het verdiend.'

'Vanwege de martelingen en verminkingen?'

Hij keek op toen hij de koele klank in haar stem hoorde. 'Nee. Hij had het verdiend omdat hij is wie hij is.' Hij zweeg even. 'Hoe moet ik je dat uitleggen? Je bent het met me eens dat een mens uit een lichaam en een ziel bestaat, nietwaar?'

Ze knikte.

'Het lichaam kan mismaakt zijn. Iemand kan geboren worden zonder vingers, of met een lichaam dat niet bestand is tegen de kou, zodat hij hoest en doodgaat.' Hij ging verzitten, zoekend naar de juiste woorden. 'Ook de ziel kan mismaakt zijn. In Raafjagers geval is de ziel mismaakt doordat er iets aan ontbreekt. Hij wordt volledig in beslag genomen door zichzelf en zijn ziekelijke zucht naar Macht, en hij is niet in staat zichzelf in een ander te verplaatsen. Begrijp je wat ik bedoel?'

Ze knikte weer.

'Een gezonde ziel kan voelen wat een ander voelt, kan deelhebben aan de ervaringen van andere schepsels. Op die manier vergaart de ziel wijsheid. Ik heb dat lang geleden al geleerd.' Hij staarde in het vuur, en zijn ogen kregen een droevige uitdrukking. 'Raafjager heeft geen medeleven, hij weet niet wat het is om een andere ziel aan te raken. En het ergste is dat hij af en toe een glimp opvangt van wat er in de toekomst gaat gebeuren – een soort visioen, hoe onvolledig ook. Dat maakt hem gevaarlijk.'

'En toch heb je hem gered?'

Hij keek haar recht in de ogen. 'Ik deed het niet alleen uit mededogen.' Hij wierp een blik op Zingende Wolf en zag dat deze diep in slaap was. 'Misschien ben ik wel net zo'n monster als Raafjager. Ik heb hem in staat gesteld de Witte Huid te stelen.'

Ze schrok. 'Waarom?'

Hij haalde zijn schouders op. 'Het paste in mijn plannen.' Hij boog zich voorover en zei zacht: 'Je mag dit aan niemand vertellen. Niet aan jouw volk, en zeker niet aan het mijne. Ik heb gezien waar mijn zoon Wolfdromer naar toe gaat. Ik weet dat de toekomst van het Volk in het zuiden ligt. En ik weet ook dat wij eens, lang geleden, één volk waren. Ik heb het gevoel dat ik een werktuig ben in handen van hogere machten. Hoe weet ik niet, maar iets dwingt mijn leven in een bepaalde richting. Vele jaren geleden stierf mijn vrouw. Ik was gebroken van verdriet, want ik hield zielsveel van haar. Ik verliet het kamp, zonder afscheid te nemen. Iemand die diep gekwetst is, doet soms vreemde dingen. Het kamp stond toentertijd aan de kust van het zoute water, op een plek waar het slechts een maan kostte om naar het andere zoute water te reizen. Dat gebied is al lang geleden door het water overstroomd. Iets dreef me voort in oostelijke richting, langs de kust.'

'Wat was dat iets?'

'Dat weet ik niet. 's Nachts werd mijn slaap verstoord door vreemde dromen, waarin mijn vrouw voorkwam. En in die dromen voelde ik de aanwezigheid van een andere vrouw. Haar ziel was ook gewond door het verlies van een geliefde. Ik – ik dacht dat het een Geestvrouw was, die de plaats van mijn overleden vrouw zou innemen.' Hij zweeg even. 'Op een dag werd ik wakker, en de Droom was sterker dan ooit. Ik liep als verdoofd rond, en in mijn geest klonk een lokroep – heel krachtig en duidelijk. Het wond me op, en voor het eerst sinds mijn vrouw was gestorven, voelde ik begeerte. En toen zag ik haar. Ze was heel mooi.' Hij stak een hand uit en raakte zachtjes Vos' lange haar aan, en zijn vingers streelden haar gezicht.

'Ik wist dat het de Droomvrouw was. Ik... ik besloop haar, want ik was bang dat ze zou oplossen in de mist, of in zee verdwijnen. Die angst maakte me gek, en toen ze me zag en wegren-

486

de, ging ik haar achterna en wierp haar op de grond.' Hij balde zijn handen tot vuisten en sloot zijn ogen. 'Ik nam haar daar op het zand. De Droom omhulde me en met iedere beweging van mijn lichaam groeide de Macht, tot mijn ziel zong en in licht uiteen leek te spatten.'

Hij staarde met gefronst voorhoofd in het vuur. 'Na een tijdje kwam ik weer bij zinnen, en ik lag nog steeds op haar, volkomen leeg. Ik keek in haar ogen en zag de pijn, en plotseling besefte ik wat ik had gedaan. De Droom was nog niet helemaal verdwenen en ik voelde de aanwezigheid van de Geestvrouw, die naar me keek vanaf een plek ver weg, en ik wist dat de Geestvrouw niet dit meisje was, zo mooi en kwetsbaar. Toen ik haar ogen zag, wist ik dat ik van haar had kunnen houden, en dat zij van mij had kunnen houden. Maar Reigers Droom keerde alles om en bracht geweld waar liefde had moeten zijn. En de kinderen die uit die daad werden geboren, droegen het stempel van dat geweld. Wat een had moeten zijn, werd uiteengereten, en de delen ontwikkelden zich in tegenovergestelde richtingen.'

'En je denkt dat het zonder Reiger allemaal heel anders zou zijn verlopen?' vroeg ze zacht.

'Ja. De vrouw op het strand en ik waren voorbestemd om elkaar lief te hebben, opdat onze beide volken weer werden herenigd. In plaats daarvan hebben velen de dood gevonden. De oorlog begon omdat ik niet naar mijn kamp terugkeerde met een vrouw van het Volk. Ik had de kans voorbij laten gaan om onze clans weer bijeen te brengen.'

'Misschien had Reiger een goede reden om het zo te doen. Ik heb gehoord dat ook zij werd voortgedreven door krachten die zij niet beheerste.'

Hij knikte nadenkend. 'Misschien heb je gelijk.'

'Heb je het je eigen mensen niet verteld?'

'Niemand van hen kent de hele waarheid. Ik heb Rode Vuursteen een gedeelte van het verhaal verteld, maar de betekenis ervan ontgaat hem. Hij beseft niet hoe belangrijk het voor ons is om naar het zuiden te gaan. Als hij wist wat ik van plan ben, zou hij me waarschijnlijk ter plekke doden en de titel van Meest

Geëerde Oudere opeisen, ondanks het feit dat hij doodsbang is van mijn visioenen.'

Dansende Vos raakte zijn hand aan, en zijn vingers verstrengelden zich met de hare. 'Waarom heb je me dit allemaal verteld?' vroeg ze.

'Ik weet het niet.' Hij staarde een ogenblik in het vuur en zei toen: 'En jij? Wat drijft jou voort?'

'Het voortbestaan van mijn volk.'

IJsvuurs ogen leken diepe poelen te worden waarin ze het gevoel had weg te zullen zinken. 'Wat zou je geven voor hun voortbestaan?'

'Alles wat ik had.'

'Ik weet een manier.'

Ze keek hem onderzoekend aan. 'Wat is die manier?'

'Neem mij en een handvol van mijn jonge krijgers mee naar jullie kamp aan de andere kant van het Grote IJs om de Witte Huid op te halen. Geef hem ons vrijwillig, dan zullen we jullie voedsel, kleding en nieuwe tenten schenken. Misschien kunnen we zodoende onze beide volken verenigen tot één nieuw volk.'

'Of het oude volk in ere herstellen?'

Hij glimlachte en kneep in haar hand. 'Ja. Denk je dat we samen het zuiden zouden kunnen delen?'

'Samen,' zei ze, het woord op haar tong proevend. 'Ik ben al zo lang alleen dat ik er niet meer zeker van ben wat dat betekent.'

Zijn glimlach deed haar hart sneller slaan. 'Ik ook niet. Maar het is onderdeel van de Droom. Een kans om te herenigen wat nooit gespleten had mogen worden.'

Ze tuurde in het vuur, keek naar de gele vlammen die langs de stenen van de vuurkuil omhooglekten, en langzaam gingen haar ogen naar hun verstrengelde vingers. Hij zag waar ze naar keek en tilde met zijn andere hand zachtjes haar kin op zodat hun ogen elkaar ontmoetten.

Vertrouw ik hem? Ze keek diep in zijn ogen, trachtend zijn ziel te peilen. *Al vele malen hebben mannen me beloften gedaan. Hij heeft er veel bij te winnen, een heel nieuw land. Zou het Volk sterk genoeg zijn om zich tegen hen te kunnen verzetten? Zijn krijgers zien er*

488

gezond, sterk en vechtlustig uit. Kunnen onze jongemannen hen te-
genhouden?

De grimmige werkelijkheid maakte een eind aan die gedachten. *Heb ik een keus? En ja... ik vertrouw hem, ondanks mijn angst.*
Haar hart begon te bonzen. *Dwaas!*

Hij zag haar twijfels en zei: 'Het zal niet makkelijk zijn. Ik
denk dat we ons daar beiden van bewust zijn.'

Ze knikte. 'Ik zal jou en drie of vier van je krijgers – niet
meer – meenemen naar het Volk. Beschouw het als een beproeving van je standvastigheid. Maar Raafjager zal er ook zijn.'

'Ja, ik weet het. Ik heb me al voorbereid op die laatste confrontatie.'

'Het zal een... omwenteling teweegbrengen.'

Hij keek haar strak aan. 'Je weet dus wat er komen gaat?'

Ze schudde haar hoofd. 'Niet helemaal.'

Hij aarzelde even en zei toen: 'Ik wou dat ik wist wie de sterkste van ons tweeën is.'

63

Wolfdromer ging verzitten en wreef over zijn verkrampte spieren. In gedachten zag hij nog steeds de vreugde en opluchting op de gezichten van de mensen nadat hij hen door het ijs had geleid. Kleine Mos had gedanst van vreugde – een uiting van de Ene die de jongen zelf niet had begrepen. Mensen hadden geschreeuwd en gelachen en elkaar omhelsd, vaak met tranen in hun ogen. Hij was hen voorgegaan in de klim uit de vallei en had als eerste gezien hoe Springende Haas de helling af kwam stormen, wild zwaaiend met zijn armen, een stralende glimlach op zijn gezicht.

Zoveel vreugde na zoveel lijden. Het leven voltrok zich in een spiraal, onophoudelijk volgden de dingen elkaar op in een eeuwige rondedans. De wanhoop was nu voorbij en nieuwe perspectieven openden zich – tot de volgende cyclus van de spiraal.

Maar nooit zou hij de opluchting op Hij Die Huilts gezicht vergeten toen hij naar zijn vrouw rende, haar diep in de ogen keek en haar vervolgens omhelsde tot haar ribben kraakten. Hun liefde voor elkaar was zo groot dat ze het hart verwarmde van ieder die ernaar keek.

Wolfdromer stond met een zucht op en nam zijn huid van de grond. Het verlies van Reigers grot wierp een kleine schaduw over zijn geluk. Hij miste de duisternis en de zwakke vochtige geur van de zuiverende stoom. Hij keek om zich heen en zijn oog viel op Gebroken Tak, die bezig was stenen in het vuur te verhitten, om ze vervolgens in de kookzak te gooien die aan een driepoot bij het vuur hing. Stoom steeg op uit de kookzak.

Wolfdromer probeerde na te denken, maar werd afgeleid door de geluiden om hem heen. Er waren hier te veel mensen, de drukte verstoorde zijn concentratie. En het Volk wilde dat hij morgen de dieren naar zich toe Droomde.

Hij liep naar het vuur en haalde er een dikke tak uit die aan het eind brandde. Zonder het te willen, voelde hij dat alle ogen op hem werden gericht terwijl hij het gloeiende uiteinde van de tak bestudeerde. Hij maakte een brommend geluid, draaide zich om en liep de helling op naar de bomen, op de tak blazend om hem brandende te houden. De mensen weken voor hem uiteen en alle gesprekken verstomden.

Hij verzamelde dood hout en maakte een vuur. Toen het goed brandde, pakte hij een aantal stenen en gooide ze in het vuur om ze te verhitten.

Hij voelde hoe hij aan alle kanten werd begluurd. De mensen keken rond rotsblokken en tuurden tussen de takken door om te zien wat hij deed. Ze lieten hem nooit met rust en volgden hem overal, nieuwsgierig naar wat hij uitvoerde.

Het leidde hem af. Dromen werd op deze manier onmogelijk.

'Je hebt me gewaarschuwd, Reiger. Maar ik wist niet dat het zo moeilijk zou zijn.'

Hij schepte sneeuw op met de huid die hij van het dampende lichaam van Grootvader Witte Beer had losgesneden, die dag op het Grote IJs, en hoopte de sneeuw op naast het vuur. Daarna rolde hij de hete stenen uit het vuur, ging ervoor zitten, trok de berehuid over zijn hoofd en sprenkelde wat sneeuw over de stenen. Het vocht verdampte met een heftig gesis en warme stoom steeg omhoog en kolkte rond zijn hoofd. Het was misschien niet zo goed als in Reigers grot, maar het zuiverde zijn geest en maakte hem ontvankelijk voor de Ene. Toen al het vocht verdampt was, sprenkelde hij opnieuw sneeuw op de hete stenen en ademde diep de stoom in. Hij voelde hoe de spanning van hem afgleed. In het vervolg zou hij overal zijn eigen geiser en zijn eigen grot kunnen maken. Hij zou zijn geest kunnen zuiveren – en Dromen.

Hij breidde zijn bewustzijn uit en werd een donkere aanwezigheid gewaar, dichtbij. Zijn hart begon te bonzen. Zijn tegenstander naderde vanuit het noorden. De draden van het web begonnen bijeen te komen, het tijdstip van de laatste confrontatie was bijna aangebroken, na maanden wachten.

Hij trok de witte berehuid dichter om zich heen en tuurde in de kolkende stoom die opsteeg van de stenen. Beelden vol pijn en geweld begonnen zich te vormen in de warme dampen.

64

Raafjager struikelde in het pikkedonker over een grote steen en viel languit op de grond. Een gloeiende pijn schoot door zijn gewonde arm. Vonken en vurige strepen wervelden door de duisternis voor zijn ogen, en zijn maag begon hevig te krampen. Zijn hoofd deed zeer waar het langs een steen was geschampt. Schor hijgend bleef hij een ogenblik liggen, tegen de grond gedrukt door het gewicht van de Huid.

'Ik moet verder,' siste hij tussen opeengeklemde tanden door. 'De Huid betekent Macht, en die Macht is van mij. Moet verder.'

Hij spande al zijn spieren, drukte zich overeind op handen en knieën en stond op, wankelend op zijn trillende benen. Stap voor stap liep hij verder, gebukt onder de zware rol leer, om zich heen tastend met zijn goede arm. In het ijs boven hem kraakten en kreunden de geesten, en onder zijn versleten laarzen knarste het grint. De kou drong door de gaten in het leer en maakten zijn geschaafde, met blaren bedekte voeten stijf en gevoelloos.

Werktuigelijk sjokte hij verder, zich op de tast een weg zoekend in het verstikkende duister, diep bukkend om te voorkomen dat de Huid achter het ijs boven hem bleef steken. Het knarsen van het grint onder zijn voeten wees hem waar hij moest lopen.

Hij wreef onophoudelijk met zijn wang langs het zachte leer van de Huid, voelde de Macht die de Huid uitstraalde en ontleende er kracht aan om door te gaan. Hij had visioenen van de toekomst, verbeeldde zich wat een Macht hij zou hebben als hij het Volk met zijn Witte Huid bereikte. In triomf zou hij het kamp betreden, en iedereen zou zich aan zijn gezag onderwerpen. Het enige dat hij hoefde te doen, was zorgen dat hij aan de andere kant kwam, weg uit deze duisternis.

De bergen kleurden lichtpaars in het licht van de aanbrekende dag. Boven de zuidelijke horizon twinkelde nog een laatste ster. Voor hen rees dreigend het Grote IJs op, een reusachtige witte muur, spookachtig in het schemerige licht. Vrouw Wind gierde over de top en blies slierten sneeuw de hemel in.

Zingende Wolf zette zijn voet op een van de keien waarmee de helling was bezaaid en keek omlaag naar de tenten aan de voet van de helling. Zijn blik zocht de tent van IJsvuur, in het midden van het kamp van de Anderen. Dansende Vos was nog niet naar buiten gekomen. Een week lang al bracht ze iedere nacht door in de tent van de Meest Geëerde Oudere, tot ergernis en woede van haar krijgers, die haar achter haar rug beschuldigden van verraad. Vooral de krijgers die met Raafjager hadden gevochten, hadden het er moeilijk mee.

Zingende Wolf zuchtte en veegde peinzend de sneeuw van het rotsblok naast hem. 'Nee, ze is geen verraadster,' fluisterde hij voor zich heen. Hij had de tedere blik in hun ogen gezien als ze elkaar aankeken, en de liefdevolle manier waarop ze elkaar aanraakten. Hij begreep waarom Dansende Vos zich tot de Ander aangetrokken voelde. De Oudere deed hen allemaal denken aan Wolfdromer. Geen wonder dat haar verlangen naar de man uitging. Ze had met heel haar hart van de Dromer gehouden. En misschien zouden beide volken voordeel hebben van het feit dat IJsvuur zijn huiden met Dansende Vos deelde. Misschien bracht het hen dichter bij elkaar en kwam er een eind aan hun voortdurende strijd. Wie weet?

Zingende Wolf draaide zich om en liep de helling op, terug naar zijn eigen kamp. Arendschreeuw en Kraaievoet, die rond het vuur zaten, begroetten hem met norse gezichten.

'Dit is waanzin!' siste Arendschreeuw terwijl hij een vuist balde in de richting van het kamp van de Anderen. 'Gaan we morgen samen met die Anderen door het gat in het ijs? Ik kan het nauwelijks geloven!'

'Ik ook niet,' zei Kraaievoet. Zijn ronde, door de vlammen verlichte gezicht was vertrokken van woede. 'Moeten we mannen die onze vrouwen verkracht en onze broeders gedood hebben naar het kamp van het Volk brengen? Zijn we gek geworden?'

Zingende Wolf wreef vermoeid over zijn voorhoofd. 'Vergeet niet dat jullie gezworen hebben de vrede te bewaren.'

Kraaievoet maakte een heftig gebaar en snauwde: 'Het heeft jou altijd al aan moed ontbroken, Zingende Wolf. Ik herinner me nog heel goed hoe jij Raafjager en de rest van ons in de steek liet. Toen kon het je blijkbaar niets schelen dat je je woord had gegeven, hè?'

Zingende Wolf ademde diep in en liet de lucht langzaam ontsnappen, in een witte pluim. 'Wat Raafjager deed, bracht het Volk schade toe. Wolfdromer doet wat goed voor ons is.'

'Goed voor ons,' zei Kraaievoet spottend. 'Is het goed voor mij dat ik het beest dat mijn zuster heeft gedood aan mijn borst koester?'

Zingende Wolf sloeg zijn ogen neer. 'Ik weet dat het moeilijk is, maar we moeten allemaal –'

'Ik heb hem gezien, die eerste avond in IJsvuurs tent!' schreeuwde Kraaievoet. De echo van zijn stem rolde door de vallei.

'Wat is belangrijker? Je dode zuster, of het voortbestaan van het Volk?'

Kraaievoet bracht zijn gezicht vlak bij dat van Zingende Wolf. 'Denk je werkelijk dat je het Volk kan redden door deze beesten naar onze vrouwen en kinderen te leiden?'

'Ik geloof in de Dromer.'

'Zo, geloof jij in hem,' zei Kraaievoet met een spottende grijns. 'Nou, dit is wat ik van hem denk.' Hij spuwde in het vuur.

Met een enorme inspanning wist Zingende Wolf de woede die in hem oplaaide, te bedwingen. 'En ik denk, *jongen*, dat jouw of mijn mening er helemaal niet toe doet. Dit is een zaak van Dromers en Ouderen.'

Kraaievoet sprong op alsof hij gestoken was. 'O ja? Nou, ik vind dat we ze allemaal dood zouden moeten maken.' Na deze woorden draaide hij zich abrupt om en rende weg.

494

'Raafjager zou in deze situatie heel anders hebben gehandeld,' zei Arendschreeuw in de stilte die was gevallen na Kraaievoets verdwijnen. Zijn stem had een verdedigende klank. 'Hij zou nooit een verbond met die slachters zijn aangegaan.'

Ik ben wel erg veranderd, dacht Zingende Wolf. *Vroeger zou ik het zijn geweest die het hardst om het bloed van de Anderen had geroepen. Maar ik kan het me niet meer veroorloven me door mijn emoties te laten meeslepen. Een enkele onbeheerste daad zou het einde kunnen betekenen van het Volk. Is dit dan wat leiderschap inhoudt? Je zelf voortdurend geweld moeten aandoen? Hij Die Huilt doet het heel wat slimmer, die vermijdt al dergelijke gevaren.*

Hij schraapte zijn keel en zei op neutrale toon: 'Je hebt bij de geesten van de Lange Duisternis gezworen dat je zou wachten om te zien of we een manier kunnen vinden om vrede tussen onze volken te bewerkstelligen. Hou je je aan je woord?'

De kaakspieren van Arendschreeuw verstrakten onder de huid. 'Ja, man zonder moed, ik zal wachten. Maar zodra we terug zijn in het kamp van het Volk, acht ik me ontheven van mijn belofte.'

Vanachter een groot rotsblok kwam een zacht geknars van grint, alsof daar iemand stond te luisteren. Zingende Wolf en Arendschreeuw luisterden gespannen, maar er kwam geen geluid meer. Zingende Wolf wendde zich weer tot Arendschreeuw. 'En de rest van de krijgers?'

'Die zullen ook hun belofte nakomen. In tegenstelling tot jou, hechten wij waarde aan eervol gedrag. Raafjager heeft ons dat geleerd.'

'En wat heeft hij jullie nog meer geleerd?' zei Dansende Vos terwijl ze achter het grote rotsblok te voorschijn kwam.

Arendschreeuw verstijfde een ogenblik en zei toen kwaadaardig: 'Zo, heeft IJsvuur al genoeg van je? Ga terug naar zijn –'

'Geef antwoord op mijn vraag, krijger!' zei Dansende Vos snijdend. 'Is haat het enige dat Raafjager jullie heeft geleerd? Vergat hij dat wijsheid en het vermogen om na te denken ook belangrijk zijn? Heeft hij jullie ook minachting voor de ouderen geleerd? Zijn jullie vergeten dat het Volk honderden Lange Duisternissen zijn best heeft gedaan om in vrede te leven, zoals Vader Zon het wilde?'

'Raafjager is de zoon van Vader Zon!' grauwde Arendschreeuw. 'Hij werd geboren om ons in een nieuwe richting te leiden!'

'Waarom ben je hem dan niet gevolgd toen hij werd uitgestoten?'

Arendschreeuw vouwde zijn armen over zijn borst en klemde zijn kaken op elkaar.

Toen de stilte lang begon te duren, vroeg Zingende Wolf opnieuw: 'Waarom ben je hem niet gevolgd?'

'Daar heb ik misschien verkeerd aan gedaan.'

'Ik denk van niet.'

'Luister, begrijpen jullie het dan niet? Stel dat er vrede komt. Hm? Wat dan? Hoe moeten we dan uit elkaar houden wat van ons is en wat van de Anderen? Wordt Vader Zon vervangen door het Grote Mysterie? Moet het Dromen plaatsmaken voor het ontvangen van visioenen op hoge plaatsen?'

'Waarom maak je je er ineens zo druk over dat de Dromen misschien verdwijnen?' zei Dansende Vos. 'Dat is toch precies wat Raafjager wilde? Hij wilde Wolfdromer doden terwijl hij aan het Dromen was – en nog wel tijdens de Hernieuwing!'

Arendschreeuw slaakte een zucht. 'Dat was verkeerd. Maar hij handelde in woede. Hij was er getuige van geweest dat zijn vriend door hekserij om het leven was gebracht. Hij –'

'O, is het nu opeens hekserij?' Zingende Wolf trok een wenkbrauw op. 'Dus volgens jou was het geen Droom?'

'Ik... ik weet het niet meer. Misschien was het een Droom.'

'Mooie kinderen van Vader Zon zijn we,' bitste Dansende Vos. 'Iedereen dorst naar bloed en staat elkaar naar het leven. Onze krijgers branden van verlangen om de Anderen aan hun spies te rijgen, en de Anderen willen hetzelfde. Maar als we niet veranderen, zullen we allemaal sterven.'

'Wat bedoel je? Sterven?'

'Je hebt toch gehoord wat de Dromer heeft gezegd? De wereld is aan het veranderen. Het ijs smelt en het water van de zeeën

496

stijgt. Misschien hebben degenen die zeggen dat het einde van de wereld nabij is wel gelijk. Misschien zijn alle mensen op de wereld gek geworden.'

'Misschien,' zei Arendschreeuw nors.

'Zul je je belofte nakomen tot we het kamp van het Volk hebben bereikt?'

'Wij zullen onze belofte nakomen. Maar daarna zijn we vrije mannen.'

'En wat gaan jullie doen met die vrijheid?'

Hij haalde geïrriteerd zijn schouders op. 'Het is mogelijk dat de Anderen op de terugweg iets overkomt, zodat ze de rest van hun clan niet kunnen vertellen waar het gat in het ijs is.'

'Maanwater weet waar het gat is.'

Arendschreeuw lachte ruw. 'Dan zullen we voor haar ook iets moeten verzinnen.'

'En het kind van Springende Haas dat Maanwater draagt?' zei Zingende Wolf kil.

Arendschreeuw grijnsde boosaardig. 'Dat heeft gemengd bloed.'

'Jouw held, Raafjager, heeft ook gemengd bloed,' zei Dansende Vos. 'Zijn vader is een Ander. Wie weet, misschien is ware kracht wel een gevolg van de vermenging van ons bloed met het hunne, hm? Denk daar eens over na.' Ze draaide zich om en liep de helling af naar het kamp van IJsvuur. Een sliert rook hing boven de tent van de Oudere, en uit de opening kwam de zachte gloed van een vuur.

Arendschreeuw fronste zijn wenkbrauwen en wendde zich tot Zingende Wolf: 'Wat bazelt ze nu weer? De vader van Raafjager een Ander? Onmogelijk!'

Het licht deed pijn aan zijn ogen. Had hij de zon ooit zo helder gezien? Raafjagers ogen begonnen te tranen en hij moest zijn blik afwenden.

'We hebben het gehaald,' mompelde hij, met zijn wang langs de Witte Huid strijkend. 'Nog maar een klein stukje!'

Hij keek om zich heen, zijn ogen tot spleetjes geknepen tegen het schelle licht, en zag het spoor dat het Volk had achtergelaten. Hij verplaatste het gewicht van de Huid op zijn schouders met behulp van zijn goede arm. De andere arm bungelde erbij, rood en opgezwollen. Zijn rug voelde aan alsof hij nooit meer rechtop zou kunnen lopen. Hijgend zette hij zich in beweging, gebukt onder zijn last, zijn ogen gericht op het spoor.

Hoog boven hem kraste een kraai, een dreigend geluid in de stilte.

Wolfdromer zat op een omgevallen boom, iets buiten het kamp, en keek naar de mannen en vrouwen die bezig waren de dieren die hij naar zich toe had geroepen, te villen en in stukken te snijden. Hij had het leed van de dieren gevoeld, had de pijn ervaren als een spies diep in een lichaam drong en de tere weefsels van het hart, de longen of de lever uiteenscheurde. Hij was een met ze geweest, was samen met ze gestikt in hun bloed, had hun angst gedeeld terwijl de schaduw van de dood over hun geest was gevallen en hun ogen had verduisterd.

Maar tegelijkertijd had hij ook deelgenomen aan de uitbundige vreugde van het Volk, dat zich verzekerd wist van genoeg voedsel voor het komende jaar. De tenten zouden gevuld worden met vlees en nieuwe kleding.

En onder dit alles, onder de vreugde en het lijden, hoorde hij de lokroep van een diepere waarheid. Maar hij wist dat hij pas aan die lokroep gehoor mocht geven als hij de eerste draden van het rode web had geweven.

Hij Die Huilt liep naar hem toe en ging naast hem staan. 'Vreemd,' bromde hij. 'We hebben hier al een heleboel dieren geslacht, maar vandaag viel het me voor de eerste keer op dat ze geen van alle wormen in hun longen hebben. Hoe zou dat komen?'

Wolfdromers blik zwierf naar de dreigende zwartheid in het noorden, die in kracht toenam met iedere ademteug die hij in zijn longen zoog. 'Wij zijn niet het enige leven dat zuidwaarts trekt. Het ijs smelt, en spoedig zullen kariboes, mammoeten en bizons hierheen komen langs het pad dat wij hebben gevolgd. En waar zij gaan, gaan de wormen met ze mee.'

'Is dat slecht?'

Wolfdromer glimlachte, spreidde zijn armen en begon te dansen. Hij draaide rond in een spiraal, in steeds wijdere kringen. 'Zie je wat ik doe? Hoeveel keer ben ik rond geweest?'

'Wat?' zei Hij Die Huilt verbijsterd. 'Ik begrijp niet –'

'Kijk!' Wolfdromer danste terug in een steeds nauwer wordende spiraal, tot hij op zijn uitgangspunt was teruggekeerd. Hij sprong uit het centrum en keek Hij Die Huilt vragend aan. 'Vertel me eens wat het eerste kwam. Danste ik van binnen naar buiten, of van buiten naar binnen?'

'Eerst van binnen naar buiten, en daarna van buiten naar binnen.' Hij wees op de grond. 'Iedere jager kan je dat vertellen aan de hand van de sporen.'

Wolfdromer slaakte een teleurgestelde zucht. 'Maar wat was er het eerst? De binnenkant of de buitenkant?'

Hij Die Huilt fronste zijn wenkbrauwen. 'Wat heeft dat met die wormen te maken?'

Wolfdromer gooide zijn hoofd achterover en lachte tot zijn buik er pijn van deed. Hij Die Huilt lachte aarzelend mee terwijl hij zich afvroeg wat hij voor grappigs had gezegd.

Wolfdromer ging weer op de omgevallen boom zitten en klopte erop ten teken dat zijn vriend naast hem moest komen zitten. Hij Die Huilt keek hem schuins aan terwijl hij behoedzaam naast hem plaatsnam en zei: 'Ik vind het niet leuk als je begint te praten op een manier die ik niet begrijp. Je trekt je de laatste tijd steeds vaker terug en laat ons aan ons lot over. We missen je leiding.'

'Ik weet het,' zei Wolfdromer vermoeid. Een verlegen glimlach gleed over zijn gezicht, en even leek hij weer op de oude Rent In Licht. 'Om op je vraag terug te komen, de wormen zullen ook naar het zuiden komen, in de dieren waar ze, net als wij, van leven. Vele van de schepsels ten zuiden van ons zullen sterven, gedeeltelijk doordat de wereld aan het veranderen is, gedeeltelijk door ons – en de wormen. Verandering is de ademhaling van de Ene, een stap in de Dans. Alles komt en gaat, alles Danst. Maar er is geen Danser.'

Op het brede, platte gezicht van Hij Die Huilt verscheen een uitdrukking van opperste verbijstering.

Dit is een goed mens. Hoewel hij het niet weet, Danst Hij Die Huilt dichter bij de Ene dan wie ook van de anderen. Hij is zuiver en raakt niet onder de indruk van het groeiende aanzien dat hij geniet. Een lichte pijn raakte zijn hart. *Ik zal deze man missen. En het eind is nabij, heel nabij.*

In de verte klonk het gelach van een kind dat door het kamp holde, met een stok hoog boven haar hoofd. Achter haar rende een hond, blaffend en springend.

'Ik heb de laatste tijd steeds vaker moeite je te begrijpen,' zei Hij Die Huilt. 'Soms snap ik helemaal niets van wat je zegt.'

'Na mij komt iemand die het zal uitleggen.'

'Wie? Kunnen we –'

De gewaarwording overviel hem zo plotseling dat hij van de boomstam af zou zijn gevallen als Hij Die Huilt hem niet had beetgepakt. De wereld om hem heen leek te draaien en te golven.

'Ik moet gaan,' kreunde Wolfdromer. Hij haalde diep adem en ging staan, zijn armen uitgespreid om beter zijn evenwicht te kunnen bewaren. Hij voelde hoe de rode draden hem insponnen. 'Het web is bijna voltooid. De spiraal van de spin nadert het middelpunt.'

Hij Die Huilt keek op naar de jongeman die eens zijn vriend was geweest. 'Waar ga je naar toe? Kan ik met je mee?'

'Nee. Ik moet me voorbereiden op de Droom.'

Hij richtte zijn schreden naar de steile, met sparren begroeide heuvel die hoog boven het kamp oprees. Nooit was zijn tred lichter geweest, noch zijn hart zwaarder.

65

Het duister hing om hen heen als een zware, vochtige mantel. Boven hen kreunden en krijsten de geesten, vaak zo luid dat praten zinloos was omdat ze elkaar niet konden verstaan. IJsvuur schuifelde voort, voetje voor voetje, met één hand de korrelige ijswand naast hem aftastend. Voor hem liep Dansende Vos, zwart afstekend tegen het schijnsel van de lamp die hij dank zij de aanwijzingen van Maanwater had weten te vinden. Zo weinig licht, en zo'n verschrikkelijk oord. En zij was dit pad al eerder gegaan, in de duisternis – terwijl het water stroomde? Zijn respect en bewondering voor haar groeiden.

Ze liepen en liepen. Ondanks de vijandigheid begon zich een band tussen de twee groepen te vormen. Hun intense haat kon hen er niet van weerhouden steun te zoeken bij elkaar, bang als ze waren voor het donker en de rommelende geluiden uit het ijs boven hen.

'Mijn ontzag voor wat Wolfdromer heeft gedaan, neemt met de dag toe,' zei IJsvuur. 'Hoe is het mogelijk dat hij de moed heeft kunnen vinden zich hierin te wagen?'

'Ik ben er twee keer eerder door geweest, maar het valt me nog net zo zwaar als tijdens de eerste tocht.'

Plotseling stiet iemand achter hen een gegrom uit en viel met een doffe klap op de grond. Er klonk een knappend geluid, alsof de schacht van een werpspies in tweeën brak, gevolgd door het scherpe sissen van adem die tussen opeengeklemde tanden door naar binnen werd gezogen.

'Wat is er?' riep Zingende Wolf in de duisternis. Zijn stem weerkaatste hol van de wanden.

'Mijn been,' kreunde Rode Vuursteen. Er klonk een ruisend geluid van leer over grint.

'Hier, ik heb je gevonden. Pak mijn hand vast,' zei Zingende

Wolf. 'Ik zal proberen te voelen wat er mis is met je been. Kun je mijn hand naar de plek brengen?'

Dansende Vos draaide zich om en liep terug met de lamp. IJsvuur volgde haar. In het zwakke schijnsel zagen ze hoe Zingende Wolf zich over de Zanger boog en door het leer van de laars heen het been betastte. Rode Vuursteen slaakte een gesmoorde kreet van pijn.

'Het bot is gebroken.'

Rode Vuursteen onderdrukte een nieuwe kreet. 'Nee, niet hier,' fluisterde hij.

'We halen je hier wel uit,' zei Zingende Wolf geruststellend. Hij liet zijn pak van zijn rug glijden en haalde er twee stokken en een lange reep leer uit. 'Ik zal je been spalken, en daarna zullen we je op onze rug dragen.'

'Wacht,' riep Gebroken Schacht van verder naar achteren. 'Hij is onze Zanger. Wij zullen hem dragen.'

IJsvuur zei op besliste toon: 'We zullen hem om de beurt dragen; en dat geldt voor iedereen die iets overkomt. Of zijn jullie vergeten waar we zijn?' Hij keek om zich heen in het zwakke schijnsel van de lamp en ontmoette bezorgde blikken.

In het ijs boven hen verschoof iets, en een huiveringwekkend gekrijs zwol aan en stierf rommelend weg. Iedereen was als verstijfd.

'We zullen hem met ons *allen* om de beurt dragen,' zei Dansende Vos ferm in de doodse stilte die op het gekrijs was gevolgd. Ze bukte zich en hield de lamp bij het been van Rode Vuursteen, en Zingende Wolf begon het met vaardige handen te spalken.

De geur van geroosterd vlees en brandend hout was voor Raafjager het eerste teken dat hij het kamp van het Volk naderde. Op het moment dat hij de eerste vuren in het oog kreeg, stoof een troep honden uit de duisternis op hem af, blaffend en grommend.

'Ga weg, smerige beesten!' riep Raafjager terwijl hij zwakke trapbewegingen naar de dieren maakte. De honden hadden er geen moeite mee de trappen te ontwijken.

'Wie is daar?' riep iemand. Er stapte een man uit het donker.

Raafjager strompelde zonder iets te zeggen langs hem heen, op trillende benen. De man kwam hem achterna en zei: 'Je bent gewond. Laat me je helpen. Wat draag je daar over je schouder? Iemand die gewond is? Kom, ik zal –'

'Blijf af!' schreeuwde Raafjager toen de man zijn handen uitstak naar de Witte Huid. Een gure windvlaag kwam uit het noorden, alsof zijn woorden een bevel aan Vrouw Wind waren geweest. De man stapte onzeker achteruit.

Raafjagers ogen glansden toen hij de lichtkring van het grootste vuur in stapte en de Witte Huid voorzichtig op de grond legde. De mensen staarden hem met grote ogen en open mond aan, alsof een van de Monsterkinderen uit de hemel was neergedaald en in hun midden terecht was gekomen.

'Raafjager!' riep iemand.

Zijn naam ging van mond tot mond.

Hij staarde roofzuchtig in het rond en genoot van het ontzag in de ogen die op hem waren gericht. *Ja, ik ben terug, mijn volk. En van nu af aan wordt alles anders. Ik zal jullie leiden, en niemand anders. En ik zal niet dulden dat iemand zich verzet of zelfs maar kritiek heeft.*

'Kijk naar hem! Hij is veranderd,' riep iemand, en een ander mompelde: 'Zie je het licht in zijn ogen? Als van een Dromer. Hij heeft een visioen gehad.'

Raafjager lachte, en de mensen deinsden achteruit. 'Hoe durft hij hier terug te komen,' riep een van hen.

Bizonrug stapte naar voren, turend in het flakkerende licht van de hoog oplaaiende vlammen. 'Raafjager?'

'Ik ben terug!' riep hij luid. Hij maakte zich zo lang mogelijk, wees met zijn goede duim naar zijn borst en brulde: 'Kijk naar me!'

Iedereen uit het kamp kwam aanlopen om te zien wat er gaande was, en er werden vele angstige blikken uitgewisseld en vragen gemompeld.

'Zien jullie me?' riep hij terwijl hij zijn goede hand tot een vuist balde en in de lucht stak. 'Ik, Raafjager, de grootste krijger van het Volk, ben erop uitgegaan om de sjamaan van de Anderen, IJsvuur, te doden! Ik, Raafjager, de grootste krijger van het Volk, heb in plaats daarvan de Witte Huid gestolen! Waarom een waardeloze Dromer het leven ontnemen als je je het hart en de ziel van een heel volk kunt toeëigenen?'

'Wát heb je gedaan?' vroeg Bizonrug ontzet. 'De Witte Huid? Hun heilige totem, de drager van hun Macht?' Onwillekeurig deed hij een stap achteruit.

'Ja, ik heb hem gestolen!' riep Raafjager. De triomf vulde zijn verzwakte lichaam met nieuwe krachten. 'Hun geestkracht heb ik hun ontnomen – hun moed en hun wil. Denk je dat ze ons nu nog het hoofd zullen kunnen bieden? Het is afgelopen met die dwaze hekserij van mijn broer. *Ik* zal jullie leiden! Ik heb waarlijk Macht. Ik ben de zoon van Vader Zon, en mijn vader is machtiger dan hun Grote Mysterie. Hun heilige totem is in onze handen gevallen – in *mijn* handen!'

'Ze zullen je achterna komen om hem terug te halen!' riep Bizonrug. Hij liep op Raafjager af, zijn kin vooruit gestoken, zijn gerimpelde gezicht vertrokken van woede. 'Zo'n machtige totem kun je niet –'

Raafjager plantte zijn goede vuist met alle kracht waarover hij beschikte in de keel van de oude man, zonder te letten op de verblindende pijn die door zijn gewonde arm schoot. Bizonrug viel kokhalzend op de grond, en Raafjager zette een knie op zijn luchtpijp en drukte met zijn volle gewicht. Met een luid gekraak brak de nek van Bizonrug.

De mensen bleven een ogenblik als verlamd staan, met open mond, een blik van afgrijzen in hun ogen. Toen begonnen ze naar voren te lopen.

'*Halt!*' schreeuwde hij terwijl hij achteruitstapte en wijdbeens over de Witte Huid ging staan.

De mensen bleven geschrokken staan en begonnen door elkaar te lopen, onzeker wat hun te doen stond. Raafjager voelde de Macht van de Witte Huid en gebruikte haar om de menigte achteruit te dwingen. 'Ja, jullie voelen het ook, hè? De Witte Huid dient mij. Ik ben de Macht van het Volk. Zoals de Huid vroeger de Anderen heeft behoed en sterk heeft gemaakt, zo zal hij nu het Volk behoeden en sterk maken.'

Gebroken Tak werkte zich door de menigte naar voren en staarde een ogenblik naar het lijk van Bizonrug. Toen ze opkeek, fonkelden haar ogen. 'Zo? Dus je hebt ditmaal Bizonrug vermoord? Wie zijn er daarna aan de beurt? Vier Tanden en ik? Dan zijn er geen ouderen meer om je iets in de weg te leggen.'

'Ik heb de Macht, oude vrouw. Zie je deze Witte Huid? Hij is van mij. Een geschenk van Vader Zon aan mij, zijn zoon. Je kent het verhaal toch, oude vrouw? Het verhaal waarin wordt verteld hoe Vader Zon mijn moeder nam toen ze langs het zoute water wandelde?'

'Ja, maar dat –'

'Ze gaf geboorte aan twee zonen, en de bevalling kostte mijn moeder het leven.' Hij lachte schel en sloeg zich triomfantelijk op de borst. 'Een vrouw die geboorte geeft aan kinderen van Vader Zon, kan niet blijven voortleven! De Macht is te groot. Dat is de reden waarom ik altijd in de toekomst heb kunnen zien. Vader Zon heeft mij gestuurd om het Volk langs nieuwe paden te leiden. Kijk, oud wijf, zie je de Witte Huid? Vader Zon heeft me de kracht gegeven om hem van de Anderen te stelen en hem helemaal hierheen te brengen, door het gat in het ijs. Vader Zon heeft me op de proef gesteld en me gevormd en gehard door middel van ontberingen en leed. Hij heeft me laten zien wat honger en angst en kou en pijn is. En daarna heeft hij me getoond hoe ik het Volk moet leiden.'

Gebroken Tak priemde naar hem met een knokige vinger en riep schril: 'Je hebt Bizonrug vermoord! Je hebt opnieuw de vrede van het Volk verbroken. Vorige keer heeft Wolfdromer ons ervan weerhouden je te laten boeten voor je daad, maar dit keer zul je je straf niet ontlopen!'

Zijn ogen vernauwden zich. 'Wilde jij mij berechten, vrouw? Denk je werkelijk dat je iets zou kunnen ondernemen tegen mij, die de Macht van de Witte Huid bezit?' Hij deed twee snelle stappen naar voren, greep Gebroken Tak bij een van haar magere armen en sleurde haar naar de Witte Huid. Ze gilde van pijn en woede. Hij klemde zijn grote vuist om de broze botten van haar arm en kneep hard, geprikkeld door haar gegil. De botten versplinterden en braken en een hese kreet ontsnapte aan Gebroken Taks lippen.

Hij liet haar los en ze zakte jammerend ineen aan zijn voeten. Hij voelde de Macht door zich heen golven, en de mensen deinsden in afgrijzen achteruit, niet in staat zijn blik te verdragen.

Hij ging zitten en legde behoedzaam zijn gezwollen arm in zijn schoot. 'Is dit de manier waarop jullie de drager van de Witte Huid behandelen? Is dit het welkom dat jullie een held bereiden? Breng me eten. Warme geroosterde lever en vlees dat rijk is aan vet. Nu meteen! Anders sterft de oude vrouw.'

Groen Water maakte zich los uit de menigte, boog zich over Gebroken Tak en probeerde haar voorzichtig op te tillen.

'Ik heb niet gezegd dat ze kon worden weggehaald,' zei Raafjager kil.

'Ik heb je niets gevraagd,' antwoordde Groen Water, en in de blik die ze op hem richtte, lag een kracht die hij daar nog nooit eerder had gezien.

Hij stak snel een been uit en schopte Groen Water omver.

Ze rolde een keer om haar as, drukte zich overeind op haar handen en stond op. Haar ogen spoten vuur en haar kaakspieren trilden van ingehouden woede.

Ik zie nu voor het eerst hoe aantrekkelijk ze is. Misschien kan ze de Witte Huid voor me verwarmen tot Dansende Vos arriveert? Hij grinnikte zachtjes. Hoe lang was het geleden sinds hij een vrouw had gehad? Zonder zijn ogen van Groen Water af te nemen, greep hij Gebroken Tak beet en trok haar naar zich toe. De oude vrouw hield haar gebroken arm vast en kermde.

'Ga zitten,' beval hij Groen Water terwijl hij op de grond voor zich wees.

Ze schudde haar hoofd.

Hij legde zijn grote hand om de dunne nek van Gebroken Tak en herhaalde zacht: 'Ga zitten.'

Groen Water verstijfde.

'Niet doen!' kreunde Gebroken Tak. 'Hij is een gevaarlijke gek. Gehoorzaam hem niet.'

506

Hij boog zich voorover en draaide het hoofd van de oude vrouw zo dat ze hem moest aankijken. 'Ze heeft geen keus,' zei hij. Toen wendde hij zich weer tot Groen Water. 'Ik zei: Ga zitten!'

Zonder haar ogen van zijn gezicht te nemen, liet Groen Water zich op de grond zakken. Haar lippen beefden.

Een vrouw zette haastig een kookzak vol vlees voor hem neer en trok zich toen weer snel terug. Raafjager liet Gebroken Tak los, wierp een laatste arrogante blik op de kring van zwijgende mensen en begon te eten. Hij kauwde langzaam en grondig, want hij kende het gevaar van te veel eten na een tijd vasten. Zijn lichaam, dat lange tijd geleefd had van de Macht van de Witte Huid, vulde zich met de kracht van het voedsel.

Na een tijdje zei hij: 'Waar is mijn broer?'

'Daar ergens, in het donker,' antwoordde Springende Haas, met een gezicht waarop niets te lezen was. 'Hij Die Huilt is weg om hem te halen.'

Raafjager begon te lachen. 'Ergens in het donker? Mijn idiote broer loopt ergens in het donker rond terwijl zijn meerdere is gekomen om het Volk naar nieuwe jachtgronden te leiden? Een kostelijke situatie, niet? Dat is dus de man in wiens handen jullie je lot hebben gelegd?'

Enkele van de jongere krijgers keken elkaar aan. De dood van Bizonrug en de vernedering van Gebroken Tak en Groen Water hadden duidelijk aangetoond wat een Macht de Witte Huid vertegenwoordigde. Raafjager merkte hun blikken op en knikte. 'Ja, mijn vrienden, denk maar eens goed na. Jullie hebben je in Reigers vallei van mij afgekeerd omdat jullie meenden een grotere kracht dan ik te hebben gezien, nietwaar?' Aan hun neergeslagen blikken en gebogen hoofden zag hij dat hij gelijk had. 'Maar wie keert er terug naar het Volk met de heilige totem van de Anderen over zijn schouder? Ik, Raafjager! En waar is mijn broer, Rent In Licht? Ach ja, neem me niet kwalijk, *Wolfdromer*.' Hij deed alsof hij ingespannen luisterde. 'Wat? Geen antwoord? Komt dat misschien omdat hij rondzwerft in het donker – op zoek naar valse Dromen?'

De mensen bewogen onrustig en begonnen te fluisteren. Raaf-jager begon weer te eten, met kleine beetjes tegelijk, zodat hij zijn maag niet zou overladen en gedwongen zou zijn alles uit te braken. Hij zag dat Groen Waters fonkelende ogen hem geen moment verlieten. Was ze behalve aantrekkelijk ook opstandig? Het zou hem veel genoegen doen haar benen te spreiden. Hij zou Hij Die Huilt natuurlijk moeten doden. Of misschien zou de laf-aard zich neerleggen bij het verlies van zijn vrouw.

'Een nieuw land, een nieuwe leider.' Hij veegde zijn mond af aan zijn mouw. 'Van nu af aan zal de sterkste uitmaken waar het Volk naar toe gaat. We hebben een vergissing begaan door al die jaren naar zwakkelingen als Bizonrug te luisteren.' Hij duwde met een teen tegen het lijk. 'Het Volk is verzwakt als gevolg van hun beslissingen, uitgedund door oorlog en ziekte. Ik beloof jul-lie dat dat niet meer zal gebeuren. Ik zal het Volk weer sterk maken, zodat het nooit meer angst hoeft te hebben door Anderen te zullen worden vervolgd en afgeslacht. De sterkste zal leiden, net als bij de wolven.'

De jonge krijgers begonnen druk te fluisteren, en Raafjager zei: 'Trekt het jullie aan om wolven te worden? Of willen jullie liever muskusossen zijn, langzaam en lomp en dom?'

De ogen van de jongemannen begonnen te glanzen, en Raaf-jager glimlachte. 'Ja, jullie herinneren je nog de eer die jullie onder mijn leiding hebben behaald. Jullie herinneren je de kracht die het Volk bezat voordat Wolfdromer ons met zijn hek-serij betoverde en misleidde.' Hij keek om zich heen. 'Wat zul-len we doen met die heks?'

'Wat weet jij van hekserij en Macht, idioot?' beet Gebroken Tak hem toe.

Raafjager zette zijn voet op de nek van de oude vrouw en druk-te haar tegen de grond. Groen Water verstijfde en haar brede mond vertrok tot een grimmige streep.

'Een waardeloze vrouw,' zei Raafjager, met zijn hoofd ge-barend naar Gebroken Tak. 'Ze kan al jaren geen kinderen meer krijgen. Ik had haar in het Mammoetkamp al moeten doden. Weten jullie nog dat Kraailokker zei dat een vrouw alleen maar geschikt was om het zaad van de man te laten groeien? Zij kan dat niet meer. Het enige dat ze nog kan, is eten en drinken. Zonder haar is er voor iedereen meer voedsel.'

'Nee!' riep Lachend Zonlicht, en zij en Zang Van De Wulp deden een stap naar voren, maar bleven staan toen Groen Water waarschuwend een hand ophief.

'Heel verstandig.' Raafjager stopte weer een stukje vlees in zijn mond en begon te kauwen. 'Wie zich tegen mij verzet, verzet zich ook tegen de Macht van de Witte Huid. Als iemand mij aanvalt, sterft dit oude wijf. Word ik gedood, dan zal de Macht van de Witte Huid zich tegen het Volk keren, met verschrikkelijke gevolgen. Ik ben de toekomst, in mijn handen ligt de bestemming van het Volk. Breng me nieuwe laarzen en een nieuwe parka. Een leider hoort niet in vodden gekleed te gaan.'

'Moet je gewonde arm niet verzorgd worden?' vroeg een van de jonge krijgers.

'Een man met Macht heeft geen armen nodig.' *Nog steeds geen Rent In Licht? Een goed teken! De Macht van de Witte Huid heeft hem natuurlijk zo'n angst aangejaagd dat hij zich niet durft te vertonen. Werkelijke Macht is tot dergelijke dingen in staat.*

'Je bent ziek,' fluisterde Groen Water. 'Je ziel is aangetast, verwrongen door een gefolterde geest.'

Hij lachte. 'Zulke woorden kun je verwachten van iemand die er niets van begrijpt. Voor mij daarentegen is alles volkomen helder geworden, dank zij de Huid. Mijn visioenen zijn waar, en zijn dat al die tijd geweest.' Hij glimlachte naar Groen Water. 'En ik zal mijn zaad in de vrouwen van het Volk planten. Jij zult de eer hebben mijn zaad als eerste te mogen ontvangen.'

De ogen van Groen Water werden groot. 'Dat zou je niet...'

'Mensen met Macht hebben nu eenmaal bepaalde voorrechten,' zei Raafjager. 'Ik ben geboren uit het zaad van Vader Zon! Ik ben zijn geschenk – het pad naar het nieuwe leven. De Witte Huid is het teken van mijn Macht.'

'In *jouw* handen betekent de Macht van de Witte Huid niets,' zei een onbekende, krachtige stem.

De mensen draaiden zich in de richting waaruit de stem had

geklonken en tuurden het donker in. Raafjager verhoogde de druk op Gebroken Taks keel, zodat ze bijna geen adem meer kon krijgen en er verstikte geluiden uit haar mond kwamen.

De mensen weken uiteen om een groep krijgers door te laten: Arendschreeuw, Dansende Vos, Kraaievoet, en... en *IJsvuur?* 'Kom niet dichterbij!' beval Raafjager, trachtend zijn verwarring te verbergen. 'De Witte Huid behoort mij toe. Zijn Macht is van mij!'

IJsvuur hield zijn pas niet in, maar liep kalm door, gevolgd door de rest van zijn krijgers. Rode Vuursteen werd ondersteund door Zingende Wolf en Gebroken Schacht.

Raafjager duwde Gebroken Tak weg met zijn voet, sprong overeind en tilde met zijn goede arm de Witte Huid op. 'Blijf staan, IJsvuur! Nog één stap dichterbij en ik gooi de Witte Huid in het vuur.'

IJsvuur bleef abrupt staan. 'Je hebt er geen idee van wat dat voor gevolgen zou hebben.'

'Het zou het hart van het Mammoetvolk vernietigen, het zou jullie ziel roosteren!'

De andere krijgers van de Anderen verstijfden, en de achterdocht in hun ogen maakte plaats voor angst. Gebroken Tak kroop bij Raafjager vandaan, haar gebroken arm ondersteunend met de andere.

IJsvuur sloeg zijn armen over elkaar en zei kalm: 'Als je de Huid vernietigt, zullen alle clans hierheen komen om jouw volk te verpletteren. Tot nu toe hebben jullie alleen gevochten tegen de Clan Van De Witte Slagtand, maar dan zullen jullie het ook moeten opnemen tegen de Bizon Clan, de Clan Van De Ronde Hoef, en de dodelijkste van allemaal, de Tijgerbuik Clan. De Huid is heel belangrijk voor ons, en we zouden de man die hem vernietigde tot aan het eind van de wereld achtervolgen.'

Er verscheen een frons op Raafjagers gezicht. 'Maar je zei...'

IJsvuur glimlachte weemoedig. 'Ik heb gelogen.'

Een spier in Raafjagers wang begon te trekken. 'Gelogen?' Toen lachte hij en streelde de Witte Huid, en hij voelde hoe de Macht hem doorstroomde. 'Je hebt je misrekend, IJsvuur. Ik was sterker dan je dacht. Ik heb getoond de Witte Huid waardig te zijn. Ik heb hem hierheen gebracht, helemaal alleen, over de heuvels en door het ijs.'

'En moet je zien hoe je er nu uitziet.' IJsvuur schudde meewarig zijn hoofd. 'Mager, vuil, gewond. Je lijkt wel een wolvejong dat door zijn moeder verstoten is.'

'Dáárom is hij me niet verder gevolgd, die dag in de heuvels!' zei Dansende Vos plotseling. 'De Huid heeft hem vernietigd.'

IJsvuur knikte. 'De Huid heeft zijn ziel weggezogen.'

Het hart van Raafjager begon wild te bonzen. Nee! Wat wist die oude man ervan? De Huid had hem geen kwaad gedaan, maar juist in leven gehouden! 'De Huid heeft al die tijd voor me gezorgd.'

'En de kariboe dan?' vroeg IJsvuur kalm. 'Je had het dier makkelijk kunnen vangen, maar je keerde op het laatste moment terug. De sporen spraken duidelijke taal, Raafjager. De Huid had toen al zo'n macht over je dat je bereid was dood te gaan van de honger om hem te kunnen dienen. Dacht je op die manier het Volk te kunnen leiden?'

Arendschreeuw keek van IJsvuur naar Raafjager en terug. 'Wat is dat over die clans? Wat bedoel je met dat er nog meer zouden komen?'

Plotseling begreep Raafjager het, en het besef trof hem als een golf ijskoud water. 'Je hebt me gebruikt! Je wist dat ze me zouden volgen! Je *wist* het!'

'Natuurlijk,' zei IJsvuur rustig. 'Er was een heel krachtige prikkel voor nodig om de clans van het Mammoetvolk ertoe te bewegen naar het zuiden te komen. Ik kon niets beters verzinnen dan de Witte Huid door jou te laten stelen. Ik vermoedde dat het verlies van de Huid het enige was dat de clans in beweging kon brengen, en dat bleek juist te zijn. De clans zijn nu op weg naar het Grote IJs.'

Raafjager wankelde op zijn benen en zijn maag kromp ineen. Arendschreeuw en de rest schuifelden opzij, weg van de Anderen. Er werden dreigende blikken over en weer geworpen en werpspiesen werden betast. Dansende Vos keek zenuwachtig om zich heen, bang dat er bloed zou gaan vloeien. Alleen IJsvuur leek kalm. Hij glimlachte sereen.

Arendschreeuw riep: 'Als we de Anderen doden en de Witte Huid naar de andere kant van het ijs brengen en daar achterlaten, zullen ze ons misschien met rust laten.'

'Nee!' schreeuwde Rode Vuursteen. Hij rukte zich los uit de armen van Zingende Wolf en deed een stap in de richting van de Witte Huid, maar hij zonk onmiddellijk met een kreet van pijn neer op de grond.

'Laten we hen doden,' zei Kraaievoet. Hij en Arendschreeuw en de anderen liepen achteruit om ruimte te hebben voor het werpen van hun spiesen. De Anderen stelden zich verdedigend op rond IJsvuur.

'Genoeg! Hou op!' riep Dansende Vos terwijl ze naar voren stapte, de armen geheven.

'Ik heb gezworen geen wapens tegen hen te zullen gebruiken zolang ze het kamp van het Volk niet hadden bereikt,' zei Arendschreeuw. Zijn gezicht leek van steen. 'Wel, ze zijn nu hier. Ik ben dus niet langer door mijn eed gebonden!'

De andere krijgers vielen hem bij, en er klonk een geklik van spiesen die in atlatls werden gehaakt.

'Anderen,' zei Raafjager met diepe minachting. 'In het kamp van het Volk!' Hij stak zijn gebalde vuist omhoog en schreeuwde: 'Dood hen!'

Aan beide zijden gingen armen omhoog, klaar om de spiesen te werpen.

'Stop!' riep Dansende Vos vertwijfeld terwijl ze tussen de beide groepen sprong. 'Wacht!'

'Dood hen!' brulde Raafjager.

'Is hij hier?' vroeg Wolfdromer zacht toen hij haastige voetstappen hoorde naderen.

Hij Die Huilt tilde de deurhuid op van de zweettent die Wolfdromer had gebouwd. Een witte stoomwolk rolde naar buiten.

'Hij is hier,' zei hij. 'Kom snel. Gebroken Tak heeft me gestuurd om je te halen. Ze zei dat er moeilijkheden zouden komen en dat ik me moest haasten. Maar het heeft even geduurd voor ik je kon vinden.'

Wolfdromer zag de bezorgdheid in de ziel van Hij Die Huilt. Gele, rode en oranje patronen wervelden rond in zijn aura, en Wolfdromer keek geboeid toe, terwijl de bittere smaak van de paddestoelen door zijn aderen vloeide.

'Het maakt niet uit,' sprak hij ernstig. 'De moeilijkheden van Raafjager zullen voorbijgaan.'

Hij Die Huilt staarde hem verbijsterd aan, en de kleuren in zijn ziel veranderden. 'Natuurlijk maakt het uit! Moet het Volk dan nog meer lijden? Vervloekt, Wolfdromer, kun je je dan niet meer herinneren dat je een van ons bent? Jij bent onze Dromer! Jij bent verantwoordelijk voor ons welzijn. We hebben je *nodig!*'

'Kun je me vertellen waarom jullie me nodig hebben?'

Hij Die Huilt was zo verbaasd dat hij een ogenblik niets kon uitbrengen. Toen schudde hij zijn hoofd. 'Is de kloof tussen jou en ons zo groot geworden? Wij zijn hier omdat we jouw Droom hebben gevolgd. Misschien *zijn* we wel de Droom!'

'Ja, nu begrijp je het.'

'En – en als dat zo is, moet je meegaan om het allemaal weer goed te Dromen!'

'Een illusie kan geen recht laten gelden.'

Hij Die Huilt slikte de kreet van ergernis die naar zijn lippen welde in en sloeg met een gebalde vuist op de grond. 'Luister, met woorden kan ik niet tegen je op. Het enige dat ik wil, is in vrede jagen. Dat... dat is *mijn* Droom. Daarom vraag ik je mee te gaan.'

'Als je in vrede wilt jagen, is er maar één manier: jaag binnen in jezelf tot je je eigen Droom hebt gevonden.'

'Jaag binnen in... Grote Mammoet!' barstte Hij Die Huilt los. 'Begrijp je dan niet dat we je Macht nodig hebben?'

'Jullie hebben mij niet nodig.'

'Ja, we hebben je wél nodig! Raafjager heeft iets meegebracht dat Macht heeft – een of andere huid.'

'Uiteindelijk zal het niets uitmaken.'

Hij Die Huilt wilde iets antwoorden, aarzelde en klemde toen zijn kaken op elkaar. In zijn ziel ontstond een blauwe stip die snel groter werd. Gefascineerd keek Wolfdromer toe hoe het blauw van de wanhoop zich uitbreidde tot het de ziel van Hij Die Huilt geheel had overspoeld.

Hij Die Huilt zei met verstikte stem: 'Doe het dan voor de spiralen. Misschien vind je dat wél belangrijk, ik weet het niet.' En weg was hij. Zijn voetstappen verwijderden zich in de sneeuw.

'Voor de spiralen,' herhaalde Wolfdromer. Hij werd zich bewust van de roep van Wolf. 'De spiralen van het web. Ja...'

Hij keek dankbaar naar de resterende reepjes paddestoel die op de vossehuid naast hem lagen. Ze zagen er niet langer afschrikwekkend uit. Hij stond op, verliet de tent en ging door het bos op weg naar het kamp. Zijn stap was licht, zo licht dat het leek alsof hij voortgleed als een mist. Rondom hem zag hij de kleurige zielen van de dieren en de bomen, glinsterend en stralend.

De tijd boog zich om hem heen, zodat iedere stap een reis was in een andere wereld, alsof hij door verschuivende stukken transparant ijs keek. Beelden vloeiden in elkaar over, vormen veranderden, lijnen leken een eigen leven te leiden.

Na wat een oneindig lange tijd leek, bereikte hij het kamp. Het Volk was als een muur van blauwgroene straling, doorschoten met felle plekken rood en geel, de kleuren van angst, bezorgdheid en woede. Het was als de Monsterkinderen die elkaar bevochten aan de hemel, of zonlicht dat glinsterde in ijskristallen, brekend in vele kleuren.

Hij omhulde hen, raakte hun ziel aan met de zijne, voelde hun angst en achterdocht. Alles was doordrenkt van kleur, ook het vuur dat rood en geel oprees uit de gloeiende as. In het centrum van het Volk ontstond een beroering, twee groepen vormden zich, en in hun ziel vlamden oranjerode woede en groenachtig paarse angst. Deze zielen stonden op het punt van hun lichamen gescheiden te worden, en ze verzetten zich ertegen.

Daar stond Raafjager, een vreemde zwarte draaikolk die van binnenuit werd verlicht door een roodgele gloed, doorschoten met het lichte groen dat op opwinding en ambitie wees. De krijgers om hem heen brachten hun atlatls naar achteren, klaar om de spiesen te werpen.

'Als jullie elkaar bestrijden, breken jullie de spiraal,' zei hij zacht. Zijn stem drong rechtstreeks door tot diep in hun zielen. 'En zonder het web kunnen we niet overleven.'

Ze verstarden, draaiden hun hoofd in zijn richting, keken hem aan met starende ogen. De witte glans van nieuwsgierigheid verzachtte de omtrekken van hun ziel. Allen waren verbaasd en onrustig, behalve Dansende Vos en de man. De...

Wolfdromer bestudeerde de man, en zag de glanzende witte vossehuid rond zijn schouders. 'Eindelijk ontmoeten we elkaar dus, jij en ik,' zei hij. 'Ik groet je, vader.'

'En ik groet jou, Wolfdromer,' zei de man. Macht bewoog zich in hem, zijn ziel was strak en beheerst, het juiste evenwicht houdend tussen geest en lichaam.

Raafjager deed een stap naar voren en brulde: 'Dood hen! Ik ben de toekomst van het Volk. Als jullie hen niet doden, zullen we worden vernietigd door de Anderen. Luister naar mij, ik heb de Macht van de Witte Huid, ik ben verwekt door Vader Zon!'

'Je bent verwekt door mij,' zei de man op een toon die geen ruimte voor twijfel liet. Wit licht danste en wervelde in zijn borst.

'Waarom heb je tegen me gelogen?' zei Raafjager.

'Om je het leven te redden. Ik heb de Witte Huid over je laten oordelen. Je hebt jezelf vernietigd, want de Witte Huid weerspiegelt en versterkt slechts wat er in iemand leeft. Je ziel is verdorven.'

'Mijn ziel is sterk en machtig!' siste Raafjager.

'Je ziel is duister, broeder,' zei Wolfdromer. 'Je bent onvolledig, Raafjager. Je ziel kent geen mededogen.'

'Zwijg! Wat weet jij van zielen, van Dromen? Ik heb de toekomst gezien, mijn toekomst en die van Dansende Vos. Mijn kind zal het Volk naar het zuiden leiden.'

'De toekomst die je hebt gezien, was niet de jouwe,' zei Wolfdromer. 'Je hebt slechts een glimp opgevangen van de toekomst van je vader.'

IJsvuur keek hem fronsend aan. 'Mijn toekomst? Wat –'

'Nee! Het is *mijn* toekomst!' bulderde Raafjager.

Wolfdromer boog zijn hoofd en staarde in de vlammen van het vuur, voor wat een eeuwigheid leek. Beelden uit Reigers visioenen trokken aan zijn innerlijk oog voorbij, geuren en geluiden drongen zich aan hem op. Bergen van aarde verrezen langs een kronkelende, modderige rivier. Burchten van steen, vijf verdiepingen hoog, staken hoekig af tegen de blauwe hemel. Lange onderkomens, gebouwd van boombast, lagen gegroepeerd rond velden waarop hoge planten met zware kolven groeiden. De kolven werden geoogst en de leven gevende gele zaden hoopten zich op op de geweven matten van het Volk.

Jagers kwamen, krachtige mannen met lange ledematen, werpspiesen in hun handen houdend terwijl ze de bizons beslopen. De zon verschroeide het land, en vrouwen verzamelden woestijnplanten en oogsten het zaad door de planten tegen gevlochten manden te slaan. Een lang, dun schepsel kroop voort op zijn buik, zijn bek voorzien van giftanden, een ratel aan het eind van zijn staart. Ver naar het zuiden bouwden mensen bergen van steen terwijl Vader Zon afdaalde naar de aarde, gehuld in veren en schubben.

IJsvuurs stem drong door de lagen van de Droom heen. 'Het is nog niet te laat om onze toekomst veilig te stellen.' De stem echode in zijn geest: *'Veilig te stellen... Veilig te stellen... Veilig te stellen...'*

Wolfdromer knikte. 'Ja. Dat wat verdeeld is, moet weer Een worden.'

'Laat me je helpen,' zei IJsvuur terwijl hij langzaam naar Wolfdromer liep en voor hem stil bleef staan. Wolfdromer stak een hand uit en raakte zacht de borst van zijn vader aan, de plaats van waaruit het witte licht te voorschijn trad. Het licht verwarmde hem en zond golven van vrede en harmonie door hem heen. Voor hij besefte wat er gebeurde, had IJsvuur zijn sterke armen om hem heen geslagen en hem tegen zijn borst gedrukt.

Na een ogenblik liet IJsvuur hem weer los en zei: 'Mijn zoon, je hebt het Volk goed geleid.'

516

Dansende Vos deed een stap naar voren, en Wolfdromers ogen werden groot toen hij het kleine vonkje wit licht zag dat in haar buik groeide.

'Een zoon... voor een zoon,' zei hij met ingehouden adem. 'Nu begrijp ik het, Reiger.'

De minachtende stem van Raafjager was als een zwarte pijl die het tere weefsel van de Ene verscheurde. 'Ze is dus onder zijn huiden gekropen en heeft zijn zaad ontvangen. Kijk, krijgers! Als wij niets doen, wordt dit de dood van het Volk!'

De krijgers begonnen te mompelen en wierpen vijandige blikken op IJsvuur en Dansende Vos.

Wolfdromer schudde de resten van de Droom van zich af en richtte zijn aandacht op zijn broer. Raafjager stond rechtop, met hoge borst, zijn kin arrogant vooruit gestoken. Vlak bij hem lag het dode lichaam van een oude man.

'Je hebt Bizonrug gedood,' zei Wolfdromer zacht.

Raafjager lachte. 'En ik zal jou ook doden – zoals ik al jaren geleden had moeten doen.'

Wolfdromer stapte naar voren, maar Dansende Vos stak een hand uit en hield hem tegen. 'Niet doen! Hij is gevaarlijk!'

Hij keek haar glimlachend aan en legde met een teder gebaar zijn hand op haar buik, waarin het nieuwe leven fonkelde. Ze schrok een beetje, maar stapte niet achteruit. Toen ze hem vragend aankeek, zei hij: 'In jou komen de draden van het web bijeen. Wist je dat? Vanuit jou zal de spiraal opnieuw ontspringen en zich over het aangezicht van de aarde verspreiden.'

'Wat bedoel je?' vroeg ze aarzelend.

Hij voelde zich plotseling heel moe. Aan de grenzen van zijn geest hoorde hij de lokroep klinken, een spookachtig en toch vertrouwd gehuil. Hij draaide zich langzaam om en keek naar het zuiden. Wolf dook op uit het woud en naderde met lange, soepele gang. Aan de rand van de menigte bleef hij staan, hief zijn kop en snoof de lucht op.

Een huivering voer door Wolfdromer. 'Is het tijd om te gaan?'

Je hebt hun de weg getoond, man van het Volk. Kom.

Wolfdromer sloot zijn ogen en knikte. Toen wendde hij zich

tot IJsvuur. 'Laat niemand tussenbeide komen.'

'Maar je bent niet tegen hem opgewassen!' riep Dansende Vos terwijl ze een stap naar voren deed. IJsvuur hield haar tegen en zei tegen Wolfdromer: 'Niemand zal tussenbeide komen.'

'Ik beschuldig je van hekserij, broer!' brulde Raafjager, met ogen die brandden van haat. 'Je wilt het Volk vernietigen, maar ik zal je doden!'

Wolfdromer hoorde achter zich Dansende Vos op smekende toon tegen IJsvuur zeggen: 'Laat me los. Hij is niet sterk genoeg! Raafjager zal hem doodmaken!'

'Nee,' zei IJsvuur beslist.

Raafjager liep om het vuur heen, zijn goede hand tot een vuist gebald. De jonge krijgers drongen naar voren en volgden hem, hun wapens gereed voor de strijd.

Hij Die Huilt werkte zich door de menigte naar voren en schreeuwde: 'Hou ze tegen!'

'Nee!' zei IJsvuur terwijl hij hem bij de schouder greep.

'Maar het zijn *jouw* zonen! Je kunt toch niet toestaan dat ze –'

'Begrijp je het dan niet? Dit is onderdeel van de Droom!' fluisterde IJsvuur dringend. 'Bemoei je niet met dingen waar je geen verstand van hebt.'

Wolfdromer hoorde het zingen van de paddestoelen in zijn bloed en voelde de blik van Wolf op zich gericht. Hij spreidde zijn armen en liep Raafjager tegemoet. 'Kom, broeder, ga met mij mee. Onze tijd bij het Volk is voorbij. Volg me naar het zuiden. Laat mij je ziel zuiveren, laat mij je leren te Dromen.'

Raafjager deed een stap opzij, ongehaast. 'Zelfs gewond ben ik je veruit de baas, broer. Denk je dat jouw Droom sterker is dan ik? Sterker dan de Macht van de Witte Huid? Kijk naar jezelf! Je kunt niet eens meer onderscheid maken tussen verbeelding en werkelijkheid! En jij wilt het Volk leiden? Jij? Wat weet jij van *deze* wereld, Wolfdromer?'

'*Hij heeft gelijk,*' zei Wolf. De stem van het dier weerkaatste van de bosrand en vulde de open plek. '*Je tijd hier is voorbij.*'

'Maar ik... ik moet het Volk voor hem behoeden.' Hij keek onzeker in de gele ogen van Wolf. 'Niet?'

'Je hebt het Volk al behoed.'

Raafjager wees op zijn broer en keek grijnzend in het rond. 'Moet je hem zien! Hij praat tegen de lucht! Ik heb het altijd al gezegd, hij is gek! En toch hebben jullie hem al die tijd gevolgd.'

Wolfdromer richtte zijn blik weer op Raafjager en zag hoe zijn ziel zwarter werd en zich verdichtte. 'Je hebt gekozen,' zei hij, en hij liep om zijn broer heen en stapte het vuur in, Dansend met de vlammen. De zielen van de mensen rond het vuur flakkerden van angst terwijl hij zich bukte en gloeiende kooltjes opschepte met zijn handen.

In de schaduwen van Raafjagers ziel werden de eerste tekenen van onzekerheid zichtbaar. Zorgvuldig bracht Wolfdromer met een gloeiend stuk houtskool de gelijkenis van Wolf op zijn gezicht aan, dezelfde gelijkenis die hij die dag, buiten het Mammoetkamp, op zijn gezicht had getekend. Toen stak hij zijn armen uit naar Raafjager.

Voor het eerst voelde Raafjager angst. Hij deinsde achteruit, zijn gewonde arm beschermend met de andere.

'Kom, broeder,' zei Wolfdromer, zijn armen spreidend. 'Stap het Licht binnen. Omhels me, laat mijn ziel zich met de jouwe vermengen, laat de tegendelen samensmelten, opdat ze zich oplossen in de Ene.'

'Nee!' schreeuwde Raafjager. Hij stormde op Wolfdromer af, sleurde hem met zijn goede arm uit het vuur en smeet hem op de hardbevroren grond. De lucht werd met geweld uit Wolfdromers longen geperst en hij Danste met de pijn terwijl zijn lichaam vocht om adem naar binnen te krijgen.

Raafjager begon met zijn vuist op het gezicht van Wolfdromer te beuken terwijl hij brulde: 'Je bent een heks! Ik maak je dood en begraaf je! Nooit zal je ziel naar het Sterrenvolk gaan!' Zijn vingers sloten zich rond Wolfdromers keel, en terwijl zijn luchtpijp werd dichtgeknepen en zijn longen krijsten om lucht, Danste Wolfdromer en zag hij dat een blauw licht zich in zijn ziel begon te vormen – de voorbode van de dood.

'Hou hem tegen! *Doe iets!*' hoorde hij Dansende Vos gillen, van heel ver weg.

Zijn lippen vormden geluidloos woorden: 'Het maakt niet uit. Niets is belangrijk.'

Hij zag zijn lichaam tegen de dood strijden, voelde de greep van Raafjagers vingers verstrakken. En opnieuw kwam de lokroep van Wolf: '*Kom... Kom...*'

Zijn ziel huiverde, verlangend hem te volgen.

Raafjager liet Wolfdromers keel los, sprong overeind en boog zich dreigend over hem heen. 'Sta op!' schreeuwde hij. 'Sta op en vecht!'

Wolfdromer bleef een ogenblik liggen terwijl de adem reutelde in zijn keel. Toen krabbelde hij moeizaam overeind. Een verblindende lichtflits explodeerde in zijn buik, waar Raafjager hem met alle kracht schopte. Wolfdromer viel weer op de grond, en onder zijn hart begon een heet gevoel zich te verspreiden.

Een ogenblik lang trok hij zich terug in het niets voorbij de Dans. Met een vreemde afstandelijkheid keek hij naar zijn gefolterde lichaam. Raafjager had hem opnieuw geschopt, en zijn lege lichaam kronkelde en kokhalsde op de sneeuw.

De zwarte ziel van Raafjager lichtte op met een groene gloed terwijl hij zich bukte en een knie op Wolfdromers keel zette. Hij keek op naar Dansende Vos en stiet een schelle, triomfantelijke lach uit.

Opzij van hem kroop een gebogen gedaante uit de schaduwen te voorschijn. De ziel vertoonde alle tinten tussen rood, groen en blauw, en langs een van de armen van de oude vrouw schoot een vonkende lans van oranjewitte pijn omhoog. Maar ze lette niet op de pijn en schuifelde verder in de richting van Raafjager.

Wolfdromer richtte zijn ogen weer op Wolf. Het dier was hem nu zo dicht genaderd dat hij de warme adem op zijn gezicht kon voelen. *Moet ik terug in mijn lichaam? Is er een reden om de vrede en de stilte van de Ene te verlaten? Ik wil niet terug. Zelfs niet voor het korte moment dat nodig zal zijn om dit tot een einde te brengen.*

Wolf keek hem alleen maar aan. Zijn gele ogen glinsterden in het licht van het vuur.

Wolfdromer Danste terug in zijn lichaam op hetzelfde moment dat Gebroken Tak Raafjager bereikte. Ondanks de verblindende pijn in zijn keel, ondanks zijn brandende longen, voelde hij het koele, gladde hout van de spies die de oude vrouw in zijn hand drukte. Een zweem van Hij Die Huilts ziel kleefde nog aan de bewerkte pijlpunt. *Dit is een goed wapen. Hiermee kan ik de oplossing bewerkstelligen.* Geleid door de trillingen van Raafjagers harde ziel, stootte hij het wapen opwaarts, tot in het centrum van zijn broeders Dans.

Raafjager verstijfde toen de spies zijn zij binnendrong en zijn lever en longen doorboorde. Uit de schaduwen steeg Gebroken Taks opgetogen lach op.

Raafjager kwam langzaam overeind en staarde met open mond om zich heen, wankelend op zijn benen. Bloed stroomde over het leer van zijn parka en laarzen naar beneden en maakte donkerrode vlekken in de sneeuw.

Hij strompelde blindelings de vuurkuil in, en de vlammen lekten langs zijn laarzen omhoog. Hij krijste luid toen de gloeiende as door de gaten van zijn zolen zijn voeten brandde. Schreeuwend van pijn en angst rende hij de nacht in.

Een stilte daalde neer over het Volk. Hun zielen rimpelden en golfden en verenigden zich tot een zee van licht.

Wolfdromer stond op en wankelde naar zijn vader toe. 'Eens heb je omhooggekeken naar de nachtelijke hemel en hebt daar de Spin gezien, hangend te midden van de sterren. Zijn web is nu voltooid en is begonnen zich uit te breiden, in buitenwaartse spiralen. Een zoon... in ruil voor een zoon.'

'*Kom...*' zei de spookachtige stem van Wolf, en hij voelde een vertrouwde, fluweelzachte neus tegen zijn hand drukken.

Hij keek omlaag en hield de ogen van het dier enkele tellen vast. Toen draaide Wolf zich om, drafde naar de bosrand en bleef daar staan wachten.

Hij volgde, op onvaste benen. Het Volk week uiteen om hem door te laten. De paddestoelen in zijn bloed fluisterden opgewonden, vol verwachting.

'Wacht,' riep Hij Die Huilt terwijl hij hem achterna kwam. 'Waar ga je naar toe?'

Wolfdromer stak een bevende hand uit en raakte Hij Die

Huilt aan, en hij voelde de warmte van zijn ziel. 'Ergens waar jij niet kan komen, oude vriend. Naar een plaats waarheen Wolf me roept.'

'Wolf? mompelde Hij Die Huilt verbaasd, Wolfdromer na-ogend. Hij bleef staan kijken, met een verloren uitdrukking op zijn gezicht, tot Wolfdromer tussen de bomen was verdwenen.

Vanuit de duisternis achter hem kwam zacht de krassende oude stem van Gebroken Tak die fluisterde: 'Wolfdroom!'

66

Het kamp was opgeslagen aan de rand van het woud, waar een heuvel het bescherming bood tegen de wind uit het noorden en waar het Volk vanaf de hoogten kon uitkijken over de grasvlakten die zich ver naar het zuiden uitstrekten. Het zacht glooiende land onder het kamp was welig begroeid met gras en herfstplanten, donker in de schemering die aan de zonsopgang voorafging. Ver naar het zuiden woedde een prairiebrand die een dikke grijsbruine rookpluim de hemel instuurde. Op de golvende vlakte ten oosten van het kamp graasde een grote kudde bizons, waartussen zich hier en daar gaffelantilopen bewogen, lichtvoetig en snel als de wind.

Hij Die Huilt ging verzitten en keek over zijn schouder naar de tent waarin Dansende Vos was verdwenen toen haar weeën begonnen. 'Het duurt wel erg lang.'

Zingende Wolf haalde zijn schouders op. 'Als je erop wacht, duurt het altijd lang.' Met vaardige handen sneed hij schilfers hout van een tak die de afneembare schacht van een werpspies moest worden.

'Ik begrijp niet hoe jij dat voor elkaar krijgt,' zei Hij Die Huilt. 'Die van mij zijn lang niet zo goed. De schacht moet precies passen, anders werkt het niet. Ik snap niet waarom die van mij altijd minder zijn dan die van jou.'

'Dezelfde reden waarom mijn pijlpunten altijd minder zijn dan die van jou.'

'Het bindsel is nog steeds te dik,' zei Hij Die Huilt, peinzend starend naar de pijlpunt die hij uit zijn buidel had gehaald.

Ze zwegen een tijdje terwijl Hij Die Huilt de kleurige punt om en om draaide in zijn handen en Zingende Wolf lange schilfers hout van de schacht in wording sneed.

'Is Maanwater nog steeds boos op Springende Haas?'

'Komt de zon in het oosten op?'

'Ik begrijp niet waarom die twee bij elkaar zijn. Ik zou haar allang mijn tent uitgezet hebben. Die vrouw is hem alleen maar tot last.'

'Wat mij betreft, mag ze vandaag nog last komen veroorzaken onder mijn huiden,' zei Zingende Wolf grinnikend. 'Maar wat kan ze doen? Teruggaan naar de tent van Rode Vuursteen? Nadat Springende Haas een manshoge stapel pelzen voor haar had geboden? En ook nog eens drie van onze werpspiesen? Nee, zij gaat niet bij hem weg. Bovendien is Springende Haas de vader van haar tweeling.'

Ze zwegen weer een tijdje. IJsvuur kwam aanlopen en ging naast hen zitten. Hij Die Huilt zoog zijn wangen naar binnen en kauwde erop. 'Vreemd om te bedenken dat we vroeger oorlog voerden met de Clan Van De Witte Slagtand.' Hij tuurde peinzend naar het zuiden. 'Denk je dat Wolfdromer geweten heeft hoe het allemaal zou aflopen?'

'Ja,' zei IJsvuur. 'Ik denk dat hij dit alles voorzien heeft – en nog veel meer.'

'Je ziet er zenuwachtig uit,' merkte Zingende Wolf op. 'Je hoeft je niet ongerust te maken. Ik heb het nu vijf keer meegemaakt, en het gaat altijd goed.'

IJsvuur glimlachte iets te gehaast en wreef zijn handpalmen tegen elkaar. 'Vijf keer? Dit is voor mij de eerste keer.'

'Groen Water zal goed voor haar zorgen. En Gebroken Tak is er ook bij. Waar zij is, durft geen enkele kwade geest zich te vertonen. Gaat de Witte Huid weer terug naar de Tijgerbuik Clan?'

IJsvuur frummelde aan een van zijn grijzende vlechten. 'Heb jij hier een Vijand gezien waaraan we genoeg eer zouden kunnen behalen om de Huid in ons bezit te houden? Nee, ik denk dat de Witte Huid nu heel wat jaren in het bezit van de Tijgerbuik Clan zal blijven.'

'Het water stijgt nog steeds. Na een tijdje zullen ze hun eer ergens anders moeten gaan verdienen.'

IJsvuur lachte. 'Ze verzinnen wel iets.'

Hij Die Huilt hield de pijlpunt omhoog en schudde zijn hoofd. 'Het bindsel is te dik.'

IJsvuur greep de gelegenheid aan om de gedachten aan wat zich in de tent achter hem afspeelde uit zijn geest te bannen. Hij bekeek de pijlpunt aandachtig en zei: 'Als je nu eens aan weerskanten van de basis een scherf afsloeg, zodat er twee groeven ontstaan waar het uiteinde van de schacht in past?'

Hij Die Huilt bestudeerde de basis van de pijlpunt. Met een sceptische uitdrukking op zijn verweerde gezicht haalde hij de gereedschappen uit zijn buidel en schuurde met de zandsteen twee richels uit in de onderkant van de pijlpunt. Daarna plaatste hij de geweipunt op een richel en hief het bot dat hij als klopper gebruikte. 'Nou, daar gaat hij dan.' Met een snelle beweging liet hij de klopper neerkomen, en een lange, taps toelopende scherf sprong van de onderkant van de pijlpunt af. Hij bekeek het resultaat, grijnsde en klopte van de andere kant ook een scherf af.

'Hé!' riep Zingende Wolf verontwaardigd. 'Schei daar mee uit! Iedere keer als ik ga zitten, prikt er zo'n –'

'O, hou je mond! Het enige dat jij kan zeggen, is: "Schei uit. Schei uit." Iedere keer als ik wat maak, begin jij te jammeren dat je last hebt van rondvliegende scherven. Wanneer ben jij voor het laatst in een scherf gaan zitten?'

'Hoe is de punt geworden?' vroeg IJsvuur.

'O ja, de punt,' mompelde Hij Die Huilt met een verlegen grijns. Hij hield hem omhoog. De pijlpunt van rood dooraderde gele hoornkiezel had de lengte van een mannehand, en het licht fonkelde op de punten en in de holtes die waren veroorzaakt door weggeslagen scherven. De twee taps toelopende zijkanten eindigden bovenaan in een vlijmscherpe punt, en de onderkant van de punt was hol op de plaatsen waar de twee laatste scherven waren verwijderd.

'Ik geloof dat...' zei Hij Die Huilt ademloos. 'Ja, kijk!' Hij griste de bijna voltooide schacht uit Zingende Wolfs handen en plaatste de taps toelopende onderkant van de pijlpunt in de inkeping aan de bovenkant van de schacht. Het paste precies. 'Dit is de oplossing!'

IJsvuur en Zingende Wolf bogen zich voorover om beter te kunnen zien, en ze zuchtten vol bewondering.

'Weet je,' zei IJsvuur peinzend, 'dat is bijna te mooi om zo-maar in een dier te gooien.'

Hij Die Huilt straalde.

In de tent achter hen werden de stemmen van de vrouwen lui-der. IJsvuur verstrakte, en zelfs Zingende Wolf – door de wol ge-verfd als hij was – ging rechtop zitten.

Het gehuil van het kind klonk schril in de stilte.

Enkele tellen later hobbelde Gebroken Tak de tent uit, een tandeloze grijns op haar gerimpelde gezicht. Ze hield het kind omhoog. 'Een jongen. Ha-eeee! Alsof de Dromer dat niet allang wist!'

Een merkwaardig gevoel deed IJsvuurs hart zwellen. 'Een zoon voor een zoon. Ja...' Zijn gedachten gingen terug naar de nacht waarin Wolfdromer was verdwenen, na het gevecht met Raafjager. Ze hadden de hele nacht en de dag daarop gezocht, maar ze hadden geen spoor van hem kunnen vinden, zelfs geen enkele voetafdruk in de sneeuw.

Maar de wolven hadden dagenlang triomfantelijk gehuild.

IJsvuur schudde zijn hoofd en keerde terug naar het heden. 'En mijn vrouw? Hoe is het met Dansende Vos?'

'Heel goed. Maak je maar geen zorgen.' Ze schuifelde met het kind in haar armen naar het vuur, hield het omhoog naar Vader Zon en haalde het vervolgens viermaal door de zuiverende rook.

'Luister, jongen,' zei ze zacht. 'Ik ga je het mooiste verhaal van het Volk vertellen. Je moet het goed onthouden zodat je het kunt doorvertellen aan je zonen en dochters en aan hun zonen en dochters. Je bent het centrum van het web, kleine. Dat heeft je broer, Wolfdromer, gezegd, en hij was de grootste Dromer die het Volk ooit heeft gehad. Hij heeft alles voorzien. Alles.' Ze hief een verschrompelde arm op en wees ermee naar de weelderige vallei, die wemelde van het wild. 'Kijk, daar!'

> *'Zij bouwen een berg, een berg van stof.*
> *Geboren uit stof verrijst hij.*
> *Geboren uit zweet.*
> *Geboren uit pijn.*

> *Hoog boven de ongebroken rivier verrijst hij,*
> *En wendt zijn hoofd naar de zonsopgang.*
> *De Vader der Wateren stroomt breed over het land...'*

Zingende Wolf lachte zacht en zwaaide zijn vinger voor het gezicht van IJsvuur heen en weer. 'Zie je wel? Ik zei toch dat alles goed zou gaan? Dansende Vos is veel te sterk om – Au!'

'Wat is er?' riep Hij Die Huilt.

'Dit!' zei Zingende Wolf beschuldigend terwijl hij een hand uitstak. In het vlezige deel van zijn handpalm stak een scherf rood dooraderde gele hoornkiezel.

IJsvuur begon te lachen, maar op dat moment begon het kind in Gebroken Taks armen kleine geluidjes te maken en een vreemd gevoel overviel hem. Zijn borst tintelde en voelde hol aan. Hij schudde zichzelf, maar het gevoel liet zich niet verdrijven, en om toch iets te kunnen doen, sloeg hij zijn armen stijf over elkaar. Zijn blik werd getrokken naar de vallei in de verte. Het weelderige gras golfde onder de liefkozende aanraking van Vrouw Wind. Een mammoet hief plotseling zijn ruigbehaarde kop, alsof ook hij de zilvergrijze schaduw zag die door het gras ging, met lange, soepele gang, oplichtend in de gouden gloed van de dageraad terwijl hij van dier tot dier ging en de neuzen aanraakte van muskusossen en kariboes, muizen en bizons.

En IJsvuur hoorde in zijn geest een prachtige stem fluisteren: 'Dit is het land van het Volk... Ik toon je de weg, mens... Ik toon je de weg...'